LE MONDE D'HIER

D'HIER

Souvenirs d'un Européen

STEFAN ZWEIG

LE MONDE D'HIER

Souvenirs d'un Européen

Traduction nouvelle
de Serge NIÉMETZ

belfond
12, avenue d'Italie
75013 Paris

Cet ouvrage a été publié sous le titre original
DIE WELT VON GESTERN
par Bermann-Fischer Verlag AB, Stockholm
et traduit avec le concours
du Centre National des Lettres

Si vous souhaitez recevoir notre catalogue
et être tenu au courant de nos publications,
envoyez vos nom et adresse, en citant ce livre,
aux Éditions Belfond,
12, avenue d'Italie, 75013 Paris.
Et, pour le Canada, à
Édipresse Inc., 945, avenue Beaumont,
Montréal, Québec H3N 1W3.
ISBN 978-2-7144-2959-9

place
des
éditeurs

Faisons face au temps
comme il vient et change.

Shakespeare, *Cymbeline*

PRÉFACE

Je n'ai jamais attribué tant d'importance à ma personne que j'eusse éprouvé la tentation de raconter à d'autres les petites histoires de ma vie. Il a fallu beaucoup d'événements, infiniment plus de catastrophes et d'épreuves qu'il n'en échoit d'ordinaire à une seule génération, avant que je trouve le courage de commencer un livre qui eût mon propre moi pour personnage principal ou, plus exactement, pour centre.

Rien n'est plus éloigné de mon dessein, ce faisant, que de me mettre en évidence, si ce n'est au même titre qu'un conférencier commentant les images projetées sur l'écran ; le temps produit les images, je me borne aux paroles, et ce n'est pas tant *mon* destin que je raconte que celui de toute une génération, notre génération singulière, chargée de destinée comme peu d'autres au cours de l'histoire. Chacun de nous, même le plus infime et le plus humble, a été bouleversé au plus intime de son existence par les ébranlements volcaniques presque ininterrompus de notre terre européenne ; et moi, dans la multitude, je ne saurais m'accorder d'autres privilèges que celui-ci : en ma qualité d'Autrichien, de Juif, d'écrivain, d'humaniste et de pacifiste, je me suis toujours trouvé à l'endroit exact où ces secousses sismiques exerçaient leurs effets avec le plus de violence. Par trois fois, elles ont bouleversé mon foyer et mon existence, m'ont détaché de tout futur et de tout passé et, avec leur dramatique véhémence, précipité dans le vide, dans ce « Je ne sais où aller » qui m'était déjà bien connu.

9

Mais je ne m'en suis pas plaint : l'apatride, justement, se trouve en un nouveau sens libéré, et seul celui qui n'a plus d'attache à rien n'a plus rien à ménager. J'espère ainsi remplir au moins une des conditions essentielles à toute peinture loyale de notre époque : la sincérité et l'impartialité.

Car retranché de toutes racines, et même de la terre qui avait nourri ces racines, je l'ai été comme peu d'hommes, véritablement, le furent jamais. Je suis né en 1881 dans un grand et puissant empire, la monarchie des Habsbourg ; mais qu'on ne le cherche pas sur la carte ; il a été effacé sans laisser de trace. J'ai été élevé à Vienne, la métropole deux fois millénaire, capitale de plusieurs nations, et il m'a fallu la quitter comme un criminel avant qu'elle ne fût ravalée au rang d'une ville de province allemande. Mon œuvre littéraire, dans sa langue originelle, a été réduite en cendres, dans ce pays même où mes livres s'étaient fait des amis de millions de lecteurs. C'est ainsi que je n'ai plus ma place nulle part, étranger partout, hôte en mettant les choses au mieux ; même la vraie patrie que mon cœur s'est choisie, l'Europe, est perdue pour moi depuis que pour la seconde fois, courant au suicide, elle se déchire dans une guerre fratricide. Contre ma volonté, j'ai été le témoin de la plus effroyable défaite de la raison et du plus sauvage triomphe de la brutalité qu'atteste la chronique des temps ; jamais — ce n'est aucunement avec orgueil que je le consigne, mais avec honte — une génération n'est tombée comme la nôtre d'une telle élévation spirituelle dans une telle décadence morale. Durant ce petit intervalle entre le temps où ma barbe commençait à pousser et aujourd'hui, où elle commence à grisonner, durant ce dernier demi-siècle, il s'est produit plus de transformations et de transmutations radicales que d'ordinaire en dix âges d'hommes et, chacun de nous le sent : presque trop ! Mon aujourd'hui est si différent de chacun de mes hier, avec mes phases d'ascension et mes chutes, qu'il me semble avoir vécu non pas une existence, mais plusieurs, en tout point dissemblables. Car il m'arrive souvent, quand je dis sans y prendre garde : « Ma vie », de me demander involontairement : « *Laquelle* de mes vies ? » Celle d'avant la Guerre mondiale, celle d'avant la première ou d'avant la seconde, ou encore ma vie de maintenant ? Puis je me surprends derechef à dire : « Ma maison », sans savoir sur l'instant de laquelle de mes anciennes demeures j'entendais parler, de celle de Bath ou de Salzbourg, ou de la maison de mes parents à Vienne. Ou encore, je dis : « Chez nous », et dois me souvenir avec effroi que, pour les gens de ma patrie, il y a longtemps que je suis aussi peu un d'entre eux que pour les Anglais ou pour les Américains, que je ne suis plus lié organiquement à ceux de là-bas, et qu'ici je ne suis jamais tout à fait intégré. Le monde dans lequel j'ai grandi, et celui d'aujourd'hui, et ceux qui s'insèrent entre eux, se séparent de plus en plus, dans mon sentiment, en autant de mondes totalement distincts ; chaque fois qu'au cours d'une conversation je rapporte à des amis plus jeunes des épisodes de l'époque antérieure à la Première Guerre, je remarque à leurs questions étonnées combien ce qui est encore pour moi la plus évidente des réalités est devenu pour eux de l'histoire, ou combien il leur est impossible de se le représenter. Et un secret instinct en moi leur donne raison : entre notre aujourd'hui, notre hier et notre avant-hier, tous les ponts sont rompus. Moi-même, je ne puis m'empêcher de m'étonner de l'abondance, de la variété que nous avons condensées dans l'étroit espace d'une seule existence — à la vérité fort précaire et dangereuse, surtout quand je la compare avec le genre de vie de nos devanciers. Mon père, mon grand-père, qu'ont-ils vu ? Ils vivaient leur vie tout unie dans sa forme. Une seule et même vie du commencement à la fin, sans élévations, sans chutes, sans ébranlements et sans périls, une vie qui ne connaissait que de légères tensions, des transitions insensibles. D'un rythme égal, paisible et nonchalant, le flot du temps les portait du berceau à la tombe. Ils vivaient sans changer de pays, sans changer de ville, et même presque toujours sans changer de maison ; les événements du monde extérieur ne se produisaient à vrai dire que dans le journal et ne venaient pas frapper à la porte de leur chambre. De leur temps, il y avait bien quelque guerre quelque part, mais ce n'était jamais qu'une petite guerre, rapportée aux dimensions de celles d'aujourd'hui, et elle se déroulait loin à la frontière, on n'entendait pas les canons, et au bout de six mois elle était éteinte, oubliée, elle n'était plus qu'une page d'histoire pareille à une feuille desséchée, et l'ancienne vie reprenait, toujours la même. Nous, en revanche, nous avons tout vécu sans retour, rien ne subsistait d'autrefois, rien ne revenait ; il nous a été réservé de participer au plus haut point à une masse d'événements que l'histoire, d'ordinaire, distribue à chaque fois avec parcimonie à tel pays, à tel siècle. Au pis aller, une génération traversait une révolution, la deuxième un putsch, la troisième une guerre, la quatrième une famine, la cinquième une banqueroute de l'État — et bien des peuples bénis, bien des générations bénies, rien même de tout cela. Mais nous, qui à soixante ans pourrions légitimement avoir encore un peu de temps devant nous, que n'avons-nous *pas* vu, *pas* souffert, *pas* vécu ? Nous avons étudié à fond et d'un bout à l'autre le catalogue de toutes les catastrophes imaginables (et nous n'en sommes pas encore à la dernière page). A moi seul, j'ai été le contemporain des deux plus grandes guerres qu'ait connues l'humanité, et je les ai même vécues sur deux fronts différents : la première sur le front allemand, la seconde sur le front opposé. J'ai vécu dans l'avant-guerre la forme et le degré les plus élevés de la liberté individuelle et, depuis, le pire état d'abaissement qu'elle eût subi depuis des siècles, j'ai été fêté et proscrit, j'ai été libre et asservi, riche et pauvre. Tous les chevaux livides de l'Apocalypse se sont rués à travers mon existence : révolution et famine, dévalorisation de la monnaie et terreur, épidémies et émigration ; j'ai vu croître et se répandre sous mes yeux les grandes idéologies de masse, fascisme en Italie, national-socialisme en Allemagne, bolchevisme en Russie, et avant tout cette plaie des plaies, le nationalisme, qui a empoisonné la fleur de notre culture européenne. Il m'a fallu être le témoin sans défense et impuissant de cette inimaginable rechute de l'humanité dans un état de barbarie qu'on croyait depuis longtemps oublié, avec son dogme antihumaniste consciemment érigé en programme d'action. Il nous était réservé de revoir après des siècles des guerres sans déclaration de guerre, des camps de concentration, des tortures, des spoliations massives et des bombardements de villes sans défense, tous actes de bestialité que les cinquante dernières générations n'avaient plus connus et que les futures, espérons-le, ne souffriront plus. Mais, paradoxalement, dans ce même temps, alors que notre monde régressait brutalement d'un millénaire dans le domaine de la moralité, j'ai vu cette même humanité s'élever dans les domaines de l'intelligence et de la technique à des prodiges inouïs, dépassant d'un coup d'aile tout ce qu'elle avait accompli en des millions d'années : la conquête de l'éther par l'avion, la transmission à la seconde même de la parole terrestre sur toute la surface de notre globe et, de ce fait, la domination de tout notre espace, la fission de l'atome, la victoire remportée sur les maladies les plus insidieuses, la réalisation presque journalière de nouveaux exploits qui semblaient hier encore impossibles. Jamais jusqu'à notre époque l'humanité dans son ensemble ne s'est révélée plus diabolique par son comportement et n'a accompli tant de miracles qui l'égalent à la divinité.

Il me paraît de mon devoir de rendre témoignage de

cette vie tendue, dramatique, riche en surprises qui aura été la nôtre car, je le répète, chacun a été témoin de ces prodigieuses transformations, chacun a été forcé d'être témoin.

Pour notre génération, il n'y avait point d'évasion possible, point de mise en retrait : grâce au synchronisme universel de notre nouvelle organisation, nous étions constamment engagés dans notre époque. Quand les bombes réduisaient les maisons en miettes à Shanghai, nous le savions en Europe, dans nos chambres, avant que les blessés eussent été retirés des décombres. Ce qui se passait à un millier de milles au-delà des mers bondissait jusqu'à nous en images animées. Il n'y avait point de protection, point de sûreté contre cette information et cette participation permanentes. Il n'y avait point de pays où l'on pût se réfugier, point de solitude silencieuse que l'on pût acheter ; toujours et partout, la main du destin se saisissait de nous pour nous entraîner de nouveau dans son jeu insatiable.

On était constamment tenu de se soumettre aux exigences de l'État, de se livrer en proie à la plus stupide politique, de s'adapter aux changements les plus fantastiques, on était toujours enchaîné irrésistiblement. Quiconque a traversé cette époque ou, pour mieux dire, y a été chassé et traqué — nous avons eu peu de répit — a vécu plus d'histoire qu'aucun de ses ancêtres. Aujourd'hui encore, nous nous trouvons une fois de plus face à un tournant, à une conclusion et à un nouveau début. Ce n'est donc absolument pas sans dessein que j'arrête à une date précise ce regard rétrospectif sur ma vie. Car cette journée de septembre 1939 met un point final à l'époque qui a formé et instruit les sexagénaires dont je suis. Mais si, par notre témoignage, nous transmettons à la génération qui vient ne serait-ce qu'une parcelle de vérité, vestige de cet édifice effondré, nous n'aurons pas œuvré tout à fait en vain.

Je suis conscient des conditions défavorables, mais très caractéristiques de notre époque, dans lesquelles j'entreprends de donner forme à mes souvenirs. Je les rédige en pleine guerre, je les rédige à l'étranger sans la moindre pièce d'archives qui puisse secourir ma mémoire. Je ne dispose dans ma chambre d'hôtel ni d'un exemplaire de mes livres, ni d'une note, ni d'une lettre d'ami. Nulle part je ne puis me procurer de renseignements, car dans le monde entier les relations postales de pays à pays sont rompues ou entravées par la censure. Nous vivons aussi isolés les uns des autres qu'il y a des centaines d'années, alors que l'on n'avait inventé ni les bateaux à vapeur, ni les chemins de fer, ni l'avion, ni la poste. De tout mon passé, je n'ai donc rien d'autre par-devers moi que ce que je porte sous mon front. En cet instant, tout le reste est pour moi inaccessible. Mais notre génération a appris à fond l'excellent art de faire son deuil de ce qu'on a perdu, et peut-être ce défaut de documents et de détails tournera-t-il au profit de mon ouvrage. Car je considère que si notre mémoire retient *tel* élément et laisse *tel autre* lui échapper, ce n'est pas par hasard : je la tiens pour une puissance qui ordonne sa matière en connaissance de cause et la trie avec sagesse. Tout ce qu'on oublie de sa propre vie, un secret instinct l'avait en fait depuis longtemps déjà condamné à l'oubli. Seul ce que je veux moi-même conserver a quelque droit d'être conservé pour autrui. Parlez donc et choisissez, ô mes souvenirs, vous et non moi, et rendez au moins un reflet de ma vie, avant qu'elle sombre dans les ténèbres.

Le monde de la sécurité

Élevés dans le calme et la retraite et le repos,
On nous jette tout à coup dans le monde ;
Cent mille vagues nous baignent,
Tout nous sollicite, bien des choses nous
* plaisent,*
Bien d'autres nous chagrinent, et d'heure en
* heure,*
Un peu troublée, notre âme chancelle ;
Nous éprouvons des sensations et ce que nous
* avons senti,*
Le tourbillon varié du monde l'emporte loin
de nous dans ses flots.

Goethe

Si je cherche une formule commode qui résume l'époque antérieure à la Première Guerre mondiale, dans laquelle j'ai été élevé, j'espère avoir trouvé la plus expressive en disant : « C'était l'âge d'or de la sécurité. » Tout, dans notre monarchie autrichienne, presque millénaire, semblait fondé sur la durée, et l'État lui-même paraissait le suprême garant de cette pérennité. Les droits qu'il octroyait à ses citoyens étaient scellés par actes du Parlement, cette représentation librement élue du peuple, et chaque devoir déterminé avec précision. Notre monnaie, la couronne autrichienne, circulait en brillantes pièces d'or et nous assurait ainsi de son immutabilité. Chacun savait combien il possédait ou combien lui revenait, ce qui était permis ou défendu. Tout avait sa norme, sa mesure et son poids déterminés. Qui possédait une fortune pouvait calculer exactement ce qu'elle lui rapportait chaque année en intérêts ; le fonctionnaire, l'officier trouvait dans le calendrier l'année où il était assuré de bénéficier d'une promotion ou de partir en retraite. Chaque famille avait son budget bien établi, elle savait ce qu'elle aurait à dépenser pour le vivre et le couvert, pour les voyages estivaux et la représentation ; en outre, on prenait inévitablement la précaution de réserver une petite somme pour les imprévus, pour les frais de maladie et les soins du médecin. Qui possédait une maison la considérait comme le foyer assuré de ses enfants et petits-enfants, une ferme ou un commerce se transmettaient de génération en génération ; alors que le nourrisson était encore au berceau, on déposait déjà dans la tirelire ou à la caisse d'épargne une première obole en vue de son voyage à travers l'existence, une petite « réserve » pour l'avenir. Tout, dans ce vaste empire, demeurait stable et inébranlable, à sa place — et à la plus élevée, l'empereur, un vieillard ; mais s'il venait à mourir, on savait (ou on pensait) qu'un autre lui succéderait et que rien ne changerait dans cet ordre bien calculé. Personne ne croyait à des guerres, à des révolutions et à des bouleversements. Tout événement extrême, toute violence paraissaient presque impossibles dans une ère de raison.

Ce sentiment de sécurité était le trésor de millions d'êtres, leur idéal de vie commun, le plus digne d'efforts. Seule une telle vie de sécurité semblait valoir d'être vécue, et des milieux toujours plus étendus désiraient leur part de ce bien précieux. Seuls les possédants jouirent d'abord de cet avantage, mais peu à peu les grandes masses parvinrent à y accéder ; le siècle de la sécurité devint l'âge d'or des assurances. On assura sa maison contre le feu et les cambrioleurs, son champ contre la grêle et les orages, son corps contre les accidents et la maladie, on s'acheta des rentes viagères pour ses vieux jours et l'on déposa dans le berceau des filles une police pourvoyant à leur future dot. Enfin les ouvriers eux-mêmes s'organisèrent et conquirent par leur lutte un salaire normalisé et des caisses de maladie ; les domestiques prirent sur leurs économies une assurance-vieillesse et payèrent d'avance à la caisse mortuaire leur propre enterrement. Seul celui qui pouvait envisager l'avenir sans appréhension jouissait avec bonne conscience du présent.

Dans cette touchante confiance où l'on était sûr de pouvoir entourer sa vie de palissades sans la moindre brèche par où le destin eût pu faire irruption, il y avait, malgré toute la sagesse rangée et toute la modestie des conceptions de vie qu'elle supposait, une grande et dangereuse présomption. Le XIXe siècle, dans son idéalisme libéral, était sincèrement convaincu qu'il se trouvait sur la route rectiligne et infaillible du « meilleur des mondes possibles ». On considérait avec dédain les époques révolues, avec leurs guerres, leurs famines et leurs révoltes, comme une ère où l'humanité était encore mineure et insuffisamment éclairée. Mais à présent, il ne s'en fallait plus que de quelques décennies pour que les dernières survivances du mal et de la violence fussent définitivement dépassées, et cette foi en un « Progrès » ininterrompu et irrésistible avait véritablement, en ce temps-là, toute la force d'une religion. On croyait déjà plus en ce « Progrès » qu'en la Bible, et cet évangile semblait irréfutablement démontré chaque jour par les nouveaux miracles de la science et de la technique. Et en effet, à la fin de ce siècle de paix, une ascension générale se faisait toujours plus visible, toujours plus rapide, toujours plus diverse. Dans les rues, la nuit, au lieu des pâles luminaires, brillaient des lampes électriques ; les grands magasins portaient des artères principales jusque dans les faubourgs leur nouvelle splendeur tentatrice ; déjà, grâce au téléphone, les hommes pouvaient converser à distance, déjà ils volaient avec une vélocité nouvelle dans des voitures sans chevaux, déjà ils s'élançaient dans les airs, accomplissant le rêve d'Icare. Le confort des demeures aristocratiques se répandait dans les maisons bourgeoises, on n'avait plus à sortir chercher l'eau à la fontaine ou dans le couloir, à allumer péniblement le feu du fourneau ; l'hygiène progressait partout, la crasse disparaissait. Les hommes devenaient plus beaux, plus robustes, plus sains depuis que le sport trempait leur corps comme de l'acier ; on rencontrait de plus en plus rarement dans les rues des infirmes, des goitreux, des mutilés, et tous ces miracles, c'était l'œuvre de la science, cet archange du progrès ; d'année en année, on donnait de nouveaux droits à l'individu, la justice se faisait plus douce et plus humaine, et même le problème des problèmes, la pauvreté des grandes masses, ne semblait plus insoluble. Avec le droit de vote, on accordait à des classes de plus en plus étendues la possibilité de défendre leurs intérêts par des voies légales, sociologues et professeurs rivalisaient de zèle pour rendre plus saine et même plus heureuse la vie des prolétaires — quoi d'étonnant, dès lors, si ce siècle se chauffait complaisamment au soleil de ses réussites et ne considérait la fin d'une décennie que comme le prélude à une autre, meilleure encore ? On croyait aussi peu à des rechutes vers la barbarie, telles que des guerres entre les peuples d'Europe, qu'aux spectres ou aux sorciers ; nos pères étaient tout pénétrés de leur confiance opiniâtre dans le pouvoir infaillible de ces forces de liaison qu'étaient la tolérance et l'esprit de conciliation. Ils pensaient sincèrement que les frontières des divergences entre nations et confessions se fondraient peu à peu dans une humanité commune et qu'ainsi la paix et la sécurité, les plus précieux des biens, seraient imparties à tout le genre humain.

Il nous est aisé, à nous, les hommes d'aujourd'hui, qui depuis longtemps avons retranché le mot « sécurité » de notre vocabulaire comme une chimère, de railler le délire optimiste de cette génération aveuglée par l'idéalisme, pour qui le progrès technique de l'humanité devait entraîner fatalement une ascension morale tout aussi rapide. Nous qui avons appris dans le siècle nouveau à ne plus nous laisser étonner par aucune explosion de la bestialité collective, nous qui attendons de chaque jour qui se lève des infamies pires encore que celles de la veille, nous sommes nettement plus sceptiques quant à la possibilité d'une éducation morale des hommes. Nous avons dû donner raison à Freud, quand il ne voyait dans notre culture qu'une mince couche que peuvent crever à chaque instant les forces destructrices du monde souterrain, nous avons dû nous habituer peu à peu à vivre sans terre ferme sous nos pieds, sans droit, sans liberté, sans sécurité. Depuis longtemps nous avons renoncé, pour notre existence, à la religion de nos pères, à leur foi en une élévation rapide et continue de l'humanité ; à nous qui avons été cruellement instruits, cet optimisme prématuré semble assez dérisoire en regard de la catastrophe qui, d'un seul coup, nous a rejetés en deçà de mille années d'efforts humains. Mais ce n'était qu'une folie, une merveilleuse et noble folie que servaient nos pères, plus humaine et plus féconde que les mots d'ordre d'aujourd'hui. Et, chose étrange, malgré toutes mes expériences et toutes mes déceptions, quelque chose en moi ne peut s'en détacher complètement. Ce qu'un homme, durant son enfance, a pris dans son sang de l'air du temps ne saurait plus en être éliminé. Malgré tout ce qui chaque jour me hurle aux oreilles, malgré tout ce que moi-même et d'innombrables compagnons d'infortune avons souffert d'humiliations et d'épreuves, il ne m'est pas possible de renier tout à fait la foi de ma jeunesse en un nouveau redressement, malgré tout, malgré tout. Même de l'abîme de terreur où nous allons aujourd'hui à tâtons, à demi aveugles, l'âme bouleversée et brisée, je ne cesse de relever les yeux vers ces anciennes constellations qui resplendissaient sur ma jeunesse et me console avec la confiance héritée de mes pères qu'un jour cette rechute ne paraîtra qu'un intervalle dans le rythme éternel d'une irrésistible progression.

*

Maintenant que le grand orage l'a depuis longtemps fracassé, nous savons de science certaine que ce monde de la sécurité n'était qu'un château de nuées. Pourtant, mes parents l'ont habité comme une maison de pierre. Jamais une tempête, ni même un courant d'air un peu violent n'ont fait irruption dans leur existence chaude et confortable ; il est vrai qu'ils jouissaient d'une protection particulière contre les assauts du vent ; c'étaient des gens aisés qui, peu à peu, devinrent riches et même très riches ; et, dans ce temps-là, on pouvait se fier à la fortune pour calfeutrer murs et fenêtres. Leur genre de vie me paraît si typique de cette « bonne bourgeoisie juive » qui a donné à la culture viennoise tant de valeurs essentielles (et qui, en récompense, a été complètement exterminée) qu'en relatant leur existence paisible et silencieuse je livre en réalité un récit tout impersonnel : dix ou vingt mille familles ont vécu à Vienne comme mes parents dans ce siècle des valeurs assurées.

La famille de mon père était originaire de Moravie. Les communautés juives y vivaient dans de petites agglomérations campagnardes, en excellente harmonie avec la paysannerie et la petite bourgeoisie, si bien qu'elles ignoraient tout à fait ce sentiment d'oppression et, d'autre part, cette impatience d'arriver mêlée de souplesse des Galiciens, des Juifs orientaux. Rendus forts et vigoureux par la vie à la campagne, ils allaient leur chemin d'un pas sûr et tranquille tout comme, à travers les champs, les paysans de leur patrie. Émancipés de bonne heure de l'orthodoxie religieuse, ils étaient des adhérents passionnés de la nouvelle religion du « Progrès » et fournissaient à l'ère du libéralisme politique les députés au Parlement les plus considérés. Quand ils quittaient leur petite patrie pour Vienne, ils s'adaptaient avec une rapidité surprenante aux plus hautes sphères de la culture, et leur élévation personnelle se rattachait organiquement à l'essor général de ce temps. Notre famille offrait un exemple typique de cette forme d'évolution. Mon grand-père paternel avait fait le commerce des produits manufacturés. Ensuite, dans la seconde moitié du siècle, débuta en Autriche la grande expansion industrielle. Les métiers à tisser mécaniques et les machines à filer importés d'Angleterre provoquèrent un prodigieux abaissement des prix comparés à ceux des produits tissés à la main, et ce furent les négociants juifs, avec leur don traditionnel pour l'observation du commerce et leur vue d'ensemble sur la situation internationale, qui reconnurent les premiers en Autriche la nécessité et les avantages d'un passage à la production industrielle. Ils fondèrent, le plus souvent avec des capitaux modestes, des fabriques rapidement improvisées, d'abord mues par la seule force des eaux, qui se développèrent peu à peu jusqu'à devenir cette puissante industrie textile de la Bohême qui domina toute l'Autriche et les Balkans. Aussi, tandis que mon grand-père, représentant typique de l'époque antérieure, ne servait que d'intermédiaire dans le commerce des produits manufacturés, mon père, déjà, entra d'un pas résolu dans les temps nouveaux en fondant à l'âge de trente ans, dans le nord de la Bohême, une petite tisseranderie, qu'il agrandit ensuite au cours des années, lentement et prudemment, jusqu'à en faire une entreprise importante. Cette prudence dans le développement, maintenue en dépit des tentations d'une conjoncture favorable, était tout à fait dans l'esprit du temps. Elle répondait en outre particulièrement à la nature réservée, dépourvue d'avidité, de mon père. Il avait adopté le *credo* de son époque : *safety first* ; il lui semblait plus essentiel de posséder une entreprise « solide » — encore un terme favori de ce temps —, forte de ses capitaux propres, que de lui donner de vastes dimensions en faisant appel aux crédits bancaires ou aux hypothèques. Son orgueil était que, de toute sa vie, personne n'eût jamais vu son nom sur une reconnaissance de dette ou une lettre de change, et d'avoir toujours été créditeur à sa banque — naturellement la plus solide de toutes, la banque Rothschild. Il répugnait à tout profit qui comportât ne fût-ce que la plus légère ombre d'un risque et, durant toute son existence, il ne prit jamais part à une entreprise qui ne fût pas la sienne. Si malgré tout, peu à peu, il finit par s'enrichir considérablement, il ne le dut nullement à des spéculations téméraires ou à des opérations exigeant une particulière perspicacité à long terme, mais à son adaptation à la méthode générale de cette époque prudente, qui consistait à ne dépenser jamais qu'une part modique des revenus et à augmenter ainsi d'année en année le capital d'un montant toujours plus important. Comme la plupart des hommes de sa génération, mon père aurait déjà considéré comme un déplorable dissipateur celui qui, l'esprit léger, aurait dévoré la moitié de ses bénéfices sans « penser à l'avenir » — encore une expression caractéristique de cet âge de la sécurité. Grâce à cette constante épargne des bénéfices, devenir de plus en plus riche ne supposait en somme, pour les gens fortunés, qu'une sorte d'opération passive en cette époque de prospérité croissante où l'État, d'autre part, ne songeait pas à soutirer en impôts plus de quelques pour cent, même sur les revenus les plus considérables, et où, par ailleurs, les obligations d'État et les valeurs industrielles rapportaient de gros intérêts. Et cette conduite portait ses fruits ; l'économe n'était pas encore dépouillé, le commerçant sage et sérieux n'était pas encore écorché comme au temps de l'inflation, et c'étaient justement les plus patients, ceux qui ne spéculaient pas, qui récoltaient les plus beaux gains. Grâce à cette adaptation au système général de son temps, mon père pouvait passer dès l'âge de cinquante ans pour un homme très riche, même sur le plan international. Mais le train de vie de notre famille ne suivait que d'une allure fort hésitante cette augmentation toujours plus rapide de notre fortune. On se pourvut peu à peu de quelques commodités, on déménagea d'un petit appartement dans un plus grand, on retint pour les après-midi de printemps une voiture de louage, on voyagea en seconde classe avec wagon-lit, mais ce n'est que dans sa cinquantième année que mon père s'accorda pour la première fois le luxe d'aller passer avec ma mère un mois d'hiver à Nice. Dans l'ensemble, l'attitude fondamentale qui consistait à jouir de sa richesse en la possédant et non pas en en faisant étalage demeura inchangée ; même devenu millionnaire, mon père ne fumait toujours pas de havanes, mais ses simples Trabucos de régie — comme l'empereur François-Joseph ses virginies bon marché ; et s'il jouait aux cartes, il ne misait jamais que de petites sommes. Il persista inflexiblement dans sa retenue, dans son genre de vie confortable mais discret. Quoiqu'il fût infiniment supérieur à la plupart de ses collègues par son maintien, ses qualités sociales et sa culture — il jouait excellemment du piano, écrivait avec élégance et clarté, parlait le français et l'anglais —, il se déroba aux distinctions et aux charges honorifiques et, de sa vie, ne sollicita ou n'accepta aucun titre ni aucune dignité, bien qu'en sa qualité de gros industriel on lui en offrît bien souvent. N'avoir jamais rien demandé, n'avoir jamais dû dire « s'il vous plaît » ou « merci », cette secrète fierté lui était plus chère que tout signe extérieur de distinction.

Or, il arrive inévitablement dans la vie de chacun un moment où, dans l'image de ce qu'il est, il rencontre de nouveau son propre père. Cette inclination à une vie toute privée et anonyme commence maintenant à se développer en moi, plus forte d'année en année, si contraire qu'elle soit à ma profession même qui, en quelque sorte, me contraint à rendre publics et mon nom et ma personne. Mais par la même secrète fierté, j'ai toujours décliné toute forme de distinction honorifique, je n'ai jamais accepté ni une décoration, ni un titre, ni la présidence d'aucune société, je n'ai jamais appartenu ni à une académie, ni à un comité, ni à un jury ; le simple fait de m'asseoir à une table officielle m'est un supplice, et la seule pensée d'avoir à présenter une requête, même en faveur d'un tiers, suffit à me dessécher la gorge avant que j'aie prononcé le premier mot. Je sais combien de telles inhibitions sont intempestives dans un monde où l'on ne peut demeurer libre que par l'astuce et la fuite, et où, comme le disait sagement notre père Goethe, « les décorations et les titres vous évitent bien des bourrades dans la cohue ». Mais c'est mon père en moi et sa secrète fierté qui me font reculer, et je ne saurais leur résister ; car c'est à lui que je dois ce que j'éprouve peut-être comme mon seul bien assuré, le sentiment de liberté intérieure.

*

Ma mère, Brettauer de son nom de jeune fille, était d'une origine différente, plus internationale. Elle était née à Ancône, dans le sud de l'Italie, et l'italien avait été la langue de son enfance aussi bien que l'allemand ; chaque fois qu'elle avait avec ma grand-mère ou avec sa sœur une conversation que les domestiques n'étaient pas censés comprendre, elle passait à l'italien. Le risotto, les artichauts — encore assez rares à l'époque —, ainsi que toutes les autres particularités de la cuisine méridionale, m'étaient familiers dès ma plus tendre enfance, et chaque fois que, depuis, j'ai voyagé en Italie, je m'y suis senti chez moi dès la première heure. Mais la famille de ma mère n'était nullement italienne, elle avait conscience d'être internationale : les Brettauer, qui possédaient à l'origine une banque à Hohenems, petite ville à la frontière suisse, avaient d'assez bonne heure essaimé par le monde, à l'instar des grandes familles de banquiers juifs, bien que naturellement à un niveau beaucoup plus réduit. Les uns se fixèrent à Saint-Gall, d'autres à Vienne et à Paris, mon grand-père en Italie, un oncle à New York, et ces contacts internationaux leur avaient conféré une politesse plus raffinée, des vues plus larges, et aussi un certain orgueil familial. Dans cette famille, il n'y avait plus de petits marchands, plus de courtiers, mais seulement des banquiers, des directeurs, des professeurs, des avocats et des médecins, chacun d'eux parlait plusieurs langues, et je me rappelle avec quel naturel, à table, chez ma tante de Paris, on passait de l'une à l'autre. C'était une famille où l'on avait soin de « tenir son rang », et quand une jeune parente pauvre arrivait à l'âge de se marier, toute la famille se cotisait pour fournir une dot imposante, à seule fin d'éviter une mésalliance. En sa qualité de gros industriel, mon père était certes respecté, mais ma mère, encore que leur union fût des plus heureuses, n'aurait jamais souffert que les parents de son mari prétendissent au même rang que les siens. Chez tous les Brettauer, cette fierté d'être issus d'une « bonne » famille était indéracinable, et quand, dans les années ultérieures, un d'entre eux voulait me témoigner une particulière bienveillance, il déclarait d'un ton condescendant : « Après tout, tu es un vrai Brettauer », comme s'il avait l'intention de reconnaître : « Après tout, tu es tombé du bon côté. »

Cette espèce de noblesse que bien des familles juives s'octroyaient comme découlant de la puissance qu'elles s'étaient acquise tantôt nous amusait, tantôt nous exaspérait, mon frère et moi, et cela dès notre enfance. Sans cesse on nous faisait savoir que ceux-ci étaient des gens « distingués », que ceux-là ne l'étaient pas ; chacun de nos amis était l'objet d'une enquête, on s'informait s'il était de « bonne famille », et l'on vérifiait, jusqu'à la plus lointaine génération, l'origine et de la parenté et de la fortune. Cette sempiternelle manie de classer les personnes, qui constituait le sujet principal de toutes les conversations en famille et en société, nous semblait alors ridicule et snob au plus haut point, puisqu'en somme il ne s'agit, dans toutes les familles juives, que d'une différence de quelque cinquante ou cent ans entre les dates où elles sont sorties du même ghetto commun. C'est seulement beaucoup plus tard que j'ai compris que cette notion de « bonne » famille, qui nous paraissait, enfants, la farce parodique d'une pseudo-aristocratie artificielle, exprime une des tendances les plus profondes et les plus mystérieuses du judaïsme. On suppose généralement que, dans la vie, le but propre et typique d'un Juif est la richesse. Rien n'est plus faux. La richesse n'est pour lui qu'un degré intermédiaire, un moyen d'atteindre son but véritable, et nullement une fin en soi. La volonté réelle du Juif, son idéal immanent, est de s'élever spirituellement, d'atteindre à un niveau culturel supérieur. Déjà, dans le judaïsme orthodoxe de l'Est, où les faiblesses, comme aussi les avantages de toute la race, sont marquées avec plus d'intensité, cette suprématie de l'aspiration au spirituel sur le pur matériel trouve son illustration : le pieux, le savant versé dans la connaissance des Écritures, est mille fois plus estimé que le riche au sein de la communauté ; même le plus fortuné donnera sa fille à un homme vivant pour l'esprit, fût-il pauvre comme Job, plutôt qu'à un marchand. Cette prééminence du spirituel est commune aux Juifs de toutes les conditions ; même le plus misérable colporteur qui traîne sa charge par toutes les intempéries s'efforcera, au prix des plus lourds sacrifices, de faire étudier au moins un de ses fils, et l'on considère comme un titre de gloire pour toute la famille d'avoir en son sein un membre qui se distingue manifestement dans le domaine de l'esprit, un professeur, un savant, un musicien, comme si *lui seul,* par sa réussite, les anoblissait tous. Dans le Juif, quelque chose cherche inconsciemment à échapper à ce qui adhère de moralement douteux, de répugnant, de mesquin, de purement matériel, à tout commerce, à tout ce qui n'est que du monde des affaires, et à s'élever dans la sphère plus pure du spirituel, où l'argent ne compte plus, comme s'il voulait se racheter — pour parler en style wagnérien —, lui et toute sa race, de la malédiction de l'argent. C'est pourquoi, dans le monde juif, l'aspiration à la richesse s'épuise presque toujours après deux, tout au plus trois générations d'une même famille ; et les plus puissantes dynasties trouvent justement les fils peu enclins à reprendre les banques, les fabriques, les affaires prospères et douillettes de leurs pères. Si un Lord Rothschild est devenu ornithologiste, un Warburg historien de l'art, un Cassirer philosophe, un Sassoon poète, ce n'est pas un hasard ; ils ont tous obéi à la même tendance inconsciente à se libérer de ce qui a rétréci le judaïsme, de la froide quête de l'argent, et peut-être même que par là s'exprime la secrète aspiration à échapper, par la fuite dans le spirituel, à ce qui n'est que juif, pour se fondre dans la commune humanité. Une « bonne famille », en se désignant elle-même ainsi, prétend donc à bien plus qu'à une simple position sociale ; elle se situe dans un judaïsme qui s'est affranchi ou commence de s'affranchir de tous les défauts, de toutes les étroitesses et petitesses que le ghetto lui a imposées, par son adaptation à une autre culture et, si possible, à une culture universelle. Que cette fuite dans le spirituel, en produisant un encombrement disproportionné des professions intellectuelles, soit ensuite devenue aussi fatale au judaïsme que, naguère, sa limitation aux choses matérielles, c'est là sans doute un de ces éternels paradoxes inhérents à la destinée des Juifs.

*

Il n'y avait guère de ville en Europe où l'aspiration à la culture fût plus passionnée qu'à Vienne. C'est justement parce que, depuis des siècles, la monarchie, l'Autriche, n'avait plus fait valoir d'ambitions politiques ni connu de succès particuliers dans ses entreprises militaires, que l'orgueil patriotique s'y était le plus fortement reporté sur le désir de conquérir la suprématie artistique. L'Empire des Habsbourg, qui avait dominé l'Europe, avait vu depuis longtemps se détacher de lui ses provinces les plus importantes et les plus prospères, allemandes et italiennes, flamandes et wallonnes ; la capitale était restée intacte dans son ancienne splendeur, asile de la cour, conservatrice d'une tradition millénaire. Les Romains avaient posé les premières pierres de cette cité en érigeant un *castrum*, poste avancé destiné à protéger la civilisation latine contre les barbares et, plus de mille ans après, l'assaut des Ottomans contre l'Occident s'était brisé sur ces murailles. Ici étaient venus les Nibelungen, ici avait resplendi sur le monde l'immortelle pléiade de la musique : Gluck, Haydn et Mozart, Beethoven, Schubert, Brahms et Johann Strauss, ici ont conflué tous les courants de la culture européenne ; à la cour, dans l'aristocratie, dans le peuple, les sangs allemand, slave, hongrois, espagnol, italien, français, flamand s'étaient mêlés, et ce fut le génie propre de cette ville de la musique que de fondre harmonieusement tous ces contrastes en une réalité nouvelle et singulière, l'esprit autrichien, l'esprit viennois. Accueillante et douée d'un sens particulier de la réceptivité, cette cité attira à elle les forces les plus disparates, elle les détendit, les assouplit, les apaisa ; la vie était douce dans cette atmosphère de conciliation spirituelle et, à son insu, chaque citoyen de cette ville recevait d'elle une éducation qui transcendait les limites nationales, une éducation cosmopolite, une éducation de citoyen du monde.

Cet art de l'assimilation, des transitions insensibles et musicales, se manifestait déjà dans la structure extérieure de la ville. S'étant agrandie lentement au cours des siècles et développée organiquement à partir de sa première enceinte centrale, elle était assez populeuse, avec ses deux millions d'habitants, pour offrir tout le luxe et toute la diversité d'une métropole, sans cependant qu'une extension démesurée la séparât de la nature, comme Londres ou New York. Les dernières maisons de la ville se miraient dans le cours puissant du Danube, ou prenaient vue sur la grande plaine, ou se perdaient dans des jardins et des champs, ou s'étageaient sur les flancs de douces collines, derniers contreforts des Alpes, couverts de vertes forêts ; on percevait à peine où commençait la nature, où commençait la ville, l'une se fondait dans l'autre sans résistance ni contradiction. A l'intérieur, on sentait que la ville avait poussé comme un arbre, un anneau après l'autre ; et à la place des anciennes fortifications, c'était le Ring, avec ses édifices solennels, qui entourait le précieux cœur de la cité ; au centre, les vieux palais de la cour et de l'aristocratie racontaient toute une histoire consignée dans les pierres : ici, chez les Lichnowsky, Beethoven avait joué ; là, les Esterházy avaient reçu Haydn ; plus loin, dans la vieille université, avait retenti pour la première fois *La Création* de Haydn ; la Hofburg avait vu des générations d'empereurs, et Schönbrunn Napoléon ; dans la cathédrale Saint-Étienne, les princes alliés de la chrétienté s'étaient agenouillés pour rendre grâces à Dieu d'avoir sauvé celle-ci des Turcs ; l'Université avait vu dans ses murs d'innombrables flambeaux de la science. Et parmi tous ces monuments se dressait la nouvelle architecture, fière et fastueuse, avec ses avenues resplendissantes et ses magasins étincelants. Mais ici, l'ancien se querellait aussi peu avec le nouveau que la pierre taillée avec la nature vierge. Il était merveilleux de vivre dans cette ville hospitalière, qui accueillait tout ce qui venait de l'étranger et se donnait généreusement ; il était plus naturel de jouir de la vie dans son air léger, ailé de sérénité, comme à Paris. Vienne était, on le sait, une ville jouisseuse, mais quel est le sens de la culture, sinon d'extraire de la matière brute de l'existence, par les séductions flatteuses de l'art et de l'amour, ce qu'elle recèle de plus fin, de plus tendre et de plus subtil ? Si l'on était fort gourmet dans cette ville, très soucieux de bon vin, de bière fraîche et agréablement amère, d'entremets et de tourtes plantureuses, on se montrait également exigeant dans les jouissances plus raffinées. Pratiquer la musique, danser, jouer du théâtre, converser, se comporter avec goût et agrément — ici, on cultivait tout cela comme un art particulier. Ce n'étaient pas les affaires militaires, politiques ou commerciales qui occupaient la place prépondérante dans la vie de chacun, non plus que de la société dans son ensemble ; le premier regard que le Viennois moyen jetait chaque matin à son journal ne se portait pas sur les discussions du Parlement ou les événements mondiaux, mais sur le répertoire du théâtre, lequel prenait une importance dans la vie publique qu'on n'eût guère comprise dans d'autres villes. Car le théâtre impérial, le *Burgtheater* *, était pour le Vien-

---

* Ou *Hoftheater*. Officiellement nommé *Hofburgtheater,* puis *Burgtheater* après 1918. Fondé par l'impératrice Marie-Thérèse, devenu théâtre national sous Joseph II. (Toutes les notes sont du traducteur.)

nois, pour l'Autrichien, plus qu'une simple scène où les acteurs jouaient des pièces ; c'était le microcosme reflétant le macrocosme, le miroir où la société contemplait son image bigarrée, le seul véritable *Cortegiano* du bon goût. En regardant l'acteur du *Hoftheater*, le spectateur apprenait de lui par l'exemple comment on s'habillait, comment on entrait dans une chambre, comment on conversait, de quels mots pouvait user un homme bien élevé, lesquels on devait éviter ; la scène n'était pas un simple lieu de divertissement, mais un guide en paroles et en actes des bonnes manières, de la prononciation correcte, et un nimbe de respect auréolait tout ce qui avait quelque rapport, même le plus lointain, avec le théâtre du château impérial. Le président du Conseil, le plus riche magnat pouvaient passer par les rues de Vienne sans que personne se retournât ; mais chaque vendeuse, chaque cocher de fiacre reconnaissaient un acteur du Théâtre ou une chanteuse de l'Opéra ; quand nous autres, garçons, avions croisé l'un d'entre eux (dont chacun de nous collectionnait les photographies, les autographes), nous nous le racontions avec fierté, et ce culte presque religieux voué à leur personne allait si loin qu'il s'étendait même à tout leur entourage ; le coiffeur de Sonnenthal, le cocher de Joseph Kainz étaient des gens respectés, que l'on enviait secrètement ; de jeunes élégants s'enorgueillissaient d'être habillés par le même tailleur. Chaque jubilé, chaque enterrement d'un grand acteur était un événement d'importance, qui reléguait dans l'ombre tous ceux de la politique. Être joué au *Burgtheater* était le rêve suprême de tout écrivain viennois, car cela conférait une sorte de noblesse viagère et comportait toute une série de distinctions honorifiques, telles que des entrées gratuites sa vie durant et des invitations à toutes les manifestations officielles ; on était devenu l'hôte d'une maison impériale, et je me souviens encore de la solennité qui entoura ma propre admission. Le matin, le directeur du Théâtre

m'avait prié de passer à son bureau pour m'informer —
après m'avoir présenté ses félicitations — que mon drame
était accepté. Le soir, quand je rentrai chez moi, j'y
trouvai sa carte : il m'avait rendu visite dans les formes, à
moi qui n'avais que vingt-six ans ; en qualité d'auteur de
la scène impériale, j'avais, par ma seule admission, accédé
au rang de « gentleman », et un directeur de cette
institution impériale se devait de me traiter de pair à
compagnon. Et ce qui se passait au Théâtre impérial
touchait indirectement tout un chacun, même s'il n'avait
aucun rapport direct avec l'événement. Je me souviens,
par exemple, qu'un jour de ma prime jeunesse, notre
cuisinière fit irruption dans le salon, les larmes aux yeux :
on venait de lui rapporter que Charlotte Wolter, la plus
célèbre actrice du *Burgtheater*, était morte ; le grotesque
de ce deuil tumultueux était évidemment que cette vieille
cuisinière, à moitié analphabète, n'avait jamais vu
Charlotte Wolter, ni sur scène ni dans la vie, et n'avait
jamais mis les pieds dans ce théâtre distingué. Mais à
Vienne, une grande actrice nationale était tellement la
propriété collective de toute la cité que même celui qui
n'y avait aucune part personnellement éprouvait sa mort
comme une catastrophe. Chaque perte, le départ d'un
chanteur ou d'un artiste aimé, se transformait irrésistiblement en deuil national. Juste avant la démolition du
« vieux » *Burgtheater*, où l'on avait entendu pour la
première fois *Les Noces de Figaro* de Mozart, toute la
société viennoise, solennelle et affligée comme pour des
funérailles, se rassembla une dernière fois dans la salle. A
peine le rideau tombé, chacun se précipita sur la scène
pour emporter au moins comme relique un éclat de ces
planches où s'étaient produits ses chers artistes ; et dans
des douzaines de maisons bourgeoises on pouvait voir
encore après des décennies ces morceaux de bois de peu
d'apparence conservés dans de précieuses cassettes,
comme dans les églises les fragments de la sainte Croix.

Nous-mêmes n'eûmes pas une conduite beaucoup plus raisonnable quand on démolit la salle dite de Bösendorf. En elle-même, cette salle de concert exclusivement réservée à la musique de chambre était une construction sans aucun intérêt, sans caractère artistique ; ancien manège du prince Lichtenstein, elle n'avait été adaptée à des fins musicales que par un lambrissage de bois dépourvu de tout apparat. Mais elle avait la résonance d'un violon ancien, elle était pour les amateurs de musique un lieu sanctifié parce que Chopin et Brahms, Liszt et Rubinstein y avaient donné des concerts et que nombre des plus célèbres quatuors y avaient été joués pour la première fois ; et maintenant, il lui fallait laisser la place à un nouvel édifice purement utilitaire ; pour nous, qui y avions vécu des heures inoubliables, c'était inconcevable. Quand expirèrent les dernières mesures de Beethoven, joué plus divinement que jamais par le quatuor Rosé, personne ne quitta sa place. Nous applaudissions à grand bruit, quelques femmes sanglotaient d'émotion, personne ne voulait admettre que ce fût un adieu à jamais. On éteignit les lumières de la salle pour nous chasser. Pas un des quatre ou cinq cents fanatiques ne se leva. Nous demeurâmes une demi-heure, une heure, comme si nous pouvions par la force de notre seule présence obtenir que ce vieil espace fût sauvé. Et comme nous nous sommes battus, nous autres, étudiants, multipliant pétitions, manifestations, articles dans les journaux, pour que la maison mortuaire de Beethoven ne fût pas détruite ! Chacune de ces demeures historiques, à Vienne, était pour nous un peu d'âme qu'on nous arrachait du corps.

Ce fanatisme pour les beaux-arts, et pour l'art théâtral en particulier, se rencontrait à Vienne dans toutes les couches de la population. En elle-même, Vienne, par sa tradition centenaire, était une ville très nettement stratifiée, mais en même temps — comme je l'ai écrit un jour

— merveilleusement orchestrée. Le pupitre était toujours tenu par la maison impériale. Non seulement au sens spatial, mais aussi au sens culturel, le Château était au centre de ce qui, dans la monarchie, transcendait les limites des nationalités. Autour de ce château, les palais de la haute aristocratie autrichienne, polonaise, tchèque, hongroise formaient en quelque sorte la seconde enceinte. Venait ensuite la « bonne société » que constituaient la petite noblesse, les hauts fonctionnaires, les représentants de l'industrie et les « vieilles familles » ; enfin, au-dessous, la petite bourgeoisie et le prolétariat. Chacune de ces couches vivait dans son cercle propre, et même dans son arrondissement propre ; la haute noblesse vivait dans ses palais au cœur de la ville, la diplomatie dans le troisième arrondissement, l'industrie et le commerce dans le voisinage du Ring, la petite bourgeoisie dans les arrondissements du centre, du deuxième au neuvième, le prolétariat dans les quartiers extérieurs. Mais tout le monde communiait au théâtre ou lors des grandes festivités, comme le corso fleuri sur le Prater, où trois cent mille personnes acclamaient avec enthousiasme les « dix mille de la haute société » dans leurs voitures magnifiquement décorées. A Vienne, tout ce qui comportait couleurs ou musique devenait occasion de festivités, les processions religieuses comme la Fête-Dieu, les parades militaires, la « Musique du château impérial » ; même les funérailles attiraient un grand concours de peuple enthousiaste, et c'était l'ambition de tout bon Viennois d'avoir « un beau convoi » avec un cortège fastueux et une suite nombreuse ; un vrai Viennois métamorphosait sa mort même en spectacle attrayant pour les autres. Toute la ville s'accordait dans ce goût des couleurs, des sonorités, des fêtes, dans le plaisir qu'elle prenait au spectacle considéré comme un jeu et comme un miroir de la vie, que ce fût sur la scène ou dans l'espace de la réalité.

Il n'était certes pas difficile de railler cette « théâtromanie » des Viennois, qui parfois tournait véritablement au grotesque, quand elle les poussait à s'enquérir des circonstances les plus futiles de la vie de leurs favoris ; et l'on peut en effet attribuer pour une part notre indolence politique, notre infériorité économique en face de notre voisin si résolu, l'Empire allemand, à cette surestimation des plaisirs. Mais du point de vue de la culture, cette attention excessive accordée aux événements du monde des arts a fait mûrir chez nous quelque chose d'unique — tout d'abord une extraordinaire vénération pour toute production artistique, puis, grâce à des siècles de pratique, une connaissance sans pareille en ce domaine, et enfin un niveau culturel très élevé. C'est toujours dans les lieux où on l'estime, où même on le surestime, que l'artiste se sent le plus à l'aise et le plus stimulé. C'est toujours dans les lieux où il devient essentiel à la vie de tout un peuple que l'art atteint à son apogée. Et de même que Florence et Rome, à l'époque de la Renaissance, attiraient à elles les peintres et leur enseignaient la grandeur — parce que chacun sentait qu'il lui fallait sans cesse surpasser les autres et lui-même dans cette perpétuelle compétition livrée sous les yeux de tous les citoyens —, de même, à Vienne, les musiciens, les acteurs connaissaient leur importance dans la ville. A l'Opéra de Vienne, au *Burgtheater*, on ne laissait échapper aucune imperfection : toute fausse note était aussitôt remarquée, toute rentrée incorrecte ou toute coupure censurée, et ce n'étaient pas seulement les critiques professionnels qui exerçaient ce contrôle lors des premières mais, soir après soir, l'oreille attentive du public tout entier, affinée par de perpétuelles comparaisons. Tandis qu'en matière de politique, d'administration, de mœurs, tout allait assez tranquillement son train et que l'on manifestait une indifférence débonnaire à toutes les veuleries et de l'indulgence pour tous les manquements, dans les choses

37

de l'art il n'y avait pas de pardon ; là, l'honneur de la cité était en jeu. Tout chanteur, tout acteur, tout musicien était constamment obligé de donner toute sa mesure, sinon il était perdu. Il était délicieux d'être le favori de Vienne, mais il était difficile de le demeurer ; jamais un relâchement n'était pardonné. Et cette conscience d'être sans cesse surveillé avec une attention impitoyable contraignant tous les artistes viennois à donner leur maximum expliquait aussi leur merveilleux niveau collectif. De ces années de notre jeunesse, chacun d'entre nous a conservé toute sa vie une règle sévère, inflexible, pour juger des productions artistiques. Qui a connu à l'Opéra, sous la direction de Gustav Mahler, cette discipline de fer poussée jusque dans les moindres détails, à l'Orchestre symphonique cet élan lié comme tout naturellement à l'exactitude la plus rigoureuse, celui-là est aujourd'hui bien rarement satisfait d'un spectacle ou de l'exécution d'une œuvre musicale. Nous avons toutefois appris aussi à être sévères envers nous-mêmes pour toutes nos productions artistiques ; un certain niveau de perfection était et demeurait pour nous exemplaire. Ce sens du rythme et du mouvement justes descendait jusque dans les profondeurs du peuple ; car même le plus humble citoyen assis devant son verre exigeait de l'orchestre qu'il lui jouât de la bonne musique, comme du cabaretier qu'il lui servît du bon vin nouveau ; au Prater, le peuple savait exactement laquelle des fanfares militaires avait le plus d'« allant », les « Maîtres allemands » ou les Hongrois ; qui vivait à Vienne respirait avec l'air le sentiment du rythme. Et de même que ce sens de la musique s'exprimait chez nous, écrivains, par une prose particulièrement châtiée, le sens de la mesure se manifestait chez les autres par leur tenue en société et leur vie de tous les jours. Un Viennois dépourvu de sens artistique et qui ne trouvât pas de plaisir à la beauté formelle était inconcevable dans ce qu'on appelle la « bonne » société ; mais même dans les couches inférieures, la vie du plus pauvre comportait un certain instinct de la beauté que suffisait à lui communiquer le paysage, cette atmosphère de sérénité humaine ; on n'était pas un vrai Viennois sans cet amour de la culture, sans ce don de joindre le sens du plaisir à celui de l'examen critique devant ce plus sain des superflus que nous offre la vie.

*

Or, l'adaptation au milieu — au pays — dans lequel ils vivent n'est pas seulement pour les Juifs une mesure de protection extérieure, mais un besoin intérieur. Leur aspiration à une patrie, à un repos, à une trêve, à une sécurité, à un lieu où ils ne soient pas étrangers les pousse à se rattacher avec passion à la culture du monde qui les entoure. Et — si l'on excepte l'Espagne du XVe siècle — jamais cette symbiose ne s'opéra de façon plus heureuse et plus féconde qu'en Autriche. Établis depuis plus de deux cents ans dans la ville impériale, les Juifs y rencontrèrent un peuple de mœurs faciles et d'humeur conciliante qu'habitait sous cette apparente légèreté le même instinct profond des valeurs esthétiques et spirituelles, si importantes pour eux-mêmes. Ils rencontrèrent même plus à Vienne : ils y trouvèrent une tâche personnelle à remplir. Au cours du siècle passé, le culte des arts avait perdu en Autriche ses gardiens et protecteurs traditionnels : la maison impériale et l'aristocratie. Tandis qu'au XVIIIe siècle Marie-Thérèse chargeait Gluck d'enseigner la musique à ses filles, que Joseph II discutait en connaisseur avec Mozart des opéras de celui-ci, que Léopold III composait lui-même, les empereurs qui vinrent ensuite, François II et Ferdinand, ne s'intéressaient plus du tout aux beaux-arts, et notre empereur

François-Joseph qui, à quatre-vingts ans, n'avait jamais lu ni même pris entre ses mains aucun autre livre que son annuaire militaire, allait jusqu'à déclarer à l'égard de la musique une antipathie déclarée. Pareillement, la haute aristocratie avait renoncé à exercer son protectorat ; c'en était fini des temps glorieux où les Esterházy hébergeaient chez eux un Haydn, où les Lobkovitz, les Kinsky et les Waldstein rivalisaient à qui donnerait dans son palais la première exécution des œuvres de Beethoven, où une comtesse Thun se jetait à genoux devant le grand démon pour qu'il veuille bien ne pas retirer de l'Opéra son *Fidelio*. Déjà Wagner, Brahms et Johann Strauss ou Hugo Wolf ne trouvèrent plus auprès d'eux le moindre appui ; afin de maintenir les concerts philharmoniques à leur ancien niveau, de rendre l'existence possible aux peintres et aux sculpteurs, il fallut que la bourgeoisie sautât sur la brèche, et ce fut justement l'orgueil et l'ambition de la bourgeoisie juive de paraître là au premier rang afin de maintenir dans son ancien éclat la renommée de la culture viennoise. Les Juifs avaient toujours aimé cette ville et s'y étaient acclimatés de toute leur âme, mais seul leur amour de l'art viennois leur permit de sentir qu'ils avaient pleinement acquis droit de cité, qu'ils étaient véritablement devenus des Viennois. Ils exerçaient par ailleurs dans la vie publique une influence assez limitée ; l'éclat de la maison impériale reléguait dans l'ombre toutes les fortunes des particuliers, les hautes positions dans la conduite de l'État se transmettaient de père en fils, la diplomatie était réservée à l'aristocratie, l'armée et les fonctions civiles les plus élevées aux vieilles familles, et les Juifs ne cherchaient d'ailleurs pas du tout à se pousser ambitieusement dans ces cercles privilégiés. Avec tact, ils respectaient comme allant de soi ces privilèges traditionnels ; je me souviens, par exemple, que mon père évita toute sa vie de dîner chez Sacher, non par économie, car la différence par rapport aux autres grands hôtels était ridicule, mais par ce sentiment naturel des distances à respecter ; il lui eût paru pénible ou inconvenant de s'asseoir à la table voisine de celle d'un prince Schwarzenberg ou Lobkovitz. Ce n'est que vis-à-vis de l'art que tout le monde à Vienne se sentait un droit égal, parce que l'amour de l'art passait pour un devoir de toute la communauté, et par la façon dont elle a aidé et favorisé la culture viennoise, c'est une part immense que la bourgeoisie juive a prise à son développement. Les Juifs constituaient le véritable public, ils remplissaient les théâtres, les salles de concert, ils achetaient les livres, les tableaux, ils visitaient les expositions, ils étaient partout, avec leur compréhension plus mobile et moins liée par la tradition, promoteurs et champions de toutes les nouveautés. Presque toutes les grandes collections d'œuvres d'art du XIXe siècle avaient été constituées par eux, presque toutes les recherches artistiques avaient été rendues possibles par eux ; sans l'intérêt stimulant que la bourgeoisie ne cessait d'accorder à ces choses, et compte tenu de l'indolence de la cour, de l'aristocratie et des millionnaires chrétiens — qui préféraient consacrer leur argent à leurs écuries de chevaux de course et à leurs chasses plutôt qu'à l'art — Vienne serait restée aussi en retard sur Berlin dans le domaine artistique que l'Autriche demeurait en retard sur l'Allemagne dans le domaine politique. Quiconque, à Vienne, voulait imposer une nouveauté, comme l'hôte étranger qui cherchait à être compris et à se gagner un public, en était réduit à s'adresser à cette bourgeoisie juive ; la seule fois où l'on essaya, au temps de l'antisémitisme, de fonder un théâtre « national », il ne se trouva ni auteurs, ni acteurs, ni public ; au bout de quelques mois ce « théâtre national » s'effondra lamentablement ; et cette tentative avortée illustra cette vérité : les neuf dixièmes de ce que le monde célébrait comme la culture

41

viennoise du XIXe siècle avaient été favorisés, soutenus, voire parfois créés par la société juive de Vienne.

Car dans ces dernières années, justement — comme en Espagne avant un naufrage aussi tragique —, les Juifs de Vienne étaient devenus productifs dans le domaine des arts, non pas d'une manière spécifiquement juive, mais par un prodige d'harmonisation avec leur milieu, en donnant au génie autrichien, au génie viennois, son expression la plus intense. Goldmark, Gustav Mahler et Schoenberg s'acquirent une réputation internationale dans la création musicale, Oscar Strauss, Léo Fall, Kálmánn firent refleurir la tradition de la valse et de l'opéra, Hofmannsthal, Arthur Schnitzler, Beer-Hofmann, Peter Altenberg élevèrent les lettres viennoises à un rang dans la littérature européenne qu'elles n'avaient pas occupé même au temps de Grillparzer et de Stifter ; Sonnenthal, Max Reinhardt restaurèrent dans le monde entier la gloire de la ville du théâtre, Freud et les grandes autorités scientifiques attirèrent tous les regards vers l'université de vieille renommée ; partout, savants, virtuoses, peintres, régisseurs, architectes et journalistes juifs s'affirmèrent en occupant de hautes positions, les positions les plus élevées, sans qu'on songeât à les leur contester dans la vie spirituelle de Vienne. Par leur amour passionné de cette ville, par leur volonté d'assimilation, ils y étaient parfaitement adaptés, et ils étaient heureux de servir la gloire de l'Autriche ; ils voyaient là une mission à remplir dans le monde, et — il faut le répéter dans l'intérêt de la vérité — une bonne part sinon la plus grande de ce que l'Europe, de ce que l'Amérique admirent aujourd'hui en musique, en littérature, au théâtre, dans les arts appliqués, comme étant l'expression d'une renaissance de la culture viennoise, a été créée par les Juifs de Vienne ; en se défaisant de leurs caractères spécifiques, ils atteignaient à un très haut accomplissement de l'élan millénaire qui les portait vers le spirituel.

Une énergie intellectuelle qui, pendant des siècles, n'avait pas trouvé sa voie se liait à une tradition déjà un peu lasse, elle la nourrissait, la ranimait, l'exaltait, la rafraîchissait par l'apport d'une force neuve et grâce à une activité infatigable ; seules les prochaines décennies montreront le crime qu'on a commis contre Vienne en s'appliquant à nationaliser et à provincialiser par la violence une ville dont l'esprit et la culture consistaient justement dans la rencontre des éléments les plus hétérogènes, dans son caractère supranational. Car le génie de Vienne — génie proprement musical — a toujours été d'harmoniser en soi tous les contrastes ethniques et linguistiques, sa culture est une synthèse de toutes les cultures occidentales ; celui qui vivait et travaillait là se sentait libre de toute étroitesse et de tout préjugé. Nulle part il n'était plus facile d'être un Européen, et je sais que je dois principalement à cette ville, qui déjà au temps de Marc Aurèle avait défendu l'esprit romain d'universalisme, d'avoir de bonne heure appris à aimer l'idée de la communauté comme la plus noble que mon cœur eût en lui.

*

On vivait bien, on menait une vie facile et insouciante dans cette vieille ville de Vienne, et nos voisins du Nord, les Allemands, considéraient de leur haut, avec un peu de dépit et de dédain, ces Danubiens qui, au lieu de se montrer appliqués, sérieux, et de se tenir à un ordre rigide, jouissaient tranquillement de l'existence, mangeaient bien, prenaient du plaisir aux fêtes et au théâtre et, avec cela, faisaient de l'excellente musique. Au lieu de cette « valeur » allemande qui a finalement empoisonné et troublé l'existence de tous les autres peuples, au lieu de cette avidité de l'emporter sur tous les autres, de prendre partout les devants, à Vienne on aimait bavarder aimablement, on se plaisait aux réunions familières, et on laissait à chacun sa part, sans envie, dans un esprit de conciliation bienveillante, et peut-être un peu relâchée. « Vivre et laisser vivre », disait la célèbre maxime viennoise, une maxime qui, encore aujourd'hui, me paraît plus humaine que tous les impératifs catégoriques, et elle s'imposait irrésistiblement à tous les milieux. Riches et pauvres, Tchèques et Allemands, chrétiens et juifs vivaient en paix malgré quelques taquineries occasionnelles, et même les mouvements politiques et sociaux étaient dépourvus de cette haine atroce, legs empoisonné de la Première Guerre mondiale, qui s'est introduite dans le sang de notre époque. Dans la vieille Autriche, on se combattait avec des procédés chevaleresques ; il est vrai qu'on s'injuriait dans les journaux ou au Parlement, mais après leurs tirades cicéroniennes, les mêmes députés se retrouvaient amicalement autour d'une table, buvant de la bière ou du café et se tutoyant ; même quand Lueger, chef du parti antisémite, fut nommé bourgmestre, rien ne changea dans les relations entre particuliers, et je dois personnellement reconnaître que ni à l'école, ni à l'université, ni dans le monde littéraire, nul ne m'a jamais suscité le moindre embarras ou témoigné le moindre mépris parce que j'étais juif. La haine entre les pays, les peuples, les couches sociales ne s'étalait pas quotidiennement dans les journaux, elle ne divisait pas encore les hommes et les nations ; l'odieux instinct du troupeau, de la masse, n'avait pas encore la puissance répugnante qu'il a acquise depuis dans la vie publique ; la liberté d'action dans le privé allait de soi à un point qui serait à peine concevable aujourd'hui ; on ne méprisait pas la tolérance comme un signe de mollesse et de faiblesse, on la prisait très haut comme une force éthique.

Car le siècle où je suis né et où j'ai grandi n'était pas un temps de passion. C'était un monde ordonné aux stratifications claires et aux transitions tranquilles, un monde sans hâte. Le rythme des nouvelles vitesses ne s'était pas encore transmis des machines, de l'automobile, du téléphone, de la radio, de l'avion aux hommes, le temps et l'âge avaient une autre mesure. On menait une vie plus nonchalante, et quand j'essaie de me représenter l'apparence des adultes au temps de mon enfance, je suis frappé du grand nombre de ceux qui accusaient une obésité précoce. Mon père, mes oncles, mes professeurs, les vendeurs dans les magasins, les musiciens de l'Orchestre philharmonique devant leurs pupitres étaient tous à quarante ans des hommes corpulents et « dignes ». Ils marchaient à pas lents, parlaient d'un ton mesuré et, en conversant, caressaient leur barbe, très soignée et souvent déjà grisonnante. Or les cheveux gris étaient un nouveau signe de dignité, et un homme « posé » évitait avec soin, comme inconvenants, les gestes et la pétulance de la jeunesse. Même dans ma plus tendre enfance, alors que mon père n'avait pas quarante ans, je ne puis me rappeler l'avoir jamais vu monter ou descendre en courant un escalier ou faire quoi que ce fût avec une hâte ostensible. La précipitation ne passait pas seulement pour un manque de distinction, mais elle était réellement inutile, car dans ce monde très bourgeoisement stabilisé, avec ses innombrables petites sécurités et protections, jamais il ne se produisait rien de soudain ; les catastrophes qui pouvaient survenir au loin, à la périphérie du monde, ne traversaient pas les parois bien capitonnées de cette vie « assurée ». La guerre des Boers, la guerre russo-japonaise, même la guerre des Balkans ne pénétraient pas de plus d'un pouce dans l'existence de mes parents. Ils sautaient avec la même indifférence, dans le journal, les relations de batailles et la rubrique sportive. Et réellement, en quoi pouvait les toucher ce qui se passait hors d'Autriche, en quoi cela modifiait-il leur vie ? Dans leur Autriche, à cette époque de calme plat, il n'y avait point de révolutions, point de brusque destruction des valeurs ; si par hasard survenait en bourse une baisse de quatre ou cinq points, on appelait déjà cela un « krach », et on parlait en fronçant les sourcils d'une réelle « catastrophe ». On se plaignait plus par habitude que par conviction des « lourds » impôts qui, en fait, si on les compare à ceux de l'après-guerre, ne représentaient qu'une sorte de petit pourboire laissé à l'État. On stipulait encore avec la plus grande précision, dans les testaments, les clauses destinées à protéger les petits-enfants et arrière-petits-enfants contre toute perte de fortune, comme si la sécurité était garantie par une invisible reconnaissance de dette des puissances éternelles, et on vivait tranquille en caressant ses petits soucis comme de bons et dociles animaux domestiques dont, au fond, on ne redoutait rien. Quand le hasard me met entre les mains un vieux journal de cette époque, et que je lis des articles au ton passionné sur une petite élection municipale, quand je cherche à me rappeler les pièces jouées au *Burgtheater* avec leurs problèmes infimes ou l'agitation disproportionnée de nos discussions juvéniles sur des sujets finalement insignifiants, je ne puis retenir un sourire involontaire. Que tous ces soucis étaient lilliputiens, que cette époque était calme ! Elle a eu la bonne part, cette génération de mes parents et de nos grands-parents, elle a vécu une vie paisible, droite et claire d'un bout à l'autre. Et cependant, je ne sais si je les envie, car ils ont vécu leur existence somnolente comme au-delà de toutes les vraies amertumes, des perfidies et des forces de la destinée, comme en passant au large de toutes les crises et de tous les problèmes qui broient le cœur, mais qui aussi l'élargissent prodigieusement ! Enveloppés dans le cocon de leur sécurité, de leur fortune, de leur confort, combien peu ils ont su que la vie peut être aussi démesure et tension, cela peut nous surprendre éternellement et nous arracher à tous nos gonds ; dans leur libéralisme et leur optimisme touchants, combien peu ils ont soupçonné que le jour qui commence à poindre à la fenêtre peut briser notre vie. Même dans les nuits les plus noires, ils ne pouvaient concevoir en rêve combien l'homme peut devenir redoutable, mais aussi combien il a de force pour affronter les dangers et surmonter les épreuves. Nous, jetés à travers tous les rapides de l'existence, nous, arrachés à tout enracinement, nous qui recommençons à partir de rien chaque fois que nous sommes acculés à une impasse, nous, victimes mais aussi serviteurs volontaires de puissances mystiques inconnues, nous, pour qui le bien-être est devenu une légende et la sécurité un rêve puéril, nous avons éprouvé dans chacune des fibres de notre corps la tension d'un pôle à l'autre et le frisson de l'éternelle nouveauté. Chaque heure de toutes nos années était liée aux destinées du monde. Dans la souffrance et dans la joie, nous avons vécu le temps de l'histoire bien au-delà de notre petite existence, tandis que ceux-là se confinaient en eux-mêmes. Ainsi chacun d'entre nous, même le plus humble de notre génération, en sait aujourd'hui mille fois plus sur les réalités de l'existence que le plus sage de nos aïeux. Mais rien ne nous a été donné gratuitement. Ce que nous avons acquis, nous en avons payé le prix entier dans la monnaie qui a cours aujourd'hui.

L'école au siècle passé

Il allait de soi qu'après l'école primaire on m'enverrait au lycée. Dans toutes les familles fortunées, on tenait, ne fût-ce que dans l'intérêt des relations sociales, à avoir des fils « cultivés » ; on leur faisait apprendre le français et l'anglais, on les initiait à la musique, on engageait d'abord des gouvernantes, puis des précepteurs chargés de leur enseigner les bonnes manières. Mais seule la formation « académique », qui ouvrait les portes de l'université, conférait toute sa valeur à un jeune homme en ces temps de libéralisme « éclairé ». C'est pourquoi toute « bonne » famille avait l'ambition qu'un de ses fils au moins fît précéder son nom de quelque titre de docteur. Or cette voie qui menait à l'université était assez longue et n'avait rien de rose. Pendant cinq années d'école primaire et huit ans de lycée, il fallait passer cinq à six heures par jour sur les bancs de la classe, puis, une fois les cours terminés, faire ses devoirs, et aussi — ce qu'exigeait la « culture générale » — apprendre le français, l'anglais et l'italien, à côté du latin et du grec qui s'enseignaient en classe ; en tout cinq langues, à quoi s'ajoutaient la géométrie et la physique, et toutes les autres disciplines scolaires. C'était plus que trop, et cela ne laissait presque aucune place pour les exercices corporels, les sports et les promenades, ni surtout pour les plaisirs et les divertissements. Je me rappelle confusément qu'à sept ans il nous avait fallu apprendre et chanter en chœur je ne sais plus quelle chanson où il était question « du temps joyeux, du

49

temps bienheureux de l'enfance ». J'ai encore à l'oreille la mélodie de cette chanson à la simplicité un peu niaise, mais à l'époque, déjà, les paroles avaient peine à franchir mes lèvres et surtout à pénétrer mon cœur de conviction. Car, pour être franc, toute ma scolarité ne fut pour moi qu'ennui et dégoût, accrus d'année en année par l'impatience d'échapper à ce bagne. Je ne puis me souvenir d'avoir jamais été « joyeux » ou « bienheureux » au cours de cette activité scolaire monotone, sans cœur et sans esprit, qui nous empoisonnait complètement la plus belle, la plus libre époque de notre existence ; et j'avoue même que je ne puis me défendre aujourd'hui encore d'une certaine envie, quand je vois combien l'enfance peut se développer plus heureusement, plus librement dans ce siècle-ci. Et j'éprouve toujours une impression d'invraisemblance quand j'observe avec quel abandon les enfants d'aujourd'hui bavardent avec leurs maîtres, presque d'égal à égal, quand je les vois courir à leur école sans manifester aucune crainte, au lieu que nous vivions dans le sentiment de notre insuffisance, quand je vois qu'ils peuvent exprimer ouvertement, tant à l'école qu'à la maison, les vœux, les inclinations de leur jeune âme curieuse — en créatures libres, indépendantes, naturelles —, au lieu qu'à peine franchi le seuil du bâtiment détesté il nous fallait en quelque sorte nous courber en nous-mêmes pour ne pas donner du front contre le joug invisible. L'école était pour nous la contrainte, la tristesse, l'ennui, un lieu où nous devions ingurgiter en portions exactement mesurées « la science de ce qui ne mérite pas d'être su », matières scolaires ou rendues scolaires dont nous sentions qu'elles ne pouvaient pas avoir le moindre rapport avec le réel ou avec nos centres d'intérêt personnels. Ce que nous imposait l'ancienne pédagogie, c'était un apprentissage morne et glacé, non pas pour la vie, mais pour lui-même. Et le seul moment de vrai bonheur que je doive à l'école, c'est le jour où je fermai pour toujours sa porte derrière moi.

Non qu'en elles-mêmes nos écoles autrichiennes eussent été mauvaises. Au contraire, ce qu'on appelait « le plan d'études » avait été soigneusement élaboré après un siècle d'expériences, et s'il nous avait été enseigné de manière à nous stimuler, ce programme aurait pu constituer la base d'une culture fructueuse et assez universelle. Mais c'est justement le respect rigoureux du « plan » et la schématisation desséchante qu'il entraînait qui rendaient nos heures de classe abominablement arides et sans vie ; l'école était une froide machine à enseigner, jamais réglée sur l'individu et n'indiquant qu'à la manière d'un distributeur automatique — par les mentions « bien », « passable », « insuffisant » — dans quelle mesure nous avions satisfait aux « exigences » du plan d'études. Ce manque d'amour humain, cette froide impersonnalité et ce régime de caserne nous aigrissaient à notre insu. Nous devions apprendre et réciter nos leçons ; en huit ans, jamais un professeur ne nous a demandé ce que nous désirions personnellement étudier, et nous étions totalement privés de ces encouragements si stimulants auxquels aspirent en secret tous les jeunes gens.

Cette raideur se marquait déjà extérieurement dans l'architecture de notre lycée, construction utilitaire typique, maçonnée à la hâte, à peu de frais et sans réflexion, cinquante ans auparavant. Avec ses corridors froids et mal crépis, ses salles de classe basses, sans une gravure aux murs, sans une décoration qui eût réjoui nos yeux, ses lieux d'aisance qui empuantissaient tout le bâtiment, cette caserne vouée à l'apprentissage avait quelque chose d'un vieux meuble d'hôtel que d'innombrables clients de passage auraient déjà utilisé, que d'innombrables autres utiliseraient ultérieurement avec la même indifférence ou la même répugnance. Aujourd'hui encore, je ne puis oublier cette odeur de moisi et de renfermé qui adhérait à cette maison comme à tous les bureaux de l'administration autrichienne et qu'on appelait chez nous l'odeur « officielle », cette odeur de pièces surchauffées, surpeuplées, mal aérées, qui s'attachait d'abord aux vêtements et finalement à l'âme. Nous étions assis par deux comme des galériens sur des bancs de bois assez bas qui nous courbaient la colonne vertébrale, et nous y demeurions jusqu'à en avoir des douleurs dans les os ; en hiver, la lumière bleuâtre des becs de gaz à flamme nue vacillait par-dessus nos livres ; en été, au contraire, les fenêtres étaient soigneusement masquées par des stores pour éviter que le regard rêveur ne prît plaisir à contempler le petit rectangle de ciel bleu. Ce siècle n'avait pas encore découvert que les jeunes corps dont la croissance n'est pas achevée ont besoin d'air et de mouvement. On jugeait suffisantes dix minutes de récréation dans le préau étroit et glacé au milieu de quatre ou cinq heures d'immobilité ; deux fois par semaine, on nous conduisait au gymnase où, toutes fenêtres soigneusement closes, nous marchions pesamment en rond, sans but, sur le plancher d'où chacun de nos pas soulevait de gros nuages de poussière ; on avait ainsi satisfait à l'hygiène, l'État s'était acquitté de son « devoir » envers nous en matière de *mens sana in corpore sano*. Encore des années plus tard, chaque fois que je passais devant cette bâtisse triste et désolée, j'éprouvais une impression de soulagement en songeant que je n'avais plus à pénétrer dans cette geôle de notre jeunesse, et quand on organisa une fête à l'occasion du cinquantième anniversaire de la fondation de cet illustre établissement, et qu'en ma qualité de « brillant élève » je fus sollicité de prononcer le discours solennel en présence du ministre et du bourgmestre, je déclinai poliment cet honneur. Je n'avais pas à témoigner ma reconnaissance à cette école, et toute parole en ce sens aurait constitué un mensonge.

Nos maîtres n'étaient pas responsables, eux non plus,

de ce régime affligeant. Ils n'étaient ni bons ni méchants, ce n'étaient ni des tyrans ni des camarades secourables, mais de pauvres diables qui, asservis au schéma, au plan d'études prescrit par les autorités, devaient s'acquitter de leur « pensum » comme nous du nôtre et — nous le sentions très bien — ils étaient aussi heureux que nous quand, à midi, retentissait la cloche qui leur rendait, comme à nous-mêmes, la liberté. Ils ne nous aimaient pas, ils ne nous haïssaient pas, et comment l'auraient-ils pu puisqu'ils ne savaient rien de nous ? Au bout de quelques années, ils ne connaissaient le nom que d'une minorité d'entre nous ; dans l'esprit des méthodes d'alors, ils devaient avoir pour seul souci d'établir le nombre de fautes que « l'élève » avait faites dans son dernier devoir. Ils étaient installés sur leur chaire surélevée, nous étions en bas, ils nous interrogeaient, nous devions répondre, là se bornaient nos relations. Car entre le maître et ses élèves, entre la chaire et les bancs, entre le haut et le bas — séparations bien visibles — il y avait l'invisible barrière de « l'autorité », qui empêchait tout contact. Qu'un maître eût à considérer l'écolier comme un individu, ce qui exigeait qu'on s'enquît de ses qualités particulières, ou qu'il eût à rédiger sur lui, comme aujourd'hui cela va de soi, des « rapports », c'est-à-dire des synthèses de ses observations, cela, à l'époque, eût dépassé de beaucoup ses attributions comme ses aptitudes ; d'autre part, une conversation particulière eût compromis son autorité en nous plaçant trop, nous, les « écoliers », au même niveau que lui, notre « supérieur ». Rien ne me paraît plus caractéristique de cette absence totale de relations intellectuelles et spirituelles entre nous que le fait que j'aie oublié tous les noms et tous les visages de nos maîtres. Ma mémoire conserve encore avec une netteté photographique l'image de la chaire et du journal de classe sur lequel nous cherchions toujours à loucher parce que nos notes y étaient consignées ; je vois le petit calepin rouge où était indiqué notre classement, et le crayon noir et court qui inscrivait les chiffres, je vois mes propres cahiers semés des corrections du maître à l'encre rouge, mais je ne vois plus un seul de leurs visages — peut-être parce que nous nous tenions toujours devant eux le regard baissé ou indifférent.

*

Il serait erroné de croire que ce déplaisir que je prenais à l'école m'était personnel ; je ne puis me souvenir d'aucun de mes camarades qui n'eût senti avec répugnance que, dans ce bagne, les meilleures de nos curiosités et de nos intentions étaient entravées, réprimées, étouffées par l'ennui. Mais c'est seulement beaucoup plus tard que je pris conscience que cette méthode d'éducation sans amour et sans âme n'était pas imputable, par exemple, à la négligence des pouvoirs publics, mais qu'il s'y exprimait bien plutôt une intention déterminée, encore que soigneusement dissimulée. Réglant toutes ses pensées sur le seul fétiche de la sécurité, le monde qui nous a précédés, et qui alors nous dominait, n'aimait pas la jeunesse ou, plus encore, nourrissait à son égard une perpétuelle défiance. Fière de son « progrès » systématique, de son ordre, la société bourgeoise proclamait que la modération et la tranquillité étaient les seules vertus humaines efficaces ; il fallait éviter toute hâte à nous pousser de l'avant. L'Autriche était un vieil empire régi par un vieillard, gouverné par de vieux ministres, un État qui, sans ambition, espérait uniquement se maintenir intact dans l'espace européen en se défendant de tout changement radical ; les jeunes gens, puisque d'instinct ils souhaitent toujours des transformations rapides et radicales, passaient pour un élément suspect qu'il fallait maintenir le plus longtemps possible à l'écart et dans une position subalterne. Ainsi l'on n'avait point de raison de nous rendre agréables nos années d'école ; nous devions mériter d'abord, du fait de ce freinage permanent, par une attente patiente, les divers âges de la vie qui prenaient une tout autre valeur qu'aujourd'hui. Un lycéen de dix-huit ans était traité comme un enfant, on le punissait quand il était surpris une cigarette aux lèvres ; il lui fallait docilement lever la main s'il voulait quitter son banc pour satisfaire un besoin naturel ; et on considérait encore un homme de trente ans comme un être incapable de voler de ses propres ailes ; même un quadragénaire n'était pas jugé assez mûr pour un poste comportant des responsabilités. Quand un jour il se produisit une exception inouïe et qu'à trente-huit ans Gustav Mahler fut nommé directeur de l'Opéra impérial, un murmure d'étonnement et d'effroi parcourut tout Vienne : comment pouvait-on confier à « un si jeune homme » la première institution artistique de la ville ? (On oubliait que Mozart avait accompli l'œuvre de sa vie à trente-six ans, Schubert à trente et un.) Cette défiance reposant sur l'idée que l'on ne pouvait jamais « se fier tout à fait à la jeunesse » se rencontrait dans tous les milieux. Mon père n'aurait jamais engagé un jeune homme dans son entreprise ; et qui, par malchance, avait conservé une apparence particulièrement juvénile avait partout à surmonter la méfiance. Ainsi se produisait ce qui serait aujourd'hui presque incompréhensible : la jeunesse devenait une entrave dans toutes les carrières, et seul un âge avancé constituait un avantage. Tandis que de nos jours, dans notre monde complètement changé, les quadragénaires font tout pour ressembler aux hommes de trente ans, et les sexagénaires à ceux de quarante, tandis que la juvénilité, l'énergie, l'activité et la confiance en soi favorisent et recommandent un être, dans cet âge de la sécurité, quiconque voulait s'élever était obligé d'avoir recours à tous les déguisements possibles pour paraître plus vieux qu'il ne l'était. Les journaux vantaient des produits pour hâter la croissance de la barbe, de jeunes médecins de vingt-cinq ou trente ans qui venaient de passer leur examen portaient des barbes majestueuses et chargeaient leur nez de lunettes à monture d'or, même s'ils n'en avaient nul besoin, à seule fin de donner à leurs patients l'impression qu'ils avaient de l'« expérience ». On s'imposait le port de la longue redingote noire, une démarche grave et si possible un léger embonpoint, afin d'incarner cette maturité si souhaitable ; et qui avait de l'ambition s'efforçait de donner congé, au moins dans son apparence extérieure, à cette jeunesse suspecte de légèreté ; au cours de notre sixième ou septième année d'études, déjà, nous nous refusions à porter des cartables d'écolier, afin de ne plus être reconnus pour des lycéens, et nous les remplacions par des serviettes. Tout ce qui aujourd'hui nous paraît des qualités enviables, la fraîcheur, le sentiment de sa valeur, l'audace, la curiosité, la joie de vivre de la jeunesse, passait pour suspect dans ce temps qui n'appréciait que le « solide ».

Seul ce singulier esprit explique que l'État exploitât l'école comme un moyen d'assurer son autorité. Notre éducation devait tendre avant tout à nous faire respecter l'ordre existant comme le plus parfait, l'opinion du maître comme infaillible, la parole des pères comme irréfutable, et les institutions de l'État comme ayant une valeur absolue et éternelle. Une deuxième maxime fondamentale de cette pédagogie, qu'on appliquait aussi dans la famille, était que les jeunes gens ne doivent pas avoir la vie trop facile. Avant qu'on leur accordât quelque droit que ce fût, ils devaient apprendre qu'ils avaient des devoirs, et d'abord celui de se montrer parfaitement dociles. Dès le début, on tenait à nous inculquer ce principe que nous, qui n'avions encore rien fait et ne possédions pas la moindre expérience, nous n'avions qu'à être reconnaissants de tout ce qu'on nous accordait et ne pouvions avoir la prétention de demander ou d'exiger quoi que ce fût. De mon temps, on appliquait dès la plus tendre enfance une absurde méthode d'intimidation. Des servantes et des mères stupides effrayaient des enfants de trois ou quatre ans en les menaçant d'aller chercher le « gendarme » s'ils ne cessaient pas aussitôt d'être méchants. Quand, déjà au lycée, nous avions rapporté à la maison une mauvaise note dans quelque matière secondaire, on nous menaçait encore de nous retirer de l'école et de nous mettre en apprentissage pour nous faire apprendre un métier manuel — la pire menace qu'on pût formuler dans le monde bourgeois : celle d'une déchéance, d'un retour au prolétariat. Et quand des jeunes gens sincèrement désireux de se cultiver cherchaient auprès des adultes des éclaircissements sur de graves problèmes d'actualité, on les rabrouait par un hautain : « Tu ne comprends pas encore ces choses. » Partout on usait de cette tactique, à la maison, à l'école et dans l'État. On ne se lassait jamais de répéter au jeune homme qu'il n'était pas encore « mûr », qu'il ne comprenait rien, qu'il n'avait qu'à écouter et à croire, sans jamais se mêler à la conversation ni surtout émettre de contradiction. En vertu de ce même principe, le pauvre diable de professeur installé en chaire devait demeurer une souche inabordable et réduire tous nos sentiments et toutes nos aspirations dans le cadre du plan d'études. Peu lui importait que nous nous sentions à l'aise ou non dans notre école. Selon l'esprit de ce temps, sa vraie mission n'était pas tant de nous faire progresser que de nous retenir, non pas de nous former de l'intérieur, mais de nous adapter si possible sans résistance à l'ordre établi, non pas d'accroître nos énergies, mais de les discipliner et de les niveler.

Un tel régime d'oppression psychologique (ou plutôt antipsychologique) de la jeunesse peut avoir deux effets opposés : il peut paralyser ou au contraire stimuler. Combien de « complexes d'infériorité » a développés cette absurde méthode d'éducation, on peut s'en rendre compte en lisant les actes des psychanalystes ; si ce complexe a été décelé justement par des hommes qui ont passé eux-mêmes par nos vieilles écoles autrichiennes, ce n'est peut-être pas un hasard. Quant à moi, je dois à cette oppression une passion de la liberté qui se manifesta de bonne heure, et telle que la jeunesse d'aujourd'hui ne peut plus guère l'éprouver avec la même véhémence, ainsi qu'une haine des manières autoritaires et du ton altier qui m'a accompagné durant toute mon existence. Pendant des années, cette aversion à l'égard de tout ce qui est catégorique et dogmatique est demeurée en moi purement instinctive, et j'en avais oublié l'origine. Mais un jour, au cours d'une tournée de conférences, on avait choisi pour moi le grand auditorium de l'université et je découvris soudain que j'allais parler moi-même du haut d'une chaire, alors que mes auditeurs, tout comme les écoliers que nous avions été, étaient assis en bas sur leurs bancs, bien tranquilles, sans oser parler ou contredire. J'éprouvai alors un brusque sentiment de malaise. Je me rappelai combien j'avais souffert durant mes années d'école de cette parole vide de toute camaraderie, autoritaire, doctrinaire, altière, et la crainte me saisit de produire en parlant ainsi, du haut de ma chaire, la même impression d'impersonnalité que nous donnaient jadis nos maîtres ; ma gêne fit aussi que cette conférence fut la plus mauvaise de ma vie.

*

Jusqu'à l'âge de quatorze ou quinze ans, nous nous accommodions encore assez bien de l'école. Nous plaisantions sur nos professeurs, nous apprenions nos leçons avec une froide curiosité. Puis vint un moment où l'école ne fit plus que nous ennuyer et nous troubler. Un phénomène remarquable s'était produit secrètement : nous qui étions entrés au lycée à dix ans, nous avions déjà devancé spirituellement l'école au bout de quatre années — sur les huit que nous avions à y passer. Nous sentions instinctivement que nous n'avions plus rien à apprendre d'elle, et qu'en bien des matières qui nous intéressaient nous en savións même plus long que nos pauvres professeurs qui, depuis leurs études, n'avaient plus jamais ouvert un livre par pur intérêt personnel. Un autre contraste se faisait de jour en jour plus sensible : sur les bancs où nous usions nos culottes, nous n'entendions rien de nouveau, rien, du moins, qui nous parût digne d'être appris, et il y avait au-dehors une ville pleine de mille invitations diverses, une ville qui nous offrait ses innombrables suggestions, une ville avec des théâtres, des musées, des bibliothèques, des universités, de la musique, où chaque jour apportait de nouvelles surprises. Notre amour refoulé du savoir, nos curiosités spirituelles et artistiques, notre avidité de jouissance, qui ne trouvaient nul aliment à l'école, se jetèrent donc avec passion au-devant de tout ce qui se produisait hors de l'école. Nous fûmes tout d'abord deux ou trois seulement à découvrir en nous cet intérêt pour les arts, la musique, la littérature, puis une douzaine, et pour finir presque tous subirent la contagion.

Car l'enthousiasme est chez les jeunes gens comme une maladie infectieuse. Dans une classe, il se transmet de l'un à l'autre à l'instar de la rougeole ou de la scarlatine, et comme les néophytes, avec leur orgueil ostentatoire et enfantin, cherchent à surpasser le plus rapidement possible les autres par leur savoir, chacun pousse autrui de l'avant. C'est pourquoi, en fait, la direction particulière que prend leur passion n'est plus ou moins qu'un effet du hasard : s'il se trouve dans une classe un collectionneur de timbres-poste, il y aura bientôt une douzaine de fous pour l'imiter, si trois d'entre eux sont épris des danseuses, tous les autres iront se camper jour après jour devant l'entrée des artistes de l'Opéra. Trois ans après la nôtre, il y eut une classe enragée de football ; une de celles qui nous avaient précédés s'enthousiasmait pour le socialisme et Tolstoï. Le fait que je me trouvais parmi des camarades fanatiques des beaux-arts a peut-être déterminé l'orientation de toute ma vie.

En soi, cet enthousiasme pour le théâtre, la littérature et l'art était tout naturel à Vienne ; le journal faisait une place importante à toutes les manifestations culturelles ; partout où l'on allait, on entendait de gauche et de droite, chez les adultes, des discussions sur l'Opéra ou le *Burgtheater,* toutes les papeteries exposaient dans leurs vitrines les portraits des grands acteurs ; le sport passait encore pour un exercice brutal dont un lycéen eût plutôt à rougir, et le cinéma, avec ses idéaux de masse, n'avait pas encore été inventé. Nous n'avions pas non plus à craindre d'opposition de la part de nos parents : le théâtre et la littérature comptaient au nombre des passions « innocentes », au contraire du jeu de cartes et des amourettes. Après tout, mon père, comme tous les pères viennois, avait été dans sa jeunesse tout aussi épris du théâtre, et il avait assisté à la représentation de *Lohengrin* sous la direction de Richard Wagner avec le même enthousiasme que nous aux premières de Richard Strauss et de Gerhart Hauptmann. Car il allait de soi que nous autres, lycéens, nous nous pressions à toutes les premières — comme nous aurions eu honte devant nos collègues plus heureux si le lendemain, à l'école, nous n'avions pas pu rendre compte de tous les détails ! Nos professeurs, s'ils n'avaient pas été totalement indifférents, auraient dû être frappés du fait que tous les après-midi précédant une grande première — où nous devions faire la queue depuis trois heures pour obtenir les places debout qui seules nous étaient accessibles — les deux tiers des élèves tombaient mystérieusement malades. S'ils y avaient prêté une stricte attention, ils auraient dû découvrir aussi que les poèmes de Rilke se cachaient sous la couverture de nos grammaires latines et que nous utilisions nos cahiers de mathématiques pour y copier les plus belles poésies que nous trouvions dans des livres empruntés. Chaque jour, nous inventions de nouvelles techniques pour consacrer à nos lectures les ennuyeuses heures de classe. Pendant que le maître débitait sa leçon ressassée sur la « poésie naïve et sentimentale » de Schiller, nous lisions sous nos pupitres Nietzsche et Strindberg, dont ce brave vieillard n'avait jamais entendu prononcer les noms. Le désir de connaître tout ce qui se produisait dans tous les domaines de l'art et de la science nous avait gagnés comme une fièvre ; l'après-midi, nous nous pressions parmi les étudiants de l'université pour assister aux cours, nous pénétrions dans les amphithéâtres d'anatomie pour assister à des dissections. Nous fourrions notre nez partout avec une avide curiosité. Nous nous glissions aux répétitions de la Philharmonique, nous furetions chez les bouquinistes, nous inspections tous les jours les vitrines des libraires afin de savoir aussitôt ce qui avait paru la veille. Et avant tout, nous lisions, nous lisions tout ce qui nous tombait entre les mains. Nous empruntions des livres dans les bibliothèques publiques, nous nous prêtions mutuellement tout ce que nous dénichions. Mais le meilleur endroit pour nous instruire de toutes les nouveautés restait le café.

Pour comprendre cela, on doit savoir que les cafés, à Vienne, constituent une institution d'un genre particulier, qui ne peut se comparer à aucune autre au monde. Ce sont en quelque sorte des clubs démocratiques accessibles à tous pour le prix modique d'une tasse de café et où chaque hôte, en échange de cette petite obole, peut rester assis pendant des heures, discuter, écrire, jouer aux cartes, recevoir sa correspondance et surtout consommer un nombre illimité de journaux et de revues. Dans un bon café de Vienne, on trouvait non seulement tous les journaux viennois, mais aussi ceux de tout l'Empire allemand, les français, les anglais, les italiens et les américains, et en outre les plus importantes revues d'art et de littérature du monde entier, *Le Mercure de France* aussi bien que la *Neue Rundschau*, le *Studio* et le *Burlington Magazine*. Ainsi, nous savions tout ce qui se passait dans le monde, de première main ; nous étions informés de tous les livres qui paraissaient, de toutes les représentations, en quelque lieu que ce fût, et nous comparions entre elles les critiques de tous les journaux ; rien n'a peut-être autant contribué à la mobilité intellectuelle et à l'orientation internationale de l'Autrichien que cette facilité qu'il avait de se repérer aussi complètement, au café, dans les événements mondiaux, tout en discutant dans un cercle d'amis. Chaque jour, nous y passions des heures et rien ne nous échappait. Car grâce au caractère collectif de nos intérêts, nous suivions l'*orbis pictus* des événements artistiques non pas avec une paire, mais avec dix ou vingt paires d'yeux. Ce qui échappait à l'un, l'autre le remarquait pour lui, et comme, avec notre orgueil enfantin et dans un esprit d'émulation presque sportif, nous cherchions sans cesse à l'emporter dans notre connaissance des dernières nouveautés, nous nous trouvions en fait dans un état de permanente jalousie à l'égard de ce qui pouvait faire sensation. Quand, par exemple, nous discutions Nietzsche, qui était encore honni, l'un de nous déclarait soudain, en jouant les esprits supérieurs : « Mais il est pourtant clair que, dans l'idée de l'égotisme, Kierkegaard lui est supérieur », et aussitôt nous nous inquiétions : « Qui est ce Kierkegaard qu'il connaît et que nous ne connaissons pas ? » Le lendemain, nous nous précipitions à la bibliothèque afin d'y dénicher les œuvres de ce philosophe danois oublié, car nous éprouvions comme une humiliation le fait de ne pas connaître quelque chose d'étranger qu'un autre connaissait. Notre passion — à laquelle, d'ailleurs, je me suis encore personnellement adonné pendant bien des années — était de découvrir en devançant les autres ce qu'il y avait de plus récent, de plus nouveau, de plus extravagant, de plus extraordinaire, ce sur quoi personne ne s'était appesanti, ce à quoi surtout n'avait pas touché la critique littéraire officielle de nos vénérables quotidiens. Il nous fallait connaître ce qui n'était pas encore généralement reconnu, nous portions un amour particulier à ce qui était difficilement accessible, excentrique, insolite et radical ; c'est pourquoi rien n'était si bien dissimulé, si peu à portée de notre vue que nos curiosités collectives et rivales ne finissent par le tirer de sa cachette. Stefan George ou Rilke, par exemple, n'avaient paru en tout et pour tout durant nos années de lycée qu'en éditions de deux ou trois cents exemplaires, dont à peine trois ou quatre avaient trouvé le chemin de Vienne ; aucun libraire ne les avait en magasin, aucun des critiques officiels n'avait jamais mentionné le nom de Rilke. Mais notre bande, par un miracle de la volonté, connaissait chaque vers et chaque ligne de lui. Nous, gamins imberbes et encore en pleine croissance, contraints à rester assis toute la journée sur les bancs de l'école, nous formions réellement le public idéal dont un jeune poète pouvait rêver, un public curieux, critique et compréhensif, et enthousiaste de s'enthousiasmer. Car nos capacités d'enthousiasme étaient illimitées ; pendant nos heures de classe, en allant au lycée ou en en revenant, au café, au théâtre, au cours de nos promenades, nous n'avons rien fait d'autre, pendant nos années d'adolescence, que de discuter de livres, de tableaux, de musique, de philosophie ; qui se produisait en public comme acteur ou chef d'orchestre, qui avait publié un livre ou écrivait dans un journal était une étoile à notre firmament. Des années plus tard, c'est presque avec effroi que j'ai trouvé chez Balzac, dans le récit qu'il fait de sa jeunesse, la phrase suivante : « Les gens célèbres étaient pour moi comme des dieux qui ne parlaient pas, ne marchaient pas, ne mangeaient pas comme les autres hommes. » Car c'était très précisément ce que nous avions éprouvé. Avoir vu Gustav Mahler dans la rue constituait un événement qu'on rapportait à ses camarades le lendemain comme un triomphe personnel, et quand un jour je fus présenté à Johannes Brahms et qu'il me tapota amicalement l'épaule, je demeurai plusieurs jours égaré par ce prodige. Avec mes douze ans, je ne savais que vaguement ce que Brahms avait produit, certes, mais la seule réalité de sa renommée, de son aura de créateur, me bouleversait. Une première de Gerhart Hauptmann au *Burgtheater* jetait l'excitation dans notre classe bien des semaines avant le début des répétitions. Nous nous insinuions auprès d'acteurs ou de petits figurants pour connaître les premiers — avant les autres ! — la marche de l'action et la distribution. Nous nous faisions couper les cheveux chez le coiffeur du *Burgtheater* (je ne crains pas de rapporter aussi nos absurdités) à seule fin de glaner des renseignements secrets sur la Wolter ou sur Sonnenthal ; et nous, les grands, gâtions particulièrement et circonvenions par toutes sortes d'attentions un élève d'une classe inférieure, simplement parce qu'il était le neveu d'un inspecteur des éclairages à l'Opéra et que, par son intermédiaire, nous pouvions parfois nous introduire en contrebande sur la scène durant les répétitions, cette scène où nous accédions avec le frisson qui saisit Dante quand il s'éleva dans les sphères sacrées du paradis. La force rayonnante de la renommée était pour nous si puissante que même dégradée à travers sept intermédiaires, elle forçait encore notre vénération : une pauvre vieille, parce qu'elle était la petite-nièce de Franz Schubert, nous paraissait une créature surnaturelle, et nous suivions des yeux avec respect, quand il passait dans la rue, le valet de chambre de Joseph Kainz, parce qu'il avait le bonheur d'approcher personnellement cet acteur, le plus aimé et le plus génial de tous.

*

Aujourd'hui, naturellement, je me rends très bien compte de l'absurdité que recelait cet enthousiasme sans discernement, de tout ce qu'il comportait de pure et simple singerie réciproque, de plaisir sportif à surpasser l'autre, d'orgueil vain et enfantin à se sentir supérieur au monde terre à terre de notre entourage familial et de nos maîtres, en se vouant à l'art. Mais aujourd'hui encore je m'étonne de la précocité avec laquelle nous avons acquis notre capacité de discernement critique grâce à cette pratique ininterrompue de la discussion et de l'analyse méticuleuse, grâce à cette exaltation de notre passion pour les lettres. A dix-sept ans, non seulement je connaissais tous les poèmes de Baudelaire ou de Walt Whitman, mais j'en savais par cœur les plus remarquables, et je crois qu'au cours de toute mon existence ultérieure, je n'ai plus jamais lu de façon aussi intensive que durant ces années de lycée et d'université. Des noms nous étaient parfaitement familiers qui ne devaient être célèbres que dix ans plus tard ; même le plus éphémère persistait dans notre mémoire, parce que nous l'avions appréhendé avec une telle ardeur. Je racontais un jour à mon ami vénéré Paul Valéry à quel point était ancienne ma conscience de son œuvre littéraire, que trente ans auparavant j'avais lu et aimé des vers de lui. Valéry se mit à rire avec bonhomie : « N'essayez pas de m'en faire accroire, mon cher ami ! Mes poèmes n'ont paru qu'en

1916. » Mais ensuite, il fut bien surpris quand je lui décrivis très exactement et le format et la couleur de la petite revue littéraire où nous avions découvert, en 1898, à Vienne, ses premiers vers. « Mais c'est à peine si quelqu'un à Paris la connaissait. Comment donc avez-vous pu vous la procurer à Vienne ? » s'étonna-t-il. Je pus lui répondre : « Exactement de la même manière que vous vous êtes procuré, quand vous étiez lycéen dans votre ville de province, les poèmes de Mallarmé que la littérature officielle connaissait tout aussi peu. » Il approuva : « La jeunesse découvre ses poètes parce qu'elle veut les découvrir. » A la lettre, nous flairions le vent avant qu'il eût passé la frontière, parce que nous vivions constamment narines tendues. Nous trouvions le nouveau, parce que nous voulions le nouveau, parce que nous avions faim de quelque chose qui nous appartînt et n'appartînt qu'à nous, non au monde de nos pères, à notre entourage. La jeunesse possède, comme certains animaux, un remarquable instinct qui l'avertit des changements météorologiques, et notre génération pressentait, avant que nos professeurs et les universités le soupçonnent, qu'avec le siècle finissait aussi quelque chose dans les conceptions artistiques, qu'une révolution commençait ou tout au moins un renversement de valeurs. Les bons maîtres éprouvés de l'époque de nos pères, Gottfried Keller en littérature, Ibsen en art dramatique, Johannes Brahms en musique, Leibl en peinture, Eduard von Hartmann en philosophie, portaient en eux, pour notre sentiment, toute la circonspection du monde de la sécurité ; en dépit de leur maîtrise technique et intellectuelle, ils ne nous intéressaient plus. Nous sentions instinctivement que leur rythme froid et bien tempéré était étranger à celui de notre sang turbulent et n'était déjà plus en accord avec le tempo accéléré de l'époque. Or c'est à Vienne, justement, que vivait l'esprit le plus vigilant de la jeune génération allemande, Hermann Bahr, qui se battait furieusement, en vrai bretteur spirituel, pour tout ce qui venait et advenait de plus neuf ; grâce à son aide s'ouvrit à Vienne la « Sécession » qui, à l'effarement de la vieille école, exposa les impressionnistes et les pointillistes de Paris, Munch le Norvégien, Rops le Belge et tous les extrémistes imaginables ; ainsi s'ouvrait en même temps la voie à leurs prédécesseurs méprisés, Grünewald, le Greco et Goya. On apprenait soudain une nouvelle façon de voir et en même temps, en musique, grâce à Moussorgski, à Debussy, Strauss et Schoenberg, des rythmes et des timbres nouveaux ; le réalisme faisait irruption dans la littérature avec Zola, Strindberg et Hauptmann, le démonisme slave avec Dostoïevski, une sublimation et un raffinement du verbe poétique jusqu'alors inconnus avec Verlaine, Rimbaud, Mallarmé. Nietzsche révolutionnait la philosophie ; une architecture plus audacieuse et plus libre proclamait, au lieu de la surcharge classique, les vertus de la construction fonctionnelle sans ornement. Soudain, le vieil ordre confortable était troublé ; ses normes du « beau esthétique » (Hanslick), qui jusque-là passaient pour infaillibles, étaient remises en question, et tandis que les critiques officiels de nos journaux bourgeois « sérieux » s'effrayaient des expériences souvent téméraires et cherchaient à endiguer le flot irrésistible en lui jetant l'anathème aux cris de « décadence » ou d' « anarchisme », nous, les jeunes, nous nous précipitions avec enthousiasme dans son déferlement, où il écumait le plus sauvagement. Nous avions le sentiment qu'une époque se levait pour nous, notre époque, où la jeunesse allait enfin conquérir ses droits. Ainsi notre quête passionnée, notre recherche turbulente prenaient tout à coup un sens : nous, les jeunes, sur nos bancs d'école, pouvions participer à ces combats furieux et souvent enragés pour l'art nouveau. Partout où l'on tentait une expérience, par exemple à une représentation de Wedekind ou à une lecture de poésie nouvelle, nous ne manquions pas d'être présents avec toute la force, non seulement de nos âmes, mais aussi de nos mains ; alors que nous assistions à la première exécution d'une des œuvres atonales du jeune Arnold Schoenberg, comme un monsieur lançait des coups de sifflet stridents, mon ami Buschbeck lui administra un soufflet tout aussi retentissant ; partout nous étions les troupes de choc et les avant-gardes en lutte pour toute sorte d'art nouveau, simplement parce qu'il était nouveau, parce qu'il voulait changer le monde pour nous, dont venait enfin le tour de vivre notre vie. Car, nous le sentions, *nostra res agitur*.

Mais il y avait autre chose encore qui nous intéressait et nous fascinait si démesurément dans cet art nouveau : c'est qu'il était presque exclusivement un art de jeunes gens. Dans la génération de nos pères, un poète, un musicien n'acquérait de la considération que quand il avait « fait ses preuves », quand il s'était adapté au goût tranquille et sérieux de la société bourgeoise. Tous les hommes qu'on nous avait appris à respecter se conduisaient et se comportaient en gens respectables. Ils arboraient de belles barbes grisonnantes par-dessus leurs poétiques gilets de velours — Wilbrandt, Ebers, Félix Dahn, Paul Heyse, Lenbach, les favoris de ce temps, aujourd'hui bien oubliés. Ils se faisaient photographier avec leur regard pensif, toujours dans une attitude « digne » et « poétique », ils adoptaient le maintien des conseillers auliques et des excellences, et comme eux ils étaient décorés. Les jeunes poètes, peintres ou musiciens, en revanche, étaient tout au plus qualifiés de « talents prometteurs », mais en attendant on reléguait dans la glacière toute reconnaissance positive. Cet âge de prudence n'aimait pas accorder une faveur prématurée, avant qu'on se fût affirmé par une longue et « solide » production. Or les nouveaux écrivains, peintres et musiciens étaient tous jeunes : Gerhart Hauptmann, émergé soudain du plus profond anonymat, dominait à trente ans la scène allemande ; Stefan George, Rainer Maria Rilke jouissaient d'une réputation littéraire et avaient des admirateurs fanatiques à vingt-trois ans — donc avant l'âge où l'on était déclaré majeur selon la loi autrichienne. Dans notre propre ville se forma du jour au lendemain le groupe « Jeune Vienne » avec Arthur Schnitzler, Hermann Bahr, Richard Beer-Hofmann, Peter Altenberg, chez qui la culture spécifiquement autrichienne, par un raffinement de tous les moyens artistiques, trouva pour la première fois une expression européenne. Mais c'était avant tout *une* figure qui nous fascinait, nous séduisait, nous enivrait et nous enthousiasmait : Hugo von Hofmannsthal, ce phénomène merveilleux et unique, dans lequel notre jeunesse voyait réalisées non pas seulement ses plus hautes ambitions, mais encore la perfection poétique absolue, en la personne d'un jeune homme qui avait à peu près notre âge.

*

L'apparition du jeune Hofmannsthal était et reste mémorable comme un des grands miracles d'accomplissement précoce ; à l'exception de Keats et de Rimbaud, je ne connais dans la littérature mondiale aucun exemple, chez un poète aussi jeune, d'une infaillibilité dans la maîtrise de la langue, d'une envergure dans l'essor vers le monde des idées, d'une plénitude de la substance poétique jusque dans la moindre ligne de circonstance, comme celles de ce génie grandiose qui, dès ses seizième et dix-septième années, s'est inscrit dans les annales éternelles de la littérature allemande avec des vers et une prose qui, aujourd'hui encore, reste insurpassée. Ses débuts soudains, en même temps que sa perfection atteinte d'emblée, constituaient un phénomène qui ne se reproduit guère une seconde fois au cours d'une génération. C'est pourquoi tous ceux qui en ont d'abord eu connaissance ont considéré avec stupéfaction, comme un événement presque surnaturel, son invraisemblable apparition. Herman Bahr me rappelait souvent son étonnement quand il reçut de Vienne même, pour sa revue, un article d'un inconnu qui signait « Loris » — au lycée, on ne permettait pas à un élève de publier sous son nom. Jamais, parmi les contributions qu'il recevait du monde entier, il n'avait trouvé un travail qui s'exprimât en une langue aussi ailée, aussi aristocratique, une telle richesse de pensée, répandue d'une main aussi légère. Qui est ce « Loris » ? Qui est cet inconnu ? se demandait-il. Un vieil homme, sans aucun doute, qui avait, dans le silence, mis au pressoir ses découvertes au cours de longues années et cultivé dans une mystérieuse retraite les plus sublimes essences de la langue jusqu'à en faire une magie presque voluptueuse. Et un tel sage, un poète aussi divinement doué, vivait dans la même ville, et il n'avait jamais entendu parler de lui ! Bahr écrivit aussitôt à cet inconnu et lui fixa un rendez-vous dans un café — au célèbre café Griensteidl, quartier général de la jeune littérature. Soudain, à pas légers et rapides, un lycéen svelte et imberbe, encore en culotte courte, s'approcha de sa table ; il s'inclina et prononça d'un ton bref et décidé, d'une voix aiguë qui n'avait pas achevé de muer : « Hofmannsthal ! Je suis Loris ! » Des années plus tard, quand il rappelait son ébahissement, Bahr s'échauffait encore. Il n'avait d'abord pas voulu y croire. Un lycéen, posséder un tel art, une telle sagesse, une telle profondeur, une aussi stupéfiante connaissance de la vie avant d'avoir vécu ! Et Arthur Schnitzler me dit à peu près les mêmes choses. Il était encore médecin, dans ce temps-là, car ses premiers succès littéraires ne paraissaient nullement garantir sa subsistance ; mais déjà il passait pour le chef de la « Jeune

Vienne », et ses cadets se tournaient volontiers vers lui, en quête de jugements et de conseils. Chez des connaissances occasionnelles, il avait rencontré ce jeune lycéen monté en graine, qui le frappa par son intelligence agile, et quand ce lycéen sollicita la faveur de lui lire une petite pièce de théâtre en vers, il l'invita dans sa garçonnière, sans en attendre grand-chose, à la vérité ; car enfin, pensait-il, une pièce écrite par un collégien ne pouvait être que sentimentale ou pseudo-classique. Il pria quelques amis ; Hofmannsthal parut dans sa culotte courte, un peu nerveux et contraint, et il se mit à lire. « Au bout de quelques minutes, me racontait Schnitzler, nous dressâmes l'oreille et échangeâmes des regards étonnés, presque effrayés. Des vers d'une telle perfection, d'une plasticité si accomplie, d'un sentiment si musical, nous n'en avions jamais entendu d'aucun poète vivant — c'est à peine, même, si nous les avions jugés possibles depuis Goethe. Et plus merveilleuse encore que cette maîtrise unique de la forme — qui, depuis, n'a jamais été atteinte par un écrivain de langue allemande — était cette connaissance du monde qui ne pouvait procéder que d'une intuition magique chez ce garçon qui passait ses journées sur les bancs de l'école. » Quand Hofmannsthal eut achevé, tous demeurèrent muets. « J'avais le sentiment, me disait Schnitzler, d'avoir rencontré pour la première fois de ma vie un génie né, et jamais au cours de toute mon existence je ne l'ai éprouvé avec une telle force. » Celui qui débutait ainsi à seize ans — ou plus exactement qui ne débutait pas, mais était d'ores et déjà accompli — ne pouvait que devenir un frère de Goethe et de Shakespeare. Et en effet, cette perfection semblait s'affirmer de plus en plus : à cette première pièce en vers, *Hier,* succédèrent le fragment grandiose de *La Mort du Titien,* dans lequel la langue allemande atteignait aux plus belles sonorités de l'italien, puis les *Poésies,* dont chacune était pour nous un événement, et dont aujourd'hui encore, après des décennies, je connais tous les vers par cœur, puis les petits drames et enfin ces *Essais* qui, dans l'espace merveilleusement limité de quelques douzaines de pages, condensaient magiquement richesse du savoir, intelligence infaillible de l'art et ampleur des vues sur l'univers : tout ce qu'écrivait ce lycéen, cet étudiant de l'Université, était comme un cristal éclairé du dedans, sombre et ardent tout à la fois. Le vers, la prose se modelaient entre ses mains comme la cire parfumée de l'Hymette ; toujours, par un miracle qui ne saurait se renouveler, chaque texte avait sa juste mesure, jamais rien de trop, rien de trop peu, toujours on sentait qu'une puissance inconnue, incompréhensible, devait le guider mystérieusement sur ces chemins, vers des territoires que nul, jusque-là, n'avait foulés.

Je ne saurais guère exprimer à quel point nous fascinait un tel phénomène, nous qui étions éduqués à apprécier les valeurs. Car enfin, que peut-il arriver de plus enivrant à une jeune génération que de savoir près d'elle, au milieu d'elle, en chair et en os, le poète né, le poète pur, le poète sublime que l'on ne s'était jamais imaginé que sous les aspects légendaires de Hölderlin, Keats ou Leopardi, inaccessibles et déjà à moitié rêves et visions. C'est aussi pourquoi je me souviens encore si nettement du jour où je vis pour la première fois Hofmannsthal. J'avais seize ans, et comme nous suivions avec avidité tout ce que faisait notre mentor idéal, je fus extraordinairement excité par une petite note qui se dissimulait dans le journal et par laquelle on annonçait une conférence de lui sur Goethe, au « Club scientifique » (il était inconcevable pour nous qu'un tel génie dût prendre la parole dans un cadre aussi modeste ; vu notre adoration de collégiens, nous eussions attendu que la plus grande des salles fût pleine à craquer quand un Hofmannsthal consentait à paraître en public). Mais à cette occasion-là, je pus constater une fois de plus à quel point nous autres, petits lycéens, étions en avance sur le grand public et sur les critiques officiels dans notre évaluation, dans notre instinct, instinct qui devait se révéler très sûr — et pas seulement ici — de ce qui est destiné à survivre ; à peu près cent vingt à cent cinquante auditeurs en tout s'étaient rassemblés dans la petite salle : c'était donc bien inutilement que, dans mon impatience, je m'étais mis en route une demi-heure à l'avance pour m'assurer une place. Nous attendîmes quelque temps, puis un jeune homme svelte, qui en lui-même n'avait rien de frappant, traversa soudain nos rangs, monta à la tribune et commença si brusquement que j'eus à peine le temps de bien l'examiner. Hofmannsthal, avec sa petite moustache souple, encore naissante, avait l'air plus jeune même que je ne l'avais cru. Son visage au profil aigu, au teint d'Italien un peu basané, semblait tendu par la nervosité, et à cette impression contribuait la mobilité inquiète de ses yeux de velours sombre, mais très myopes. Il se jeta tout d'un coup dans son discours comme un nageur dans le flot familier, et au fur et à mesure qu'il parlait, ses gestes devinrent de plus en plus libres, son attitude de plus en plus sûre ; à peine était-il plongé dans l'élément spirituel qu'après un moment d'embarras (plus tard aussi je l'ai souvent remarqué au cours de nos conversations particulières) une légèreté merveilleuse et comme ailée le gagnait, ainsi qu'il arrive à tous les hommes inspirés. C'est seulement dans ses premières phrases que je remarquai que sa voix n'était pas belle ; parfois très voisine du fausset, elle se brisait légèrement, mais déjà sa parole nous portait si haut et si librement que nous ne percevions plus sa voix, et à peine son visage. Il parlait sans manuscrit, sans notes, peut-être même sans préparation précise, mais grâce à son sentiment inné et magique de la forme, chacune de ses phrases avait un équilibre parfait. Les antithèses les plus audacieuses se déployaient de façon éblouissante pour se résoudre ensuite en formules claires et pourtant surprenantes. On éprouvait le sentiment irrésistible que ce qu'il nous offrait là n'était que les miettes, semées au hasard, d'une bien plus grande abondance, et que, s'étant élevé d'un ample coup d'aile dans les sphères supérieures, il aurait pu parler encore des heures et des heures sans s'appauvrir ou baisser de niveau. Dans la conversation particulière également, au cours des années ultérieures, j'ai éprouvé la puissance magique de cet « inventeur du chant roulant et des dialogues agiles et jaillissants » que louait Stefan George ; il était inquiet, inconstant, émotif, sensible à toutes les pressions, nerveux dans les relations privées, et il n'était pas facile de l'approcher. Mais dès l'instant qu'un problème l'intéressait, il s'élançait comme une fusée mise à feu ; il emportait alors toutes discussions dans la sphère qui était la sienne et à laquelle *lui seul* pouvait accéder complètement. Jamais je n'ai connu de conversations d'un niveau spirituel semblable, sinon parfois avec Valéry, dont la pensée était plus mesurée, plus cristalline, et avec l'impétueux Keyserling. Dans ces moments véritablement inspirés, tout était présent et directement accessible à sa mémoire démoniaquement éveillée, tous les livres qu'il avait lus, tous les tableaux qu'il avait vus, tous les paysages ; les métaphores s'enchaînaient aussi naturellement qu'une main en serre une autre, des perspectives se dressaient comme de soudaines coulisses derrière un horizon qu'on aurait cru déjà fermé ; au cours de cette conférence, puis plus tard lors de rencontres personnelles, j'ai véritablement senti chez lui le *flatus,* le souffle vivifiant, exaltant, de l'incommensurable, de ce qui ne saurait être saisi pleinement par la raison.

En un certain sens, Hofmannsthal n'a jamais dépassé le prodige qu'il avait été depuis sa seizième année jusqu'à sa vingt-quatrième année environ. Je n'admire pas moins nombre de ses ouvrages plus tardifs, les merveilleux essais, le fragment d'*Andreas,* ce torse du plus beau, peut-être, des romans en langue allemande, de même que certaines parties des drames ; mais à mesure qu'il se liait plus étroitement aux réalités du théâtre, comme aux intérêts de son temps, à mesure que ses plans devenaient plus clairement conscients et plus ambitieux, quelque chose de cette infaillibilité de somnambule, de ce pur état d'inspiré qu'attestaient les œuvres de la prime jeunesse s'en est allé, et par là même quelque chose de l'ivresse et de l'extase de notre propre jeunesse. Avec cette magique prescience propre à l'adolescence, nous avions deviné que ce miracle de notre jeunesse serait unique et sans retour dans notre vie.

*

Balzac a exposé de façon incomparable comment l'exemple de Napoléon a, en France, galvanisé toute une génération. Pour lui, l'ascension éblouissante du petit lieutenant Bonaparte devenu empereur du monde ne signifiait pas seulement le triomphe d'une personne, mais une victoire de l'idée de jeunesse. Il n'était pas indispensable d'être né prince pour accéder de bonne heure à la puissance, on pouvait être issu de n'importe quelle famille modeste, voire pauvre, et général à vingt-quatre ans, à trente ans souverain de la France et bientôt du monde entier. Ce succès unique arracha des centaines de jeunes gens à leurs petits métiers et à leurs petites villes de province ; le lieutenant Bonaparte échauffa les têtes de toute une jeunesse. Il inspira une plus haute ambition ; il créa les généraux de la Grande Armée ainsi que les héros et les arrivistes de *La Comédie humaine*. Un jeune homme qui, seul, dans quelque domaine que ce soit, atteint d'un premier élan ce qui, jusque-là, était resté inaccessible, enhardit toujours, du seul fait de son succès, toute la jeunesse autour de lui et après lui. En ce sens, Hofmannsthal et Rilke représentaient pour nous, leurs cadets, un extraordinaire excitant de nos énergies encore en fermentation. Sans espérer qu'un d'entre nous pût jamais répéter le miracle de Hofmannsthal, nous étions pourtant affermis par sa simple existence physique. Elle constituait la preuve visible que dans notre temps, dans notre ville, dans notre milieu, le poète était possible. Son père, directeur de banque, était issu, après tout, de la même bourgeoisie juive que nous autres, le génie avait grandi dans une maison pareille à la nôtre, entouré de meubles semblables, élevé selon la même morale de classe ; il avait fréquenté un lycée tout aussi stérile que le nôtre, avait étudié dans les mêmes manuels scolaires, avait passé huit ans sur les mêmes bancs de bois, aussi impatient que nous, aussi passionné de toutes les valeurs spirituelles. Et voici qu'il avait réussi alors qu'il lui fallait encore user ses culottes sur ces bancs et piétiner dans la salle de gymnastique, surmonter l'espace et son étroitesse, sa ville et sa famille, par cet essor dans l'illimité. Hofmannsthal nous démontrait en quelque sorte *ad oculos* qu'il était possible en principe de créer de la poésie, et de la poésie parfaite, même à notre époque, même dans l'atmosphère de geôle d'un lycée autrichien. Il était possible, même — séduction inouïe pour une âme en fleur —, d'être déjà loué, déjà célébré, alors qu'à la maison et à l'école on passait encore pour un être inachevé et insignifiant.

Rilke, de son côté, nous offrait un encouragement d'une autre sorte, qui complétait celui de Hofmannsthal d'une manière apaisante. Car même le plus téméraire d'entre nous aurait trouvé blasphématoire de prétendre rivaliser avec Hofmannsthal. Nous le savions : il était un miracle unique de perfection précoce, qui ne pouvait se renouveler, et quand, à seize ans, nous comparions nos vers avec ceux, si célèbres, qu'il avait écrits au même âge,

76

nous en étions effrayés et emplis de honte ; et de même nous nous sentions humiliés dans notre savoir par le vol d'aigle dont, encore au lycée, il avait mesuré tout l'espace spirituel. Rilke avait, lui aussi, commencé tôt, à dix-sept ans, à écrire et à publier des vers. Mais ces premiers vers de Rilke étaient, comparés à ceux de Hofmannsthal et même dans l'absolu, immatures, enfantins et naïfs ; seule l'indulgence permettait d'y découvrir quelques menues traces d'or annonçant le talent. Ce n'est que peu à peu, vers vingt-deux ou vingt-trois ans, que ce poète merveilleux, que nous aimions au-delà de toute mesure, avait commencé à affirmer sa personnalité ; cela représentait pour nous une grande consolation. Il n'était donc pas indispensable de parvenir à la perfection accomplie dès le lycée, comme Hofmannsthal ; on pouvait, comme Rilke, tâtonner, essayer, se former, progresser. Il ne fallait pas renoncer aussitôt si l'on produisait pour l'instant des pages insuffisantes, manquant de maturité et dont on ne pouvait répondre ; on pouvait peut-être espérer renouveler en soi, à défaut du miracle de Hofmannsthal, l'ascension plus paisible, plus normale, de Rilke.

Car il allait de soi que nous avions commencé depuis longtemps à écrire et à versifier, à pratiquer la musique ou à réciter ; une disposition purement passive et réceptive n'est pas naturelle à la jeunesse, car il est de son caractère, non seulement d'absorber les impressions, mais d'y répondre par des productions. Pour des jeunes, aimer le théâtre signifie au moins espérer et rêver de paraître sur la scène ou de composer pour elle. Admirer dans l'extase toutes les formes du talent les conduit irrésistiblement à rechercher en eux-mêmes s'ils ne découvriront pas quelque trace ou quelque possibilité de cette essence précieuse entre toutes dans leur propre corps encore inexploré ou dans leur âme encore à demi plongée dans l'obscurité. C'est ainsi que dans notre classe, conformément à l'esprit de Vienne et aux conditions particulières de cette époque, le goût de la production artistique prit tous les caractères d'une épidémie. Quatre ou cinq d'entre nous voulaient devenir comédiens ; ils imitaient la diction de nos acteurs du *Burgtheater*, ils récitaient et déclamaient sans trêve ; ils prenaient déjà en secret des leçons d'art dramatique et improvisaient pendant les récréations, s'étant partagé les divers rôles, des scènes entières des classiques, tandis que nous composions un public curieux mais sévère dans ses critiques. Deux ou trois avaient reçu une excellente formation musicale, et ils n'avaient pas encore décidé s'ils seraient compositeurs, virtuoses ou chefs d'orchestre ; c'est à eux que je dois ma première connaissance de la musique nouvelle, qui était encore sévèrement proscrite des concerts officiels de la Philharmonique — cependant que nous-mêmes leur fournissions les textes pour leurs lieder et leurs chœurs. Un autre, fils d'un peintre mondain alors célèbre, remplissait de dessins nos cahiers pendant les cours et faisait le portrait de tous les futurs génies de la classe. Mais c'était à la création littéraire que l'on consacrait le plus d'efforts. Grâce à l'émulation qui nous poussait à atteindre au plus vite à la perfection, et grâce aux critiques que nous échangions sur chacune de nos poésies, le niveau que nous avions atteint à dix-sept ans s'élevait bien au-dessus de l'amateurisme et se rapprochait de celui des œuvres véritablement dignes de considération, ce que prouvait déjà le fait que nos productions étaient acceptées, non pas dans d'obscures feuilles de province, mais dans les revues d'avant-garde, y étaient imprimées et même — c'est la preuve la plus convaincante — rétribuées. Un de mes camarades, Ph. A., que j'idolâtrais comme un génie, brillait en première place dans la luxueuse revue *Pan*, à côté de Dehmel et de Rilke ; un autre, A.M., avait trouvé accès, sous le pseudonyme d' « August Oehler », à la plus fermée, à la plus exigeante de toutes les revues allemandes, aux *Blätter für die Kunst,* que Stefan George réservait à son cercle consacré et sept fois passé au crible. Un troisième, encouragé par Hofmannsthal, écrivait un drame sur Napoléon ; un quatrième, une nouvelle théorie esthétique et des sonnets remarquables ; moi-même, j'avais trouvé accès à *Die Gesellschaft* *, revue qui était à la tête de la lutte pour l'esprit moderne, et à *Die Zukunft* ** de Maximilien Harden, hebdomadaire dont le rôle fut décisif pour l'histoire politique et culturelle de la nouvelle Allemagne. Si je jette maintenant un regard en arrière, je suis obligé de reconnaître en toute objectivité que la somme de notre savoir, le raffinement de notre technique littéraire, notre niveau artistique étaient vraiment surprenants pour des jeunes gens de dix-sept ans et ne s'expliquaient que par l'exemple de la fantastique précocité de Hofmannsthal, exemple qui nous enflammait et nous contraignait à une tension passionnée et à la mise en œuvre de toutes nos ressources pour pouvoir seulement nous exposer aux critiques de nos camarades. Nous maîtrisions tous les tours de main, toutes les extravagances et toutes les audaces de la langue ; nous avions expérimenté en essais innombrables la technique de toutes les formes de vers, tous les styles, depuis le pathos pindarique jusqu'à la simple diction de la chanson populaire ; nous nous montrions l'un à l'autre, en échangeant journellement nos productions, les plus légères dissonances, et discutions de toutes les particularités métriques. Tandis que nos braves professeurs, qui ne se doutaient encore de rien, marquaient à l'encre rouge les virgules manquantes dans nos devoirs d'écoliers, nous nous critiquions nous-mêmes avec une sévérité, une connaissance des règles de l'art et une méticulosité dont n'approchait aucun des papes officiels de la littérature qui

---

* *La Société.*
** *L'Avenir.*

jugeaient des chefs-d'œuvre classiques dans nos grands quotidiens; eux aussi, les critiques déjà installés et célèbres, nous les avions dépassés de beaucoup, grâce à notre fanatisme au cours de nos dernières années d'école, quant à la connaissance du métier et quant aux capacités stylistiques d'expression.

Cette peinture véritablement fidèle de notre précocité littéraire pourrait induire le lecteur à conclure que nous étions une classe de petits prodiges tout à fait particulière. Il n'en était rien. Dans une douzaine d'écoles voisines, à Vienne, on pouvait alors observer le même phénomène · un pareil fanatisme et une égale précocité de dons. Cela ne pouvait être un hasard. C'était une atmosphère particulièrement propice, déterminée par l'humus artistique de la cité, l'époque apolitique, la constellation excitante des nouvelles tendances spirituelles et littéraires au début de ce siècle — qui se combinait en nous avec la volonté immanente qui appartient en fait presque nécessairement à cet âge. Au moment de la puberté, le frisson poétique ou le goût de la poésie traversent tous les jeunes êtres; le plus souvent, certes, il n'est qu'une vague fugitive, et il est rare qu'une telle inclination survive à la jeunesse, puisqu'elle n'est elle-même qu'une émanation de la jeunesse. De nos cinq acteurs en herbe, aucun n'a joué sur une scène véritable; les poètes de *Pan* et des *Blätter für die Kunst* *, après ce premier élan surprenant, s'enlisèrent dans une existence honorable et paisible d'avocats ou de fonctionnaires, qui peut-être sourient aujourd'hui avec mélancolie ou avec ironie de leurs ambitions de jadis. Je suis le seul d'entre eux tous en qui ait duré la passion de produire, pour qui elle soit devenue le sens et le centre de sa vie **. Mais avec quelle

---

* *Feuilles pour l'art.*
** Ici, la mémoire de Stefan Zweig le trahit : il oublie August Oehler, mort jeune.

reconnaissance je me souviens encore de mes camarades ! Comme ils m'ont été utiles ! Comme ces discussions enflammées, cette surenchère acharnée, cette admiration et cette critique mutuelles m'ont de bonne heure exercé la main et les nerfs, quelles perspectives, quelles vues d'ensemble sur le monde spirituel elles m'ont offertes, comme elles nous ont tous portés d'un bel envol au-dessus de l'aridité triste et ennuyeuse de notre école ! « Art gracieux, dans bien des heures grises... » Chaque fois que résonne l'immortel *Lied* de Schubert *, je nous vois, dans une sorte de vision de peintre, sur nos pitoyables bancs d'école, les épaules affaissées, et puis sur le chemin du retour, le regard rayonnant et animé, critiquant et récitant des poésies, oubliant avec passion toutes les contraintes de l'espace et du temps, réellement « transportés dans un monde meilleur ».

*

Une telle monomanie dans le fanatisme des beaux-arts, une surestimation ainsi poussée jusqu'à l'absurde des valeurs esthétiques, ne pouvait naturellement se développer qu'aux dépens des intérêts normaux de notre âge. Si je me demande aujourd'hui quand nous trouvions le temps de lire tous ces livres, alors que nos journées étaient déjà si remplies par nos heures de classe et nos leçons particulières, je me rends parfaitement compte que cela se faisait au détriment de notre sommeil et donc de notre fraîcheur corporelle. Bien que je dusse me lever à sept heures, jamais il ne m'arrivait de fermer mon livre avant une ou deux heures du matin — mauvaise habitude,

---

* « An die Musik », op. 88, n° 4, sur des paroles de Schober.

d'ailleurs, que j'ai alors contractée pour la vie : même quand la nuit est déjà fort avancée, je lis encore une heure ou deux. Ainsi je ne puis me souvenir d'avoir pris le chemin de l'école autrement qu'à la dernière minute, dévorant ma tartine de beurre tout en courant ; il n'y a rien d'étonnant à ce qu'avec notre intellectualité nous ayons tous eu le visage maigre et vert comme un fruit mal mûr et des vêtements passablement négligés. Car chaque sou de notre argent de poche, nous le dépensions en billets de théâtre ou de concert, ou encore en livres, et nous étions d'autre part peu soucieux de plaire aux jeunes filles : nous aspirions à en imposer à de plus hautes instances. Se promener avec des jeunes filles nous semblait une perte de temps car, avec notre arrogance intellectuelle, nous jugions d'emblée l'autre sexe bien inférieur en esprit et nous ne voulions pas gaspiller nos heures précieuses en bavardages oiseux. Faire comprendre à un jeune homme d'aujourd'hui à quel point nous ignorions et même méprisions tout ce qui touche au sport serait malaisé. Au siècle passé, cependant, la vague sportive venue d'Angleterre n'avait pas encore déferlé sur notre continent. Il n'y avait pas encore de stades où cent mille spectateurs hurlent d'enthousiasme quand un boxeur abat son poing sur la mâchoire de son adversaire ; les journaux n'envoyaient pas encore de reporters afin qu'ils rendent compte d'un match de hockey sur des colonnes, avec un élan homérique. De notre temps, on considérait les combats de lutte, les rencontres de clubs athlétiques, les championnats d'haltérophilie comme des manifestations faubouriennes au public composé de portefaix. Les courses de chevaux, à la rigueur, plus nobles, plus aristocratiques, attiraient deux ou trois fois par an ce qu'on appelait la « bonne société » — mais non pas nous, qui jugions pur temps perdu tout exercice physique. A treize ans, quand débuta chez moi cette infection littéraire et intellectuelle, j'interrompis le patinage, j'employai à l'achat de livres l'argent que mes parents m'allouaient pour des cours de danse, et à dix-huit ans, je ne savais toujours pas nager, ni danser, ni jouer au tennis ; aujourd'hui encore je ne sais ni rouler à bicyclette, ni conduire une voiture, et en matière de sport, un enfant de dix ans est en mesure de m'en imposer. A présent, en 1941, la différence entre le base-ball et le football, entre le hockey et le polo, n'a pour moi rien de clair, et la page sportive d'un journal, avec ses chiffres inexplicables, me paraît écrite en chinois. A l'égard de tous les records d'adresse ou de vitesse, j'en suis demeuré inébranlablement au point de vue du shah de Perse qu'on voulait persuader d'assister à un derby et qui répondit avec sa sagesse d'Oriental : « A quoi bon ? Je sais bien qu'un cheval peut courir plus vite qu'un autre. Il m'est indifférent de savoir lequel. » Perdre du temps aux jeux nous paraissait aussi méprisable que d'entraîner notre corps ; seuls les échecs trouvaient quelque grâce à nos yeux, parce qu'ils exigent un effort de l'esprit ; et, ce qui était plus absurde encore, alors que nous nous sentions des poètes en herbe ou tout au moins en puissance, nous nous souciions peu de la nature. Pendant mes vingt premières années, je n'ai à peu près rien vu des merveilleux environs de Vienne ; les plus belles, les plus chaudes journées d'été, quand la ville était comme abandonnée, avaient même pour nous un charme particulier parce que, dans notre café, nous obtenions revues et journaux plus rapidement et en plus grande abondance. Il m'a fallu des années, des décennies, pour retrouver mon équilibre en m'affranchissant de cette avidité puérile et extravagante et réparer en quelque mesure mon inévitable maladresse corporelle. Mais dans l'ensemble, je n'ai jamais regretté ce fanatisme de mes années de lycée, où je ne vivais que par les yeux et par les nerfs. Cette époque a fait couler dans mon sang une passion des choses de l'esprit que je voudrais ne jamais perdre, et tout ce que j'ai lu et appris depuis s'est édifié sur les fermes fondations de ces années-là. Ce qu'on a négligé du côté des muscles, on peut le rattraper plus tard ; l'élan vers le spirituel, la puissance d'appréhension de l'âme, en revanche, ne s'exerce que dans ces années décisives de la formation, et seul celui qui a appris de bonne heure à épanouir largement son âme est plus tard à même de saisir en lui le monde entier.

*

Le véritable événement de nos années de jeunesse, c'est que quelque chose de nouveau se préparait dans l'art, quelque chose de plus passionné, de plus problématique, de plus aventureux que ce qui avait satisfait nos parents et notre entourage. Cependant, fascinés par ce seul secteur de l'existence, nous ne remarquions pas que ces changements dans le domaine de l'esthétique n'étaient que les émanations et les signes avant-coureurs de transformations beaucoup plus amples qui allaient ébranler et finalement anéantir le monde de nos pères, le monde de la sécurité. Un singulier bouleversement commençait à se préparer dans notre vieille Autriche somnolente. Les masses qui, soumises et silencieuses, avaient laissé durant des lustres le pouvoir à la bourgeoisie libérale, se mirent soudain à s'agiter, s'organisèrent et revendiquèrent leurs droits. C'est justement durant la dernière décennie du siècle que la politique fit irruption par de violents et brusques coups de vent dans le calme plat de l'existence confortable. Le siècle nouveau réclamait un ordre nouveau, des temps nouveaux.

Le premier de ces grands mouvements de masse en Autriche fut le mouvement socialiste. Jusqu'alors, le suffrage si faussement appelé « universel » était en réalité, chez nous, le privilège des riches qui payaient un cens déterminé. Les avocats et les agriculteurs élus par cette classe se croyaient sincèrement les représentants et les porte-parole du « peuple » au Parlement. Ils étaient très fiers d'être des gens cultivés, d'avoir même, parfois, fait des études universitaires ; ils tenaient à la dignité, à la décence et à une bonne diction ; c'est pourquoi, aux séances du Parlement, tout se passait comme aux soirées de discussion d'un club élégant. Grâce à leur foi libérale en un monde qui devait nécessairement progresser par la tolérance et la raison, ces démocrates bourgeois croyaient vraiment assurer le bonheur de tous les sujets de la monarchie par de petites concessions et des améliorations successives. Mais ils avaient complètement oublié qu'ils ne représentaient que les cinquante ou cent mille citoyens aisés des grandes villes et non pas les centaines de milliers et les millions du pays tout entier. Cependant, la machine avait fait son œuvre et rassemblé autour d'industries les travailleurs autrefois dispersés. Sous la conduite d'un homme éminent, le Dr Victor Adler, un parti socialiste se forma en Autriche afin de faire triompher les revendications du prolétariat, qui réclamait un suffrage réellement universel et égal pour tous. Dès qu'il eut été accordé ou plutôt conquis, on constata à quel point, quelle que fût par ailleurs sa haute valeur, la couche sociale du libéralisme était mince. Avec lui disparut de l'esprit public l'esprit de conciliation ; les intérêts se heurtèrent violemment, la lutte commença.

Je me souviens encore du jour de ma tendre enfance qui marqua le tournant décisif dans l'ascension du parti socialiste autrichien. Les ouvriers, afin de montrer pour la première fois aux yeux de tous leur puissance et leur masse, avaient donné le mot d'ordre de déclarer le premier mai jour férié du peuple travailleur, et de se rendre en cortège serré au Prater pour y défiler sur la chaussée principale, alors que d'ordinaire, ce jour-là, seuls passaient sur la belle et large allée, à l'ombre des marronniers, les voitures et équipages de l'aristocratie et de la riche bourgeoisie, qui y avaient leur corso fleuri. A cette nouvelle, la consternation paralysa la bonne bourgeoisie libérale. Les socialistes ! Ce mot avait alors en Allemagne et en Autriche un arrière-goût de sang et de terreur, comme autrefois le mot jacobins et depuis le mot bolchevistes. Au premier instant, on ne pouvait croire possible que cette tourbe rouge des faubourgs défilât sans mettre le feu aux maisons, piller les magasins et commettre toutes les violences imaginables. Une sorte de panique gagna de proche en proche. Toute la police de la ville et des environs fut postée sur le Prater, la troupe mise en réserve, prête à tirer. Pas un équipage, pas un fiacre n'osa s'aventurer du côté du Prater. Les commerçants abaissèrent leurs rideaux de fer, et je me souviens que les parents défendirent rigoureusement aux enfants de mettre les pieds dans la rue ce jour de terreur qui pouvait voir Vienne en flammes. Rien ne se produisit. Les ouvriers s'avancèrent sur le Prater, avec femmes et enfants, en rangs serrés par quatre et avec une discipline exemplaire, chacun portant à sa boutonnière l'œillet rouge, insigne du parti. En marchant, ils chantaient *L'Internationale*. Mais ensuite, dans la belle verdure de la « noble allée » qu'ils foulaient pour la première fois, les enfants entonnèrent leurs insouciants chants d'école. Personne ne fut insulté, personne ne fut battu, il n'y eut pas de poings serrés ; les policiers, les soldats souriaient aux manifestants dans un esprit de bonne camaraderie. Grâce à cette attitude irréprochable, il n'était désormais plus possible à la bourgeoisie de stigmatiser la classe ouvrière en la qualifiant de « tourbe révolutionnaire ». On en vint — comme toujours dans la vieille et sage Autriche — à des concessions réciproques ; on n'avait pas encore inventé le système actuel qui consiste à assommer les gens à coups de matraque et à les exterminer ; l'idéal d'humanité, bien qu'à la vérité un peu pâli, était encore vivant même chez les chefs des partis.

A peine l'œillet rouge avait-il fait son apparition en tant qu'insigne de parti qu'une autre fleur se montra subitement aux boutonnières : l'œillet blanc, signe distinctif du parti chrétien-social. (N'est-il pas touchant qu'à cette époque on ait encore choisi des fleurs comme insignes des partis au lieu des bottes à revers, des poignards et des têtes de morts ?) Le parti chrétien-social, nettement petit-bourgeois, n'était en fait qu'une réaction organique au mouvement prolétarien, et tout comme lui un produit de la victoire de la machine sur la main. Car en rassemblant dans les usines des masses nombreuses, ce qui conférait aux ouvriers la puissance et leur ouvrait la voie de l'ascension sociale, la machine menaçait en même temps le petit artisanat. Les grands magasins, la production de masse tournaient à la ruine de la classe moyenne et des petits maîtres d'état à l'activité purement artisanale. Un chef habile et populaire, le Dr Karl Lueger, s'empara de ce mécontentement et de ces inquiétudes, et avec sa devise : « Il faut aider les petites gens », il entraîna derrière lui toute la petite-bourgeoisie et la classe moyenne aigrie, dont l'envie envers les privilégiés de la fortune était bien moindre que la crainte de tomber de sa condition bourgeoise dans le prolétariat. C'est exactement la même couche inquiète de la population qui fournit plus tard à Adolf Hitler les premières masses larges qu'il rassembla autour de lui ; et Karl Lueger a été son modèle en un autre sens encore : il lui enseigna l'efficacité du mot d'ordre antisémite, qui désignait bien clairement et visiblement un adversaire au mécontentement des petits-bourgeois et du même coup — sans qu'il y parût — détournait leur haine des grands propriétaires fonciers et de la richesse féodale. Mais tout ce que la politique actuelle a contracté de vulgaire et de brutal, le terrifiant recul qui marque notre siècle, apparaît justement dans la comparaison de ces deux figures. Karl Lueger, personnage imposant avec sa grande barbe blonde et soyeuse — le « beau Karl », comme on l'appelait communément à Vienne —, avait une formation universitaire, et ce n'est pas en vain qu'il avait fait ses classes à une époque qui mettait la culture de l'esprit au-dessus de tout. Il savait parler la langue du peuple ; il était véhément et spirituel, mais jusque dans ses discours les plus violents — ou ceux qu'à l'époque on percevait comme tels — il ne dépassait jamais les bornes de la décence, et il tenait soigneusement en bride son Streicher, un mécanicien du nom de Schneider, qui opérait au moyen d'histoires de meurtres rituels et de semblables vulgarités. Inattaquable et modeste dans sa vie privée, il conservait toujours avec ses adversaires une certaine noblesse, et son antisémitisme officiel ne l'a jamais empêché de demeurer bienveillant et obligeant à l'égard de ses anciens amis juifs. Quand son mouvement l'emporta enfin au conseil municipal de Vienne et qu'il fut nommé bourgmestre, après deux refus de sanctionner son élection de la part de l'empereur François-Joseph, qui avait en horreur la tendance antisémite, son administration de la cité demeura irréprochablement juste et même d'un esprit démocratique exemplaire. Les Juifs, qui avaient tremblé à ce triomphe du parti antisémite, continuèrent à jouir des mêmes droits que les autres et de la même considération. Le poison de la haine et la volonté de s'anéantir les uns les autres n'avaient pas encore infecté le sang de cette époque.

Mais déjà paraissait une troisième fleur, le bleuet, fleur favorite de Bismarck et insigne du parti national allemand, lequel — on ne le comprit pas alors — était consciemment révolutionnaire et travaillait avec une puissance de choc brutale à la destruction de la monarchie autrichienne au profit d'une Grande Allemagne (rêvée avant Hitler) sous hégémonie prussienne et protestante. Tandis que le parti chrétien-social était ancré à Vienne et dans les campagnes, le parti socialiste dans les centres industriels, le parti national allemand recrutait presque exclusivement ses membres dans les marches de la Bohême et des pays alpins. Numériquement peu considérable, il compensait cette faiblesse par une agressivité sauvage et une brutalité sans mesure. Ses quelques députés devinrent la terreur et — dans l'ancien sens du terme — la honte du parlement autrichien. C'est dans leurs idées, dans leur technique que Hitler, lui aussi Autrichien des marches, a son origine. C'est à Georg Schönerer qu'il a repris son mot d'ordre « Détachons-nous de Rome ! », que des milliers de nationaux allemands, obéissants à la manière allemande, suivirent à l'époque afin d'exaspérer l'empereur et le clergé, en abandonnant le catholicisme pour le protestantisme. C'est à lui qu'il a emprunté la théorie antisémite des races — « C'est dans la race que gît la cochonnerie », proclamait un illustre modèle —, à lui avant tout qu'il doit l'intervention d'une troupe d'assaut brutale cognant aveuglément, et par là même la tactique consistant à intimider par la terreur d'un petit groupe résolu la majorité bien supérieure en nombre mais plus humainement passive. Ce que les S.A. firent pour le national-socialisme, dispersant les réunions à coups de matraque de caoutchouc, assaillant de nuit leurs adversaires, les terrassant et les rouant de coups, les sociétés d'étudiants l'avaient fait pour les nationaux allemands, établissant à coups de poing, sous le couvert de l'immunité académique, une terreur sans exemple, se déployant aux appels et aux coups de sifflet en lignes militaires organisées à l'occasion de chaque manifestation politique. Groupés en *Burschenschaften,* ainsi qu'on appelait ces corporations d'étudiants, le visage couturé de cicatrices, ivres et brutaux, ils étaient les maîtres de la salle des actes, à l'université, parce qu'ils ne se bornaient pas comme les autres à porter casquettes et rubans, mais de solides et lourds gourdins. Sans cesse provocants, ils s'attaquaient aux étudiants tantôt slaves, tantôt juifs, ou catholiques, ou italiens, et chassaient de l'université ces jeunes gens sans défense. A chaque *Bummel*, parade des étudiants qui avait lieu tous les samedis, le sang coulait. La police qui, grâce au vieux privilège de l'université, n'avait pas le droit de pénétrer dans la salle des actes, ne pouvait que considérer du dehors, sans intervenir, les violences de ces lâches tapageurs, et devait se borner à emporter les blessés que ces apaches nationaux jetaient tout sanglants dans la rue en les précipitant au bas de l'escalier. Chaque fois que ce parti des nationaux allemands, minuscule mais fort en gueule, voulait imposer sa volonté à l'Autriche sur quelque point, il envoyait en avant cette troupe d'assaut estudiantine. Quand le comte Badeni, avec l'agrément de l'empereur et du Parlement, eut promulgué une ordonnance sur les langues qui devait établir la paix entre les nations de l'Autriche et aurait sans doute prolongé de plusieurs décennies l'existence de la monarchie, cette poignée de jeunes enragés occupa le Ring. Il fallut amener de la cavalerie, on sabra et on tira. Mais si grande était, en cette époque tragiquement faible et d'un libéralisme humanitaire touchant, la répugnance qu'inspiraient tout tumulte violent et toute effusion de sang, que le gouvernement recula devant la terreur des nationaux allemands. Le premier ministre démissionna, et l'ordonnance sur les langues, qui était parfaitement équitable, fut rapportée. L'irruption de la brutalité dans la politique enregistrait son premier succès. Toutes les fissures et les fentes souterraines entre les races et les classes, que cette époque de conciliation avait replâtrées à grand-peine, se rouvrirent violemment et devinrent des abîmes et des gouffres. En réalité, au cours de cette dernière décennie du siècle passé, la guerre de tous contre tous avait déjà commencé en Autriche.

Nous autres jeunes gens, dans le cocon de nos ambitions littéraires, remarquions peu de chose de ces dangereuses transformations dans notre patrie ; nous n'avions d'yeux que pour les livres et les tableaux. Nous ne prêtions pas le moindre intérêt aux problèmes politiques et sociaux. Que signifiaient dans notre vie ces violentes querelles ? La ville s'agitait à l'approche des élections, et nous allions dans les bibliothèques. Les masses se levaient, et nous écrivions et discutions des poèmes. Nous ne voyions pas les signes de feu inscrits sur le mur et, inconscients comme jadis le roi Balthazar, nous nous gorgions de tous les mets délicieux de l'art, sans jeter vers l'avenir des regards anxieux. Et c'est seulement lorsque, des dizaines d'années plus tard, toits et murailles s'effondrèrent sur nos têtes que nous reconnûmes que les fondations étaient depuis longtemps sapées, et qu'avec le siècle nouveau avait débuté la ruine de la liberté individuelle en Europe.

« *Eros matutinus* »

Au cours de ces huit années d'école secondaire se produisit pour chacun de nous un fait des plus personnels : d'enfants de dix ans, nous devînmes peu à peu des jeunes gens pubères de seize, dix-sept, dix-huit ans, et la nature commença de réclamer ses droits. Cet éveil de la puberté paraît à présent un problème purement individuel, avec lequel chaque adolescent doit lutter pour son compte à sa manière propre et qui, à première vue, ne paraît nullement se prêter à une discussion publique. Mais pour notre génération, cette crise étendit ses effets hors de sa sphère propre. Elle nous éveilla en même temps dans un autre sens, car elle nous apprit pour la première fois à observer avec un esprit plus critique l'univers social dans lequel nous avions été élevés et ses conventions. Les enfants et même les jeunes gens sont en général disposés tout d'abord à s'adapter respectueusement aux lois de leur milieu. Mais ils ne se soumettent aux conventions qu'on leur impose que tant qu'ils voient que les autres s'y conforment loyalement. Une seule fausseté chez ses maîtres ou chez ses parents incite inévitablement le jeune homme à observer son entourage d'un regard soupçonneux et par là même plus aigu. Nous ne fûmes pas longs à découvrir que l'école, la famille et la morale publique, toutes ces autorités auxquelles nous avions accordé jusque-là notre confiance, se montraient singulièrement peu sincères sur ce point précis de la sexualité — et même plus : qu'elles exigeaient de nous aussi en cette matière le secret et la dissimulation.

Car on considérait ces choses autrement, il y a trente ou quarante ans, que dans notre monde actuel. Il n'y a peut-être aucun domaine de la vie publique où, sous l'influence de toute une série de facteurs — l'émancipation de la femme, la psychanalyse de Freud, le culte du corps dans le sport, l'indépendance acquise par la jeunesse —, se soit produite en l'espace d'une génération une transformation plus totale que dans les relations entre les sexes. Si l'on essaie de formuler la différence entre la morale bourgeoise du XIXe siècle, essentiellement victorienne, et les conceptions actuelles, plus libres et exemptes de préjugés, on se rapprochera peut-être le plus de la réalité en disant qu'un sentiment d'insécurité intérieure poussait cette époque à esquiver craintivement le problème de la sexualité. Des époques plus reculées, encore sincèrement religieuses, et en particulier les époques strictement puritaines, s'étaient rendu les choses plus faciles. Pénétrées en toute bonne foi de la conviction que le désir sensuel est l'aiguillon du diable et la jouissance du corps luxure et péché, les autorités du Moyen Age avaient abordé le problème en face et imposé leur dure morale par des prohibitions catégoriques et — surtout dans la Genève calviniste — par de cruelles sanctions. Notre siècle, en revanche, époque plus tolérante, qui depuis longtemps ne croit plus du tout au diable et plus guère en Dieu, n'avait pas le courage d'un anathème aussi radical ; il éprouvait la sexualité comme un élément anarchique et de ce fait perturbateur, qui ne se laissait pas incorporer dans son éthique et qu'on ne devait pas laisser paraître au grand jour : toutes les formes d'amour libre, extraconjugal, étaient une atteinte à la « bienséance » bourgeoise. Dans ce conflit, cette époque inventa un singulier compromis. Elle borna sa morale non pas à interdire au jeune homme de vivre sa vie sexuelle, mais à exiger qu'il s'acquittât de cette fâcheuse affaire d'une manière qui ne se fît pas remarquer. Si l'on ne pouvait bannir la sexualité du monde, du moins ne devait-elle pas être visible dans la société bien réglée de ce temps. Ainsi, par une convention tacite, tout cet embarrassant complexe de questions n'était traité ni à l'école, ni dans la famille, ni en public, et l'on étouffait tout ce qui pouvait y faire songer.

Pour nous, qui savons depuis Freud qu'en cherchant à refouler hors de la conscience des instincts naturels on ne les élimine pas pour autant, mais on les renvoie dangereusement dans le subconscient, il est aujourd'hui aisé de sourire de l'ignorance qu'attestait cette technique naïve de la dissimulation. Or tout le XIXᵉ siècle était imbu de cette folie de croire qu'on pouvait résoudre tous les conflits par la raison et que plus on cachait le naturel, plus on en tempérait les forces anarchiques. Si donc on n'instruisait aucunement les jeunes gens de son existence, ils oublieraient leur propre sexualité. Dans cette folie qui se flattait de tempérer en ignorant, toutes les instances s'unissaient en un boycott commun par un silence hermétique. L'école et l'Église, le salon et la justice, le journal et le livre, la mode et les mœurs évitaient par principe toute allusion au problème, et la science elle-même, dont le véritable devoir serait pourtant d'aborder tous les problèmes avec la même absence de préjugés, s'associait assez honteusement à ce *naturalia sunt turpia*. Elle aussi capitulait sous le prétexte que traiter ce genre de sujets scabreux était indigne d'elle. Quels que soient les livres de ce temps que l'on feuillette, ouvrages philosophiques, juridiques, et même médicaux, on trouvera que tous s'accordent à esquiver craintivement toute explication. Quand des savants spécialistes du droit pénal discutaient dans leurs congrès des méthodes propres à humaniser les prisons, et des ravages moraux qu'engendrait la vie pénitentiaire, ils glissaient pudiquement à côté de ce qui était en fait le problème central. Et les neurologues, bien qu'ils fussent dans bien des cas parfaitement au clair sur l'étiologie de certains troubles hystériques, n'osaient pas davantage avouer ce qu'il en était. Qu'on relise chez Freud ce que Charcot lui-même, son maître vénéré, lui avait avoué à cet égard en privé : qu'il connaissait bien la véritable cause, mais qu'il ne l'avait jamais révélée publiquement. Les ouvrages relevant de ce qu'on appelait alors les « belles-lettres » pouvaient le moins se risquer à produire une peinture véridique, précisément parce que le domaine qui leur était assigné se limitait à la représentation du beau esthétique. Tandis que dans les siècles précédents l'écrivain ne craignait pas d'offrir un tableau sincère et complet des mœurs de son époque, tandis que l'on rencontre chez Defoe, chez l'abbé Prévost, chez Fielding et Rétif de la Bretonne des peintures encore authentiques de la réalité, cette époque croyait ne pouvoir montrer que des caractères « pleins de sentiments » et « sublimes », non pas le pénible et le vrai. C'est pourquoi on a peine à trouver, dans la littérature du XIXe siècle, ne serait-ce qu'un vague et fugitif reflet de tous les périls, de toutes les ténèbres, de tous les désordres de la jeunesse d'une grande ville. Même quand un écrivain mentionnait audacieusement la prostitution, il croyait devoir l'ennoblir et parfumait son héroïne en « Dame aux camélias ». Nous nous trouvons ainsi devant ce fait singulier que si un jeune homme d'aujourd'hui, désirant savoir comment la jeunesse d'hier et d'avant-hier luttait pour se frayer un chemin dans l'existence, ouvre les romans des plus grands maîtres de ce temps, les œuvres de Dickens et de Thackeray, de Gottfried Keller et de Björnson, il n'y trouvera — à l'exception de Tolstoï et de Dostoïevski, lesquels, en leur qualité de Russes, se trouvent au-delà du pseudo-idéalisme européen — qu'une peinture de faits sublimés et tempérés, parce que toute cette génération, cédant à la pression de l'époque, se trouvait empêchée de s'exprimer librement. Et rien ne révèle plus nettement l'hypersensibilité déjà presque hystérique de cette morale de nos devanciers et l'atmosphère aujourd'hui presque inconcevable qu'elle créait, que le seul fait que cette retenue littéraire elle-même ne suffisait pas. Car peut-on encore concevoir qu'un roman aussi essentiellement sobre et objectif que *Madame Bovary* ait été interdit comme obscène par un tribunal français ? Que dans le temps de ma propre jeunesse les romans de Zola aient passé pour pornographiques et qu'un conteur épique d'un classicisme aussi rassurant que Thomas Hardy ait soulevé des tempêtes d'indignation en Angleterre et en Amérique ? Si retenus qu'ils fussent, ces livres avaient déjà trop dévoilé les réalités.

Or c'est dans cet air étouffant et malsain, saturé d'effluves parfumés, que nous avons grandi. C'est cette morale du silence et de la dissimulation, déloyale et antipsychologique, qui a pesé sur notre jeunesse ainsi qu'un cauchemar, et comme, par le fait de cette technique solidaire du silence, les documents exacts font défaut dans la littérature et dans l'histoire des mœurs, il ne sera pas facile de reconstituer ce qui est déjà devenu incroyable. Il reste cependant un point de départ, un témoignage qui a son éloquence ; il suffit de regarder la mode, car la mode de chaque siècle, manifestant aux yeux l'orientation de son goût, en révèle aussi involontairement la morale. On ne saurait avec quelque vraisemblance nommer hasard le fait qu'en 1940, chaque fois qu'au cinéma des femmes et des hommes de la société de 1900 sont projetés sur l'écran dans leurs costumes d'alors, le public de toutes les villes, de tous les villages d'Europe ou d'Amérique, manifeste une gaieté irrésistible et unanime. Les plus naïfs des hommes d'aujourd'hui rient de ces étranges personnages d'hier comme de caricatures, de fous costumés en dépit du naturel, du confort, de l'hygiène, de la commodité ; et même à nous qui avons vu nos mères, nos tantes et nos amies dans ces robes absurdes, et qui, au temps de notre enfance, étions accoutrés d'une manière tout aussi ridicule, le fait qu'une génération entière ait pu se soumettre sans résistance à une façon aussi stupide de s'habiller semble un rêve fantastique. La mode masculine de ces hauts cols durs qu'on appelait des « parricides » et qui rendaient impossible tout mouvement aisé, des noires redingotes qui balançaient leurs basques, des hauts-de-forme qui font songer à des tuyaux de poêle, excite déjà l'hilarité ; mais combien plus encore la « dame », d'autrefois avec sa mise pénible et laborieuse qui, dans chacune de ses particularités, fait violence à la nature ! Serrée à mi-corps comme une guêpe par un corset de baleines, la robe enflée au-dessous de la taille en gigantesque cloche, le cou engoncé jusqu'au menton, les pieds comprimés jusqu'aux orteils, la chevelure, avec ses innombrables bouclettes, ses vrilles et ses tresses, érigée en tour sous un chapeau monstrueux qui se mouvait avec majesté, les mains enfoncées dans des gants même par les plus chaudes journées d'été, ce personnage de la « dame », qui aujourd'hui appartient depuis longtemps à l'histoire, fait l'effet — malgré le parfum qui l'environnait de ses effluves, malgré les parures dont elle était chargée, les dentelles précieuses, les ruches et les voiles — d'un être paralysé dans toute son action, d'un être infortuné, pitoyable. Au premier coup d'œil, on se rend compte qu'une femme cuirassée d'une telle toilette, comme un chevalier de son armure, ne pouvait se mouvoir librement, avec grâce et légèreté, que dans un tel costume chaque mouvement, chaque geste et, plus largement, tout son comportement devait se faire artificiel, guindé — en un mot, contraire à la nature. Le seul fait de se mettre en « dame » — sans parler de l'éducation mondaine —, le fait de se vêtir et de se dévêtir de ces robes représentait une procédure compliquée, absolument impossible sans une aide étrangère. Tout d'abord, il fallait boucler, par-derrière, de la taille jusqu'au cou, une foule d'agrafes et d'œillets. La femme de chambre devait déployer toutes ses forces pour serrer le corset ; les longs cheveux — je rappelle aux jeunes gens qu'il y a trente ans, à l'exception de quelques douzaines d'étudiantes russes, toutes les femmes d'Europe pouvaient dérouler leur chevelure jusqu'aux hanches — étaient frisés, appliqués, brossés, arrangés, dressés en tour par une coiffeuse qui paraissait chaque matin avec une légion d'épingles, de barrettes et de peignes et travaillait à grand renfort de fers et de papillotes. Enfin, on déguisait son apparence en l'enveloppant de toutes ces pelures d'oignon, les jupons, les camisoles et les jaquettes, jusqu'à ce que le dernier vestige de formes féminines et personnelles eût complètement disparu. Mais ce non-sens avait son sens secret. Les lignes du corps d'une femme devaient être si bien dissimulées par ces opérations que même le nouveau marié au repas de noces ne pouvait pas se douter le moins du monde si la future compagne de sa vie avait la taille droite ou déviée, si elle était replète ou maigre, si elle avait des jambes courtes ou longues. Cette époque « morale » ne considérait nullement comme répréhensible d'user de moyens artificiels pour donner plus d'abondance à la chevelure, à la poitrine et à d'autres parties du corps, afin de faire illusion et de s'adapter ainsi à l'idéal de beauté généralement reçu. Plus une femme devait faire l'effet d'une « dame », moins ses formes naturelles devaient être reconnaissables ; au fond, la mode, par ce principe bien évident, ne faisait que servir docilement la tendance générale de la morale de ce temps, dont le souci capital était de cacher et de dissimuler.

Mais cette sage morale oubliait complètement que quand on ferme la porte au diable il force ordinairement l'entrée par la cheminée ou une porte de derrière. Ce qui frappe aujourd'hui nos regards ingénus dans ces costumes qui prétendent désespérément cacher toute trace de peau nue ou de saine croissance, ce n'est nullement leur décence, mais au contraire la façon, provocante au point d'en être pénible, dont cette mode faisait ressortir la polarité des sexes. Tandis que le jeune homme et la jeune femme de notre temps, tous deux grands et sveltes, tous deux imberbes et portant les cheveux courts, s'adaptent déjà l'un à l'autre par leur extérieur, comme des camarades, à cette époque, les sexes se différenciaient autant qu'il était possible. Les hommes arboraient de longues barbes ou tout au moins tordaient en crocs d'énormes moustaches comme attributs de loin reconnaissables de leur virilité, et chez la femme, le corset rendait ostensibles les seins, caractère distinctif de son sexe. Le sexe dit fort accusait aussi son opposition au sexe dit faible dans l'attitude qu'on réclamait de lui, l'homme énergique, chevaleresque et agressif, vis-à-vis de la femme craintive, timide et sur la défensive — le chasseur et sa proie au lieu de deux égaux. Cette tension peu naturelle entre les sexes, qui se manifestait dans l'aspect extérieur, devait renforcer aussi la tension intérieure entre les deux pôles, l'érotisme, de telle sorte que, par cette méthode si peu psychologique de la dissimulation et du silence, la société d'alors obtenait exactement le contraire de ce qu'elle cherchait. En effet, comme dans sa crainte et sa pruderie elle était constamment à l'affût de ce qui aurait pu blesser les mœurs dans toutes les manifestations de la vie, dans la littérature, dans l'art, dans le vêtement, afin d'éviter toute excitation, elle était forcée en réalité d'y penser sans cesse. Comme elle était sans répit attentive à ce qui pouvait être inconvenant, elle se trouvait dans un perpétuel état d'attention inquiète ; pour ce monde-là, les « convenances » semblaient toujours en danger de mort, à chaque geste, à chaque parole. Peut-être comprendra-t-on encore aujourd'hui que, dans ce temps, on aurait considéré comme un crime qu'une femme mît un pantalon pour le sport ou pour le jeu. Mais comment faire comprendre la pruderie hystérique qui interdisait alors à une dame de proférer seulement le mot « pantalon » ? Il lui fallait, si elle en venait à mentionner l'existence d'un objet aussi dangereux pour les sens qu'un pantalon d'homme, choisir le terme plus innocent de *Beinkleider* — les vêtements des jambes, les chausses — ou celui qu'on avait inventé tout exprès pour désigner ce dont il ne convenait pas de parler, *die Unaussprechlichen* — les inexprimables. Il était parfaitement inconcevable que deux jeunes gens de même condition, mais de sexes différents, pussent faire une excursion sans surveillance — ou plutôt la première pensée était qu'il pourrait se passer « quelque chose ». On ne permettait aux jeunes gens de se trouver ainsi ensemble, à la rigueur, que si quelque personne chargée de les chaperonner, mère ou gouvernante, accompagnait chacun de leurs pas. On aurait jugé scandaleux que des jeunes filles jouassent au tennis en jupe courte, voire les bras nus, même par le plus chaud des étés, et quand une femme bien élevée croisait les jambes en société, le « savoir-vivre » trouvait cela épouvantablement choquant, parce que, ainsi, elle aurait pu découvrir ses chevilles sous l'ourlet de la robe. On ne permettait pas même aux éléments, au soleil, à l'air et à l'eau, de toucher la peau nue d'une femme. En pleine mer, elles avançaient péniblement dans de lourds costumes, couvertes du cou jusqu'aux talons. Dans les pensionnats et les couvents, les filles, afin d'oublier qu'elles avaient un corps, devaient même prendre leurs bains domestiques vêtues de longues chemises blanches. Ce n'est ni une légende ni une exagération de prétendre que des femmes sont mortes vieilles dames sans que personne, à l'exception de leur accoucheur, du mari et du laveur de cadavres, eût vu de leur corps ne fût-ce que la ligne des épaules ou les genoux. Tout cela paraît aujourd'hui, quarante ans après, pur conte de fées ou caricature humoristique ; mais cette crainte de tout ce qui est corporel et naturel avait pénétré des classes les plus élevées jusqu'au plus profond de tout le peuple, avec la véhémence d'une véritable névrose. Car peut-on encore se représenter aujourd'hui que vers la fin du siècle passé, quand les premières femmes se risquèrent à bicyclette, ou à monter à cheval sur une selle d'homme, les paysans jetèrent des pierres à ces effrontées ? Qu'en un temps où j'allais encore à l'école les journaux de Vienne remplissaient des colonnes de discussions sur la nouveauté abominablement immorale qui voulait que les ballerines de l'Opéra dansassent sans bas de tricot ? Que ce fut une sensation sans égale, quand Isadora Duncan, dans ses danses pourtant parfaitement classiques, montra pour la première fois sous sa tunique, laquelle heureusement descendait bas, les plantes nues de ses pieds au lieu des traditionnels chaussons de soie ? Et maintenant, qu'on se représente des jeunes gens qui grandissaient à une pareille époque, les yeux bien ouverts, et combien risibles devaient leur paraître ces craintes pour la décence perpétuellement menacée, dès qu'ils avaient une fois reconnu que le léger manteau des mœurs sous lequel on voulait envelopper de mystère toutes ces choses était usé jusqu'à la corde, plein de déchirures et de trous. Après tout, on ne pouvait pas éviter qu'un des cinquante lycéens ne rencontrât son professeur dans quelque ruelle obscure ou qu'il ne surprît, dans le cercle de famille, certains propos par lesquels il apprenait qu'un tel, qui affectait des airs particulièrement respectables, avait divers péchés sur la conscience. En réalité, rien n'augmentait ni n'échauffait davantage notre curiosité que cette technique maladroite de la dissimulation ; et comme on ne voulait pas laisser librement et ouvertement leur cours aux choses naturelles, la curiosité s'aménageait dans une grande ville ses canaux souterrains, le plus souvent pas très propres. Dans toutes les couches sociales, du fait de cette répres-

sion, on sentait chez la jeunesse une surexcitation souterraine qui se manifestait d'une manière enfantine et
maladroite. On ne trouvait guère de palissade ou de lieu
écarté qui ne fût barbouillé d'inscriptions ou de dessins
obscènes, de piscine dont les cloisons de bois fermant le
côté réservé aux dames n'aient été percées par les voyeurs
de trous analogues à ceux que laissent les nœuds du bois.
De vraies industries — aujourd'hui ruinées depuis longtemps du fait que les mœurs sont devenues plus naturelles — connaissaient alors une secrète floraison, et avant
tout celle des photographies de nus que, dans toutes les
auberges, des colporteurs passaient aux adolescents par-
dessous la table. Ou encore celle de la littérature porno-
graphique répandue « *sous le manteau** » — car la
littérature sérieuse devait forcément être idéaliste et prudente —, des livres de la pire espèce, imprimés sur du
mauvais papier, écrits dans une langue détestable et que
cependant on s'arrachait, ainsi que des publications dites
« piquantes », telles qu'on ne pourrait plus en trouver
aujourd'hui d'aussi lascives et répugnantes. A côté du
Hoftheater, qui devait servir l'idéal de l'époque avec
toute sa noblesse de pensée et sa pureté immaculée, il y
avait des théâtres et des cabarets voués au service exclusif
de la grivoiserie la plus vulgaire ; partout, ce qu'on
voulait arrêter se frayait des chemins détournés, des
issues secrètes. Au fond, cette génération à laquelle la
pruderie refusait tout éclaircissement et toute fréquentation innocente de l'autre sexe se trouvait mille fois plus
disposée à l'érotisme que la jeunesse d'aujourd'hui avec
sa plus grande liberté d'aimer. Car seul ce qui est refusé
occupe le désir, seul ce qui est interdit irrite la convoitise,
et moins les yeux avaient à voir, les oreilles à entendre,
plus la pensée se repaissait de rêves. Moins on laissait

---

* En français dans le texte.

d'air, de lumière et de soleil au corps, plus les sens s'échauffaient. En somme, cette pression exercée sur notre jeunesse avait fait mûrir en nous, au lieu d'une moralité supérieure, la méfiance et l'amertume à l'égard de toutes les instances de la société. Dès le premier jour de notre éveil, nous sentîmes d'instinct qu'avec son silence et sa dissimulation cette morale déloyale voulait nous prendre quelque chose qui appartenait de plein droit à notre âge et qu'elle sacrifiait notre volonté de droiture à une convention devenue depuis longtemps mensonge.

*

Cette « morale sociale » qui, d'une part, présupposait l'existence de la sexualité et son assouvissement naturel dans le privé, et d'autre part ne voulait à aucun prix la reconnaître publiquement, était doublement mensongère. Car, tandis qu'avec les jeunes gens elle fermait un œil, tout en clignant de l'autre pour les encourager à « jeter leur gourme », comme on disait alors dans le jargon gentiment moqueur des familles, avec les femmes elle fermait craintivement les deux yeux et se faisait aveugle. Qu'un homme éprouvât des pulsions et eût le droit de les éprouver, la convention était bien obligée de l'avouer tacitement. Mais qu'une femme pût pareillement y être sujette, que la Création, pour l'accomplissement de ses desseins éternels, eût besoin aussi d'une polarité féminine, le reconnaître loyalement eût été offenser la notion de la « sainteté de la femme ». C'est pourquoi, à l'époque préfreudienne, on admettait d'un commun accord comme un axiome qu'une femme n'éprouvait pas de désir physique tant qu'elle n'avait pas été éveillée par l'homme, mais cela, bien entendu, n'était officiellement autorisé que dans le mariage. Cependant, comme l'air — surtout à Vienne — était infecté, même en ces temps de moralité, par de dangereux miasmes érotiques, une fille de bonne famille, depuis sa naissance jusqu'au jour où elle quitterait l'autel en compagnie de son mari, devait vivre dans une atmosphère parfaitement stérilisée. Pour protéger les jeunes filles, on ne les laissait pas un instant seules. On leur donnait une gouvernante chargée de veiller qu'elles ne fissent pour rien au monde un pas hors de la maison sans être surveillées, on les accompagnait à l'école, aux cours de danse et de musique, on les en ramenait. On contrôlait tous les livres qu'elles lisaient et, avant tout, on les occupait constamment afin de les distraire des pensées dangereuses qui auraient pu les assaillir. Il leur fallait s'exercer au piano, chanter, dessiner, apprendre les langues étrangères, l'histoire de l'art et de la littérature, on les cultivait jusqu'à l'excès. Mais tandis qu'on s'efforçait ainsi de leur donner la meilleure formation culturelle et la meilleure éducation sociale qu'on pût imaginer, en même temps, on prenait soin qu'elles demeurassent dans une ignorance de toutes les choses naturelles qui nous est aujourd'hui inconcevable. Une jeune fille de bonne famille ne devait avoir aucune idée de la conformation du corps masculin, ne devait pas savoir comment les enfants viennent au monde, car cet ange ne devait pas seulement se marier vierge de corps, mais aussi l'âme absolument « pure ». « Bien élevée » était alors pour une jeune fille synonyme d'étrangère à la vie — et beaucoup de femmes de ce temps le sont demeurées toute leur vie. Je m'amuse encore aujourd'hui de l'histoire grotesque d'une de mes tantes qui, dans sa nuit de noces, retourna à une heure du matin au domicile de ses parents et sonna l'alarme, déclarant qu'elle ne reverrait plus l'être abominable à qui on l'avait mariée, que c'était un fou et un monstre car il avait très sérieusement prétendu la déshabiller. Elle n'avait pu se sauver qu'avec peine de ce désir évidemment maladif.

Je ne puis pourtant me défendre d'avouer que cette ignorance des jeunes filles d'alors leur conférait d'autre part un charme mystérieux. Ces créatures incapables de voler de leurs propres ailes soupçonnaient qu'à côté de leur univers il y en avait un autre dont elles ne savaient rien et ne devaient rien savoir, et cela les rendait curieuses, exaltées, rêveuses, les remplissait d'aspirations et les troublait d'une manière très séduisante. Quand on les saluait dans la rue, elles rougissaient — y a-t-il encore aujourd'hui des jeunes filles qui rougissent ? Quand elles étaient entre elles, elles chuchotaient et riaient sans trêve, comme prises d'une légère ivresse. Dans l'attente de tout cet inconnu dont elles étaient exclues, elles rêvaient une existence romantique, mais en même temps leur pudeur s'effarouchait que quelqu'un pût découvrir à quel point leur corps aspirait à des caresses dont elles ne savaient rien de précis. Une sorte de léger égarement dérangeait perpétuellement toutes leurs manières. Elles marchaient autrement que les jeunes filles d'aujourd'hui, dont le corps a été trempé par le sport, qui se meuvent avec aisance parmi les jeunes gens comme entre leurs pareils. A mille pas, on pouvait alors distinguer à l'allure et à l'attitude une jeune fille d'une femme qui avait déjà connu un homme. Elles étaient plus jeunes filles que les jeunes filles d'aujourd'hui et moins femmes, analogues dans leur être à la délicatesse exotique, aux plantes de serre cultivées dans une maison de verre, dans une atmosphère artificiellement surchauffée, et protégées de tout mauvais coup de vent : produits élaborés avec art d'une certaine éducation et d'une certaine culture.

C'est ainsi que la société d'alors voulait la jeune fille sotte et niaise, bien élevée et sans idées, curieuse et pudique, dénuée d'assurance et de sens pratique et, grâce à cette éducation étrangère à la vie, destinée d'emblée à être plus tard, dans le mariage, formée et conduite passivement par l'homme. La coutume semblait la protéger comme le symbole de son plus secret idéal, de la modestie féminine, de la virginité, d'une perfection supraterrestre. Mais quelle tragédie aussi, quand une de ces jeunes filles laissait échapper le temps, quand à vingt-cinq, à trente ans, elle n'était pas encore mariée ! Car la convention réclamait impitoyablement qu'une jeune fille, même âgée de trente ans, se maintînt sans défaillance dans cet état d'inexpérience, d'absence de désirs, et de naïveté qui depuis longtemps ne convenait plus à son âge, et cela en considération de la « famille » et des « mœurs ». La délicate image se transformait alors le plus souvent en une dure et cruelle caricature. La jeune fille célibataire devenait une « fille qui a coiffé sainte Catherine », puis une « vieille fille » aux dépens de laquelle s'exerçait inlassablement la verve insipide des publications humoristiques. Celui qui parcourt aujourd'hui une ancienne série des *Fliegende Blätter** ou d'autres périodiques analogues de cette époque trouve avec effroi dans chaque numéro les plus stupides plaisanteries sur les filles vieillissantes qui, les nerfs perturbés, ne savent pas dissimuler leur besoin bien naturel d'amour. Au lieu de reconnaître la tragédie qui se jouait dans les existences sacrifiées de ces femmes qui, pour se conformer aux exigences de la famille et de leur bon renom, ont dû réprimer en elles les exigences de la nature, leur désir d'amour et leur instinct maternel, on les raillait avec une incompréhension qui aujourd'hui nous dégoûte. C'est toujours quand elle perpétue un forfait contre la nature qu'une société se montre le plus cruelle à l'égard de ceux qui révèlent son secret et l'exposent en public.

---

* *Feuilles volantes.*

*

Si la convention bourgeoise s'efforçait alors avec acharnement de maintenir intangible cette fiction qu'une femme de la « bonne société » n'a pas de sexualité et ne peut pas en avoir tant qu'elle n'est pas mariée — s'il en allait autrement, elle devenait une « personne immorale », une *outcast* de la famille —, on était bien forcé, cependant, de convenir que de tels instincts existaient chez le jeune homme. Comme l'expérience enseignait qu'on ne pouvait pas empêcher les jeunes gens devenus nubiles d'exercer leur *vita sexualis,* on s'en tenait à ce vœu modeste qu'ils goûtassent leurs plaisirs indignes *extra-muros* de la coutume sacrée. De même que les villes, sous les rues propres, bien balayées, avec leurs beaux magasins de luxe et leurs élégantes promenades, recèlent des canalisations souterraines dans lesquelles se déverse la fange des cloaques, toute la vie sexuelle de la jeunesse devait se jouer, invisible, sous la surface morale de la « société ». On était indifférent aux dangers auxquels s'exposait ainsi le jeune homme et aux sphères dans lesquelles il risquait de tomber ; l'école aussi bien que la famille s'abstenaient peureusement de l'éclairer sur ce point. Ici et là seulement, dans les dernières années, se trouvaient quelques pères prévoyants, ou comme on disait alors « d'esprit éclairé », qui, dès que leur fils montrait les premiers signes d'une barbe naissante, voulaient l'aider à trouver la bonne voie. On faisait venir le médecin de famille qui, incidemment, priait le jeune homme de le suivre dans une chambre, essuyait minutieusement les verres de ses lunettes avant d'entamer une conférence sur les dangers des maladies vénériennes, et recommandait instamment au jeune homme, d'ordinaire déjà fort bien instruit par sa propre expérience, d'éviter

108

les excès et de ne pas négliger certaines précautions. D'autres pères usaient d'un moyen encore plus singulier : ils engageaient dans la maison une jolie servante dont la tâche était d'initier pratiquement le garçon. Car il leur paraissait préférable que le jeune homme s'acquittât de cette fâcheuse affaire sous leur propre toit ; ainsi le décorum extérieur était sauf et le danger éliminé qu'il pût tomber entre les mains de quelque « rouée ». Mais, pour éclairer la jeunesse, une méthode demeurait résolument proscrite par toutes les instances et sous toutes ses formes : celle de la franchise et de la sincérité.

*

Quelles possibilités s'offraient donc à un jeune homme de la bourgeoisie ? Dans toutes les autres classes de la société, dans ce qu'on appelait les couches inférieures, ce problème n'en était pas un. A la campagne, le valet dormait avec une servante dès ses dix-sept ans, et si ces relations avaient des suites, cela n'avait aucune importance ; dans la plupart de nos villages alpestres, le nombre de bâtards dépassait de beaucoup celui des enfants légitimes. Dans le prolétariat, l'ouvrier, avant de pouvoir se marier, vivait en concubinage avec une ouvrière. Chez les Juifs orthodoxes de Galicie, on procurait au garçon à peine nubile la fiancée qu'on lui avait choisie quand il avait sept ans, et à quarante il pouvait être grand-père. Ce n'est que dans notre société bourgeoise que le vrai remède, le mariage précoce, était proscrit, parce que aucun père de famille n'aurait confié sa fille à un jeune homme de vingt ou vingt-deux ans ; on estimait qu'un être aussi « jeune » n'était pas encore assez mûr. Ici encore se dévoilait une insincérité profonde, car le calendrier bourgeois ne concordait nullement avec celui de la nature. Tandis que pour celle-ci un jeune homme était nubile à seize ou dix-sept ans, pour la société, il ne le devenait que quand il s'était fait une « position », c'est-à-dire guère avant sa vingt-cinquième ou vingt-sixième année. Ainsi se créait entre la nubilité véritable et celle de la société un intervalle artificiel de six, huit ou dix ans, durant lequel le jeune homme avait à pourvoir lui-même à ses « occasions » ou à ses « aventures ».

Cette époque ne lui en offrait pas trop de possibilités. Seuls très peu de jeunes gens particulièrement riches pouvaient s'offrir le luxe d' « entretenir » une maîtresse, c'est-à-dire de lui procurer un logement et de satisfaire à tous ses besoins. De même, ce n'est que pour quelques-uns, particulièrement heureux, que se réalisait l'idéal de l'amour selon la littérature de ce temps — le seul qui pût être peint dans les romans —, la liaison avec une femme mariée. Les autres se rabattaient la plupart du temps sur les demoiselles des magasins et les serveuses des brasseries, ce qui procurait peu de satisfaction intérieure. Car à cette époque antérieure à l'émancipation des femmes et à leur participation autonome à la vie publique, seules les jeunes filles de la plus pauvre origine prolétarienne disposaient d'assez d'insouciance, d'une part, et d'assez de liberté, d'autre part, pour nouer de telles relations passagères sans intentions sérieuses de mariage. Mal vêtues, fourbues après une journée de travail de douze heures payées lamentablement, peu soignées — une salle de bains était encore, en ce temps-là, le privilège des familles riches —, élevées dans un milieu mesquin, ces pauvres créatures étaient tellement au-dessous du niveau de leurs amants que, la plupart du temps, ceux-ci appréhendaient d'être vus avec elles en public. Il est vrai que la prévoyante convention avait inventé des mesures spécifiques pour remédier à cette pénible situation : il existait ce qu'on appelait les « *chambres séparées** », cabinets particuliers où l'on pouvait dîner avec une jeune fille sans être vu, et tout le reste se passait dans les petits hôtels des sombres rues transversales, qui servaient exclusivement à cet usage. Mais toutes ces rencontres devaient demeurer fugitives et sans véritable beauté, il y entrait plus de sexualité que d'amour, parce qu'on les expédiait toujours hâtivement et furtivement, comme une chose défendue. Et puis il y avait encore, éventuellement, la possibilité de relations avec un de ces êtres amphibies qui étaient à moitié dans la société et à moitié hors d'elle, actrices, danseuses, artistes, les seules femmes « émancipées » de ce temps-là. Mais dans l'ensemble, la prostitution demeurait le fondement de la vie érotique en dehors du mariage, elle représentait en quelque sorte la sombre voûte de la cave au-dessus de laquelle s'élevait le somptueux édifice de la société bourgeoise avec sa façade éblouissante, immaculée.

*

La génération actuelle ne se représente plus guère l'effroyable extension de la prostitution en Europe jusqu'à la Guerre mondiale. Tandis qu'aujourd'hui on rencontre aussi rarement des prostituées dans les rues des grandes villes que des voitures traînées par des chevaux sur les chaussées, les trottoirs fourmillaient à tel point de femmes vénales qu'il était plus difficile de les éviter que de les trouver. A quoi s'ajoutaient encore les innombrables « maisons closes », les boîtes de nuit, les cabarets, les salles de bal avec leurs danseuses et leurs chanteuses, les

---

* En français dans le texte.

111

bars avec leurs entraîneuses. La marchandise féminine s'offrait alors publiquement à chaque heure et à tous les prix. Se procurer une femme pour un quart d'heure, pour une heure ou pour une nuit coûtait aussi peu de temps et de peine à un homme qu'acheter un journal ou un paquet de cigarettes. Rien ne me paraît confirmer mieux à quel point les formes de la vie et de l'amour ont gagné de nos jours en honnêteté et en naturel que ce fait qu'il est devenu possible à la jeunesse d'aujourd'hui de se passer de cette institution naguère indispensable, presque comme si cela allait de soi, et que ce n'est pas la police, que ce ne sont pas les lois qui ont refoulé la prostitution de notre monde, mais que ce produit tragique d'une pseudo-morale s'est résorbé de lui-même, à quelques rares traces près, en raison de la baisse de la demande.

La position officielle de l'État et de sa morale en face de cette sombre affaire n'a jamais été très confortable. Du point de vue des bonnes mœurs, on n'osait pas reconnaître ouvertement à une femme le droit de se vendre ; du point de vue de l'hygiène, on ne pouvait se passer de la prostitution, car elle canalisait la gênante sexualité extra-conjugale. Les autorités cherchèrent donc à s'en tirer par une équivoque en établissant une distinction entre la prostitution clandestine, que l'État combattait comme immorale et dangereuse, et une prostitution permise, munie d'une sorte de patente et frappée d'une taxe par l'État. Une fille qui avait décidé de devenir prostituée obtenait de la police une concession spéciale et, à titre de certificat d'autorisation, un livret personnel. En se soumettant au contrôle de la police et en satisfaisant à l'obligation de passer deux fois par semaine une visite médicale, elle avait acquis le droit de louer son corps au prix qui lui semblait convenir. Son industrie était reconnue comme une profession parmi les autres, mais — et c'est ici que la morale revenait à la charge — elle n'était pas *pleinement* reconnue. Ainsi, par exemple, une prostituée qui avait vendu à un homme sa marchandise, c'est-à-dire son corps, ne pouvait pas porter plainte s'il refusait ensuite de payer le prix convenu. Sa réclamation, subitement devenue immorale — *ob turpem causam*, ainsi que le motivait la loi —, ne trouvait pas d'appui de la part de l'autorité.

A des particularités de ce genre, déjà, on sentait la contradiction inhérente à une conception qui, d'une part, enrôlait ces femmes dans une profession autorisée par l'État, mais en même temps les excluait personnellement du droit commun comme *outcasts*. Pourtant, c'est dans l'application pratique qu'apparaissait le véritable mensonge : toutes ces restrictions ne valaient que pour les classes les plus pauvres. Une danseuse de ballet, que tout homme à Vienne pouvait avoir à toute heure pour deux cents couronnes, comme une fille des rues pour deux couronnes, n'avait bien entendu pas besoin de certificat ; bien plus, les journaux mentionnaient les grandes demi-mondaines parmi les notabilités qui assistaient aux courses ou au derby, précisément parce qu'elles appartenaient à la « bonne société ». De même, quelques-unes des entremetteuses les plus distinguées, qui fournissaient la cour, l'aristocratie et la riche bourgeoisie en marchandise de luxe, échappaient à la loi punissant d'ordinaire le proxénétisme. La sévère discipline, la surveillance impitoyable et la mise au ban de la société ne s'appliquaient qu'à l'armée des milliers et des milliers de femmes censées défendre contre les formes libres et naturelles de l'amour, avec leur corps et leur âme humiliée, une vieille conception morale, depuis longtemps minée.

*

Cette formidable armée de la prostitution était divisée en espèces distinctes comme l'armée proprement dite en diverses armes — cavalerie, artillerie, infanterie, artillerie de forteresse. A l'artillerie de forteresse correspondait le mieux, dans la prostitution, ce groupe qui occupait exclusivement certaines rues déterminées de la ville comme leur quartier. C'étaient le plus souvent les lieux où, au Moyen Age, se trouvait le gibet, une léproserie ou bien un cimetière, des lieux où les irréguliers, les bourreaux et tous ceux qui, comme eux, étaient au ban de la société, trouvaient un abri ; des lieux, donc, où la bourgeoisie évitait d'habiter depuis des siècles. Là, les autorités concédaient certaines rues au marché de l'amour ; comme au XXᵉ siècle encore, dans le Yoshiwara, au Japon, ou comme au marché aux poissons du Caire, deux cents, cinq cents femmes étaient assises, porte après porte, l'une à côté de l'autre, et s'offraient à la vue aux fenêtres de leurs rez-de-chaussée — marchandise à bon marché travaillant en deux équipes, celle de jour et celle de nuit. A la cavalerie ou à l'infanterie correspondait la prostitution ambulante, les innombrables filles vénales qui cherchaient des clients dans la rue. A Vienne, on les appelait communément les « filles de la ligne » parce que la police limitait par une ligne invisible le trottoir qui leur était concédé pour leur racolage ; jour et nuit, jusqu'à l'aube, qu'il gelât ou qu'il plût, elles traînaient dans les rues une fausse élégance péniblement achetée, contraignant leur visage déjà fatigué et mal fardé à adresser un sourire séducteur à chaque passant. Et toutes les villes me semblent plus belles et plus humaines aujourd'hui, depuis que ces femmes n'en peuplent plus les rues, ces bandes de femmes affamées et tristes qui sans plaisir vendaient le plaisir et qui, dans leur interminable promenade d'un carrefour à un autre, finissaient par prendre toutes le même inévitable chemin : celui de l'hôpital.

Mais ces masses elles-mêmes ne suffisaient pas à la consommation permanente. Bien des hommes ne se satisfaisaient pas de poursuivre dans les rues ces chauves-souris voltigeantes ou ces tristes oiseaux de paradis et souhaitaient encore plus de commodité et de discrétion. Ils voulaient que l'amour fût plus confortable, avec de la chaleur et de la lumière, de la musique et de la danse, et un semblant de luxe. Pour ces clients, il y avait les « maisons closes », les bordels. Là, les filles se rassemblaient dans un « salon » aménagé avec un faux luxe, les unes en toilettes de dames, les autres dans des négligés sans équivoque. Un pianiste veillait à divertir les clients par sa musique, on buvait, on dansait, on bavardait jusqu'à ce que les couples se retirassent discrètement dans une chambre. Dans bien des bordels élégants, surtout à Paris et à Milan, qui jouissaient d'une certaine célébrité internationale, un esprit naïf pouvait avoir l'illusion d'être invité dans une maison privée avec des dames de compagnie un peu pétulantes. A première vue, les filles de ces établissements avaient un sort plus enviable que les promeneuses des trottoirs. Elles n'avaient pas à errer par le vent et la pluie dans les rues et dans la boue, elles se tenaient dans des pièces bien chauffées, recevaient de bons vêtements, la nourriture et surtout la boisson en abondance. Elles étaient en revanche véritablement les prisonnières de leurs hôtesses, qui leur imposaient à des tarifs usuraires les habits qu'elles portaient, et pratiquaient avec le prix de la pension de tels chefs-d'œuvre de comptabilité que même la fille la plus active et la plus endurante demeurait toujours en quelque sorte leur débitrice et ne pouvait jamais quitter la maison de son plein gré. Il serait passionnant d'écrire l'histoire secrète de nombre de ces maisons, et cela fournirait un document essentiel sur la civilisation de cette époque, car elles recelaient les mystères les plus singuliers, naturellement bien connus des autorités qui, par ailleurs, se montraient si sévères. Il y avait là des portes secrètes et un escalier dérobé par où les membres de la plus haute société — et même, disait-on, de la cour — pouvaient y faire des visites sans être aperçus par le commun des mortels. Il y avait des pièces revêtues de miroirs et d'autres qui permettaient de plonger secrètement le regard dans les chambres voisines où des couples prenaient leurs ébats sans se douter de rien. Il y avait là les plus étranges déguisements, de l'habit de nonne jusqu'à la tenue de ballerine, enfermés dans des vitrines et des coffres à l'usage de certains fétichistes. Et c'était cette même ville, cette même société, cette même morale qui s'indignaient quand des jeunes filles montaient à bicyclette, et qui déclaraient que c'était un outrage à la dignité de la science, quand Freud, à sa manière tranquille, claire et pénétrante, établissait de sages vérités dont elles ne voulaient pas convenir. Ce même monde, qui défendait si pathétiquement la pureté de la femme, souffrait [1]e cet abominable trafic de soi-même, l'organisait et même en tirait profit.

*

Qu'on ne se laisse donc pas égarer par les romans ou les nouvelles sentimentales de cette époque ; c'était un triste temps pour la jeunesse, les jeunes filles hermétique-ment isolées de la vie et placées sous le contrôle de leur famille, entravées dans le libre épanouissement de leur corps et de leur esprit, les jeunes gens contraints aux cachotteries et aux sournoiseries par une morale à laquelle, au fond, personne ne croyait ni ne se soumettait. Des relations sans contraintes et loyales, c'est-à-dire ce qui, selon la loi de la nature, aurait dû signifier pour la jeunesse bonheur et félicité, n'étaient accordées qu'à une infime minorité. Un homme de cette génération qui veut se rappeler de bonne foi ses toutes premières rencontres avec des femmes trouvera peu d'épisodes dont il puisse se souvenir avec une joie sans mélange. Car outre l'oppression sociale qui forçait constamment à la prudence et au secret, un autre élément jetait son ombre sur l'esprit, au lendemain et même au cours des plus tendres moments : la crainte de l'infection. En cela aussi, la jeunesse d'alors était désavantagée par rapport à celle d'aujourd'hui, car il ne faut pas oublier qu'il y a quarante ans les maladies vénériennes étaient cent fois plus répandues qu'à présent et surtout avaient des conséquences cent fois plus dangereuses et terribles, parce que la médecine d'alors ne savait pas les combattre efficacement. Il n'existait encore aucune possibilité scientifique de les éliminer, comme de nos jours, si rapidement et si radicalement qu'elles ne constituent guère plus qu'un épisode. Tandis qu'aujourd'hui, dans les cliniques de petites ou de moyennes universités, il se passe souvent des semaines, grâce à la thérapeutique de Paul Ehrlich, sans que le professeur puisse présenter à ses étudiants un seul cas d'infection syphilitique récente, la statistique établissait alors que, chez les soldats et dans les grandes villes, sur dix jeunes gens, un ou deux au moins étaient déjà contaminés. Sans cesse, on avertissait la jeunesse du danger qu'elle courait ; en parcourant les rues, à Vienne, on pouvait constater qu'une maison sur six ou sept portait une plaque de médecin sur laquelle on pouvait lire : « Spécialiste des maladies de la peau et de l'appareil génital » ; et au danger de l'infection s'ajoutait l'horreur des procédés dégoûtants et humiliants des cures d'alors, dont le monde d'aujourd'hui ne sait plus rien. Pendant des semaines et des semaines, le corps tout entier du syphilitique était frotté de mercure, ce qui avait pour conséquences la chute des dents et d'autres altérations graves de la santé ; la malheureuse victime d'un fâcheux hasard ne se sentait pas seulement souillée dans son âme, mais aussi dans son corps, et même après une cure aussi affreuse, le contaminé ne pouvait jamais être sûr, sa vie durant, que l'insidieux virus n'allait pas se réveiller de son enkystement, dans la moelle épinière ou derrière le front, paralysant ses membres ou provoquant un ramollissement du cerveau. Il n'est donc pas surprenant qu'alors beaucoup de jeunes gens aient saisi leur revolver sitôt le diagnostic établi, car ils trouvaient insupportable le sentiment d'être suspects à eux-mêmes et à leurs plus proches parents en tant qu'incurables. A cela s'ajoutaient les autres soucis d'une vie sexuelle qui s'exerçait toujours dans le secret. Si je cherche honnêtement dans mes souvenirs, je ne vois pas un seul camarade de nos jeunes années qui n'ait paru un jour tout blême et l'œil hagard, l'un parce qu'il était malade ou appréhendait la maladie, le deuxième parce qu'il était victime d'un chantage à la suite d'un avortement, le troisième parce que l'argent lui manquait pour se soigner à l'insu de sa famille, le quatrième parce qu'il ne savait comment payer la pension alimentaire d'un enfant qu'une serveuse de brasserie lui attribuait, le cinquième parce que son portefeuille lui avait été volé dans un bordel et qu'il n'avait pas eu le courage de porter plainte. La jeunesse de cette époque pseudo-morale était donc bien plus dramatique et d'autre part plus malpropre, plus tendue et plus accablante que ne l'ont représentée les romans et les pièces de théâtre de ses poètes de cour. Comme à l'école et à la maison, dans la sphère d'Éros, on n'accordait presque jamais à la jeunesse la liberté et le bonheur auxquels la destinait son âge.

Il fallait nécessairement souligner tout cela dans un tableau fidèle de ce temps. Car souvent, quand je m'entretiens avec mes jeunes camarades de la génération d'après-guerre, il me faut presque user de véhémence pour les persuader que notre jeunesse n'était nullement privilégiée en comparaison de la leur. Certes, nous avons joui de plus de libertés civiques que la génération d'aujourd'hui soumise au service militaire, au service du travail, dans beaucoup de pays à une idéologie de masse, et dans tous, en réalité, livrée sans défense à l'arbitraire d'une politique mondiale stupide. Nous pouvions nous consacrer à notre art, à nos inclinations spirituelles, perfectionner notre vie intérieure, d'une manière plus personnelle et plus individuelle, en étant moins dérangés. Une existence cosmopolite nous était possible, le monde entier nous était ouvert. Nous pouvions voyager sans passeport ni visa partout où il nous plaisait, personne n'examinait nos opinions, notre origine, notre race ou notre religion. Nous avions de fait — je ne le nie pas — infiniment plus de liberté individuelle, et nous ne l'avons pas seulement aimée, nous l'avons utilisée. Mais comme Friedrich Hebbel le disait un jour fort joliment : « Tantôt nous manque le vin, tantôt la coupe. » Rarement l'un et l'autre sont accordés à la même génération. Si les mœurs laissent à l'homme quelque liberté, c'est l'État qui le contraint. Si l'État ne l'opprime pas, ce sont les mœurs qui tentent de le modeler. Nous avons davantage et mieux fait l'expérience du monde, mais la jeunesse d'aujourd'hui vit davantage et fait plus consciemment l'expérience de sa propre jeunesse. Quand je vois de nos jours les jeunes gens revenir de leur école, de leur collège, le front haut et lumineux, le visage serein, quand je les vois ensemble, jeunes gens et jeunes filles, unis dans une libre et insouciante camaraderie, sans fausse pudeur ni fausse honte, à l'étude, au sport et au jeu, glissant sur leurs skis par-dessus les champs de neige, rivalisant librement, à la manière antique, dans les grands bains publics, roulant à deux en auto, à travers la campagne, fraternellement rassemblés dans toutes les manifestations d'une vie saine, insouciante, sans rien qui les oppresse soit du dedans, soit du dehors, il me paraît toujours que ce ne sont pas quarante mais mille années qui nous séparent, eux et nous qui, pour donner, pour éprouver de l'amour devions toujours rechercher l'ombre et les cachettes. C'est d'un regard sincèrement réjoui que je constate quelle prodigieuse révolution des mœurs s'est opérée au profit de la jeunesse, combien elle a reconquis de liberté dans la vie et dans l'amour et combien, dans cette nouvelle liberté, elle s'est assainie physiquement et moralement. Les femmes me semblent plus belles depuis qu'il leur est permis de montrer leurs formes, leur port plus droit, leurs yeux plus clairs, leur conversation plus spontanée. Quelle assurance a gagnée cette nouvelle jeunesse, qui n'a à rendre compte de ses faits et gestes qu'à elle-même et à son propre sentiment de la responsabilité, qui s'est libérée du contrôle des mères, des pères, des tantes et des maîtres, et depuis longtemps ne soupçonne plus rien de toutes les contraintes et de toutes les intimidations, de toutes les tensions par lesquelles on a entravé notre développement, cette jeunesse qui ne sait plus rien de ces détours et de ces cachotteries auxquels il nous fallait recourir pour obtenir subrepticement, comme défendu, ce qu'à bon droit elle éprouve comme son dû. Elle jouit de son âge, heureuse, avec l'élan, la fraîcheur, la légèreté et l'insouciance qui sont de cet âge. Mais dans ce bonheur même, le plus beau bonheur me paraît être qu'elle n'a pas à mentir devant les autres, qu'elle peut être sincère envers elle-même, sincère dans ses sentiments et ses désirs naturels. Il se peut que, du fait de cette insouciance avec laquelle les jeunes gens d'aujourd'hui avancent dans leur vie, il leur manque quelque chose de cette vénération des choses spirituelles qui animait notre jeunesse. Il se peut que par cette facilité toute naturelle à prendre et à donner, bien des choses en amour se soient perdues pour eux, qui nous semblaient particulièrement précieuses et pleines d'attraits, bien des freins mystérieux de la pudeur et de la honte, et bien des délicatesses dans la tendresse. Peut-être même qu'ils ne soupçonnent pas du tout à quel point le frisson que donnent interdiction et refus augmente secrètement la volupté. Mais tout cela me paraît peu de chose auprès de cette seule évolution, de cette évolution libératrice : la jeunesse d'aujourd'hui est affranchie de la crainte et de l'oppression et jouit pleinement de ce qui nous a été refusé — du sentiment de la confiance en soi et de l'assurance intérieure.

« *Universitas vitae* »

Enfin était venu le moment longtemps attendu où, avec la dernière année du siècle, nous pûmes claquer derrière nous la porte du lycée abhorré. Après que nous eûmes passé à grand-peine notre examen final — car enfin, que savions-nous des mathématiques, de la physique et des autres matières scolaires ? —, le proviseur nous honora d'un discours plein d'élan, nous qui, pour l'occasion, avions revêtu notre solennelle redingote noire : nous étions désormais des adultes et devions faire honneur à notre patrie par notre zèle et notre valeur. Ainsi volait en éclats une camaraderie de huit années ; depuis, j'ai revu bien peu de mes compagnons de galère. La plupart d'entre nous s'inscrivirent à l'université, et ceux qui durent se résigner à d'autres occupations nous regardèrent d'un œil d'envie.

Car l'université, en ces temps révolus, était encore parée en Autriche d'un nimbe particulier, romantique : les étudiants jouissaient de certains privilèges qui les plaçaient bien au-dessus de leurs compagnons d'âge. Cette singularité, héritée des siècles passés, est sans doute peu connue en dehors des pays allemands et, dans son absurdité et son anachronisme, demande de ce fait quelques explications. Nos universités avaient pour la plupart été fondées au Moyen Age, donc à une époque où les occupations scientifiques passaient pour quelque chose d'extraordinaire, et afin d'inciter les jeunes gens à se consacrer aux études, on leur octroya certains privilèges attachés à leur état. Les « écoliers » du Moyen Age n'étaient pas soumis à la juridiction des tribunaux ordinaires ; dans leurs collèges, ils ne pouvaient pas être recherchés ou importunés par les sbires ; ils portaient un costume particulier, ils avaient le droit de se battre en duel sans tomber sous le coup des lois, et ils étaient reconnus comme constituant une corporation fermée, qui avait ses mœurs propres, bonnes ou mauvaises. Au fil du temps, avec la démocratisation croissante de la vie publique, alors que toutes les autres guildes et corporations du Moyen Age se dissolvaient, cette position privilégiée des universitaires se perdit dans toute l'Europe ; c'est seulement en Allemagne et dans l'Autriche allemande, où le sentiment de classe a toujours prévalu sur les idées démocratiques, que les étudiants s'attachèrent opiniâtrement à ces privilèges depuis longtemps vidés de leur sens, et les formulèrent même en un code qui ne s'appliquait qu'à eux. L'étudiant allemand s'attribuait avant tout une sorte d' « honneur » de caste distinct de celui des bourgeois et du commun. Qui l'offensait lui devait « satisfaction », c'est-à-dire avait l'obligation de se battre en duel avec lui, pour autant que l'offenseur était un homme à qui l'on pouvait demander réparation les armes à la main. Était « apte à donner satisfaction », selon cette évaluation présomptueuse, non pas, par exemple, un commerçant ou un banquier, mais celui-là seul qui avait une formation ou des titres universitaires, ou encore un officier — personne d'autre, parmi ses millions de contemporains, ne participait à l' « honneur » de croiser le fer avec un de ces stupides jouvenceaux imberbes. D'autre part, afin d'être considéré comme un « vrai » étudiant, il fallait avoir « fait la preuve » de sa virilité, c'est-à-dire avoir livré le plus de duels possible, et même porter sur son visage les balafres témoignant de ces actions d'éclat ; des joues lisses et un nez sans coupures étaient indignes d'un vrai universitaire allemand. Ainsi les *Couleurstudenten* — étudiants membres d'une association qui se distinguait par le port de couleurs particulières — se voyaient obligés, afin d'avoir sans cesse de nouvelles affaires, de se provoquer constamment entre eux ou de s'en prendre à des étudiants tout à fait paisibles, ou à des officiers. Dans les « associations », chaque nouvel étudiant était dûment « endoctriné » dans la salle d'armes en vue de cette activité capitale et si digne ; par ailleurs, on l'initiait à tous les usages de la corporation. Chaque *Fuchs*, c'est-à-dire chaque novice, était confié à un « frère de corps » auquel il devait une obéissance d'esclave et qui, en échange, l'instruisait dans le noble art du *Komment,* ensemble des us et coutumes de la corporation : boire jusqu'à en vomir, vider d'un trait, jusqu'à la dernière goutte, un lourd hanap de bière, afin de prouver glorieusement qu'on n'était pas une chiffe molle, ou bien hurler en chœur des chansons d'étudiants et bafouer la police en défilant au pas de l'oie et à grand vacarme par les rues en pleine nuit. Tout cela passait pour « viril », pour « universitaire », pour « allemand », et quand les corporations — *Verbindungen* et *Burschenschaften* — se rendaient à la parade du samedi avec leurs drapeaux flottants, leurs casquettes multicolores et leurs rubans, ces jeunes niais, gonflés d'un orgueil imbécile par leur propre agitation, se croyaient les vrais représentants de la jeunesse intellectuelle. Ils toisaient d'un regard méprisant la « plèbe » qui ne savait pas estimer comme elles le méritaient cette culture universitaire et cette virilité allemande.

Aux yeux d'un petit lycéen de province, d'un blanc-bec échoué à Vienne, cette vie d'étudiant « fraîche et joyeuse » pouvait certes passer pour l'incarnation de tout romantisme. Et de fait, des décennies encore après avoir quitté leur faculté, dans leur village, les vieux notaires et médecins levaient des yeux émus vers les rapières croisées et les rubans bariolés pendus aux parois de leurs chambres ; ils arboraient avec fierté leurs balafres comme des signes distinctifs de leur condition d' « universitaires ». Chez nous, tout au contraire, ces mœurs stupides et brutales ne suscitaient que répugnance, et quand nous rencontrions une de ces hordes enrubannées, nous tournions prudemment au coin de la rue ; car à nos yeux, à nous pour qui la liberté individuelle était le premier des biens, ce plaisir puisé dans l'agressivité ainsi que cet amour de la servilité grégaire ne révélaient que trop ostensiblement ce que comportait de pire et de plus dangereux l'esprit allemand. De plus, nous savions que derrière ce romantisme artificiel et momifié se dissimulaient des buts pratiques très astucieusement calculés : l'appartenance à une corporation de « bretteurs » assurait à chacun de ses membres la protection des « vieux messieurs », des anciens de l'association occupant les plus hauts emplois, et lui facilitait sa carrière future. C'était des « Borusses » de Bonn que partait le seul chemin sûr qui menât aux fonctions de la diplomatie allemande ; c'était par les associations catholiques d'Autriche que l'on accédait aux bonnes prébendes dont disposait le parti chrétien-social alors au pouvoir, et la plupart de ces « héros » savaient fort bien que leurs rubans de couleur remplaceraient avantageusement par la suite les études solides qu'ils avaient négligé de faire, et que deux ou trois balafres sur le front pourraient leur être plus profitables, quand il s'agissait de trouver une place, que ce qu'ils avaient dans le crâne. Le seul aspect de ces rudes bandes militarisées, de ces visages couturés et arrogants, m'a dégoûté des auditoires de l'université ; les étudiants véritablement désireux d'apprendre évitaient l'aula, quand ils se rendaient à la bibliothèque, afin d'échapper à toute rencontre avec ces tristes héros.

*

Il avait été décidé depuis toujours au sein de la famille que j'étudierais à l'université. Mais pour quelle faculté me décider ? Mes parents me laissaient une pleine liberté de choix. Mon frère aîné étant déjà entré dans l'entreprise industrielle de mon père, rien ne pressait pour le second fils. Il ne s'agissait après tout que d'assurer à l'honneur de la famille un titre de docteur, peu importait lequel. Et, bizarrement, le choix m'en était tout aussi indifférent. Comme j'avais depuis longtemps voué mon âme à la littérature, aucune des disciplines scientifiques enseignées ne m'intéressait en elle-même. J'avais en outre une secrète méfiance à l'égard de toute étude universitaire, méfiance qui, aujourd'hui encore, n'a pas disparu. Pour moi, l'axiome d'Emerson, que les bons livres remplacent la meilleure université, est resté inébranlablement valable, et je suis toujours persuadé que l'on peut devenir un excellent philosophe, historien, philologue, juriste ou tout ce qu'on voudra, sans avoir mis les pieds à l'université, ni même au lycée. D'innombrables fois, je me suis assuré dans la vie pratique que certains bouquinistes sont souvent mieux informés sur les livres que les professeurs dont c'est le domaine, que les marchands d'art s'y entendent mieux que les savants historiens de l'art, qu'une grande partie des anticipations et découvertes essentielles dans tous les domaines sont dues à des chercheurs solitaires. Si commode et si salutaire que puisse être l'enseignement universitaire pour des esprits moyens, il me paraît que des natures individuellement productives peuvent s'en passer, qu'il peut même agir sur elles comme une entrave. Surtout dans une université comme la nôtre, celle de Vienne, avec ses six ou sept mille étudiants qui, par leur trop grand nombre, empêchaient d'emblée le contact personnel entre maîtres et élèves, retardait sur son temps par un attachement trop fidèle à ses traditions, je ne voyais pas un seul homme qui eût pu me fasciner au profit de sa science. Le critère qui détermina en fait mon choix ne fut donc pas de savoir laquelle des disciplines m'occuperait le plus intérieurement, mais au contraire laquelle me chargerait le moins et me laisserait le plus de temps et de liberté pour me consacrer à ma véritable passion. Je me décidai finalement pour la philosophie — ou plutôt pour la philosophie « exacte », comme on l'appelait chez nous selon le vieux schéma —, mais ce ne fut vraiment pas par le sentiment d'une vocation intérieure, car mes aptitudes à la pensée purement abstraite sont des plus bornées. Les pensées se développent en moi, sans exception, à partir des objets, des événements et des formes sensibles, tout ce qui est purement théorique et métaphysique demeurant inaccessible à mes capacités d'apprentissage. Toujours est-il que la matière à étudier se trouvait ici la plus limitée et que les cours et séminaires de philosophie « exacte » étaient ceux où l'on pouvait le plus facilement éviter de paraître. Tout ce qu'on nous demandait, c'était de présenter une thèse et de passer quelques examens à la fin du huitième semestre. C'est ainsi que j'arrêtai de prime abord une répartition de mon temps : pendant les trois premières années, je ne m'occuperais pas du tout de mes études ! Mais la dernière année, je maîtriserais par un travail acharné la matière du programme, et je rédigerais le plus rapidement possible une thèse quelconque. L'université m'aurait ainsi donné tout ce que je lui demandais : quelques années qui me permettraient de vivre et de pousser mes efforts artistiques dans une pleine liberté : *universitas vitae.*

*

Si j'embrasse d'un regard toute ma vie, je me rappelle peu de moments aussi heureux que les premiers de ce temps d'université sans université. J'étais jeune et, de ce fait, je n'avais pas encore le sentiment que la responsabilité m'incomberait de produire une œuvre parfaite. J'étais assez indépendant, le jour avait vingt-quatre heures et toutes m'appartenaient. Je pouvais lire et travailler à ce qui me plaisait sans avoir de comptes à rendre à personne, le nuage des examens ne se montrait pas encore à l'horizon dégagé, car enfin, comme trois années paraissent longues quand on a dix-neuf ans, comme on peut les faire riches et pleines et abondantes en surprises et en cadeaux de toute sorte !

Avant tout, je commençai par rassembler mes poèmes en un choix que je croyais d'une implacable sévérité. Je n'ai pas honte d'avouer qu'à dix-neuf ans, alors que je venais de quitter le lycée, l'encre d'imprimerie me paraissait le parfum le plus suave de la terre, plus suave que l'essence des roses de Chiraz. Chaque fois qu'une de mes poésies était acceptée par un journal, le sentiment de ma propre valeur qui, de nature, était assez chancelant, en recevait une nouvelle vigueur. Devais-je dès maintenant prendre mon élan pour le bond décisif et tenter la publication d'un volume entier ? Les encouragements de mes camarades, qui croyaient plus en moi que je n'y croyais moi-même, me décidèrent. J'envoyai assez audacieusement mon manuscrit à la maison d'édition alors la plus représentative de la poésie lyrique en Allemagne, à Schuster et Löffler, les éditeurs de Liliencron, de Dehmel, de Bierbaum, de Mombert, de toute cette génération qui, conjointement à Rilke et à Hofmannsthal, avait créé le nouveau lyrisme allemand. Et — prodige et présage ! — bientôt se succédèrent ces instants de bonheur inoubliables qui ne se renouvellent plus dans la vie d'un écrivain, même après les plus grands succès : vint une lettre au monogramme des éditeurs que l'on serra impatiemment entre ses doigts sans avoir le courage de l'ouvrir. Vint cette seconde précieuse où on lut, en retenant son souffle, que les éditeurs s'étaient décidés à publier le livre et s'assuraient même un droit de priorité pour les suivants. Vint le paquet des premières épreuves que l'on dénoua avec une excitation sans bornes afin de voir les caractères, la composition, l'aspect embryonnaire du livre, et ensuite, après quelques semaines, le livre lui-même, les premiers exemplaires que l'on ne se lassa pas d'examiner, de palper, de comparer une fois, une fois encore, une fois de plus. Puis ce fut le pèlerinage puéril aux devantures des libraires pour examiner s'il y avait déjà des exemplaires exposés, s'ils paradaient au beau milieu de la vitrine ou se dissimulaient modestement sur les bords. Puis ce fut l'attente des lettres, des premières critiques, de la première réponse venue de l'inconnu, venue de l'imprévisible — toutes ces tensions, ces agitations, ces exaltations qui me font envier secrètement les jeunes gens qui jettent dans le monde leur premier ouvrage. Mais ce ravissement n'était que l'ardeur qui me faisait m'éprendre de ce premier instant, et nullement de la suffisance. Le simple fait que non seulement je ne fis jamais réimprimer ces *Silberne Saiten* * (tel était le titre de ce premier-né, aujourd'hui bien oublié), mais encore que je ne permis pas que l'on reprît un seul des morceaux qui le composaient dans mes *Œuvres poétiques complètes* suffit à prouver ce que je pensai bientôt moi-même de ces vers. C'étaient des vers faits de pressentiments indistincts et de réminiscences involontaires, issus non pas de mon expérience personnelle, mais d'une sorte de passion verbale. Ils témoignaient cependant d'une certaine musicalité et d'assez de sens de la forme pour que les cercles de connaisseurs les remarquassent, et je ne pus pas me

---

* « Cordes d'argent. »

plaindre que les encouragements m'eussent manqué.
Liliencron et Dehmel, qui étaient alors les plus éminents
poètes lyriques, accordèrent au jouvenceau de dix-neuf
ans leur reconnaissance cordiale et déjà confraternelle.
Rilke, que j'idolâtrais tellement, m'envoya en échange du
« livre si gentiment offert » un tirage à part dédicacé
« avec gratitude » de ses derniers poèmes, que j'ai réussi à
sauver des décombres de l'Autriche et à emporter en
Angleterre comme un des plus précieux souvenirs de ma
jeunesse (où peut-il bien être maintenant ?). Ce premier
présent de Rilke — que bien d'autres suivirent — finit, il
est vrai, par me faire l'impression d'un spectre : il était
vieux de quarante ans, et cette écriture familière me
saluait du royaume des morts. Mais la surprise la plus
inattendue fut que Max Reger, alors le plus grand des
compositeurs vivants avec Richard Strauss, s'adressa à
moi pour que je l'autorise à mettre en musique six
poèmes de ce volume. Que de fois, depuis, j'ai entendu
tel ou tel de ces morceaux dans des concerts — mes
propres vers, que j'avais moi-même oubliés et reniés
depuis longtemps, portés à travers le temps par l'art
fraternel d'un maître !

*

Ces approbations inespérées, accompagnées de critiques bienveillantes dans les journaux, eurent en tout cas
pour effet de m'enhardir à une démarche qu'avec mon
incurable méfiance de moi-même je n'eusse jamais osée
ou que du moins je n'eusse pas entreprise si jeune. Déjà,
du temps que j'étais au lycée, j'avais publié, outre des
poèmes, de petites nouvelles et des essais dans les revues
littéraires des « Modernes », mais je n'avais jamais eu
l'audace de les proposer à un journal important et

largement diffusé. A Vienne, il n'y avait en somme qu'un seul quotidien de premier rang, la *Neue Freie Presse*, qui par sa tenue distinguée, ses préoccupations culturelles et son prestige politique, occupait à peu près, dans toute la monarchie austro-hongroise, la même place que le *Times* dans le monde anglo-saxon ou *Le Temps* en France. Son directeur, Maurice Benedikt, un homme aux dons d'organisateur prodigieux et à l'activité infatigable, consacrait son énergie véritablement démoniaque à surpasser l'ensemble des journaux allemands dans le domaine de la littérature et de l'art. Quand il voulait s'assurer la collaboration d'un auteur célèbre, il ne reculait devant aucune dépense, il lui envoyait coup sur coup dix ou vingt télégrammes, et consentait d'avance aux honoraires qu'il lui plairait d'exiger. Les numéros spéciaux de Noël et du Nouvel An formaient, avec leurs suppléments littéraires, des volumes entiers où voisinaient les plus grands noms de l'époque : Anatole France, Gerhart Hauptmann, Ibsen, Zola, Strindberg et Shaw se trouvaient pour l'occasion réunis dans ce journal qui a fait plus qu'on ne saurait dire pour l'orientation littéraire de toute la ville, de tout le pays. « Progressiste » et libérale dans sa conception du monde et de la vie, sérieuse et prudente dans son attitude, cette feuille représentait d'une manière exemplaire le niveau d'exigence culturelle de la vieille Autriche.

Mais ce temple du « Progrès » recelait encore un sanctuaire particulier, le « Feuilleton » qui, à l'instar des grands quotidiens parisiens, *Le Temps* et le *Journal des Débats*, publiait au « rez-de-chaussée », bien séparés de l'éphémère des nouvelles du jour et de la politique, les articles les plus solides et les plus achevés sur la poésie, le théâtre, la musique et les beaux-arts. Là ne pouvaient se faire entendre que les autorités, ceux qui avaient fait leurs preuves depuis longtemps déjà. Seules la solidité du jugement, l'expérience de longues années qui permettait les comparaisons, et la perfection de la forme pouvaient ouvrir à un auteur, après des années de mise à l'épreuve, l'accès à ce lieu sacré. Ludwig Speidel — un maître miniaturiste — ou Edouard Hanslick jouissaient là, pour le théâtre et la musique, de la même autorité pontificale que Sainte-Beuve à Paris dans ses *Lundis* ; leur oui ou leur non décidait pour Vienne du succès d'un ouvrage, d'une pièce de théâtre, d'un livre, et aussi bien souvent, de ce fait, de l'avenir d'un homme. Chacun de ces articles était le sujet des conversations du jour dans les cercles cultivés ; il était discuté, critiqué, admiré ou haï, et quand, par hasard, un nom nouveau faisait son apparition parmi ceux des « feuilletonistes » depuis longtemps reconnus avec respect, cela constituait un événement. De la jeune génération, seul Hofmannsthal y avait accédé à l'occasion, avec quelques-uns de ses merveilleux articles ; en dehors de lui, les jeunes auteurs devaient se borner à s'introduire en contrebande, dissimulés dans la page littéraire de la fin. Qui était imprimé en première page avait, pour Vienne, son nom gravé dans le marbre.

Je n'arrive plus à concevoir aujourd'hui comment je trouvai le courage de proposer un petit ouvrage poétique à la *Neue Freie Presse*, oracle de mes pères et foyer des têtes consacrées par une septuple onction. Mais, après tout, je ne risquais rien de pis qu'un refus. Le rédacteur du feuilleton ne recevait qu'un jour de la semaine entre deux et trois, parce que la rotation régulière des écrivains célèbres qui y avaient un engagement ferme ne permettait que très rarement d'y trouver place pour les travaux d'un collaborateur occasionnel. Ce n'est pas sans un battement de cœur que je gravis le petit escalier en spirale qui accédait au bureau et me fis annoncer. Au bout de quelques minutes, le domestique revint m'aviser que Monsieur le rédacteur du feuilleton me priait d'entrer, et je pénétrai dans la petite pièce tout en longueur.

*

Le rédacteur du feuilleton de la *Neue Freie Presse* s'appelait Théodore Herzl, et ce fut le premier homme de premier plan dans l'histoire universelle que je rencontrai au cours de mon existence — certes sans savoir alors quelle prodigieuse révolution sa personne était destinée à opérer dans les destinées du peuple juif et l'histoire de notre temps. A l'époque, sa position était encore ambiguë et son évolution imprévisible. Il avait débuté par des essais poétiques, avait manifesté très tôt des dons éblouissants de journaliste et était devenu le favori du public viennois, d'abord en qualité de correspondant à Paris, puis de feuilletoniste de la *Neue Freie Presse*. Ses articles, encore aujourd'hui fascinants par l'abondance des observations aiguës et souvent avisées, la grâce du style, le charme distingué qui, même dans le genre léger ou dans la critique, ne perdait rien de sa noblesse native, étaient ce qu'on pouvait concevoir de plus raffiné en matière de journalisme, et les délices d'une ville qui avait cultivé le sens du subtil. Il avait même connu le succès au *Burgtheater*, qui avait donné une pièce de lui, et c'était désormais un homme en vue, idolâtré par la jeunesse, estimé de nos pères, jusqu'au jour où se produisit l'inattendu. Le destin sait toujours se trouver un chemin afin d'atteindre l'homme dont il a besoin pour ses desseins, même si cet homme veut se cacher.

Théodore Herzl avait vécu à Paris une expérience qui avait bouleversé son âme, une de ces heures qui changent toute une existence : il avait assisté en qualité de correspondant à la dégradation publique d'Alfred Dreyfus, il avait vu arracher les épaulettes à cet homme pâle, qui s'écriait : « Je suis innocent. » Et à cette seconde, il avait su jusqu'au plus profond de son cœur que Dreyfus était innocent et qu'il n'était chargé de cet abominable soupçon de trahison que parce qu'il était juif. Or Théodore Herzl, alors qu'il était étudiant, avait déjà souffert dans sa généreuse fierté d'homme du sort des Juifs. Bien plus, grâce à son instinct prophétique et à ses prémonitions, il en avait souffert par avance dans tout son tragique à une époque où le danger ne paraissait pas vraiment redoutable. Avec le sentiment d'être né pour devenir un chef, à quoi l'autorisait son apparence extérieure non moins que l'ampleur de ses vues et sa connaissance du monde, il avait alors conçu le projet fantastique de mettre fin une fois pour toutes au problème juif — et ce par l'union du judaïsme au christianisme par la voie de baptêmes volontaires opérés en masse. Pensant toujours en dramaturge, il s'était vu menant en long cortège à l'église Saint-Étienne les milliers et milliers de Juifs autrichiens, afin d'y délivrer de la malédiction de la haine et de la séparation, par un acte symbolique exemplaire, le peuple traqué et sans patrie. Il avait bientôt reconnu l'impossibilité de mettre son plan à exécution, son travail personnel l'avait détourné pendant des années du problème primordial de sa vie, dont il reconnaissait que la « résolution » constituait sa véritable tâche. Mais dans cette seconde de la dégradation de Dreyfus, la pensée de l'éternelle proscription de son peuple lui traversa la poitrine comme un coup de poignard. Si la séparation est inévitable, se dit-il, eh bien ! qu'elle soit radicale ! Si l'humiliation renouvelée est constamment notre sort, répondons-y par la fierté. Si nous souffrons d'être sans patrie, édifions-nous une patrie nous-mêmes. C'est alors qu'il publia sa brochure, *L'État juif,* dans laquelle il proclamait que toute assimilation, tout espoir de tolérance totale, était impossible pour le peuple juif. Il devait fonder sa nouvelle, sa propre patrie dans son ancienne patrie : la Palestine.

J'étais encore au lycée quand parut cette brochure

succincte, qui avait la force de pénétration d'un coin d'acier, mais je me souviens bien de l'ahurissement général et du dépit de la bourgeoisie juive de Vienne. Quelle mouche, disait-on avec hargne dans ces milieux, a donc piqué cet écrivain d'habitude si spirituel et si intelligent, si cultivé ? Quelles sottises commet-il et se met-il à écrire ? Pourquoi irions-nous en Palestine ? Notre langue, c'est l'allemand et non pas l'hébreu, notre patrie, la belle Autriche. Notre situation, sous le bon empereur François-Joseph, n'est-elle pas excellente ? N'avons-nous pas des conditions de vie convenables et une position sociale assurée ? Ne jouissons-nous pas des mêmes droits civiques que les autres sujets de la monarchie, ne sommes-nous pas des citoyens fidèles et solidement établis dans cette Vienne bien-aimée ? Et ne vivons-nous pas une époque de progrès, qui éliminera en quelques décennies tous les préjugés confessionnels ? Pourquoi lui, qui parle en Juif et veut servir le judaïsme, fournit-il des armes à nos pires ennemis et cherche-t-il à nous séparer, alors que chaque jour nous rattache plus étroitement et plus intimement au monde allemand ? Les rabbins s'échauffaient dans leurs chaires, le directeur de la *Neue Freie Presse* défendit de mentionner même le mot de sionisme dans son journal « progressiste ». Le Thersite de la littérature viennoise, le maître de la raillerie empoisonnée, Karl Kraus, écrivit une brochure, *Une couronne pour Sion,* et quand Théodore Herzl paraissait au théâtre, on murmurait dans tous les rangs, sur le ton de la moquerie : « Sa Majesté a fait son entrée ! »

Tout d'abord, Herzl put se sentir incompris ; Vienne, où il se croyait le plus en sûreté du fait de la popularité dont il jouissait depuis des années, l'abandonnait et se moquait de lui. Mais la réponse vint d'ailleurs, comme un coup de tonnerre, si subite, avec une telle énergie et une telle exaltation qu'il fut presque effrayé d'avoir suscité dans le monde, avec ses quelques douzaines de pages, un mouvement aussi puissant et qui le débordait largement. Elle ne lui vint pas, il est vrai, des Juifs de l'Ouest, de ces bourgeois qui menaient une existence confortable et avaient d'excellentes situations, mais des masses formidables de l'Est, du prolétariat des ghettos galiciens, polonais et russes. Sans qu'il s'en doutât, Herzl, avec sa brochure, avait fait flamboyer ce noyau du judaïsme qui couvait sous la cendre de l'étranger, le rêve messianique millénaire, confirmé par les livres saints, d'un retour en Terre promise — cette espérance et certitude religieuse en même temps qui seule donnait encore un sens à la vie de ces millions d'êtres foulés aux pieds et asservis. A chaque fois qu'un homme — prophète ou imposteur — avait touché cette corde durant les deux mille ans de la dispersion, toute l'âme du peuple s'était mise à vibrer, mais jamais avec une telle puissance, un tel retentissement. En écrivant quelques douzaines de pages, un homme seul avait formé une unité d'une masse disséminée et déchirée.

Ce premier moment, tant que son idée avait encore les formes indistinctes d'un songe, devait être le plus heureux de la brève existence de Herzl. Dès qu'il commença à fixer les objectifs dans l'espace réel, à nouer les forces, il dut reconnaître combien son peuple était devenu disparate dans la diversité des nations et des destinées : ici les Juifs religieux, là les libres-penseurs, ici les Juifs socialistes, là les capitalistes, s'enflammant les uns contre les autres dans toutes les langues, et tous aussi peu disposés à se soumettre à une seule et même autorité. En cette année 1901, quand je le vis pour la première fois, il était en plein combat, et peut-être luttait-il aussi contre lui-même. Il ne croyait pas encore assez au succès pour renoncer à la situation qui les faisait vivre, lui et sa famille. Il devait encore se partager entre son service mesquin de journaliste et la mission qui était sa vraie vie. Et ce fut encore le Théodore Herzl feuilletoniste qui me reçut.

*

Herzl se leva pour me saluer, et j'éprouvai aussitôt le sentiment, instinctivement, qu'il y avait du vrai dans le surnom de « roi de Sion » qu'on lui donnait par moquerie : il avait réellement une apparence royale avec son haut front découvert, ses traits purs, sa longue barbe de prêtre, d'un noir presque bleuâtre, ses yeux mélancoliques d'un bleu sombre. Ses gestes amples, un peu théâtraux, ne semblaient pas affectés chez lui parce qu'ils étaient conditionnés par une noblesse naturelle, et il n'y aurait pas eu besoin de cette particularité pour me le rendre imposant. Même dans son vieux bureau où s'accumulaient les papiers, dans cette minuscule pièce de la rédaction, avec son unique fenêtre, il faisait l'impression d'un cheikh des Bédouins du désert ; un burnous blanc flottant l'aurait vêtu aussi naturellement que sa jaquette noire soigneusement coupée, selon toute apparence d'après un modèle de Paris. Après un court silence ménagé à dessein — il aimait ces petits effets, comme je le remarquai souvent par la suite, et les avait sans doute étudiés au *Burgtheater* —, il me tendit la main avec une condescendance cependant pleine de bienveillance. Il me désigna un siège à côté de lui et me demanda : « Je crois avoir déjà entendu ou lu votre nom quelque part. Des poèmes, n'est-il pas vrai ? » Je ne pus qu'acquiescer. « Eh bien, dit-il, en se carrant dans son fauteuil, que m'apportez-vous ? »

Je lui expliquai que j'aurais aimé lui soumettre un petit travail en prose et lui tendis mon manuscrit. Il regarda la page de titre, passa au dernier feuillet pour évaluer la longueur de l'article, puis il se plongea encore plus profondément dans son fauteuil. Et à mon grand étonnement (je ne m'y étais pas attendu), j'observai qu'il avait déjà commencé à lire le manuscrit. Il lisait lentement, sans lever les yeux, plaçant chaque fois sous les autres la feuille qu'il avait parcourue. Quand il eut achevé la dernière page, il plia lentement le manuscrit, toujours sans me regarder et avec des gestes minutieux, le glissa dans une enveloppe sur laquelle il griffonna une note au crayon bleu. Ce n'est qu'alors, après m'avoir assez longtemps tenu dans l'anxiété par ses opérations mystérieuses, qu'il leva sur moi son lourd regard sombre et me dit avec une solennité lente et calculée : « Je suis heureux de pouvoir vous annoncer que votre bel article est accepté pour le feuilleton de la *Neue Freie Presse.* »

Ce fut comme si Napoléon, sur le champ de bataille, épinglait à la poitrine d'un jeune sergent la croix de chevalier de la Légion d'honneur.

Cela paraît en soi un petit épisode sans importance, mais il faut être viennois, et viennois de cette génération, pour comprendre quelle brusque ascension cette faveur représentait pour moi. Du jour au lendemain j'étais ainsi promu, dans ma dix-neuvième année, à une situation éminente, et Théodore Herzl qui, dès cette première rencontre, me témoigna toujours une bienveillance très marquée, saisit ensuite la première occasion qui s'offrit pour écrire dans un de ses articles qu'il ne fallait pas croire à une décadence de l'art viennois. Au contraire, il y avait maintenant, à côté de Hofmannsthal, toute une phalange de jeunes talents dont on pouvait attendre le meilleur, et il citait mon nom en première place. J'ai toujours perçu comme une distinction toute particulière que ce soit un homme aussi éminent que Théodore Herzl qui ait été le premier à se déclarer publiquement pour moi, à une place aussi en vue et, de ce fait, où il engageait toute sa responsabilité ; et ce fut pour moi une résolution difficile à prendre que — avec une apparente ingratitude — de ne pas pouvoir me joindre, comme il l'aurait souhaité, à son mouvement sioniste en qualité de collaborateur actif et même de dirigeant à ses côtés.

Mais je ne réussis pas à me lier étroitement avec lui ; ce qui me déconcertait avant tout, c'était l'espèce de manque de respect, sans doute difficilement concevable aujourd'hui, que ses propres camarades de parti, justement, témoignaient à la personne de Herzl. Les Juifs de l'Est lui reprochaient de ne rien comprendre au monde juif, de n'en même pas connaître les us et coutumes ; les économistes le considéraient comme un feuilletoniste ; chacun avait ses objections particulières et ne les exprimait pas toujours de la manière la plus respectueuse. Je savais combien, précisément à cette époque, des hommes absolument dévoués, et surtout des hommes jeunes, auraient été utiles à Herzl, combien il en avait besoin, et l'esprit querelleur et ergoteur de cette perpétuelle opposition, le manque de loyale et cordiale subordination qui se manifestaient dans ce cercle m'éloignèrent de ce mouvement, dont je me serais rapproché avec curiosité en raison de ma seule sympathie pour Herzl. Comme nous parlions un jour de ce sujet, je lui avouai franchement mon dépit de trouver ce manque de discipline dans les rangs de ses amis. Il sourit un peu amèrement et me dit : « N'oubliez pas que nous sommes accoutumés depuis des siècles à jouer avec des problèmes, à disputer sur des idées. Nous autres, Juifs, nous n'avons depuis deux mille ans aucune expérience historique de la mise en pratique dans le monde réel. Il faut apprendre à se dévouer inconditionnellement, et moi-même je ne l'ai pas encore appris, car j'écris toujours à l'occasion des articles de critique, je suis toujours rédacteur du feuilleton de la *Neue Freie Presse,* alors que mon devoir serait de n'avoir pas une pensée en dehors de cette *seule* pensée-là, de ne pas coucher une ligne sur le papier pour une autre cause. Mais je suis en voie de me corriger ; je veux d'abord apprendre moi-même à me dévouer inconditionnellement, et peut-être que les autres l'apprendront avec moi. »

Je me souviens que ces paroles firent sur moi une profonde impression, car nous ne comprenions pas que Herzl, pendant si longtemps, n'ait pu se résoudre à abandonner sa situation à la *Neue Freie Presse* — nous pensions que c'était en considération de sa famille. Le monde n'apprit que beaucoup plus tard qu'il n'en était rien et qu'il avait même sacrifié sa fortune personnelle à la cause. Et combien il avait souffert de ce conflit intérieur, ce n'est pas seulement cette conversation qui me le révéla, mais de nombreuses notations de ses journaux l'attestent également.

Je le vis encore assez souvent par la suite, mais de toutes nos rencontres je n'ai conservé le souvenir que d'une seule qui me paraisse importante, rencontre inoubliable, peut-être parce qu'elle fut la dernière. J'avais séjourné à l'étranger — je n'avais correspondu avec Vienne que par lettres —, enfin je le croisai un jour au Stadtpark. Il venait manifestement de sa rédaction, il marchait très lentement, un peu voûté ; il n'avait plus le pas élastique que je lui connaissais. Je le saluai poliment et m'apprêtai à poursuivre mon chemin, mais il se redressa brusquement et vint à moi la main tendue :

« Pourquoi vous cachez-vous ? Ce n'est pas du tout nécessaire. » Il me fit un mérite de me sauver si souvent à l'étranger. « C'est notre seule voie, me dit-il. Tout ce que je sais, je l'ai appris à l'étranger. C'est seulement là que l'on s'accoutume à considérer les choses d'une certaine distance. Je suis persuadé qu'ici je n'aurais jamais eu le courage de formuler cette première conception, on l'aurait étouffée alors qu'elle était encore en train de germer et de croître. Mais grâce à Dieu, quand je l'apportai ici, tout était déjà terminé et ils ne purent rien faire de plus que de me mettre des bâtons dans les roues. » Il parla alors de Vienne avec beaucoup d'amertume ; c'est ici qu'il avait rencontré la plus forte opposition, et il se serait déjà fatigué si de nouvelles impulsions ne lui étaient pas venues du dehors, principalement de l'Est et aussi, à présent, d'Amérique. « En somme, dit-il, ma faute a été d'avoir commencé trop tard. Victor Adler, lui, a pris la tête du parti socialiste à trente ans, dans ses meilleures, dans ses vraies années de combattant, et je ne veux pas parler des grands noms de l'histoire. Si vous saviez comme je souffre en songeant à mes années perdues — parce que je ne me suis pas mis plus tôt à la tâche. Si ma santé était aussi bonne que ma volonté, tout serait pour le mieux, mais on ne rachète pas les années qu'on a laissées échapper. »

Je l'accompagnai encore un bon bout de chemin, jusqu'à sa porte. Il s'arrêta, me tendit la main en disant : « Pourquoi ne venez-vous jamais me voir ? Vous ne m'avez jamais rendu visite à mon domicile. Téléphonez-moi auparavant, je saurai me libérer. » Je le lui promis, bien résolu à ne pas tenir ma promesse, car plus j'aime un homme, plus je respecte son temps.

Je suis pourtant allé chez lui, et peu de mois après cette entrevue. La maladie qui, alors déjà, avait commencé à le voûter l'avait subitement terrassé, et je ne pus plus que l'accompagner au cimetière. Ce fut une journée extraordinaire, une journée de juillet qui demeura inoubliable pour tous ceux qui l'ont vécue. Car soudain affluèrent à toutes les gares, venus par tous les trains, jour et nuit, des hommes de tous les empires et de tous les pays, des Juifs d'Occident, d'Orient, russes, turcs ; de toutes les provinces, de toutes les petites villes, ils déferlaient, l'effroi qu'avait suscité en eux la nouvelle encore inscrit sur leur visage. Jamais on ne sentit plus distinctement ce que les criailleries et les discussions avaient auparavant rendu imperceptible : c'était ici le chef d'un grand mouvement que l'on portait en terre. Ce fut un cortège interminable. Du coup, Vienne se rendit compte que ce n'était pas seulement un écrivain ou un poète mineur qui était mort, mais un de ces créateurs d'idées qui dans un pays, dans un peuple, ne se lèvent victorieusement qu'à de très longs intervalles. Au cimetière, un tumulte se produisit ; trop de gens affluaient ensemble auprès de son cercueil, pleurant, sanglotant, criant, en une explosion de sauvage désespoir ; ce fut un déchaînement, presque une fureur ; tout ordre était rompu par une sorte de deuil élémentaire et extatique comme je n'en avais jamais vu et n'en revis jamais à l'occasion d'un enterrement. Et je pus mesurer pour la première fois, à cette douleur immense, montant convulsivement des tréfonds de tout un peuple de millions d'êtres, quelle somme de passion et d'espérance cet homme isolé avait répandue dans le monde par la puissance de sa pensée.

*

La signification véritable de ma réception solennelle au feuilleton de la *Neue Freie Presse* se manifesta pour moi dans ma vie privée. J'acquis par là une sécurité inattendue vis-à-vis de ma famille. Mes parents s'occupaient peu de littérature et n'avaient nullement la prétention d'en juger. Pour eux, comme pour toute la bourgeoisie viennoise, était digne de considération ce qui était loué dans la *Neue Freie Presse* et indifférent ce qu'elle ignorait ou blâmait. Ce qui était écrit dans le « Feuilleton » leur paraissait garanti par la plus haute autorité, car quiconque y prononçait son verdict provoquait le respect par sa seule position. Et maintenant, qu'on se représente une telle famille, qui tourne chaque jour son regard plein d'attente et de vénération vers cette première page de son quotidien, et qui découvre un beau matin, chose incroyable, que le jeune homme de dix-neuf ans, assez peu réglé dans ses habitudes, qui est assis à sa table, qui n'excelle pas à l'école, et dont elle prenait les griffonnages pour des amusements « innocents » (en tout cas préférables au jeu de cartes ou au flirt avec des jeunes filles légères), a été autorisé à prendre la parole en ce lieu qui comporte tant de responsabilités, parmi des hommes célèbres et expérimentés, pour y exprimer ses opinions (dont à la maison, jusqu'alors, on ne faisait pas grand cas). Si j'avais écrit les plus beaux poèmes de Keats, de Hölderlin ou de Shelley, cela n'aurait pas produit dans tout mon entourage un changement d'opinion aussi total. Quand j'allais au théâtre, on se montrait cet énigmatique benjamin qui avait si mystérieusement pénétré dans l'enclos sacré des anciens et des vénérables. Et comme je publiais souvent et presque régulièrement dans le feuilleton, je courus bientôt le risque de devenir une personnalité locale fort en vue ; mais j'échappai heureusement à temps à ce danger, en annonçant un beau jour à mes parents surpris que j'allais passer à Berlin mon prochain semestre d'études. Et ma famille me respectait trop (ou, plus exactement, la *Neue Freie Presse* qui m'avait accueilli dans son ombre dorée) pour ne pas souscrire à mon vœu.

*

Bien entendu, je ne songeais pas à « étudier » à Berlin. Tout comme à Vienne, je ne mis que deux fois les pieds à l'université au cours d'un semestre, la première fois pour m'inscrire aux cours, la seconde pour obtenir l'attestation que je les avais suivis avec assiduité, comme je le prétendais.

Ce que je cherchais à Berlin, ce n'étaient ni des cours ni des professeurs, mais une forme de liberté plus haute et plus parfaite encore. A Vienne, je me sentais quand même toujours lié au milieu ; les collègues en littérature que je fréquentais étaient presque tous issus, comme moi, de la bourgeoisie juive ; dans cette étroite cité, où tout le monde se connaissait, je demeurais inévitablement le fils d'une « bonne famille », et j'étais las de ce que l'on appelait la « bonne » société ; j'aspirais même à connaître une société nettement « mauvaise », un mode d'existence affranchi de contrainte et de contrôle. Je n'avais même pas regardé dans le répertoire des cours qui enseignait la philosophie à l'université de Berlin ; il me suffisait de savoir que la littérature « nouvelle » y témoignait de plus d'activité, de plus d'élan que chez nous, qu'on pouvait y rencontrer Dehmel et d'autres poètes de la jeune généra-tion, qu'on y fondait constamment des revues, des cabarets, des théâtres, qu'en bref « il s'y passait quelque chose ».

Et de fait, je débarquai à Berlin à un moment fort intéressant, historique. Depuis que la petite capitale bien prosaïque et nullement opulente du royaume de Prusse était devenue, en 1870, la résidence de l'empereur d'Alle-magne, cette cité sans apparence des bords de la Spree avait pris un essor formidable. Mais Berlin n'avait pas encore conquis l'hégémonie en matière artistique et culturelle. Munich, avec ses peintres et ses poètes, passait pour le véritable centre des beaux-arts, l'opéra de Dresde dominait dans la musique, et les petites *Résidences*, capitales provinciales, attiraient à elles des éléments de valeur ; et avant tout, Vienne, avec sa tradition séculaire, ses forces concentrées, son talent natif, l'emportait encore de beaucoup sur Berlin. Pourtant, dans les dernières années, avec le rapide essor économique de l'Allemagne, les choses avaient commencé à changer de face. Les grands consortiums, les familles opulentes venaient s'installer à Berlin, et une nouvelle richesse, associée à l'audace de l'esprit d'entreprise, offrait à l'architecture, au théâtre, plus de possibilités qu'en aucune des grandes villes d'Allemagne. Les musées s'agrandissaient sous la protection de l'empereur Guillaume, le théâtre trouvait en Otto Brahm un directeur modèle, et le fait même qu'il n'y avait pas de véritable tradition, pas de culture séculaire, excitait la jeunesse à tenter les aventures. Car la tradition, toujours, représente aussi un frein. Vienne, attachée à l'ancien, idolâtrant son propre passé, manifestait une attitude d'expectative à l'égard des jeunes gens et des expériences audacieuses. Mais Berlin, qui voulait se développer rapidement et selon son génie personnel, recherchait la nouveauté. Il n'était donc que naturel que les jeunes gens de tout l'empire et même d'Autriche affluassent à Berlin, et le succès donna raison aux plus doués d'entre eux ; le Viennois Max Reinhardt aurait dû attendre patiemment pendant vingt ans, à Vienne, pour parvenir à la position qu'il conquit en deux ans à Berlin.

C'est justement à cette époque de transition où la simple ville s'élevait du rang de capitale à celui de grande métropole mondiale, que j'arrivai à Berlin. Après la beauté surabondante de Vienne, héritée de grands ancêtres, la première impression fut encore plutôt décevante ; le glissement décisif vers l'Ouest, où devait se développer la nouvelle architecture, au lieu des bâtiments quelque peu prétentieux du Tiergarten, venait à peine de commencer, la Friedrichstrasse et la Leipzigerstrasse, si mornes avec leur faste maladroit, formaient encore le centre de la ville. On ne pouvait atteindre que difficilement, en prenant le tramway, des faubourgs tels que Wilmersdorf, Nicolassee, Steglitz ; les lacs de la Marche de Brandebourg, avec leur sévère beauté, exigeaient encore, en ce temps-là, une véritable expédition. En dehors de la vieille avenue Unter den Linden, il n'y avait pas de vrai centre, pas de promenade comme chez nous au Graben, et l'élégance courante à Vienne manquait totalement, par la faute de la vieille parcimonie prussienne. Les femmes se rendaient au théâtre dans des costumes invraisemblables qu'elles avaient taillés elles-mêmes, partout faisait défaut cette légèreté de main adroite et prodigue qui, à Vienne comme à Paris, s'entend à créer à partir d'un rien une superfluité ravissante. Dans chaque détail, on sentait la pingrerie frédéricienne ; le café était clair et mauvais, parce qu'on plaignait chaque grain, la nourriture sans délices, sans suc ni force. La propreté et un ordre rigoureux, exact, régnaient partout au lieu de notre entrain musical. Rien ne me parut plus caractéristique, par exemple, que le contraste entre mes logeuses viennoise et berlinoise. La Viennoise était une femme alerte et bavarde, qui ne tenait pas toutes choses dans un état de propreté impeccable, oubliait étourdiment ceci ou cela, mais se montrait toujours prête à vous obliger et heureuse de le faire. La Berlinoise était correcte et maintenait tout en parfait état ; mais dans son premier mémoire mensuel, je trouvai notés de son écriture nette et raide tous les petits services qu'elle m'avait rendus : trois pfennigs pour avoir cousu un bouton à mon pantalon, vingt pfennigs pour avoir fait disparaître une tache d'encre sur ma table, et finalement, je trouvai, sous un trait vigoureux, que toutes les peines qu'elle avait prises montaient à la petite somme de soixante-sept pfennigs. Je commençai par en rire ; mais ce qui est bien caractéristique, c'est qu'après peu de jours je succombai moi-même à ce méticuleux sens de l'ordre prussien et, pour la première et la dernière fois de ma vie, tins exactement à jour un carnet de dépenses.

Mes amis de Vienne m'avaient donné toute une série de lettres de recommandation. Je ne fis pourtant usage d'aucune, puisque le véritable sens de mon escapade était d'échapper à toute atmosphère bourgeoise et assurée, afin de vivre complètement détaché et livré à moi-même. Je ne voulais rencontrer que des gens auprès desquels m'auraient introduit mes propres travaux littéraires — et, autant que possible, des gens intéressants : après tout, ce n'est pas en vain qu'on avait lu *La Bohème* et, à vingt ans, on ne pouvait que souhaiter connaître ce genre d'existence.

Je n'eus pas à chercher longtemps un de ces cercles de gens de toutes sortes, rassemblés au hasard, librement et sans contrainte. De Vienne, j'avais collaboré depuis longtemps à la revue intitulée presque ironiquement *Die Gesellschaft* *, qui donnait le ton aux « Modernes » berlinois et que dirigeait Ludwig Jacobowski. Peu avant sa mort prématurée, ce jeune poète avait fondé une association au nom propre à séduire la jeunesse : *Die Kommenden* **, qui se réunissait une fois par semaine au premier étage d'un café de la Nollendorfplatz. Dans ce cercle gigantesque constitué à l'instar de la Closerie des Lilas parisienne se pressaient les éléments les plus hétérogènes, poètes et architectes, snobs et journalistes, jeunes filles qui se drapaient en élèves des Arts décoratifs ou en statuaires, étudiants russes et Scandinaves blondes comme les blés qui voulaient perfectionner leur connaissance de l'allemand. L'Allemagne elle-même y avait des représentants de toutes les provinces, Westphaliens, braves Bavarois, Juifs de Silésie ; tout cela se mêlait dans des discussions fougueuses et sans la moindre contrainte. De temps en temps, on y donnait des lectures de poèmes ou de drames, mais, pour tous, l'essentiel était d'apprendre à se connaître mutuellement. Au milieu de ces jeunes gens qui se comportaient de propos délibéré en bohèmes était installé, touchant comme un Père Noël, un vieillard à barbe grise, respecté et aimé de tous parce qu'il était un vrai poète et un vrai bohème : Peter Hille. Ce septuagénaire, de ses bons yeux bleus de chien fidèle, contemplait avec bienveillance et ingénuité cette singulière bande

---

* « La Société. »
** « Les hommes de demain. »

148

d'enfants, toujours enveloppé dans son imperméable gris qui couvrait un costume effrangé et du linge très malpropre. Chaque fois, cédant volontiers à nos instances, il tirait d'une poche de sa redingote des manuscrits tout froissés et nous lisait ses poésies. C'étaient des morceaux de valeur inégale, en réalité les improvisations d'un génie lyrique, mais d'une forme trop lâche, trop abandonnée au hasard. Il les écrivait au crayon dans le tramway ou au café, les oubliait ensuite et avait bien de la peine, en les lisant, à retrouver les mots estompés sur du papier taché. Il n'avait jamais d'argent, il couchait tantôt chez l'un, tantôt chez l'autre, et son oubli du monde, son manque absolu d'ambition avaient quelque chose d'authentique et de vraiment impressionnant. A la vérité, on ne comprenait pas quand et comment ce brave homme des bois avait échoué dans la grande ville de Berlin et ce qu'il y cherchait. Mais il n'y cherchait rien du tout, il ne voulait être ni célébré ni fêté, et cependant, grâce à ses dispositions pour la rêverie poétique, il était plus exempt de soucis et plus libre qu'aucun homme que j'aie pu observer par la suite. Autour de lui, les disputeurs ambitieux menaient grand tapage et criaient à s'enrouer ; il écoutait avec indulgence, ne contredisait personne, levait parfois son verre avec un salut amical à l'adresse de l'un d'entre eux, mais se mêlait à peine à la conversation. On avait le sentiment que, même au milieu du plus violent tumulte, des mots et des vers se cherchaient dans sa tête ébouriffée et un peu lasse, sans parvenir tout à fait à se toucher et à se trouver.

Le sincère et l'enfantin qui émanaient de ce poète naïf — aujourd'hui presque oublié, même en Allemagne — détournèrent peut-être intuitivement mon attention du président élu des *Kommenden*, et c'était là pourtant un personnage dont les idées et les paroles devaient plus tard exercer une influence décisive sur la formation d'innombrables êtres. Je rencontrai ici, pour la première fois après

Théodore Herzl, un de ces hommes à qui la destinée assigne la mission de servir de guide à des millions de gens : Rudolf Steiner, futur fondateur de l'anthroposophie, à qui ses disciples construisirent écoles et académies les plus magnifiques afin qu'il pût faire triompher sa doctrine. Personnellement, il ne donnait pas comme Herzl l'impression d'un chef, mais plutôt celle d'un séducteur. Dans ses yeux sombres résidait une force hypnotique, et je l'écoutais mieux, avec un sens critique plus en éveil, quand je ne le regardais pas, car son visage émacié d'ascète, marqué par la passion spirituelle, était bien propre à exercer un pouvoir de conviction — et pas seulement sur les femmes. A l'époque, Rudolf Steiner n'était pas encore en possession de sa doctrine personnelle, il en était lui-même encore à rechercher et à étudier. A l'occasion, il nous exposait ses commentaires sur la théorie des couleurs de Goethe, dont l'aspect, dans la présentation qu'il en donnait, devenait plus faustien, plus paracelsien. Il était excitant à entendre, car sa culture était stupéfiante et, surtout comparée à la nôtre qui se limitait à la littérature, prodigieusement variée. De ses conférences et de nombreuses bonnes conversations particulières, je rentrais toujours chez moi à la fois enthousiasmé et un peu accablé. Néanmoins, quand je me demande aujourd'hui si j'aurais pu prophétiser alors que ce jeune homme exercerait une telle influence philosophique et éthique sur les masses, je dois à ma grande honte avouer que non. J'attendais de son esprit chercheur de grandes choses dans les sciences et je n'aurais été nullement surpris d'entendre parler de quelque grande découverte en biologie due à son génie intuitif ; mais quand, bien des années après, je vis à Dornach le grandiose Goetheanum, cette « École de la Sagesse » que ses disciples avaient fondée pour lui comme une Académie platonicienne de l' « Anthroposophie », je fus plutôt déçu que son influence se fût exercée à un tel point dans le domaine de réalités largement accessibles et même, à certains égards, dans le banal. Je ne prétends pas porter de jugement sur l'anthroposophie, car aujourd'hui encore ce qu'elle veut et ce qu'elle signifie n'est pas très clair pour moi ; je suis même porté à croire que pour l'essentiel la séduction qu'elle exerçait était liée non pas à une idée, mais à la personne fascinante de Rudolf Steiner. Quoi qu'il en soit, le fait de rencontrer un homme doué d'une telle puissance magnétique, à une époque précoce où il s'ouvrait encore à de plus jeunes que lui en toute amitié et sans dogmatisme, a été pour moi d'un profit inestimable. A son savoir tout ensemble fantastique et profond, je reconnus que la vraie universalité dont, avec notre infatuation de lycéens, nous croyions déjà nous être rendus maîtres, ne saurait s'acquérir par des lectures et des discussions superficielles, mais seulement au prix d'années de travail et d'efforts passionnés.

Mais après tout, à cet âge où il est réceptif, où les amitiés se nouent facilement, où les différences politiques et sociales ne sont pas encore trop accusées, un être jeune apprend mieux les choses essentielles de ceux qui s'efforcent et recherchent avec lui que de ses supérieurs. Une fois de plus, j'éprouvais — mais sur un plan plus élevé et plus international qu'au lycée — à quel point l'enthousiasme collectif est fructueux. Tandis que mes amis viennois étaient presque tous issus de la bourgeoisie juive, si bien que nous ne faisions que nous dédoubler et nous multiplier avec nos propres inclinations, les jeunes gens de ce monde nouveau sortaient des milieux les plus opposés, d'en haut, d'en bas ; l'un était un aristocrate prussien, l'autre un fils d'armateur hambourgeois, le troisième venait d'une famille paysanne de Westphalie ; je vivais soudain dans un milieu où se rencontrait la vraie misère en vêtements déchirés et en souliers éculés, une sphère, donc, avec laquelle je n'étais jamais entré en contact à Vienne. Je m'attablais avec des ivrognes, des homosexuels et des morphinomanes, je serrais — très fièrement — la main d'un chevalier d'industrie et repris de justice assez connu (plus tard il publia ses Mémoires et pénétra ainsi dans notre cercle d'écrivains). Tout ce que j'avais eu peine à croire quand je le lisais dans les romans réalistes se glissait et se pressait dans les petits cabarets et les cafés où j'étais introduit, et plus la réputation d'un homme était mauvaise, plus j'étais curieux de le connaître personnellement. Cette affection ou cet intérêt singuliers pour des êtres compromis m'ont d'ailleurs accompagné ma vie durant ; même dans les années où il aurait convenu de devenir plus exigeant dans le choix de mes relations, mes amis m'ont souvent blâmé de fréquenter des gens amoraux, peu sûrs et véritablement compromettants. Peut-être étaient-ce justement ce monde « solide », sage et rangé, d'où je venais, et le fait que je me sentais moi-même affecté jusqu'à un certain point du complexe de la « sécurité » qui me faisaient paraître attachants tous ceux qui se montraient prodigues et presque dédaigneux de leur vie, de leur temps, de leur argent, de leur santé, de leur bonne réputation, ces passionnés, ces monomanes de la pure et simple existence sans but. Peut-être remarque-t-on dans mes romans et mes nouvelles cette prédilection pour toutes les natures intenses et effrénées. A cela s'ajoutait la séduction de l'exotique, de l'étranger ; presque chacun d'entre eux apportait à ma curiosité avide un présent d'un monde ignoré. En la personne du dessinateur E.-M. Lilien, fils d'un pauvre maître tourneur orthodoxe de Drohobycz, je rencontrai pour la première fois un authentique Juif de l'Est, et du même coup un judaïsme qui jusqu'alors m'était inconnu dans sa force et son opiniâtre fanatisme. Un jeune Russe me traduisit les plus belles pages des *Frères Karamazov*, que l'Allemagne ne connaissait pas encore ; une jeune Suédoise me montra pour la première fois des tableaux de Munch ; je fréquentais les ateliers de peintres (à la vérité mauvais) pour observer leur technique ; un fervent de ces choses m'introduisit dans un cercle de spirites — j'éprouvais l'existence sous mille formes et dans toute sa diversité, et n'étais jamais rassasié. L'intensité qui, au lycée, n'avait trouvé à se déployer librement que dans les formes pures, dans les rimes, les vers et les mots, se jetait maintenant au-devant des hommes ; du matin jusqu'au milieu de la nuit, je me trouvais sans cesse, à Berlin, en compagnie de connaissances nouvelles et diverses, enthousiasmé, déçu, voire dupé par elles. Je crois bien qu'en dix ans je ne me suis pas autant abandonné à la sociabilité spirituelle que dans ce court et unique semestre passé à Berlin, mon premier semestre de complète liberté.

*

Il semblait logique que cette extraordinaire variété de stimulants dût entraîner une intensification correspondante de mon désir de création artistique. En fait, c'est le contraire qui se produisit ; le sentiment de ma propre valeur, qui avait d'abord pris un essor rapide vers les sommets, au lycée, du fait de l'exaltation spirituelle que nous y connaissions, fondit de manière inquiétante. Quatre mois après, je ne comprenais plus où j'avais trouvé le courage de publier ce volume de poésies qui attestait si peu de maturité ; je trouvais toujours dans ces vers la marque d'un métier habile et par endroits remarquable, ils étaient nés de mon plaisir ambitieux de me jouer des formes, mais avec toute leur sentimentalité, ils sonnaient faux. Et pareillement, depuis que j'avais pris contact avec la réalité, je trouvais à mes premières nouvelles un relent de papier parfumé ; écrites dans une ignorance totale de la vie, elles exploitaient une technique imitée de seconde main. Un roman achevé à l'exception du dernier chapitre, que j'avais apporté à Berlin pour faire le bonheur de mon éditeur, ne tarda guère à chauffer mon poêle, car ma foi en la compétence de ma classe du lycée avait reçu un assez rude coup dès ce premier regard jeté sur l'existence réelle. J'avais l'impression d'être un écolier qui aurait été rétrogradé de plusieurs classes. Et il est vrai qu'après mon premier volume de vers j'ai marqué une pause de six ans avant d'en publier un second, et que c'est seulement après trois ou quatre ans que je donnai mon premier ouvrage en prose. Suivant le conseil de Dehmel, à qui j'en suis encore reconnaissant aujourd'hui, j'employai mon temps à des traductions de langues étrangères, ce que je tiens encore pour le meilleur moyen dont peut disposer un jeune poète pour saisir le génie de sa propre langue de façon plus profonde et plus créatrice. Je traduisis les poèmes de Baudelaire, quelques-uns de Verlaine, de Keats, de William Morris, un petit drame de Charles van Lerberghe, un roman de Camille Lemonnier, « *pour me faire la main* * ». Le fait même que chaque langue étrangère, par ses tournures particulières et ses idiotismes, offre d'abord des résistances au traducteur dans son travail de recréation sollicite toutes les ressources de l'expression qui ne trouveraient pas à s'appliquer si elles n'étaient l'objet d'une recherche ; et cette lutte pour arracher opiniâtrement à la langue étrangère ce qu'elle a de plus propre et l'intégrer de vive force dans sa propre langue en lui conservant la même plasticité a toujours représenté pour moi une forme singulière de joie artistique. Ce travail silencieux et qui demeure au fond sans récompense, réclamant patience et persévérance, vertus dont au lycée la facilité et la témérité m'avaient permis de faire l'économie, j'en vins à l'aimer tout particulièrement. A me livrer à cette humble activité

---

* En français dans le texte.

médiatrice des illustres trésors de l'art, j'éprouvais pour la première fois la certitude de faire quelque chose qui avait réellement un sens, qui donnait une justification à mon existence.

✵

Dans mon for intérieur, ma route pour les années suivantes était maintenant clairement tracée : voir beaucoup, beaucoup apprendre, et seulement ensuite débuter vraiment ! Ne pas paraître devant le monde avec des publications prématurées — connaître d'abord du monde ce qu'il a d'essentiel ! Berlin, avec sa marinade fortement épicée, n'avait fait qu'augmenter ma soif. Et je regardai autour de moi, cherchant dans quel pays je ferais mon voyage d'été. Mon choix tomba sur la Belgique. A la fin du siècle, ce pays avait pris un essor artistique extraordinaire, il avait même en un certain sens dépassé la France en intensité. Khnopff, Rops dans la peinture, Constantin Meunier et Minne dans la sculpture, Van der Velde dans les arts décoratifs, Maeterlinck, Eckhoud, Lemonnier dans la poésie donnaient la mesure grandiose de la nouvelle puissance européenne. Mais c'était avant tout Emile Verhaeren qui me fascinait, parce qu'il ouvrait à la poésie lyrique une voie tout à fait neuve ; je l'avais découvert en quelque sorte personnellement : il était encore un parfait inconnu en Allemagne — la littérature officielle le confondit longtemps avec Verlaine, comme elle prenait l'un pour l'autre Rolland et Rostand. Et quand on est seul à aimer quelqu'un, on l'aime toujours doublement.

Peut-être est-il nécessaire d'introduire ici une petite parenthèse. Notre époque vit trop d'événements trop rapidement pour en conserver un souvenir fidèle, et je ne sais pas si le nom d'Émile Verhaeren signifie encore quelque chose aujourd'hui. Verhaeren est le premier de tous les poètes de langue française qui ait tenté de donner à l'Europe ce que Walt Whitman a donné à l'Amérique : une profession de foi en son époque, une profession de foi en l'avenir. Il s'était pris à aimer le monde moderne et voulait le conquérir à la poésie. Tandis que pour les autres la machine était le mal, les villes le hideux, le présent l'antipoétique, chaque nouvelle découverte, chaque réalisation technique suscitait son enthousiasme, et il s'enthousiasmait de son propre enthousiasme : il s'enthousiasmait de propos délibéré, pour se sentir plus fort de cette passion. Les petits poèmes de ses débuts devinrent de grands hymnes qui coulaient à pleins bords. « Admirez-vous les uns les autres », tel était son mot d'ordre aux peuples d'Europe. Tout l'optimisme de notre génération, cet optimisme qui, dans l'époque d'effroyable régression que nous vivons, a cessé depuis longtemps d'être intelligible, a trouvé chez lui sa première expression poétique, et quelques-uns de ses meilleurs poèmes porteront encore longtemps témoignage de l'Europe et de l'humanité dont nous rêvions alors.

C'est pour faire la connaissance de Verhaeren que je m'étais rendu à Bruxelles. Mais Camille Lemonnier, l'auteur puissant et aujourd'hui fort injustement oublié d'*Un mâle*, et dont j'ai moi-même traduit un roman en allemand, me dit avec regret que Verhaeren ne quittait que rarement son petit village pour venir à Bruxelles, et qu'en ce moment il était absent. Pour atténuer ma déception, il me donna des lettres d'introduction du ton le plus cordial auprès des autres artistes belges. Je vis ainsi le vieux maître Constantin Meunier, ce travailleur héroïque dont les sculptures sont les plus puissantes qu'on ait consacrées au monde du travail, et après lui Van der Stappen, dont le nom est aujourd'hui assez oublié dans l'histoire de l'art. Et pourtant, quel homme aimable était ce Flamand joufflu, et quel accueil cordial, lui et sa femme, une volumineuse et joviale Hollandaise, firent au jouvenceau de dix-neuf ans que j'étais alors ! Il me montra ses œuvres, nous parlâmes longtemps, par cette claire matinée, d'art et de littérature, et la bonté de ces deux personnes m'ôta bientôt toute timidité. Je leur avouai sans détour mon regret de manquer à Bruxelles celui-là même pour lequel j'y étais en fait venu : Verhaeren.

En avais-je trop dit ? Avais-je lâché une sottise ? En tout cas, je remarquai qu'aussi bien Van der Stappen que sa femme s'étaient mis à sourire et se jetaient des regards à la dérobée. Je sentais une entente secrète entre eux, créée par mes paroles. J'en éprouvai de la gêne et voulus prendre congé, mais tous deux se récrièrent et me pressèrent de rester à déjeuner, sans faute. De nouveau, leurs prunelles échangèrent le même étrange sourire : s'il y avait là quelque mystère, ce devait être un mystère agréable, et je renonçai volontiers à me rendre à Waterloo comme je l'avais projeté.

Midi vint bientôt. Nous étions déjà installés dans la salle à manger, qui se trouvait au rez-de-chaussée, comme dans toutes les maisons belges, et de la pièce on voyait la rue par les vitres de couleurs, quand soudain une ombre s'immobilisa devant la fenêtre. Un doigt replié heurta le verre bariolé tandis que la cloche sonnait brusquement. « Le voilà ! » s'écria madame Van der Stappen en se levant, et il entra d'un pas lourd et ferme : Verhaeren. Au premier coup d'œil je reconnus le visage que ses portraits m'avaient depuis longtemps rendu familier. Comme c'était si fréquemment le cas, Verhaeren était ce jour-là leur hôte et, apprenant que je l'avais cherché en vain dans toute la contrée, ils s'étaient mis d'accord, par un bref regard, pour ne rien me dire et me ménager la surprise de son apparition. Il se tenait maintenant en face de moi, souriant de la petite farce réussie qu'on lui expliquait. Pour la première fois je sentis la ferme pression de sa main nerveuse, pour la première fois je rencontrai son bon regard clair. Il arrivait dans la maison — comme toujours — littéralement chargé d'une expérience vécue et d'enthousiasme. Il mangeait encore d'un solide coup de fourchette que déjà il racontait : il était allé chez des amis et dans une galerie de peintures, et il était encore tout échauffé par cette heure qu'il y avait passée. Il rentrait toujours aussi exalté par ce qu'il avait vécu ici ou là, et cet enthousiasme lui était devenu une habitude sacrée. Sans répit, sans trêve, il jaillissait de ses lèvres comme une flamme, et les gestes nets et précis savaient à merveille illustrer le propos. Dès le premier mot, Verhaeren s'emparait des gens parce qu'il était ouvert à tout, accessible à toutes les nouveautés, ne rejetait rien et restait perpétuellement disponible. Immédiatement, il se jetait comme de tout son être à votre rencontre et, de même qu'au cours de cette première heure, j'ai eu cent et cent fois le bonheur de le voir se lancer ainsi, impétueux et irrésistible, au-devant de ses semblables. Il ne savait encore rien de moi, mais déjà il m'accordait sa confiance, simplement parce qu'il apprenait que je me sentais proche de son œuvre.

Après le déjeuner, à la première bonne surprise s'en ajouta une seconde. Van der Stappen, accomplissant ce que lui-même et Verhaeren voulaient depuis longtemps déjà, travaillait depuis des jours et des jours à un buste du poète ; cet après-midi-là devait avoir lieu la dernière séance. Ma présence, dit Van der Stappen, était un aimable don du sort, car il avait justement besoin de quelqu'un qui conversât avec ce modèle trop agité, pendant qu'il posait, afin que son visage s'animât en parlant et en écoutant. Et c'est ainsi que, pendant deux heures, j'étudiai en profondeur cette face inoubliable, ce haut front déjà labouré sept fois par le soc des mauvaises années, et, au-dessus, la cascade de cheveux bouclés couleur rouille, la robuste structure du visage sur lequel se tendait une peau brune, tannée par les vents, le menton avançant comme un roc, et, sur les lèvres minces, longue et puissante, la moustache pendante à la Vercingétorix. La nervosité se décelait dans les mains, dans ces mains étroites, préhensiles, fines et pourtant vigoureuses, où les artères battaient fortement sous la peau fine. Toute la puissance de sa volonté se ramassait dans ses larges épaules de paysan qui faisaient presque paraître trop petite la tête nerveuse et ossue ; c'est seulement quand il marchait à grandes enjambées qu'on remarquait sa force. Lorsque je considère aujourd'hui ce buste — jamais Van der Stappen n'a rien réussi de mieux que l'ouvrage de ces heures-là —, je sais d'abord combien il est vrai et combien il saisit pleinement l'être même du modèle. Il demeure un document de la grandeur d'un poète, le monument d'une force impérissable.

*

Durant ces trois heures, j'appris déjà à aimer cet homme comme je l'ai ensuite aimé toute ma vie. Il y avait dans son être une assurance qui ne donnait pas un instant l'impression de la suffisance. Il restait indépendant à l'égard de l'argent, il préférait mener une existence campagnarde plutôt que d'écrire une ligne qui ne valût que pour le jour et l'heure. Il demeurait indépendant à l'égard du succès, ne s'efforçait pas de l'augmenter par des concessions, des complaisances ou des coteries — ses amis et leur fidèle adhésion lui suffisaient. Il demeura même indépendant à l'égard de la tentation la plus dangereuse pour un homme de caractère, la gloire, quand celle-ci lui vint enfin alors qu'il était à l'apogée de son existence. Il demeura ouvert dans tous les sens du terme, un homme libre et heureux que ne gênait aucune entrave, que n'égarait aucune vanité, qui s'abandonnait aisément à tous les enthousiasmes. Quand on était avec lui, on se sentait animé par sa propre volonté de vivre.

Ainsi il se tenait en chair et en os devant le jeune homme que j'étais, lui, le poète, tel que je l'avais souhaité, tel que je l'avais rêvé. Et dès cette première heure de contact personnel, ma résolution était prise : servir cet homme et son œuvre. C'était une résolution vraiment téméraire, car ce chantre de l'Europe était encore peu connu en Europe, et je savais d'avance que la traduction de son œuvre poétique monumentale et de ses trois drames en vers enlèverait à ma production personnelle deux ou trois années. Mais en décidant de donner toute ma force, tout mon temps et toute ma passion à une œuvre étrangère, je me donnais à moi-même ce que je pouvais souhaiter de meilleur : une tâche morale. Mes recherches et mes tentatives incertaines avaient maintenant un sens. Et si j'avais aujourd'hui à conseiller un jeune écrivain qui n'est pas encore sûr de sa voie, je m'efforcerais de le déterminer à servir d'abord une grande œuvre en qualité d'interprète ou de traducteur. Il y a plus de sécurité pour un débutant dans tout service désintéressé que dans la création personnelle, et rien de ce qu'on accomplit dans un esprit de sacrifice total n'est fait en vain.

Durant ces deux années que je consacrai presque exclusivement à la traduction des poèmes de Verhaeren et à la préparation d'un ouvrage biographique sur lui, je voyageai aussi beaucoup, pour une part afin de donner des conférences. Et je reçus déjà une récompense inattendue de mon dévouement, qui ne m'en promettait apparemment aucune, à l'œuvre de Verhaeren ; ses amis de l'étranger me prêtèrent attention et devinrent bientôt les miens. C'est ainsi qu'un jour vint me trouver Ellen Key, cette admirable Suédoise qui, avec une audace sans égale à cette époque d'opposition bornée, combattait pour l'émancipation des femmes et qui, dans son livre *Le Siècle de l'enfance*, avait longtemps avant Freud jeté son avertissement en révélant la vulnérabilité psychique de la jeunesse ; par elle, je fus introduit en Italie auprès de Giovanni Cena et de son cercle poétique, et j'acquis en la personne du Norvégien Johan Bojer un ami considérable. Georg Brandes, le maître international de l'histoire des littératures, me témoigna de l'intérêt, et bientôt le nom de Verhaeren commença d'être plus connu en Allemagne, grâce à mon intercession, que dans sa propre patrie. Kainz, le plus grand des acteurs, et Moissi récitaient ses poèmes dans ma traduction. Max Reinhardt porta *Le Cloître*, de Verhaeren, à la scène allemande : je pouvais être satisfait.

Cependant, il était temps de me souvenir que j'avais pris un autre engagement que celui qui me liait à Verhaeren. J'avais enfin à mener à son terme ma carrière universitaire et à rapporter à la maison le bonnet de docteur en philosophie. Il s'agissait d'assimiler en quelques mois toute la matière de l'examen, que les étudiants plus sérieux s'étaient ingurgitée pendant près de quatre ans. Avec Erwin Guido Kolbenheyer, un de mes amis de jeunesse et confrère en lettres — lequel, peut-être, n'aime guère qu'on le lui rappelle aujourd'hui parce qu'il est devenu un des poètes officiels et professeurs de l'Allemagne hitlérienne —, je passai toutes les nuits à bûcher. Mais on ne me rendit pas l'examen difficile. Le professeur bienveillant, qui en savait trop sur mon compte par mon activité littéraire publique pour être tenté de me « coller » sur des broutilles, me dit en souriant au cours d'un entretien préliminaire que j'eus avec lui : « Vous préférez sans doute ne pas être interrogé en logique formelle ? » et, en effet, il me mena ensuite tout doucement sur des terrains où il me savait sûr. C'était la première fois que je passais un examen avec distinction et, je l'espère bien, la dernière. Maintenant, j'étais libre vis-à-vis de l'extérieur, et j'ai employé toutes les années qui suivirent, jusqu'à ce jour, à un seul combat — qui s'est fait de plus en plus dur à notre époque —, celui qui devait me conserver une égale liberté intérieure.

Paris, la ville de l'éternelle jeunesse

Pour la première année de ma liberté reconquise, je m'étais promis Paris en cadeau. Je ne connaissais cette ville inépuisable que très superficiellement par deux voyages antérieurs, et je savais que quiconque y a passé une année de sa jeunesse en emporte pour la vie un incomparable souvenir de félicité. Nulle part, avec des sens éveillés, on n'éprouvait l'impression d'une telle identité entre sa jeunesse et l'atmosphère que dans cette ville qui se donne à chacun et dont, pourtant, personne ne pénètre tous les secrets.

Je sais bien que cet heureux Paris ailé de ma jeunesse, ce Paris qui vous donnait des ailes, n'est plus ; peut-être que cette merveilleuse innocence ne lui sera jamais rendue, à présent que la main la plus dure de la terre lui a imprimé tyranniquement sa marque d'airain brûlant. A l'heure où je me mettais à écrire ces lignes, les armées allemandes, les tanks allemands avançaient comme une masse grise de termites afin de détruire à la racine, dans sa couleur divine, sa clarté spirituelle, son émail et sa fleur inflétrissable, toute cette harmonieuse structure. Et maintenant c'est chose faite : le drapeau à croix gammée flotte sur la Tour Eiffel, les noires troupes d'assaut paradent insolemment sur les Champs-Élysées de Napoléon, et j'éprouve de loin comment, dans les maisons, les cœurs se serrent, quel regard humilié ont maintenant ces citoyens naguère si pleins de bonhomie, quand dans leurs bistrots et cafés familiers résonnent lourdement les bottes à revers des conquérants. Jamais peut-être un malheur qui m'a frappé personnellement ne m'a autant touché, bouleversé, désespéré, que l'humiliation de cette ville favorisée entre toutes du privilège de rendre heureux quiconque l'approchait. Recouvrera-t-elle un jour le pouvoir de donner à des générations ce qu'elle nous a donné : le plus sage enseignement et le plus merveilleux exemple, par sa façon d'être tout à la fois libre et créatrice, ouverte à chacun tout en s'enrichissant de cette belle prodigalité ?

Je sais, je sais, Paris n'est pas seul à souffrir. Pendant des décennies, le reste de l'Europe, lui aussi, ne sera plus ce qu'il a été avant la Première Guerre mondiale. Depuis lors, une ombre lugubre ne s'est jamais dissipée sur l'horizon jadis si lumineux de l'Europe ; l'amertume et la défiance de pays à pays, d'homme à homme, sont demeurées comme un poison rongeur dans le corps mutilé. Quelques progrès sociaux et techniques qu'ait apportés ce quart de siècle entre deux guerres mondiales, il n'est cependant pas une nation prise isolément dans notre petit monde occidental qui n'ait perdu beaucoup de sa joie de vivre et de sa naïve confiance d'autrefois. On passerait des journées à peindre la familiarité, la gaieté enfantine que montraient les Italiens jusque dans la plus noire misère ; comme ils riaient et chantaient dans leurs *trattorie*, comme ils raillaient avec esprit le mauvais *governo*, au lieu que maintenant ils doivent marcher au pas, l'air farouche, le menton tendu et le cœur chagrin. Peut-on encore imaginer un Autrichien si facile et relâché dans sa bonhomie, si pieusement confiant en son maître impérial et en Dieu qui lui avaient rendu la vie agréable ? Russes, Allemands, Espagnols, tous ont oublié combien de liberté et de joie l'État, ce croque-mitaine à la voracité impitoyable, leur a tirées du plus intime de l'âme. Tous les peuples sentent seulement qu'une ombre étrangère s'étend et pèse sur leur vie. Mais nous, qui avons encore connu le monde de la liberté individuelle, nous savons et pouvons témoigner que l'Europe s'est un jour réjouie sans inquiétude du jeu de couleurs qu'elle offrait, tel un kaléidoscope. Et nous frémissons en voyant combien notre monde, dans sa fureur suicidaire, est devenu plus obscur, plus ténébreux, en quel esclavage et en quelle captivité il a été réduit.

Nulle part, cependant, on n'a pu éprouver la naïve et pourtant très sage insouciance de l'existence plus heureusement qu'à Paris, où la confirmaient la beauté des formes, la douceur du climat, la richesse et la tradition. Chacun de nous autres, jeunes gens, s'incorporait une part de cette légèreté et y ajoutait ainsi sa propre part ; Chinois et Scandinaves, Espagnols et Grecs, Brésiliens et Canadiens, tous se sentaient chez eux sur les rives de la Seine. Point de contrainte : on pouvait parler, penser, rire, gronder comme on le voulait, chacun vivait comme il lui plaisait, sociable ou solitaire, prodigue ou économe, dans le luxe ou dans la bohème ; il y avait place pour toutes les originalités, toutes les possibilités s'offraient. Il y avait là les sublimes restaurants à deux cents ou trois cents francs, avec toutes les magies culinaires et les vins de toute sorte, avec des cognacs abominablement chers qui dataient des jours de Marengo ou de Waterloo ; mais on pouvait manger et boire presque aussi magnifiquement chez le marchand de vin du coin. Dans les restaurants du Quartier latin, où se pressaient les étudiants, on obtenait pour quelques sous les petits plats les plus friands avant ou après son succulent bifteck, avec en outre du vin rouge ou blanc et une miche de délicieux pain blanc longue d'une aune. On pouvait aller vêtu à son gré : les étudiants se promenaient en béret boulevard Saint-Michel ; les « *rapins* * », les peintres, s'exhibaient

* En français dans le texte.

en chapeaux à larges bords pareils à des champignons géants et en vestes romantiques de velours noir ; les ouvriers arpentaient sans gêne les boulevards les plus élégants dans leur bourgeron bleu ou en manches de chemise, les nourrices en coiffe bretonne largement plissée, les marchands de vin en tablier bleu. Il n'était pas indispensable que l'on fût le 14 juillet pour que quelques jeunes couples se missent à danser dans la rue après minuit, et le sergent de ville se contentait d'en rire : la rue n'était-elle pas à tout le monde ? Personne n'éprouvait de gêne devant qui que ce fût : les plus jolies filles ne rougissaient pas de se rendre dans le petit hôtel le plus proche au bras d'un nègre aussi noir que la poix ou d'un Chinois aux yeux bridés. Qui se souciait à Paris de ces épouvantails qui ne devinrent menaçants que plus tard, la race, la classe et l'origine ? On allait, on causait, on couchait avec celui ou celle qui vous plaisait, et l'on se souciait des autres comme d'une guigne. Ah ! il fallait avoir d'abord connu Berlin pour bien s'éprendre de Paris, il fallait avoir éprouvé la servilité volontaire de l'Allemagne, avec sa conscience hiérarchique accusée des rangs et des distances, aiguisée jusqu'à en être douloureuse, où la femme d'un officier ne « fréquentait » pas celle d'un professeur de lycée, ni celle-ci l'épouse d'un commerçant, ni surtout cette dernière une femme d'ouvrier. Mais à Paris l'héritage de la Révolution, bien vivant, circulait encore dans le sang. Le prolétaire se sentait un citoyen aussi libre et digne de considération que son employeur, le garçon de café serrait la main d'un général galonné comme à un collègue. De petites bourgeoises actives, sérieuses et propres ne faisaient pas la grimace en rencontrant la prostituée dans le corridor, elles causaient tous les jours avec elle dans l'escalier, et leurs enfants lui donnaient des fleurs. Un jour je vis entrer dans un restaurant élégant — Larue, près de la Madeleine — de riches paysans normands qui revenaient d'un baptême ; ils portaient les costumes de leur village, leurs lourds souliers ferrés faisaient un vacarme de sabots de cheval, et ils avaient sur les cheveux une si belle couche de pommade qu'on en sentait l'odeur jusqu'à la cuisine. Ils parlaient fort et se faisaient de plus en plus bruyants à mesure que le vin coulait, ils bourraient les reins de leurs grosses femmes en riant sans aucune gêne. Cela ne les dérangeait pas le moins du monde de se trouver, eux, vrais paysans, parmi les fracs impeccables et les grandes toilettes, mais le garçon rasé de frais ne fronçait pas non plus le nez devant ces campagnards comme il l'eût fait en Allemagne ou en Angleterre, il les servait avec la même politesse et la même perfection que les ministres ou les excellences, et le maître d'hôtel prenait même plaisir à saluer avec une cordialité toute particulière ces hôtes un peu frustes. Paris n'offrait qu'une juxtaposition de contrastes, point de haut ni de bas ; aucune frontière invisible ne séparait les artères luxueuses des passages crasseux, et partout régnaient la même animation et la même gaieté. Les musiciens ambulants jouaient dans les cours des faubourgs ; par les fenêtres, on entendait chanter les midinettes à leur travail ; toujours retentissait quelque part dans les airs un éclat de rire ou un appel cordial ; quand par hasard deux cochers « s'engueulaient », ils finissaient par se serrer la main, buvaient un verre ensemble et l'accompagnaient de quelques huîtres, qu'ils payaient un prix dérisoire. Rien de pénible ou de guindé. Les relations avec les femmes se nouaient facilement et se rompaient de même, chacun trouvait chaussure à son pied, chaque jeune homme une amie pleine de gaieté et que n'inhibait pas la pruderie. Ah ! que la vie était dépourvue de pesanteur, à Paris, qu'elle était bonne, surtout si l'on était jeune ! La simple flânerie était déjà une joie en même temps qu'une perpétuelle instruction, car tout vous était ouvert — on pouvait entrer chez un bouquiniste et feuilleter les livres un quart d'heure sans que le marchand murmurât. On pouvait aller dans les petites galeries privées et tout examiner par le menu dans les magasins de bric-à-brac ; on pouvait assister en parasite aux ventes de l'Hôtel Drouot et bavarder dans les jardins publics avec les gouvernantes. Il n'était pas facile de s'arrêter une fois que l'on s'était mis à flâner, la rue exerçait une attraction magnétique et montrait sans cesse quelque chose de nouveau dans son kaléidoscope. Si l'on était fatigué, on pouvait s'asseoir à la terrasse d'un des dix mille cafés et écrire des lettres sur du papier qu'on vous fournissait gratuitement, tout en se faisant présenter par les marchands ambulants toute leur pacotille de frivolités et d'objets superflus. Il n'y avait qu'une chose difficile : c'était de rester au logis ou d'y retourner, surtout quand le printemps faisait irruption, que la lumière brillait, argentée et douce, par-dessus la Seine, que les arbres des boulevards commençaient à se couvrir de pousses vertes et que les jeunes filles portaient toutes un petit bouquet de violettes piqué à leur corsage ; mais l'arrivée du printemps n'était vraiment pas indispensable pour qu'on fût de bonne humeur à Paris.

*

Au moment où je fis sa connaissance, la ville n'était pas encore aussi complètement fondue en un tout qu'elle l'est aujourd'hui grâce au métro et aux automobiles ; c'étaient encore principalement les immenses omnibus traînés par de lourds chevaux fumants qui assuraient les communications. A la vérité, on ne pouvait guère découvrir Paris plus agréablement que de l' « impériale » de ces larges véhicules, ou des fiacres découverts qui, eux non plus, ne roulaient pas trop fiévreusement. Mais se rendre de Montmartre à Montparnasse représentait quand même encore, à l'époque, un petit voyage et je jugeais tout à fait digne de foi la légende selon laquelle il existait des Parisiens de la rive droite qui n'étaient jamais allés sur la rive gauche, et des enfants qui n'avaient joué qu'au Luxembourg et n'avaient jamais vu le jardin des Tuileries ou le parc Monceau. Le vrai bourgeois ou le vrai concierge demeurait volontiers « chez soi », dans son quartier ; il se créait son petit Paris dans l'enceinte du grand Paris, et c'est pourquoi chacun de ces arrondissements avait son caractère distinct et même provincial. Il fallait donc à l'étranger une certaine force de résolution pour choisir le lieu où il planterait sa tente. Le Quartier latin ne m'attirait plus. C'est là que je m'étais précipité directement à ma descente du train lors d'un court séjour que j'y avais fait à l'âge de vingt ans. Dès le premier soir, je m'étais installé au Café Vachette et, plein de vénération, m'étais fait montrer la place de Verlaine et la table de marbre sur laquelle, dans son ivresse, il frappait toujours avec irritation de sa lourde canne pour imposer le respect. Et moi qui étais hostile à l'alcool, j'avais bu en son honneur un verre d'absinthe, bien que ce breuvage verdâtre ne fût pas du tout à mon goût ; mais jeune et plein de vénération comme j'étais, je me croyais obligé, au Quartier latin, de m'en tenir au rituel des poètes lyriques de France ; par sentiment du style, j'aurais alors volontiers habité une mansarde du cinquième étage dans le voisinage de la Sorbonne, afin de vivre de façon plus fidèle à la « vraie » atmosphère du Quartier latin, telle que je la connaissais par les livres. A vingt-cinq ans, au contraire, je n'éprouvais plus des sentiments si naïvement romantiques, le quartier des étudiants me paraissait trop international, trop peu parisien. Et avant tout je voulais choisir l'endroit où j'établirais durablement mes quartiers, non pas d'après des réminiscences littéraires, mais de manière à faire le mieux possible mon propre travail. Je me livrai aussitôt à un tour d'horizon. Le Paris élégant, les Champs-Élysées ne me parurent nullement adaptés à mon dessein, moins encore le quartier du Café de la Paix où tous les riches étrangers balkaniques se donnaient rendez-vous et où personne, à l'exception des garçons de café, ne parlait français. Les environs tranquilles de Saint-Sulpice, à l'ombre de ses églises et de ses couvents, où Rilke et Suarès habitaient volontiers, auraient eu plus d'attrait pour moi ; j'aurais préféré élire domicile dans l'île Saint-Louis pour être relié également aux deux moitiés de Paris, à la rive droite et à la rive gauche. Mais au cours de mes promenades, je réussis dès la première semaine à trouver mieux encore. Comme je flânais sous les galeries du Palais-Royal, je découvris qu'une des maisons régulières construites au xviiie siècle par le prince Philippe-Égalité et qui bordent ce gigantesque carré avait déchu du rang d'élégant palais à celui de petit hôtel au confort assez sommaire. Je me fis montrer une chambre et remarquai avec ravissement que la fenêtre donnait sur les jardins du Palais-Royal, que l'on fermait à la tombée de la nuit. On n'entendait plus alors que le léger murmure de la ville, indistinct et rythmé comme le battement incessant des flots sur une côte éloignée ; les statues luisaient dans la clarté lunaire, et aux premières heures du matin le vent apportait des *Halles* proches un parfum épicé de légumes. Dans ce carré historique du Palais-Royal avaient habité les poètes, les hommes d'État du xviiie, du xixe siècle ; de l'autre côté des jardins, en diagonale, se trouvait la maison où Victor Hugo et Balzac avaient si souvent gravi les cent marches étroites conduisant à la mansarde de Marceline Desbordes-Valmore, la poétesse que j'aimais tant ; là brillait d'un éclat marmoréen l'endroit d'où Camille Desmoulins avait appelé le peuple à prendre d'assaut la Bastille, plus loin se trouvait le passage couvert où le pauvre petit lieutenant Bonaparte s'était cherché une protectrice parmi les promeneuses d'assez petite vertu. Chaque pierre, ici, racontait l'histoire de la France ; en outre, la Bibliothèque nationale où je passais mes matinées n'était qu'à une rue de là, et le musée du Louvre était lui aussi tout près, avec ses tableaux, ainsi que les Boulevards avec leur torrent humain. Je me trouvais enfin à l'endroit où j'avais rêvé de venir, en ces lieux où depuis des siècles battait en mesure le cœur brûlant de la France, au centre même de Paris. Je me souviens qu'un jour André Gide me rendit visite et que, s'étonnant de ce silence en plein cœur de la capitale, il me déclara : « C'est par des étrangers qu'il faut que nous nous fassions montrer les plus beaux endroits de notre propre ville. » Et réellement, je n'aurais rien pu trouver de plus parisien et de plus solitaire que cette chambre studieuse et romantique en plein centre du cercle enchanté que constituait la ville la plus vivante du monde.

✻

Que j'ai erré par les rues, dans ce temps-là ! Combien, dans mon impatience, j'ai vu, j'ai recherché de choses ! Car je ne voulais certes pas borner mon expérience au seul Paris de 1904. Avec mes sens en éveil, avec mon cœur, j'étais aussi en quête du Paris de Henri IV, de Louis XIV, de Napoléon et de la Révolution, du Paris de Rétif de la Bretonne et de Balzac, de Zola et de Louis-Philippe, avec toutes ses rues, ses visages et ses événements. Ici, comme toujours en France, j'éprouvais avec une force persuasive combien une grande littérature tournée vers le vrai donne en retour à son peuple une force qui l'éternise ; car tout, à Paris, était déjà en fait familier à mon esprit grâce à l'art évocateur des poètes, des romanciers, des historiens, des peintres des mœurs, avant que je le visse de mes propres yeux. Cela ne faisait

171

que se ranimer quand je le rencontrais, la vision concrète devenait en réalité reconnaissance, cette joie de l'*anagnô-sis* des Grecs qu'Aristote loue comme la plus grande et la plus mystérieuse des jouissances artistiques. Et pourtant, ce n'est jamais par les livres, ni même par de diligentes flâneries qu'on reconnaît un peuple, une ville, dans ce qu'ils ont de plus intime et de plus secret, mais toujours par ses représentants les plus excellents. C'est seulement dans l'amitié spirituelle avec les vivants que l'on pénètre les vraies relations entre le peuple et le pays ; tout ce qu'on observe du dehors reste une image inexacte et prématurée.

De telles amitiés me furent accordées, et la meilleure de toutes avec Léon Bazalgette. Grâce à mes relations étroites avec Verhaeren, à qui je rendais visite à Saint-Cloud deux fois par semaine, j'avais été préservé de tomber, comme la plupart des étrangers, dans le cercle battu par les vents des peintres et littérateurs internationaux qui peuplaient le Café du Dôme et demeuraient au fond partout les mêmes, que ce fût à Munich, à Rome ou à Berlin. Avec Verhaeren, au contraire, j'allais voir les peintres, les poètes qui, au milieu de cette ville jouisseuse et pleine de tempérament, vivaient chacun dans son silence créateur comme dans une île solitaire consacrée au travail ; j'ai vu encore l'atelier de Renoir et les meilleurs de ses élèves. Extérieurement, l'existence de ces impressionnistes, dont les œuvres se paient aujourd'hui des dizaines de milliers de dollars, ne différait en rien de celle du petit-bourgeois ou du rentier ; une petite maison quelconque à laquelle s'adossait un atelier, pas de « grand spectacle » comme celui qu'offraient, à Munich, Lenbach et d'autres célébrités, avec leurs luxueuses villas qui voulaient imiter le style pompéien. Les poètes avec lesquels je me liai bientôt personnellement vivaient aussi simplement que les peintres. Ils avaient pour la plupart un petit emploi de fonctionnaire qui ne leur demandait que peu de travail effectif ; la haute estime où l'on tenait la production intellectuelle en France, dans tous les rangs de la hiérarchie, avait conseillé depuis des années déjà cette sage méthode consistant à conférer de discrètes sinécures aux poètes et aux écrivains qui ne tiraient pas grand profit de leur travail ; on les nommait, par exemple, bibliothécaires au ministère de la Marine ou au Sénat. Cela leur assurait un petit traitement et ne leur donnait que peu de travail, car les sénateurs ne demandaient que très rarement un livre, si bien que l'heureux bénéficiaire d'une de ces prébendes pouvait composer ses vers au calme et bien à son aise durant ses heures de service, installé dans le vieux palais du Sénat si plein de style, devant sa fenêtre qui donnait sur le jardin du Luxembourg, et sans avoir à songer jamais aux droits d'auteur. Cette modeste sécurité lui suffisait. D'autres étaient médecins, comme plus tard Duhamel et Durtain, ou avaient une petite galerie de peinture comme Charles Vildrac, ou étaient professeurs de lycée comme Romains et Jean-Richard Bloch ; ils passaient leurs heures de bureau à l'Agence Havas, comme Paul Valéry, ou étaient employés chez des éditeurs. Mais aucun n'avait la prétention, comme leurs successeurs gâtés par le film et les grands tirages, de fonder immédiatement une existence indépendante sur leur inclination première pour les arts. Ce que ces poètes attendaient de leurs professions modestes, choisies sans desseins ambitieux, ce n'était rien d'autre que le minimum de sécurité matérielle dans leur vie extérieure qui leur garantissait l'indépendance dont ils avaient besoin pour leur œuvre. Grâce à cette sécurité, ils pouvaient négliger les grands quotidiens parisiens tous plus ou moins corrompus, écrire sans exiger d'honoraires pour leurs petites revues qui, toutes, ne se maintenaient qu'au prix de sacrifices personnels, et accepter tranquillement que l'on ne jouât leurs pièces que dans de petits théâtres littéraires et que leur nom ne fût connu d'abord que dans le cercle de leurs relations. Durant des dizaines d'années, seule une élite très restreinte a connu l'existence de Claudel, de Péguy, de Rolland, de Suarès, de Valéry. Dans cette ville affairée et remuante, il n'y avait qu'eux qui n'étaient pas pressés. Il leur paraissait plus important de vivre et de travailler dans le silence et le calme pour un cercle paisible, à l'écart de la « *foire sur la place* * », que de se pousser, et ils ne rougissaient pas de vivre en petits-bourgeois un peu serrés pour, en revanche, dans le domaine de l'art, penser avec liberté et audace. Leurs femmes faisaient la cuisine et tenaient le ménage ; ces soirées entre camarades étaient pleines de simplicité, et d'autant plus cordiales de ce fait. On s'asseyait sur des chaises de paille bon marché autour d'une table négligemment couverte d'une nappe à carreaux — il n'y avait pas plus de luxe que chez le monteur qui logeait au même étage, mais on se sentait libre et sans entraves. Ils n'avaient pas le téléphone, pas de machine à écrire, pas de secrétaire ; ils évitaient tout appareil technique de même que les moyens de propagande et l'apparat propres à frapper les esprits, ils écrivaient leurs livres à la main ainsi qu'il y a mille ans, et même dans les grandes maisons d'édition comme le Mercure de France, il n'y avait point de prescriptions autoritaires ni d'apparat compliqué. Rien n'était gaspillé pour le prestige et la représentation ; tous ces jeunes poètes français vivaient, comme le peuple tout entier, pour la seule joie de vivre, dans sa forme la plus sublime, il est vrai : pour la joie de créer une œuvre d'art. Ah ! comme ces amis que je venais de me faire, avec leur propreté morale, m'obligèrent à réviser l'idée que j'avais alors de l'écrivain français ! Que leur genre de vie différait de ce qu'on voyait alors représenté chez Bourget et les autres romanciers à la mode, pour qui le « salon »

---

* En français dans le texte.

174

s'identifiait avec le monde ! Et comme leurs femmes m'instruisaient sur la fausseté criminelle du portrait que, sur la foi de nos lectures, nous avions conçu chez nous de la Française, une mondaine ne songeant qu'aux aventures, à la dissipation ! Jamais je n'ai vu de femmes d'intérieur plus honnêtes et paisibles que dans ce cercle fraternel : économes, modestes et gaies même dans les conditions les plus difficiles, apprêtant de petites merveilles sur un fourneau minuscule, surveillant les enfants et, avec cela, dans une fidèle intimité spirituelle avec leur mari. Seul celui qui a vécu dans ces milieux, en ami, en camarade, sait ce que c'est que la France véritable.

Ce qui était extraordinaire chez Léon Bazalgette, cet ami entre mes amis, dont le nom est fort injustement oublié dans la plupart des tableaux de la littérature française contemporaine, c'est qu'au milieu de cette génération de poètes il mettait toute sa force créatrice au service d'œuvres étrangères, réservant ainsi toute la merveilleuse intensité de sa nature à ceux qu'il aimait. En lui, le « camarade » né, j'ai appris à connaître le type incarné et absolu de l'homme prêt à tous les sacrifices, véritablement dévoué, qui considère comme la tâche unique de sa vie d'aider les valeurs essentielles de son époque à exercer leur action et ne cède pas même à l'orgueil légitime d'être loué pour les avoir découvertes et fait connaître. Son enthousiasme actif n'était qu'une fonction naturelle de sa conscience morale. D'apparence un peu militaire, encore qu'ardent antimilitariste, il mettait dans son commerce la cordialité d'un vrai camarade. Toujours prêt à servir, à conseiller, inébranlable dans sa probité, ponctuel comme une horloge, il s'inquiétait de tout ce qui touchait autrui, jamais de son avantage personnel. Le temps ne comptait pas pour lui, l'argent ne comptait pas pour lui quand il s'agissait d'un ami, et il avait des amis dans le monde entier, troupe restreinte mais choisie. Il avait consacré dix années de sa vie à faire connaître Walt Whitman aux Français par la traduction de tous ses poèmes et une biographie monumentale. Inciter sa nation à porter un regard au-delà des frontières, rendre ses concitoyens plus virils, leur inculquer l'esprit de camaraderie, en proposant cet exemple d'un homme libre, épris du monde entier, était devenu le but de son existence : le meilleur des Français, il était en même temps l'adversaire le plus passionné du nationalisme.

Nous nous liâmes bientôt d'une amitié intime et fraternelle parce que nous ne pensions ni l'un ni l'autre en termes de patries, parce que nous aimions tous les deux servir des œuvres étrangères avec dévouement et sans aucun profit matériel, parce que nous estimions l'indépendance de la pensée comme le bien suprême dans la vie. C'est en lui que j'ai appris pour la première fois à connaître cette France « souterraine » ; quand je lus plus tard dans le livre de Romain Rolland la rencontre d'Olivier avec l'Allemand Jean-Christophe, je crus presque y voir ce que nous avions personnellement vécu. Mais le plus merveilleux dans notre amitié, ce qu'elle a pour moi de plus inoubliable, c'est qu'elle avait toujours à triompher d'un point sensible et délicat, dont la résistance opiniâtre, dans des circonstances ordinaires, aurait dû empêcher une sincère et cordiale intimité entre deux écrivains. Ce point délicat, c'est que Bazalgette, avec sa magnifique loyauté, rejetait énergiquement tout ce que j'écrivais alors. Il m'aimait en tant que personne, il avait l'estime la plus reconnaissante pour mon dévouement à l'œuvre de Verhaeren. Chaque fois que je venais à Paris, il m'attendait fidèlement à la gare et était le premier à venir vers moi pour me saluer ; partout où il pouvait m'aider, il était présent ; nous nous accordions mieux que des frères sur toutes les questions essentielles. Mais il disait résolument non à tous mes travaux personnels. Il connaissait des poésies et des morceaux de prose de moi dans les traductions d'Henri Guilbeaux (qui, plus tard, pendant la guerre mondiale, joua un rôle important en qualité d'ami de Lénine), et les rejetait avec sa franche brusquerie. Tout cela n'avait aucun rapport avec la réalité, objectait-il inlassablement, tout cela était de la littérature ésotérique (qu'il haïssait du fond du cœur), et il s'irritait parce que c'était justement moi qui l'écrivais. Absolument loyal envers lui-même, il ne faisait sur ce point comme ailleurs aucune concession, pas même celles de la courtoisie. Quand, par exemple, il prit la direction d'une revue, il me demanda mon aide — c'est-à-dire qu'il me pria de lui amener d'Allemagne des collaborateurs essentiels, donc des articles qui valussent mieux que les miens ; quant à moi, son ami le plus proche, il s'obstina à ne pas me demander une ligne, à n'en pas publier une, bien que dans le même temps, avec un total dévouement, et sans toucher un sou d'honoraires, il consentît par pure amitié à réviser pour un éditeur la traduction française d'un de mes livres. Le fait qu'en dix ans cette camaraderie fraternelle n'ait pas connu une heure de refroidissement à cause de cette curieuse circonstance me l'a rendue encore plus chère. Et jamais l'approbation de quiconque ne m'a procuré plus de joie que celle de Bazalgette quand, au cours de la guerre mondiale — reniant tout ce que j'avais fait jusque-là —, j'atteignis enfin à une forme d'expression personnelle. Car je savais que son oui accordé à mes nouveaux ouvrages était aussi sincère que le non abrupt qu'il m'avait opposé pendant dix ans.

*

Si j'écris le nom très cher de Rainer Maria Rilke sur cette feuille consacrée à mes jours parisiens, bien qu'il fût un poète allemand, c'est que Paris a été le cadre de nos rencontres les plus fréquentes et les plus heureuses, et que je vois toujours son visage se détachant, comme dans les portraits anciens, sur le fond de cette ville qu'il a aimée plus qu'aucune autre. Quand je songe aujourd'hui à lui et à ces autres maîtres du Verbe forgé comme par l'art auguste de l'orfèvre, quand je songe à ces noms vénérés qui ont resplendi sur ma jeunesse comme d'inaccessibles constellations, cette question mélancolique m'assaille irrésistiblement : d'aussi purs poètes, tout entiers dévoués au lyrisme, seront-ils encore possibles dans notre époque de turbulence et de désordre universel ? N'est-ce pas une lignée disparue que je regrette en eux avec amour, une lignée sans postérité immédiate dans nos jours traversés par tous les ouragans du destin ? Ces poètes ne convoitaient rien de la vie extérieure, ni l'assentiment des masses, ni les distinctions honorifiques, ni les dignités, ni le profit ; ils n'aspiraient à rien d'autre qu'à enchaîner, dans un effort silencieux et pourtant passionné, des strophes parfaites dont chaque vers était pénétré de musique, brillant de couleurs, éclatant d'images. Ils formaient une guilde, un ordre presque monastique au milieu de notre époque bruyante, eux qui s'étaient délibérément détournés du quotidien, eux pour qui rien ne comptait dans l'univers que le chant délicat — et qui pourtant survivrait au fracas de l'époque — d'une rime qui s'accorde à une autre en libérant cet ineffable émoi, plus insensible que la chute d'une feuille au vent, mais qui touche de sa vibration les âmes les plus lointaines. Qu'elle était exaltante pour nous, les jeunes, la présence de ces hommes fidèles à eux-mêmes ! Comme ils étaient exemplaires, ces sévères serviteurs et conservateurs de la langue, qui n'accordaient leur amour qu'à la parole décantée, à la parole qui n'était point dévouée au jour et au journal mais à la durée et au durable ! On avait presque honte, quand on levait les yeux sur eux, tant leur vie était silencieuse, sans éclat et comme invisible, l'un menant une existence paysanne à la campagne, l'autre installé dans un petit métier, le troisième parcourant le monde en *passionate pilgrim* *, tous connus d'un petit nombre seulement, mais d'autant plus ardemment aimés. L'un était en Allemagne, un autre en France, un autre en Italie, tous cependant dans la même patrie, car ils ne vivaient que dans la poésie, et tandis qu'ils évitaient ainsi dans un sévère renoncement tout ce qui est éphémère, en créant des œuvres d'art, ils transformaient leur propre vie en œuvre d'art. Je ne cesse de m'émerveiller que nous ayons eu devant les yeux, au temps de notre jeunesse, d'aussi purs poètes. Et c'est aussi pourquoi je ne cesse de m'interroger avec une sorte de secrète inquiétude : des âmes totalement consacrées à l'art lyrique seront-elles encore possibles à notre époque, dans nos nouvelles conditions d'existence qui arrachent les hommes à tout recueillement et les jettent hors d'eux-mêmes dans une fureur meurtrière, comme un incendie de forêt chasse les animaux de leurs plus profondes retraites ? Je sais bien que le miracle des poètes se reproduit au cours des âges et que l'émouvante consolation de Goethe dans ses *Nénies sur Lord Byron* demeure éternellement vraie :

> *Car la terre encor les enfante,*
> *Qui les a toujours enfantés.*

Toujours on assistera au retour fortuné de tels poètes car l'immortalité, de temps à autre, confie ce précieux gage même aux époques qui en sont le moins dignes. Mais la nôtre n'est-elle pas précisément une de celles qui ne permettent pas le silence, même au plus pur, au plus isolé, ce silence de l'attente, de la maturation, de la méditation et du recueillement qui était encore accordé à ceux-là dans ces temps plus heureux et paisibles de l'Europe d'avant la guerre ? Je ne sais pas quelle valeur on

---

* « En pèlerin passionné. »

179

attribue encore aujourd'hui à tous ces poètes, Valéry, Verhaeren, Rilke, Pascoli, Francis Jammes, ce qu'ils représentent pour une génération dont les oreilles résonnent depuis des années non plus de cette délicate musique mais du bruit de moulin que fait la propagande, et ont été par deux fois déchirées par le bruit des canons. Je sais seulement, et j'éprouve le devoir de le déclarer avec reconnaissance, quel enseignement, quel bienfait a été pour nous la présence de tels hommes si saintement voués au culte de la perfection dans un monde qui, déjà, se mécanisait. Et, jetant un regard sur ma vie passée, je n'y découvre guère de bien plus précieux que le privilège qui m'a été accordé d'être humainement proche de plusieurs d'entre eux et d'avoir vu souvent une amitié durable se joindre à ma précoce vénération.

De tous ceux-là, aucun peut-être n'a mené une existence plus silencieuse, plus mystérieuse et invisible que Rilke. Mais ce n'était pas une solitude voulue, forcée, ou dont il se fût drapé comme d'un sacerdoce, telle que, par exemple, Stefan George la célébrait en Allemagne ; le silence s'amassait en quelque sorte autour de lui partout où il allait, partout où il se trouvait. Comme il fuyait toute sorte de bruit et même celui de sa renommée — « cette somme de tous les malentendus qui s'accumulent autour d'un nom », disait-il un jour si joliment —, la vague de curiosité qui se gonflait vaniteusement ne mouillait que son nom, jamais sa personne. Rilke était difficile à joindre. Il n'avait pas de maison, pas d'adresse où l'on aurait pu aller le quérir, pas de foyer, pas de demeure permanente, pas d'emploi. Il était toujours en route à travers le monde, et personne, pas même lui, ne savait d'avance de quel côté il tournerait ses pas. Pour son âme infiniment délicate et sensible, toute décision arrêtée, tout projet et toute annonce étaient déjà une charge. C'est donc toujours par hasard qu'on le rencontrait. On se trouvait dans un musée italien et l'on sentait, sans bien savoir de qui il venait, qu'on était le destinataire d'un léger sourire amical. Alors seulement on reconnaissait ses yeux bleus qui, lorsqu'ils vous regardaient, animaient de leur lumière intérieure ses traits en eux-mêmes peu frappants. Mais ce fait de passer inaperçu était précisément le plus profond secret de sa nature. Des milliers de personnes doivent avoir croisé ce jeune homme à la moustache blonde qui pendait un peu mélancoliquement, au visage un peu slave qu'aucune ligne ne rendait particulièrement remarquable, sans se douter que c'était là un poète, et un des plus grands de notre siècle — l'extraordinaire réserve de sa nature ne se manifestait que dans une fréquentation plus intime. Il avait une façon d'étouffer ses pas et sa voix que l'on ne saurait décrire. Quand il entrait dans une pièce où se trouvait rassemblée une société, il le faisait à ce point sans bruit que c'était à peine si quelqu'un le remarquait. Il demeurait ensuite assis à écouter en silence, fronçait parfois involontairement les sourcils dès que quelque chose semblait le préoccuper, et quand il se mettait à parler lui-même, c'était toujours sans aucune affectation et sans rien accentuer fortement. Il racontait avec naturel et simplicité, comme une mère fait un récit à son enfant, et avec la même tendresse affectueuse. Il était merveilleux de l'entendre donner du relief et un caractère imagé même au sujet le plus insignifiant. Mais dès qu'il se sentait le point de mire d'un cercle un peu étendu, il s'interrompait et se replongeait dans son silence attentif. Dans chacun de ses mouvements, dans chacun de ses gestes, il mettait cette même retenue ; quand il riait, il ne faisait entendre qu'un léger son juste ébauché. La sourdine lui était un besoin, c'est pourquoi rien ne pouvait le troubler autant que le bruit et, dans l'ordre des sentiments, toute espèce de véhémence. « Ils m'exténuent, ces gens qui crachent leurs impressions comme on crache le sang, me disait-il un jour, et c'est pourquoi je n'use plus des Russes qu'à très petite dose, comme des liqueurs fortes. » Non moins que la réserve dans sa conduite, l'ordre, la propreté et le silence étaient pour lui des besoins physiques ; être forcé de voyager dans un tramway bondé, rester dans un local bruyant le bouleversait pendant des heures. Toute vulgarité lui était insupportable et, bien que ses ressources fussent des plus modestes, ses vêtements attestaient toujours la perfection du goût, du soin, de la propreté. Ils étaient, eux aussi, un chef-d'œuvre concerté, un chef-d'œuvre composé en vue de ne pas attirer l'attention, et cependant toujours avec une note toute personnelle, encore qu'à peine perceptible, un petit accessoire dont il se charmait en secret, par exemple un mince bracelet d'argent autour du poignet. Car son goût de la perfection et de la symétrie se manifestait jusque dans les choses les plus intimes et personnelles. Un jour, chez lui, je le regardai faire sa malle à la veille d'un départ — il avait avec raison décliné mon aide en arguant de mon incompétence. C'était comme un travail de mosaïste ; chaque objet était déposé je dirais presque avec tendresse à la place qui lui avait été soigneusement ménagée. J'aurais considéré comme une profanation de déranger par mon aide indiscrète cet assemblage délicat comme une fleur. Et ce sens élémentaire de la beauté l'accompagnait jusque dans les détails les plus secondaires ; il ne calligraphiait pas seulement ses manuscrits de sa belle écriture arrondie, si soigneusement que les interlignes semblaient mesurés à la règle graduée ; même pour la lettre la plus insignifiante il choisissait un beau papier, et son écriture régulière et pure allait rigoureusement jusqu'à la marge qu'il réservait. Jamais il ne se permettait un mot raturé, même dans les communications les plus hâtives, et dès qu'une phrase ou une expression ne lui paraissait pas avoir toute sa valeur, il récrivait la lettre entière, avec sa magnifique patience. Jamais Rilke ne se dessaisissait de rien qui ne fût absolument achevé.

Cette pratique de la sourdine en même temps que le recueillement de son être exerçaient une influence irrésistible sur tous ceux qui l'approchaient. Tout comme il était impossible de concevoir un Rilke violent, il était inimaginable que quiconque, en sa présence, n'étouffât tous ses éclats et ne perdît toute présomption. Sous l'effet de l'espèce de vibration qui émanait de son calme, sa retenue se communiquait autour de lui comme une force mystérieusement agissante, une force éducatrice, une force morale. Après toute conversation un peu prolongée avec lui, on était pour des heures et même des jours entiers incapable de toute vulgarité. Il est vrai que, par ailleurs, cette nature constamment tempérée, qui ne voulait jamais se donner tout entière, opposait vite sa barrière à toute véritable cordialité. Je crois que peu d'hommes peuvent se vanter d'avoir été les « amis » de Rilke. Dans les six volumes publiés de sa correspondance, il n'use presque jamais de ce terme pour s'adresser aux destinataires, et il semble qu'il n'a guère accordé à quiconque le tutoiement fraternel et familier depuis ses années d'école. Son extraordinaire sensibilité ne supportait pas que rien ni personne l'approchât de trop près, et un caractère masculin trop marqué suscitait chez lui un vrai malaise physique. Il se livrait plus facilement aux femmes dans la conversation. Il leur écrivait souvent et volontiers, et il était beaucoup plus libre en leur présence. Peut-être était-ce l'absence d'inflexions gutturales dans leur discours qui lui faisait du bien, car les voix désagréables lui causaient une véritable souffrance. Je le vois encore engagé dans une conversation avec un aristocrate des plus huppés : tout ramassé en lui-même, les épaules douloureuses et ne levant même pas les yeux pour ne pas trahir à quel point ce détestable fausset lui était physiquement pénible. Mais qu'il était bienfaisant de se trouver avec lui, quand il était bien disposé envers vous ! On éprouvait alors son intime bonté, bien qu'elle demeurât économe de paroles et de gestes, comme un rayonnement qui réchauffait et guérissait en pénétrant jusqu'au tréfonds de l'âme.

Ombrageux et réservé, Rilke donnait à Paris, cette ville qui dilate le cœur, l'impression d'être beaucoup plus ouvert que partout ailleurs — peut-être parce qu'on n'y connaissait pas encore son œuvre, son nom, et qu'il se sentait toujours plus libre et plus heureux dans l'anonymat. J'allai l'y voir successivement dans deux chambres qu'il y avait louées. L'une et l'autre étaient simples et sans ornement, mais son sens de la beauté qui régnait là leur conférait aussitôt leur style et leur silence. Jamais il n'habitait une grande maison locative avec des voisins bruyants, mais plutôt une vieille demeure, même assez inconfortable, dans laquelle il pouvait se sentir chez lui ; et où qu'il fût, grâce à son pouvoir de mettre partout de l'ordre, il savait aménager aussitôt son intérieur de façon judicieuse et en accord avec sa nature propre. Il n'avait jamais que peu d'objets autour de lui, mais toujours des fleurs resplendissaient dans un vase ou une coupe : c'étaient peut-être des cadeaux de femmes, peut-être les avait-il rapportées lui-même avec tendresse. Toujours, des livres tapissaient le mur, brillants dans leur belle reliure ou sous le papier soigneusement plié qui les recouvrait, car il aimait les livres comme des animaux muets. Sur son bureau, crayons et plumes s'alignaient, comme disposés au cordeau ; les feuilles de papier vierge formaient un rectangle parfait ; une icône russe, un crucifix catholique, qui, je crois, l'ont accompagné dans tous ses voyages, donnaient à cette pièce où il travaillait son caractère légèrement religieux, bien que la religiosité de Rilke ne fût attachée à aucun dogme déterminé. On sentait, à voir chaque détail, qu'il l'avait soigneusement choisi, et qu'il était gardé avec tendresse. Si on lui prêtait un livre qu'il ne connaissait pas, il vous le rendait enveloppé d'un papier de soie sans un faux pli et noué d'un ruban de couleur comme un cadeau de fête. Je me souviens encore du jour où il m'apporta dans ma chambre, en don précieux, le manuscrit de la *Chanson d'amour et de mort* [*du Cornette Christoph Rilke*], et je conserve encore la faveur qui l'entourait. Mais le plus délicieux, c'était de se promener dans Paris avec Rilke, car cela voulait dire que même les choses les plus insignifiantes prenaient de l'importance et étaient perçues par des yeux en quelque sorte illuminés ; il remarquait les détails les plus infimes, et il allait volontiers jusqu'à prononcer à haute voix les noms qu'il lisait sur les enseignes quand leurs sonorités lui paraissaient bien rythmées. Connaître dans ses derniers recoins et dans ses profondeurs cette ville unique était pour lui une passion, presque la seule que j'aie jamais perçue chez lui. Un jour que nous nous étions rencontrés chez des amis communs, je lui racontai que, la veille, je m'étais trouvé par hasard à la vieille *Barrière* * où les dernières victimes de la guillotine, parmi lesquelles André Chenier, ont été enterrées au cimetière de Picpus ; je lui décrivis cette petite prairie émouvante, avec ses tombes dispersées, que l'étranger voit rarement, et lui rapportai qu'en m'en retournant, dans une des rues, j'avais aperçu par une porte ouverte un couvent avec des espèces de béguines qui, silencieusement, sans parler, le rosaire à la main, tournaient en rond comme en un rêve pieux. Ce fut une des rares fois où je le vis presque impatient, cet homme si calme et si maître de lui : il lui fallait voir cela, la sépulture d'André Chénier et le couvent. Accepterais-je de l'y conduire ? Nous nous y rendîmes dès le lendemain. Il se tint en une sorte de ravissement silencieux devant ce cimetière solitaire, et l'appela « le plus poétique de Paris ». Mais au retour, il se trouva que la porte du

---

* En français dans le texte.

couvent était fermée. Je pus alors faire l'épreuve de sa patience silencieuse, de cette maîtrise dont il ne témoignait pas moins dans sa vie que dans son œuvre. « Attendons le hasard », dit-il. Et, la tête légèrement inclinée, il se plaça de façon à voir par cette porte quand elle s'ouvrirait. Nous attendîmes peut-être vingt minutes. Alors une sœur de l'ordre s'en vint par la rue et sonna. « Maintenant », souffla-t-il tout excité. Mais la sœur avait remarqué son guet silencieux — chez lui, comme je l'ai dit, on sentait tout de loin par des effluves atmosphériques —, elle s'approcha et lui demanda s'il attendait quelqu'un. Il lui sourit de son tendre sourire, qui tout de suite inspirait confiance, et lui dit franchement qu'il aurait beaucoup aimé voir le cloître. La religieuse sourit à son tour : elle regrettait, mais ne pouvait le laisser entrer. Toutefois, elle lui conseilla d'aller à côté dans la maisonnette du jardinier : de la fenêtre de l'étage, il aurait un bon point de vue. De sorte que cela aussi lui fut accordé, comme bien d'autres choses.

Depuis, nos chemins se sont encore croisés, mais chaque fois que je pense à Rilke, je le vois à Paris, dont il lui a été épargné de vivre les heures les plus sombres.

*

Des hommes de cette rare qualité étaient d'un grand profit pour un débutant ; mais j'avais encore à recevoir l'enseignement le plus décisif, un enseignement qui compterait pour ma vie tout entière. Ce fut un présent du hasard. Chez Verhaeren, nous nous étions engagés dans une discussion avec un historien de l'art, qui se plaignait que le temps de la plus grande sculpture et de la grande peinture fût passé. Je le contredis vivement. Rodin n'était-il pas encore parmi nous, ce créateur de formes qui ne le cédait pas aux plus grands du passé ? Je me mis à énumérer ses œuvres et, comme toujours quand on combat un contradicteur, j'en vins à une véhémence qui frisait la fureur. Verhaeren souriait à part lui.

« Quelqu'un qui aime tant Rodin, dit-il à la fin, devrait faire sa connaissance. Demain, je serai à son atelier. Si cela te convient, je t'emmène. »

Si cela me convenait ! De joie, je ne pus dormir. Mais chez Rodin, mon discours se figea. Je ne fus même pas capable de lui adresser la parole et demeurai, parmi ses statues, pareil à l'une d'entre elles. Mon embarras sembla lui plaire, car le vieillard me demanda, comme nous prenions congé, si je ne voulais pas voir son véritable atelier à Meudon, et il m'invita même à déjeuner. J'avais reçu ma première leçon : c'est que les plus grands hommes sont toujours les plus affables.

La seconde fut qu'ils sont presque toujours les plus simples dans leur genre de vie. Chez cet homme dont la gloire remplissait le monde, dont les œuvres étaient présentes trait pour trait à notre génération comme les plus proches amis, on mangeait aussi simplement que chez un paysan de moyenne aisance : une bonne viande nourrissante, quelques olives, des fruits en abondance, avec un vigoureux vin de pays. Cela me donna plus de courage ; à la fin je parlais de nouveau sans contrainte, comme si ce vieillard et sa femme m'étaient familiers depuis des années.

Après le repas, nous passâmes à son atelier. C'était une salle immense qui réunissait les répliques de ses œuvres les plus importantes ; mais parmi elles se dressaient ou gisaient des centaines de précieuses petites études — une main, un bras, une crinière de cheval, une oreille de femme, la plupart en plâtre seulement. Aujourd'hui encore, j'ai très présentes à la mémoire plusieurs de ces esquisses modelées par lui à titre de simple exercice, et je pourrais parler pendant des heures de cette heure unique

que je passai là. Enfin, le maître me mena devant un socle où se dissimulait sous les linges humides sa dernière œuvre, un portrait de femme. Il détacha les linges de ses mains lourdes et ridées de paysan et se recula. Je tirai de ma poitrine oppressée un involontaire « *Admirable* * ! » et rougis aussitôt de cette banalité. Mais avec son objectivité tranquille, dans laquelle on n'aurait pu découvrir un grain de vanité, il se borna à murmurer en contemplant son propre ouvrage : « *N'est-ce pas* * ? » Puis il hésita : « Seulement là, à l'épaule... Un instant ! » Il se débarrassa de son veston d'intérieur, revêtit sa blouse blanche, saisit une spatule et lissa d'un coup magistral à l'épaule le tendre épiderme de la femme, qui semblait vivre et respirer. Il se recula encore. « Et puis là », murmura-t-il. De nouveau, l'effet était intensifié par une retouche infime. Puis il ne parla plus. Il avançait et reculait, considérait la figure dans un miroir, poussait des grognements, des sons incompréhensibles, changeait, corrigeait. Ses yeux qui, à table, erraient, distraits et pleins d'amabilité, jetaient maintenant de singulières lueurs, il paraissait avoir grandi et rajeuni. Il travaillait, travaillait, travaillait avec toute la passion et toute la force de son corps puissant et lourd ; chaque fois qu'il avançait et reculait brusquement, le plancher craquait. Mais il ne l'entendait pas. Il ne remarquait pas que derrière lui se tenait un jeune homme silencieux, le cœur dans la gorge, tout à la félicité de pouvoir regarder un maître aussi unique en train de travailler. Il m'avait complètement oublié. Je n'étais plus là pour lui. Seule existait encore la figure, son œuvre, et au-delà, invisible, l'idée de la perfection absolue.

Un quart d'heure se passa ainsi, une demi-heure, je ne saurais dire combien. Les instants les plus grands sont

---

* En français dans le texte.

toujours au-delà du temps. Rodin était si absorbé, si plongé dans son travail qu'aucun coup de tonnerre ne l'aurait réveillé. Ses mouvements devenaient de plus en plus brusques, presque furieux. Une sorte de sauvagerie ou d'ivresse s'était emparée de lui. Il travaillait de plus en plus vite. Puis ses mains se firent plus hésitantes. Elles semblaient avoir reconnu qu'elles n'avaient plus rien à faire. Une fois, deux fois, trois fois, il se recula, sans plus rien changer. Puis il murmura quelque chose dans sa barbe, replaça délicatement les linges autour de la figure, comme on glisse un châle sur les épaules d'une femme aimée, et respira profondément, détendu. Sa stature sembla de nouveau s'alourdir. Le feu s'était éteint. Alors se produisit pour moi l'incompréhensible, le suprême enseignement : il enleva sa blouse, remit son veston d'intérieur et se disposa à partir. Il m'avait totalement oublié au cours de cette heure d'extrême concentration. Il ne savait plus qu'un jeune homme, qu'il avait pourtant lui-même amené à son atelier pour lui montrer ses œuvres, s'était tenu derrière lui, bouleversé, la respiration suspendue, immobile comme ses statues.

Il gagna la porte. Comme il allait la refermer à clé, il me découvrit et me regarda fixement, presque méchamment : qui était ce jeune inconnu qui s'était glissé dans son atelier ? Mais l'instant d'après, il se rappela et vint à moi comme honteux. « Pardon, monsieur », commença-t-il. Je ne le laissai pas poursuivre. Je me bornai à prendre sa main avec reconnaissance ; je la lui aurais plus volontiers baisée. Durant cette heure, j'avais vu à découvert le secret éternel de tout grand art et même, à vrai dire, de toute production humaine : la concentration, le rassemblement de toutes les forces, de tous les sens, la faculté de s'abstraire de soi-même, de s'abstraire du monde, qui est le propre de tous les artistes. J'avais appris quelque chose pour la vie.

*

J'avais eu l'intention de quitter Paris pour Londres vers la fin de mai. Mais je fus obligé d'avancer mon départ de quinze jours, parce que mon domicile enchanteur m'était devenu incommode par suite d'une circonstance imprévue. Cela se produisit à l'occasion d'un épisode singulier qui m'amusa beaucoup tout en m'ouvrant des vues fort instructives sur la manière de penser de milieux français très divers.

Je m'étais absenté de Paris les deux jours fériés de la Pentecôte afin d'admirer avec des amis la merveilleuse cathédrale de Chartres, que je ne connaissais pas encore. Quand, le mardi matin, à mon retour dans ma chambre d'hôtel, je voulus me changer, je ne trouvai pas ma valise qui, durant ces derniers mois, se tenait tranquillement dans son coin. Je descendis et allai trouver le propriétaire du petit hôtel, qui occupait toute la journée, alternativement avec sa femme, la minuscule loge de portier ; c'était un petit Marseillais replet, aux joues rouges, avec qui j'avais souvent plaisanté et même joué au trictrac, son jeu favori, dans l'estaminet d'en face. Aussitôt, il s'agita terriblement et se mit à crier avec amertume, en frappant de son poing sur la table, ces paroles mystérieuses : « C'était donc bien cela ! » Tout en enfilant son veston — il était comme toujours en manches de chemise — et en échangeant ses pantoufles confortables contre des souliers, il m'expliqua la situation ; et peut-être est-il nécessaire, pour la rendre intelligible, de rappeler d'abord une des singularités des maisons et des hôtels parisiens. A Paris, les petits hôtels ainsi que la plupart des maisons particulières n'ont pas de clef pour la porte d'entrée, c'est

190

le *concierge* * qui ouvre automatiquement la porte depuis sa loge, dès qu'on a sonné au-dehors. Mais dans les petits hôtels et les maisons, le propriétaire ou le *concierge* * ne reste pas toute la nuit dans sa loge, et c'est du fond de son lit conjugal — et le plus souvent dans un demi-sommeil — qu'il ouvre la porte d'entrée en pressant sur un bouton ; qui veut quitter la maison crie : « *Cordon, s'il vous plaît* * », et pareillement celui qui vient du dehors doit indiquer son nom, si bien que théoriquement aucun étranger ne peut se glisser de nuit dans les maisons. Or, à deux heures du matin, on avait sonné à la porte de mon hôtel, quelqu'un avait proféré en entrant un nom qui ressemblait à celui d'un des hôtes et décroché la clef d'une des chambres qui pendait encore dans la loge, Ç'aurait été le devoir du cerbère de vérifier, en jetant un coup d'œil par la vitre, l'identité de ce visiteur tardif, mais apparemment il avait trop sommeil. Cependant comme, une heure après, quelqu'un, du dedans cette fois, avait appelé « *Cordon, s'il vous plaît* * » pour quitter la maison, mon homme, alors qu'il avait déjà ouvert la porte, avait quand même trouvé singulier qu'un quidam sortît après deux heures du matin. Il s'était levé et, jetant un regard dans la rue, il avait constaté qu'un homme avait quitté la maison avec une valise ; il avait aussitôt suivi, en pantoufles et en robe de chambre, ce personnage suspect. Mais dès qu'il eut observé que celui-ci, tournant le coin, se rendait dans un petit hôtel de la rue des Petits-Champs, il n'avait naturellement plus du tout songé à un voleur ou à un cambrioleur, et s'était recouché tranquillement.

Tout excité comme il l'était de son erreur, il se précipita avec moi vers le poste de police le plus proche. On prit aussitôt des informations à l'hôtel de la rue des

---

* En français dans le texte.

Petits-Champs et l'on établit que ma valise s'y trouvait bien encore, mais non pas mon voleur qui, apparemment, était sorti pour aller prendre son café matinal dans un établissement voisin. Deux détectives guettèrent le malfaiteur dans la loge de l'hôtel ; quand il revint, sans aucune méfiance, une demi-heure après, il fut aussitôt arrêté.

Nous dûmes alors nous rendre à la police, mon hôte et moi, afin d'assister à l'enquête. Nous fûmes introduits dans le bureau du commissaire, un monsieur moustachu, ventripotent et plein de bonhomie qui se tenait assis, l'habit déboutonné, devant sa table en grand désordre, où s'accumulaient des monceaux de papiers. Le bureau empestait le tabac, et une grosse bouteille de vin sur la table attestait que l'homme ne comptait pas au nombre des serviteurs de la Sainte-Hermandad, cruels et ennemis de la vie. Tout d'abord, sur son ordre, on apporta ma valise : je devais vérifier s'il n'y manquait rien d'essentiel. Le seul objet de valeur était une lettre de crédit de deux mille francs, déjà largement écornée par mon séjour de plusieurs mois, et qui, bien entendu, ne pouvait être utilisée par un tiers ; elle se trouva effectivement au fond de la valise et n'avait pas été touchée. Après qu'il eut consigné dans le procès-verbal de mes déclarations que je reconnaissais la valise pour ma propriété et que rien n'y avait été dérobé, ce fonctionnaire donna l'ordre d'introduire le voleur ; je n'étais pas médiocrement curieux de contempler son aspect.

Et il en valait la peine. Entre deux robustes sergents, ce qui rendait plus grotesques encore son apparence chétive et sa maigreur, parut un pauvre diable passablement déguenillé, sans faux col, avec une petite moustache pendante et un visage morne de souris, visiblement à demi mort de faim. C'était, si l'on me passe cette expression, un mauvais voleur, ce que démontrait bien, d'ailleurs, sa technique maladroite qui ne lui avait pas suggéré de disparaître de grand matin avec ma valise. Les yeux baissés, tremblant légèrement, comme s'il avait froid, il se tenait devant le formidable policier, et je dois le dire à ma honte, non seulement il me faisait pitié, mais j'éprouvais même pour lui une espèce de sympathie. Cet intérêt compatissant s'accrut encore quand un agent de police présenta, solennellement alignés sur un grand plateau, tous les objets qu'on avait découverts sur lui en le fouillant. On ne saurait guère imaginer collection plus invraisemblable : un mouchoir de poche très sale et déchiré, une douzaine de fausses clefs et de crochets de tous les formats retenus par un anneau et qui tintaient musicalement en se heurtant, un portefeuille râpé, mais heureusement pas d'arme, ce qui prouvait au moins que ce voleur exerçait son métier en connaisseur, certes, mais pacifiquement.

Sous nos yeux, on commença par examiner le portefeuille. Le résultat fut surprenant. Non pas qu'il eût contenu des coupures de cent ou de mille francs, ni même aucun billet de banque ; il ne recelait pas moins de vingt-sept photographies de danseuses et d'actrices célèbres très décolletées, ainsi que trois ou quatre photographies de nus, ce qui ne rendait notoire aucun délit, sinon que ce garçon maigre et mélancolique était un amateur passionné de beauté et voulait laisser reposer sur son cœur, au moins en effigie, les étoiles pour lui inaccessibles du monde des théâtres parisiens. Bien que le sous-préfet examinât l'une après l'autre, d'un regard sévère, ces photographies de nus, il ne m'échappa point que ce singulier plaisir de collectionneur chez un délinquant de cet acabit l'amusait autant que moi. Car ma sympathie pour ce pauvre criminel s'était considérablement accrue du fait de cette inclination pour le beau, et quand le fonctionnaire, prenant solennellement sa plume, me demanda si je souhaitais « *porter plainte** », je lui répondis très vite par un non qui allait de soi.

Pour l'intelligence de la situation, il est peut-être nécessaire d'introduire ici une nouvelle parenthèse. Tandis que chez nous et dans bien d'autres pays l'accusation en cas de délit se fait d'office, c'est-à-dire que l'État, de sa propre autorité, prend en main la justice, en France, la liberté est laissée à la personne lésée de porter plainte ou non. Personnellement, cette conception du droit me paraît plus équitable que ce qu'on appelle la justice inflexible. Car elle offre la possibilité de pardonner à autrui le tort qu'il vous a fait, tandis qu'en Allemagne si, par exemple, une femme, dans un accès de jalousie, a blessé son bien-aimé d'un coup de revolver, toutes les prières et les supplications du blessé ne sauraient la sauver d'une condamnation. L'État intervient, arrache violemment la femme à cet homme qui, attaqué dans un moment d'excitation, ne l'en aime peut-être que davantage en raison de la passion qu'elle a témoignée ; elle est jetée en prison, tandis qu'en France tous deux, le pardon accordé, s'en retournent bras dessus, bras dessous et peuvent considérer l'affaire comme réglée entre eux.

Je n'eus pas plus tôt prononcé ce « non » absolu qu'il déclencha trois réactions. Le jeune homme malingre entre les deux policiers se redressa subitement et me jeta un regard de reconnaissance que je n'oublierai jamais. Le commissaire reposa sa plume avec satisfaction ; il lui était visiblement agréable, à lui aussi, que mon refus de poursuivre le voleur lui évitât de nouvelles écritures. Au contraire, mon hôtelier se fâcha tout rouge et se mit à crier que je ne pouvais pas faire cela, que cette canaille, « *cette vermine** » devait être exterminée. Je n'avais aucune idée du mal que pouvait faire cette engeance. Jour

* En français dans le texte.

et nuit, un homme convenable devait se tenir sur ses gardes pour ne pas être volé par ces crapules, et si l'on en laissait courir une, c'était un encouragement pour cent autres. Toute l'honnêteté, toute la probité en même temps que toute l'étroitesse d'esprit d'un petit-bourgeois dérangé dans son commerce faisaient explosion. Il me somma d'un ton grossier et menaçant de revenir sur mon pardon en considération des ennuis que lui avait causés cette affaire. Mais je tins bon. J'avais recouvré ma valise, déclarai-je résolument, par conséquent je n'avais subi aucun dommage, et ainsi tout était réglé pour moi. De ma vie, je n'avais jamais encore porté plainte contre quiconque, et je mangerais à déjeuner un bon bifteck bien épais sans me sentir mal à l'aise si je pouvais me dire qu'un autre n'en était pas réduit par ma faute à l'ordinaire de la prison. Mon hôte riposta avec une véhémence accrue, et quand le fonctionnaire expliqua que la décision ne dépendait pas de lui mais de moi, et que, par mon refus de poursuivre, l'affaire était liquidée, il se détourna brusquement, quitta le bureau furieux et claqua la porte derrière lui. Le commissaire se leva, lança un sourire du côté du personnage furibond qui venait de disparaître et me tendit la main en signe de muette intelligence. Ainsi, l'action officielle était terminée, et déjà je saisissais ma valise pour la rapporter à mon domicile. Mais à ce moment-là se produisit quelque chose de tout à fait remarquable. Le voleur s'approcha rapidement et avec une contenance très humble. « *Oh ! non, monsieur* *, dit-il, c'est moi qui vais vous la porter chez vous. » Je me mis donc en route et retournai à mon hôtel, à quatre rues de là, tandis que, derrière moi, le voleur reconnaissant portait ma valise.

Ainsi, une affaire qui avait débuté assez désagréable-

* En français dans le texte.

ment semblait se terminer de la manière la plus gaie et la plus réjouissante. Mais elle produisit encore, en une succession rapide, deux épilogues auxquels je dois des contributions fort instructives à la connaissance de la psychologie des Français. Quand, le lendemain, j'arrivai chez Verhaeren, il me salua avec un sourire malicieux : « Tu as des aventures bien singulières, ici à Paris, me dit-il en plaisantant. Et tout d'abord, je ne savais pas que tu étais un gaillard aussi fabuleusement riche. » Je ne compris pas immédiatement ce qu'il voulait dire. Il me tendit un journal et j'y lus une prodigieuse relation des événements de la veille, à ceci près que je reconnaissais à peine les circonstances véritables dans cette composition romanesque. Avec un art consommé de journaliste, on racontait que dans un hôtel du centre un étranger de marque — j'étais devenu un homme de marque pour être plus intéressant — avait été victime d'un vol : on lui avait dérobé une valise qui renfermait une quantité d'objets de valeur, en particulier, une lettre de crédit de vingt mille francs — les deux mille s'étaient décuplés au cours de la nuit — ainsi que d'autres trésors irremplaçables — lesquels, en réalité, consistaient exclusivement en chemises et en cravates. Il avait d'abord paru impossible de découvrir la moindre piste, car le voleur avait procédé avec un raffinement inouï et son action attestait une connaissance exacte des lieux. Mais le commissaire de l'arrondissement, « *Monsieur Untel* * » avait immédiatement pris toutes les dispositions avec son énergie « bien connue » et sa « *grande perspicacité* * ». Sur ses instructions téléphoniques et en l'espace d'une heure, tous les hôtels et pensions de Paris avaient été visités avec le soin le plus exact, et ces mesures, exécutées avec la précision habituelle, avaient amené dans les plus brefs délais

---

* En français dans le texte.

l'arrestation du malfaiteur. Le préfet de police avait immédiatement exprimé à ce fonctionnaire modèle son approbation particulière pour cet exploit remarquable ; par son esprit de décision et sa perspicacité il avait en effet donné un nouvel exemple lumineux de la parfaite organisation de la police parisienne. Il n'y avait naturellement rien de vrai dans ce rapport, le brave commissaire n'avait pas quitté sa table une minute, nous lui avions en quelque sorte livré le voleur et la valise franco de port dans son bureau. Mais il avait profité de cette bonne occasion de se faire un petit capital de publicité.

Si cet événement avait ainsi pris une tournure réjouissante pour le voleur comme pour la haute police, il n'en fut rien pour moi. Car dès cette heure, le propriétaire de l'hôtel, naguère si jovial, fit tout pour m'en rendre le séjour insupportable. Je descendais l'escalier et saluais poliment sa femme dans la loge ; elle ne me répondait pas et détournait d'un air offensé sa tête de bourgeoise vertueuse. Le valet ne faisait plus ma chambre comme il aurait convenu, des lettres s'égaraient de manière énigmatique. Même dans les magasins du quartier et au *bureau de tabac** où ma qualité de fumeur enragé me faisait d'ordinaire accueillir en vrai *copain**, je ne rencontrai plus tout à coup que des visages glacés. La morale petitebourgeoise offensée non seulement de la maison, mais de toute la rue et même de l'arrondissement se dressait contre moi, parce que j'avais « aidé » le voleur. Et finalement il ne me resta plus qu'à m'en aller avec la valise que j'avais sauvée, et à quitter le confortable hôtel aussi ignominieusement que si j'avais été moi-même le criminel.

---

* En français dans le texte.

*

Après Paris, Londres me fit une impression du même
genre que celle qu'on éprouve lorsque par un jour torride
on passe brusquement dans l'ombre ; au premier instant,
on est pris d'un frisson involontaire, mais les yeux et les
sens s'habituent très vite. D'emblée, je m'étais imposé
comme une sorte de devoir de séjourner deux à trois mois
en Angleterre — car enfin, comment comprendre notre
monde et en évaluer les forces sans connaître le pays qui,
depuis des siècles, fait rouler ce monde sur ses rails ?
J'espérais aussi, par des conversations assidues et une vie
de société intense, donner un peu de poli à mon anglais
rouillé (qui, du reste, n'est jamais devenu vraiment
coulant). Malheureusement, il n'en fut rien. J'avais —
comme nous tous continentaux — peu de relations
littéraires de l'autre côté de la Manche, et dans les
conversations de *breakfast* et les *small talks* de notre
petite pension portant sur la cour, les courses et les
parties, je me sentais d'une pitoyable incompétence.
Quand les gens discutaient de politique, je ne pouvais pas
les suivre, parce qu'ils parlaient de Joe et que je ne savais
pas qu'il s'agissait de Chamberlain, et que de même ils ne
désignaient jamais les *Sirs* autrement que par leur prénom. Quant au cockney des cochers, mon oreille
demeura longtemps à son égard comme bouchée à la cire.
Ainsi je ne progressai pas si rapidement que je l'avais
espéré. Je tentai d'apprendre un peu de bonne diction
auprès des prédicateurs dans les églises, deux ou trois fois
je fis galerie aux délibérations des tribunaux, j'allais au
théâtre pour entendre un anglais correct — mais toujours
il me fallait chercher à grand-peine ce qui, à Paris, s'offre
partout à profusion et vous submerge : la société, la
camaraderie et la gaieté. Je ne trouvais personne avec qui
discuter des choses qui m'étaient les plus importantes.

Quant aux Anglais bien disposés à mon égard, avec mon incommensurable indifférence à l'égard du sport, du jeu, de la politique et en général de tout ce qui les préoccupait, je devais leur paraître un compagnon singulièrement mal dégrossi. Nulle part je ne parvins à me lier intimement à un milieu, à un cercle ; c'est ainsi que j'ai passé à Londres les neuf dixièmes de mon temps à travailler dans ma chambre ou au British Museum.

Au début, j'essayai loyalement de me promener. Dans les huit premiers jours, j'avais couru tout Londres au point que les plantes des pieds me brûlaient. Je visitai, comme un étudiant s'acquittant de son devoir, toutes les curiosités mentionnées dans le Baedeker, depuis Mme Tussaud jusqu'au Parlement ; j'appris à boire de l'ale et remplaçai la cigarette parisienne par la pipe nationale ; je m'efforçai en cent particularités de m'adapter ; mais je ne pus établir le contact ni avec la société, ni avec le monde littéraire, et celui qui ne voit l'Angleterre que du dehors passe à côté de l'essentiel — comme on passe à côté des compagnies riches à millions de la City sans en rien percevoir que l'enseigne de laiton stéréotypée et bien astiquée. Si j'étais introduit dans un club, je ne savais qu'y faire ; l'aspect des profonds sièges de cuir, comme toute l'atmosphère, suffisait à provoquer en moi une sorte de somnolence intellectuelle, parce que je n'avais pas mérité, comme les autres, cette sage détente par une activité intense ou la pratique du sport. Car cette ville éliminait énergiquement comme un corps étranger l'oisif, le simple observateur, pour autant qu'il ne pouvait pas, riche à millions, exhausser ses loisirs au niveau d'un art élevé de la sociabilité, tandis que Paris le laissait tranquillement se plonger dans son mouvement plus chaleureux. Ma faute avait été — je le reconnus plus tard — que j'aurais dû prendre une occupation quelconque durant les deux mois que je passai à Londres : volontaire dans une maison de commerce ou secrétaire dans un

199

bureau de rédaction, j'aurais au moins pénétré à un doigt de profondeur dans la vie anglaise. M'étant borné à observer du dehors, j'acquis peu d'expérience, et ce n'est que bien des années après, pendant la guerre, que je commençai à me faire quelque idée de la véritable Angleterre.

Parmi les écrivains anglais, je ne vis qu'Arthur Symons. Lui-même m'obtint une invitation de W. B. Yeats, dont j'aimais fort les poésies et dont j'avais traduit pour le plaisir une partie du drame en vers d'une inspiration si délicate, *The Shadowy Waters*. Je ne savais pas que ce devait être une soirée de lecture ; un petit cercle d'élus avait été convié, et nous nous trouvâmes assez à l'étroit dans la pièce, qui n'était pas trop vaste, quelques-uns même assis sur des escabeaux ou sur le plancher. Enfin, Yeats commença, après avoir allumé un gigantesque cierge d'autel, gros comme le bras, de chaque côté d'un pupitre noir (ou tendu de noir) devant lequel il se tenait debout. On éteignit toutes les autres lumières de la salle : ainsi la tête énergique aux boucles noires se modelait vigoureusement à la clarté des cierges. Yeats lisait lentement, d'une voix grave et mélodieuse, sans jamais tomber dans le déclamatoire, chaque vers prenant tout son poids de métal. C'était beau. C'était vraiment solennel. Et la seule chose qui me gênait, c'était la préciosité de cette mise en scène, le costume noir qui faisait songer à un frac et donnait à Yeats quelque chose de sacerdotal, la lente combustion des grosses bougies de cire qui répandaient, je crois, un parfum légèrement épicé ; par là, le plaisir littéraire — et cela constituait d'ailleurs pour moi un attrait d'un nouveau genre — devenait une célébration de poèmes plutôt qu'une lecture spontanée. Et je me rappelai involontairement, par contraste, la manière dont Verhaeren lisait ses poésies : en manches de chemise, afin de mieux scander le rythme de son bras nerveux, sans pompe et sans mise en scène, ou encore la diction de Rilke, simple, claire, et qui se mettait humblement au service du Verbe quand, à l'occasion, il lisait quelques vers dans un livre. C'était la première lecture « mise en scène » à laquelle j'assistais, et si malgré tout mon amour pour son œuvre je ne pus me défendre d'une certaine méfiance à l'égard de cette cérémonie culturelle, Yeats eut cependant, ce soir-là, un hôte reconnaissant.

La véritable découverte d'un poète que je fis à Londres ne fut pourtant pas celle d'un vivant, mais celle d'un artiste à cette époque encore bien oublié : William Blake, ce génie solitaire et problématique, qui me fascine encore aujourd'hui avec son mélange de gaucherie et de sublime achèvement. Un ami m'avait conseillé de me faire monter dans la *printroom* du British Museum, dont Lawrence Binyon était alors le conservateur, les ouvrages illustrés en couleurs *Europe, Amérique, Le Livre de Job*, qui sont devenus à présent des antiquités rarissimes, et je fus sous le coup d'un véritable enchantement. J'apercevais ici pour la première fois une de ces natures magiques qui, sans voir clairement leur chemin, sont portées par leurs visions, comme par des ailes d'ange, à travers tous les espaces vierges de l'imaginaire ; pendant des jours et des semaines, je m'appliquai à pénétrer plus profondément dans le labyrinthe de cette âme naïve et pourtant démoniaque, et de rendre en allemand quelques-uns de ses poèmes. Je nourrissais un désir presque avide de posséder une page de sa main, mais il me parut d'abord que jamais cela ne pourrait se faire qu'en rêve. Et voici qu'un jour mon ami Archibald G. B. Russel, alors déjà le meilleur connaisseur de Blake, me rapporta qu'à l'exposition qu'il organisait un des *Visionary Portraits* était à vendre. C'était à son avis (et au mien) le plus beau dessin au crayon du maître, le *King John*. « Vous ne vous en lasserez jamais », me promit-il, et il a eu raison. Entre tous mes livres et tous mes tableaux, cette page m'a accompagné plus de trente ans ; que de fois, depuis le mur, le regard magiquement éclairé de ce roi fou est tombé sur moi ! De tous les biens que j'ai perdus ou qui sont loin de moi, c'est ce dessin que je regrette le plus dans mes pérégrinations. Le génie de l'Angleterre, que je m'étais efforcé de saisir dans les rues et les villes, s'était brusquement révélé à moi dans la figure véritablement astrale de Blake. Et à de nombreuses raisons d'aimer le monde j'en avais ajouté une nouvelle.

Détours sur le chemin
qui me ramène à moi

Paris, l'Angleterre, l'Italie, l'Espagne, la Belgique, la Hollande, toutes ces pérégrinations, cette vie de nomade mû par la curiosité, étaient en soi réjouissantes et à bien des égards profitables. Mais finalement, on éprouve quand même le besoin d'un port d'attache stable d'où l'on part et où l'on revient — quand aurais-je pu mieux le savoir qu'à présent, alors que mon errance autour du monde a cessé d'être volontaire pour devenir la fuite d'un homme traqué ? Depuis mes années de lycée, j'avais accumulé une petite bibliothèque, des tableaux et des souvenirs ; les manuscrits commençaient à s'entasser en paquets épais, et après tout, on ne pouvait pas constamment traîner dans ses malles, à travers le monde, ce fardeau si attachant. C'est pourquoi je louai un petit appartement à Vienne ; ce ne devait pourtant pas être un véritable lieu de séjour, mais seulement un *pied-à-terre* *, comme disent si justement les Français. Car jusqu'à la guerre mondiale, le sentiment de provisoire domina mystérieusement ma vie. A l'occasion de tout ce que j'entreprenais, je me persuadais moi-même que ce n'était pas vraiment ce que je voulais, ce qui me convenait — il en allait de même de mes travaux, que je ne considérais que comme des essais tentés sur la réalité, et des femmes avec lesquelles je m'étais lié d'amitié. Par là je donnais à

---

* En français dans le texte.

ma jeunesse le sentiment de ne pas engager toute ma responsabilité et en même temps aussi le *diletto* de goûter, d'essayer et de jouir. Déjà parvenu à l'âge où d'autres étaient mariés depuis longtemps, avaient des enfants et une position importante et devaient s'efforcer, avec la dernière énergie, de tirer d'eux le maximum, je me considérais toujours comme un jeune homme, un novice, un débutant qui a encore un temps infini devant lui, et j'hésitais à me lier en quelque façon que ce fût à rien de définitif. Et de même que je ne considérais mes travaux que comme des préparations à mon œuvre véritable, comme une carte de visite qui se bornait à annoncer mon existence à la littérature, ma demeure, provisoirement, ne devait guère être qu'une adresse. Je la choisis intentionnellement petite, dans les faubourgs, afin qu'elle n'entravât pas ma liberté d'un coût excessif. Je ne m'achetai pas de meubles de très bonne qualité, car je ne voulais pas les « ménager », comme on le faisait chez mes parents, où chaque fauteuil avait sa housse, qu'on n'enlevait que les jours de visite. De propos délibéré, je voulais éviter de me fixer à Vienne, me liant ainsi sentimentalement à un lieu déterminé. Longtemps, cette éducation au provisoire que je me donnais me parut une faute, mais plus tard, quand je fus obligé de quitter successivement chacune des demeures que je m'étais aménagées et que je vis s'écrouler autour de moi tout ce qui s'était édifié, ce sentiment mystérieux qui m'empêchait de m'attacher m'est devenu un secours. Acquis de bonne heure, il m'a rendu plus légères toutes ces pertes et toutes ces séparations.

*

Je n'avais pas encore beaucoup d'objets précieux à caser, dans cette première demeure, mais déjà ce dessin de

Blake dont j'avais fait l'acquisition à Londres ornait le mur ainsi qu'un des plus beaux poèmes de Goethe, tracé de sa main libre et hardie, qui constituait alors la pièce maîtresse de la collection d'autographes que j'avais commencée dès le lycée. Avec le même esprit grégaire qui présidait alors aux compositions de tout notre groupe littéraire, nous avions fait la chasse aux autographes des poètes, des acteurs, des chanteurs ; la plupart d'entre nous avaient toutefois renoncé à ce sport comme à la poésie en même temps qu'ils avaient quitté l'école, tandis que chez moi cette passion pour ces ombres terrestres des figures géniales n'avait fait que s'accroître encore et s'approfondir tout ensemble. Les signatures en elles-mêmes me devinrent indifférentes, je ne m'intéressais pas non plus à la cote dont jouissait un homme sur le marché des valeurs et des réputations internationales ; ce que je recherchais, c'étaient des manuscrits originaux ou les projets de poèmes, de compositions, parce que le problème de la genèse d'une œuvre d'art, sous son aspect biographique aussi bien que psychologique, me préoccupait plus que tout le reste. Cet instant de transition infiniment mystérieux où un vers, une mélodie, surgissant de l'invisible, de la vision et de l'intuition d'un génie, entre dans le monde des réalités terrestres sous une forme fixée graphiquement, où pourrait-on le surprendre et l'observer si ce n'est dans ces manuscrits primitifs des maîtres, nés dans la lutte ou le feu de l'inspiration, comme dans un état de transe ? Je n'en sais pas assez d'un artiste quand je n'ai sous les yeux que son œuvre achevée, et je souscris à la parole de Goethe : pour comprendre pleinement les grandes créations, il ne suffit pas de les voir dans leur état d'achèvement, il faut les avoir surprises dans leur genèse, dans leur devenir. Mais c'est aussi un effet purement visuel que produit sur moi une première esquisse de Beethoven, avec ses traits fougueux et impatients, son désordre confus de motifs ébauchés et abandonnés, avec leur fureur créatrice, qui s'y condense en quelques coups de crayon, de cette nature comblée d'une surabondance démoniaque. Une telle esquisse me jette dans une sorte d'agitation physique, tant son aspect excite mon esprit ; je puis contempler une de ces pages hiéroglyphiques d'un œil enchanté et amoureux, comme d'autres un tableau parfait. Une page d'épreuves corrigée par Balzac, où presque chaque phrase est balafrée, chaque ligne bouleversée comme un champ labouré, les marges blanches grignotées de traits noirs, de signes, de mots, me rend sensible l'éruption d'un Vésuve humain ; et voir pour la première fois dans le manuscrit primitif, dans son premier état terrestre, un poème que j'ai aimé pendant des décennies excite en moi un sentiment de religieuse vénération ; c'est à peine si j'ose le toucher. A la fierté de posséder quelques-unes de ces pages s'associait aussi l'attrait presque sportif de les acquérir, de leur faire la chasse dans les ventes publiques ou dans les catalogues. Que d'heures intenses je dois à cette chasse, que de hasards exaltants ! Ici, on était arrivé un jour trop tard, là, une pièce convoitée s'était révélée fausse ; puis se produisait de nouveau un miracle : on possédait un petit manuscrit de Mozart ; pourtant la joie n'était pas sans partage, parce qu'une bande de musique y avait été découpée ; et soudain cette bande enlevée cinquante ou cent ans auparavant par un vandale passionné réapparaît dans une vente à Stockholm et l'on peut rétablir l'air complet, tel que Mozart l'a laissé il y a cent cinquante ans. A cette époque, il est vrai, les revenus de mes ouvrages ne me permettaient pas encore des achats de grande importance, mais tous les collectionneurs savent de combien s'augmente la joie que donne une pièce rare quand il a fallu, pour l'acquérir, renoncer à un autre plaisir. Je mettais d'autre part à contribution tous mes amis du monde des lettres. Rolland me donna un volume de son *Jean Christophe,* Rilke son œuvre la plus populaire, *La Chanson de l'Amour et de la Mort,* Claudel son *Annonce faite à Marie,* Gorki une importante esquisse, Freud un de ses traités ; tous savaient qu'aucun musée ne conserverait leurs manuscrits avec plus d'amour. Combien de tout cela est maintenant dispersé à tous les vents, avec d'autres joies, moindres celles-ci !

*

Je ne découvris que plus tard, à la faveur d'un hasard, que la pièce de musée littéraire la plus singulière et la plus précieuse se dissimulait à la vérité non pas dans mon armoire, mais cependant dans la même maison. Au-dessus de chez moi, et dans un appartement tout aussi modeste, habitait une vieille demoiselle grisonnante — de son état professeur de piano. Dans l'escalier, un jour, elle m'adressa la parole de la manière la plus aimable : elle était vraiment désolée que durant mon travail je fusse condamné à être l'auditeur involontaire de ses leçons de musique, et elle espérait que les exécutions fort imparfaites de ses élèves ne me dérangeaient pas trop. Au cours de la conversation, j'appris alors que sa mère habitait avec elle, que, à moitié aveugle, elle ne quittait plus guère la chambre, que cette octogénaire n'était rien de moins que la fille du médecin ordinaire de Goethe, le Dr Vogel, et qu'en 1830 elle avait été tenue sur les fonts baptismaux par Ottilie von Goethe en présence de Goethe en personne. J'en eus un peu le vertige — en 1910, il y avait encore un être au monde sur lequel s'était posé le regard sacré de Goethe ! Or j'ai toujours nourri un sens particulier de la vénération pour toutes les manifestations terrestres du génie, et, en dehors de ces pages manuscrites, je rassemblais aussi toutes les reliques sur lesquelles je pouvais mettre la main ; une pièce de ma maison devint à une époque tardive — au cours de ma « seconde vie » — une sorte de lieu de culte, si je puis m'exprimer ainsi. Là se trouvaient la table de travail de Beethoven et sa petite cassette où, du fond de son lit et d'une main tremblante déjà touchée par la mort, il avait encore puisé les petites sommes d'argent qu'il remettait à sa servante ; il y avait là une feuille de son livre de cuisine et une boucle de ses cheveux déjà grisonnants. J'ai conservé longtemps une plume d'oie de Goethe, sous verre, pour me garder de la tentation de la saisir d'une main indigne. Mais comment comparer avec ces objets inanimés un être vivant et respirant qu'avait contemplé en pleine conscience et avec amour l'œil noir et rond de Goethe ? Par l'intermédiaire de cette fragile créature terrestre un dernier fil ténu, qui à chaque instant pouvait se briser, rattachait le monde olympien de Weimar à cette maison faubourienne, au n° 8 de la Kochstrasse, où je m'étais installé par hasard. Je demandai l'autorisation d'aller rendre visite à madame Demelius ; la vieille dame me reçut volontiers et avec bienveillance ; je retrouvai dans sa chambre bien des objets domestiques qui provenaient de chez l'immortel et qui lui avaient été donnés par la petite-fille de Goethe, son amie d'enfance : une paire de chandeliers qui se trouvaient sur la table de Goethe et d'autres pareils témoins de la vie au *Frauenplan**. Mais, par sa seule existence, n'était-elle pas elle-même le vrai miracle, cette vieille dame qui portait sur ses cheveux blancs déjà clairsemés une petite coiffe surannée à la mode Biedermeier **, et dont la bouche ridée aimait à raconter comment elle avait passé les quinze premières années de sa jeunesse dans cette maison du *Frauenplan*,

---

* La maison de Goethe à Weimar.
** Style de la première moitié du XIXe siècle, proche des styles Restauration ou Louis-Philippe en France.

qui n'était pas encore un musée comme aujourd'hui ? On y conservait tous les objets auxquels personne ne touchait plus depuis l'heure où le plus grand poète allemand avait quitté sa maison et ce monde. Comme il arrive toujours aux vieillards, c'était ce temps de sa jeunesse qu'elle avait le plus présent à l'esprit. Je fus touché de l'entendre s'indigner que la Société Goethe eût commis une grossière indiscrétion en publiant « dès maintenant » les lettres d'amour de son amie d'enfance Ottilie von Goethe — « dès maintenant ! » —, hélas ! elle avait oublié qu'Ottilie était morte depuis un demi-siècle ! Pour elle, la petite favorite de Goethe était encore là, encore jeune ; pour elle était réalité présente ce qui, pour nous, est depuis longtemps entré dans le passé et dans la légende ! En sa présence, j'éprouvais toujours l'impression d'une atmosphère spectrale. On habitait dans cette maison de pierre, on téléphonait, on s'éclairait à la lumière électrique, on dictait des lettres qu'une machine tapait, et vingt-deux marches au-dessus, on était transporté dans un autre siècle, on se trouvait dans l'ombre sacrée du monde où Goethe avait vécu.

Par la suite, j'ai rencontré à plusieurs reprises d'autres femmes qui, avec leurs bandeaux blancs, plongeaient dans un monde héroïque et olympien : Cosima Wagner, la fille de Liszt, dure, sévère et pourtant imposante avec ses gestes pathétiques ; Elisabeth Förster, la sœur de Nietzsche, gracieuse, petite, coquette ; Olga Monod, la fille d'Alexandre Herzen que, toute petite, Tolstoï avait souvent prise sur ses genoux ; j'ai entendu Georg Brandes, dans sa vieillesse, parler de ses rencontres avec Walt Whitman, Flaubert et Dickens, ou Richard Strauss raconter sa dernière entrevue avec Richard Wagner. Mais rien ne m'a touché comme le visage de cette aïeule, la dernière parmi les vivants sur qui se fût posé le regard de Goethe. Et peut-être suis-je aujourd'hui moi-même le dernier qui puisse dire : j'ai connu un être sur la tête duquel la main de Goethe a reposé un instant avec tendresse.

*

Pour les intervalles qui séparaient mes voyages, j'avais donc trouvé mon étape. Mais plus important pour moi fut un autre asile que je trouvai dans le même temps — la maison d'édition qui, trente ans durant, a pris soin de toute mon œuvre et l'a soutenue. Un tel choix est décisif dans la vie d'un auteur et je n'aurais pu en faire de plus heureux. Quelques années auparavant, un poète amateur des plus cultivés avait conçu le projet d'employer sa fortune non pas à l'entretien d'une écurie de chevaux de course, mais à une entreprise qui servît les valeurs spirituelles. Alfred Walter Heymel, lui-même insignifiant en tant que poète, résolut de fonder en Allemagne, où l'édition repose principalement sur une base commerciale, une maison qui, sans souci du profit matériel et même prévoyant des pertes constantes, retiendrait comme critère déterminant pour la publication d'un ouvrage non pas les chances de vente, mais sa valeur intrinsèque. Les lectures purement récréatives, de si bon rapport qu'elles pussent être, devaient demeurer exclues ; en revanche, on accueillerait les livres les plus subtils et les moins accessibles. Ne publier que des œuvres où s'attestait la plus pure volonté d'art dans une forme impeccable, telle était la devise de cette maison d'édition très exclusive et qui ne visa d'abord à atteindre que le public restreint des vrais connaisseurs ; dans sa fière volonté de demeurer dans l'isolement, elle s'intitula d'abord *Die Insel** et plus tard *Insel-Verlag*. Rien ne devait s'y imprimer conformément aux principes professionnels en usage : il fallait au contraire donner à chaque ouvrage une forme extérieure qui répondît à l'excellence de son contenu, sous tous les aspects de la technique du livre. Ainsi, chaque volume, avec son frontispice, sa disposition typographique, le choix des caractères, du papier, constituait dans son individualité un problème toujours nouveau. Dans cette maison ambitieuse, même les prospectus et le papier à lettres étaient l'objet d'un soin passionné. Je ne me souviens pas, par exemple, d'avoir découvert en trente ans une seule faute d'impression dans un de mes livres, ni même une ligne corrigée dans une lettre de la maison d'édition ; tout, même les détails infimes, avait l'ambition d'être exemplaire.

Les œuvres lyriques de Hofmannsthal et celles de Rilke paraissaient conjointement aux éditions de « L'Ile » et, par leur présence, la plus haute qualité était d'emblée posée comme seule mesure de la valeur d'une œuvre. On peut donc se représenter quelles furent ma joie et ma fierté d'être honoré à vingt-six ans du droit de cité permanent dans cette « Ile ». Le fait d'appartenir à cette maison représentait extérieurement la promotion à un rang plus élevé de la hiérarchie littéraire, et intérieurement une obligation d'éthique accrue. Celui qui pénétrait dans ce cercle étroit devait s'astreindre à une discipline et à une retenue toutes nouvelles, ne devait se permettre aucun relâchement, aucune hâte journalistique, car le monogramme *Insel-Verlag* apposé sur un livre garantissait d'emblée à ses milliers et plus tard à ses centaines de milliers de lecteurs la qualité intrinsèque de l'œuvre, comme aussi la perfection exemplaire de l'impression.

Or un auteur ne peut rien souhaiter de plus heureux

---

* « L'Ile. »

que de tomber jeune sur une jeune maison d'édition et de voir son influence croître avec la sienne ; seul un tel développement solidaire peut créer un lien organique et vivant entre lui, son œuvre et le monde. Une amitié des plus cordiales m'unit bientôt au directeur d'*Insel-Verlag*, le professeur Kippenberg, amitié que renforça encore notre compréhension réciproque pour notre passion privée de collectionneurs car, durant ces trente années, la collection goethéenne de Kippenberg s'est développée, parallèlement à l'enrichissement de ma collection d'autographes, jusqu'à devenir la plus monumentale qu'il ait été donné à un particulier de rassembler. J'ai reçu de lui de précieux conseils et tout aussi souvent de précieux avertissements de m'abstenir, et moi, de mon côté, grâce à ma vue d'ensemble sur les littératures étrangères, j'ai pu lui faire des suggestions intéressantes ; c'est ainsi que l'*Inselbücherei** qui, avec ses millions d'exemplaires, a édifié une sorte de métropole autour de la « tour d'ivoire » et a fait de « L'Ile » la maison d'édition allemande la plus représentative, est née d'une de mes propositions. Au bout de trente ans, nous nous trouvâmes dans une situation tout autre qu'au départ : la petite entreprise était à présent une des plus puissantes maisons d'édition, et l'auteur, qui n'atteignait à ses débuts qu'un cercle très restreint, était quand même devenu un des plus lus d'Allemagne. Et il a réellement fallu une catastrophe mondiale et la loi de la force la plus brutale pour dénouer cette union si heureuse et si naturelle pour l'un et pour l'autre. Je dois avouer qu'il m'a été plus facile de quitter foyer et patrie que de ne plus voir sur mes livres le monogramme si familier.

---

* La « Librairie de l'Ile ».

*

La voie m'était ouverte. J'avais commencé de publier presque trop tôt, en étant cependant intimement convaincu qu'à vingt-six ans je n'avais pas produit d'œuvres véritables. Ce qui avait été la plus belle acquisition de mes jeunes années, la fréquentation et l'amitié des meilleures personnalités créatrices de l'époque, agit assez singulièrement sur ma production comme un frein dangereux. J'avais trop bien appris à connaître les vraies valeurs ; cela me rendait hésitant. Du fait de ce manque d'audace, tout ce que j'avais publié jusqu'alors en dehors de mes traductions se limitait, avec une prudente économie, à des œuvres de peu d'étendue, telles que des nouvelles et des poèmes. J'étais encore bien loin d'avoir le courage d'entreprendre un roman (cet état devait durer près de trente ans). La première fois que je me risquai à m'attaquer à une forme plus ample, ce fut dans l'art dramatique, et dès ce premier essai je devins la proie d'une forte tentation à laquelle toutes sortes de signes favorables me pressaient de céder. En 1905 ou 1906, durant l'été, j'avais écrit une pièce — un drame en vers, bien entendu, et de genre antique, comme le voulait le style de notre temps. Elle s'intitulait *Thersite*. Le fait que je ne l'ai jamais rééditée — comme d'ailleurs presque tous mes livres antérieurs à ma trente-deuxième année — me dispense de dire ce que je pense aujourd'hui de cette pièce qui ne vaut plus que par sa forme. Cependant, ce drame annonçait déjà un trait essentiel de mes dispositions intimes, qui font que je ne prends jamais le parti des prétendus « héros », mais vois toujours le tragique dans le vaincu. Dans mes nouvelles, c'est toujours celui qui succombe au destin qui m'attire, dans mes biographies, le personnage qui l'emporte non pas dans l'espace réel du succès, mais uniquement au sens moral, Érasme et non

213

Luther, Marie Stuart et non Elizabeth, Castellion et non Calvin. C'est ainsi que je ne pris pas alors pour figure héroïque centrale Achille, mais le plus obscur de ses adversaires, Thersite : l'homme souffrant, au lieu de celui qui, par sa force et l'assurance avec laquelle il poursuit ses fins, fait souffrir les autres. Je m'abstins de montrer mon drame achevé à un acteur, même de mes amis ; j'avais quand même assez d'expérience déjà pour savoir qu'un drame en vers blancs et en costumes grecs, fût-il de Sophocle ou de Shakespeare, n'est pas propre, en paraissant sur une vraie scène, à « faire recette ». C'est seulement pour la forme que je fis envoyer quelques exemplaires aux grands théâtres, puis j'oubliai complètement cette affaire.

Quelle ne fut pas ma surprise quand, environ trois mois après, je reçus une lettre dont l'enveloppe portait la mention : *Königliches Schauspielhaus Berlin* *. Que peut bien me vouloir le théâtre de l'État prussien ? me demandai-je. A ma grande surprise, le directeur, Ludwig Barnay, qui avait été un des plus grands acteurs allemands, me communiquait que la pièce lui avait fait la plus forte impression, et qu'elle venait particulièrement à propos, parce que le personnage d'Achille fournissait enfin à Adalbert Matkowsky le rôle longtemps cherché pour lui ; il me priait donc de confier au théâtre royal de Berlin la création de ce drame.

Ma joie fut presque de l'effroi. La nation allemande avait alors deux grands acteurs, Adalbert Matkowsky et Josef Kainz ; le premier, un Allemand du Nord, inégalé dans la fougue élémentaire de sa nature, dans sa passion irrésistible, le second, notre Viennois Josef Kainz, séduisant par sa grâce spirituelle, son art de la diction qui n'a jamais été dépassé, la maîtrise de sa parole ailée ou

---

* Théâtre royal de Berlin.

métallique. Et voici que Matkowsky allait animer mon personnage, allait dire mes vers ; le théâtre le plus en vue de la capitale de l'Empire allemand allait décerner ses lettres patentes à mon drame. Une incomparable carrière de dramaturge semblait s'ouvrir devant moi, qui ne l'avais pas cherchée.

Mais j'ai appris depuis à ne jamais me réjouir d'avance d'une représentation, plein d'espoir, avant que le rideau se soit réellement levé. Certes, les répétitions commencèrent en effet et se succédèrent ; des amis m'assuraient que Matkowsky n'avait jamais été plus imposant, plus viril que pendant ces répétitions où il disait mes vers. J'avais déjà commandé ma place de wagon-lit pour Berlin, quand un télégramme arriva au dernier moment : Report pour cause maladie Matkowsky. Je tins cela pour un de ces prétextes qu'on invoque d'ordinaire au théâtre quand on ne peut pas respecter un délai ou une promesse. Mais huit jours plus tard, les journaux m'apportèrent la nouvelle de la mort de Matkowsky. Mes vers avaient été les derniers que ses lèvres merveilleusement éloquentes eussent prononcés.

C'est terminé, me dis-je. Il est vrai que deux autres théâtres de la cour, de très bon rang, ceux de Dresde et de Kassel, voulaient maintenant ma pièce. En moi-même, cependant, l'intérêt s'était refroidi. Après Matkowsky je ne pouvais plus me représenter un autre Achille. Mais voici qu'arriva une nouvelle encore plus surprenante : un de mes amis me réveilla un beau matin et me dit qu'il était envoyé par Josef Kainz qui, par hasard, était tombé sur cette pièce et y voyait un rôle pour lui, non pas celui d'Achille, que Matkowsky avait voulu interpréter, mais le rôle tragique antagonique de Thersite. Il allait aussitôt se mettre en relation avec le *Burgtheater*. Le directeur, Schlenther, venait d'arriver de Berlin en pionnier du réalisme, qui triomphait alors, et (au grand dépit des Viennois) il dirigeait le théâtre de la cour, en adepte convaincu des principes réalistes ; il m'écrivit aussitôt qu'il voyait bien ce qu'il y avait d'intéressant dans mon drame, mais malheureusement pas la possibilité d'un succès qui se maintînt au-delà de la première.

L'affaire est terminée, me dis-je encore une fois, sceptique comme je l'ai toujours été à l'égard de moi-même et de mon œuvre littéraire. Kainz, en revanche, était furieux. Il m'invita aussitôt chez lui ; pour la première fois, je vis devant moi le dieu de ma jeunesse, l'être à qui nous, lycéens, nous aurions voulu baiser les mains et les pieds. Son corps était encore flexible comme un ressort, et, à cinquante ans, son visage était toujours aussi plein d'esprit, animé par ses merveilleux yeux noirs. Même dans la conversation particulière, chaque mot se détachait avec ses contours les plus purs, chaque consonne avait son mordant le plus aiguisé, chaque voyelle vibrait pleine et claire. Encore aujourd'hui, il y a nombre de poèmes, pour peu que je les aie entendus une fois récités par lui, que je ne puis lire sans percevoir la résonance de sa voix, avec sa force scandée, son rythme achevé, ou son élan héroïque ; jamais depuis je n'ai éprouvé une telle jouissance à entendre la langue allemande. Et voici que cet être que j'avais vénéré comme un dieu s'excusait auprès du jeune homme que j'étais de n'avoir pas réussi à imposer ma pièce. Mais il m'affirma que nous ne nous perdrions plus de vue. Il avait, d'ailleurs, une requête à me présenter. Je fus sur le point de sourire : Kainz me présentant une requête, à moi ! Ces temps-ci, m'expliqua-t-il, il jouait beaucoup en tournée et il avait deux pièces en un acte. Il lui en manquait une troisième, et ce qu'il avait dans l'esprit, c'était une petite pièce, si possible en vers, et de préférence avec une de ces tirades lyriques en cascade telles qu'il était le seul sur la scène allemande, grâce à sa prodigieuse technique de diseur, à pouvoir les faire jaillir en un seul jet cristallin, sans reprendre haleine, sur une multitude qui l'écoutait de son côté l'haleine suspendue. Ne pourrais-je pas lui composer une telle pièce en un acte ?

Je promis d'essayer. Et la volonté peut parfois, comme le dit Goethe, « commander à la poésie ». Je traçai l'esquisse d'une pièce, *Le Comédien métamorphosé,* un jeu léger comme une plume dans le style rococo, où s'inséraient deux monologues lyrico-dramatiques. Dans le choix de chaque mot, je m'étais instinctivement conformé à sa volonté, en m'efforçant avec la dernière passion de m'assimiler à la nature de Kainz et même à sa diction ; ainsi cette œuvre de circonstance fut un de ces coups de chance que n'accomplit jamais la simple habileté, mais seulement l'enthousiasme. Au bout de trois semaines, je pus montrer à Kainz mon esquisse à moitié achevée, avec, déjà, un des « grands airs » tout composé. Kainz fut sincèrement enthousiasmé. Aussitôt, il récita deux fois de suite cette tirade d'après mon manuscrit, et dès la deuxième fois avec une perfection inoubliable. Combien me fallait-il encore de temps ? me demanda-t-il, visiblement impatient. Un mois. Parfait ! Cela tombait à pic ! Il s'en allait pour quelques semaines de tournée en Allemagne ; à son retour, il faudrait que les répétitions commencent aussitôt, car cette pièce devait être jouée au *Burgtheater.* Et ensuite, il m'en faisait la promesse, partout où il irait, il l'inscrirait à son répertoire, car elle lui allait comme un gant. « Comme un gant ! » Il ne cessait pas de répéter ces mots et me serra trois fois la main avec la plus grande cordialité.

Apparemment, il avait semé la rébellion au *Burgtheater* avant même de partir, car le directeur me téléphona personnellement, me priant de lui montrer l'esquisse de la pièce en un acte et m'assurant qu'il l'acceptait d'avance. Les rôles secondaires furent aussitôt mis en lecture parmi les acteurs du *Burgtheater.* De nouveau, sans que j'y eusse mis aucun enjeu particulier, la partie semblait gagnée — le *Burgtheater,* l'orgueil de notre ville, et au

Burgtheater le plus grand acteur de notre temps avec la Duse, dans une œuvre de moi : c'était presque trop pour un débutant. Il n'y avait plus qu'un seul danger : que Kainz pût changer d'avis en voyant la pièce achevée, mais comme cette hypothèse était invraisemblable ! Cependant, l'impatience était maintenant de mon côté. Enfin, je lus dans le journal que Kainz était revenu de sa tournée. J'hésitai deux jours, par politesse, afin de ne pas l'assaillir dès son arrivée. Mais le troisième jour, je m'enhardis et remis ma carte au portier, que je connaissais bien, de l'Hôtel Sacher, où Kainz habitait alors. « Pour l'acteur du *Hoftheater,* Monsieur Kainz ! » Le vieillard me considéra fixement par-dessus son pince-nez, l'air étonné. « Comment, vous ne savez pas encore, monsieur le docteur ? » Non, je ne savais rien. « Ils l'ont emmené au sanatorium, ce matin de bonne heure. » C'est alors seulement que j'appris que Kainz était revenu gravement malade de la tournée, au cours de laquelle, maîtrisant héroïquement ses terribles souffrances devant le public qui ne se doutait de rien, il avait pour la dernière fois joué ses grands rôles. Le lendemain, il fut opéré d'un cancer. Nous espérions encore une guérison sur la foi des bulletins de santé qui paraissaient dans les journaux, et je me rendis à son chevet. Il était couché là, fatigué, amaigri, ses yeux noirs paraissaient encore plus grands dans son visage ravagé. Je m'effrayai : sur la bouche éternellement juvénile, sur les lèvres si merveilleusement éloquentes se dessinait pour la première fois une moustache blanche. Je voyais un vieillard, un mourant. Il m'adressa un sourire mélancolique. « Le bon Dieu me laissera-t-il le temps de la jouer, notre pièce ? Cela pourrait encore rétablir ma santé. » Mais peu de semaines après, nous étions devant un cercueil.

*

On comprendra le malaise que j'éprouvais à persister dans l'art dramatique et l'inquiétude qui m'assaillait désormais chaque fois que je remettais une nouvelle pièce à un théâtre. Le fait que les deux plus grands acteurs de l'Allemagne étaient morts après avoir répété mes vers me rendait superstitieux, je n'ai pas honte de l'avouer. Ce n'est que quelques années plus tard que je rassemblai mon courage et me remis au genre dramatique, et quand le nouveau directeur du *Burgtheater*, Alfred Baron Berger, grand homme de théâtre et maître dans l'art de dire, accepta aussitôt mon drame, j'examinai presque anxieusement la liste des acteurs qu'il avait choisis et respirai, de façon paradoxale, en me disant : « Dieu soit loué, il n'y en a aucun d'éminent parmi eux. » Le mauvais sort n'avait personne aux dépens de qui s'exercer. Et cependant l'invraisemblable se produisit. Si l'on ferme une porte au malheur, il s'introduit par une autre. Je n'avais pensé qu'aux acteurs, non pas au directeur, qui s'était réservé la mise en scène de ma tragédie *La Maison au bord de la mer* et en avait déjà établi le projet, je n'avais pas pensé à Alfred Baron Berger. Et de fait : quinze jours avant la date où devaient débuter les répétitions, il était mort. La malédiction qui semblait peser sur mes œuvres dramatiques était donc encore en vigueur. Même quand, plus de dix ans plus tard, mon *Jérémie* et mon *Volpone*, après la Guerre mondiale, furent portés à la scène dans toutes les langues imaginables, je ne me sentis pas en sûreté. Et j'agis consciemment contre mes intérêts quand j'eus terminé en 1931 une nouvelle pièce, *L'Agneau du pauvre*. Un jour après que je lui eus envoyé mon manuscrit, je reçus de mon ami Alexandre Moissi un télégramme par lequel il me priait de lui réserver le premier rôle lors de la création de l'œuvre. Moissi, qui avait apporté de sa patrie italienne une harmonie sensuelle de la langue que la scène allemande n'avait jamais connue auparavant, était à ce moment-là le seul grand successeur de Josef Kainz. D'apparence extrêmement séduisante, intelligent, vivant, en outre bienveillant et capable d'enthousiasme, il communiquait à chaque œuvre quelque chose de son charme personnel ; je n'aurais pu souhaiter un interprète plus idéal de ce rôle. Cependant, quand il m'en fit la proposition, il me souvint de Matkowsky et de Kainz, je déclinai l'offre de Moissi en invoquant un prétexte sans lui révéler mon véritable motif. Je savais qu'il avait hérité de Kainz ce qu'on appelait l'anneau d'Iffland, que le plus grand acteur d'Allemagne léguait toujours à son plus grand successeur. Hériterait-il aussi du destin de Kainz ? En tout cas, je ne voulais pas être personnellement par trois fois l'instrument de la fatalité pour le plus grand acteur allemand de l'époque ! Par superstition et par amitié pour lui, je renonçai donc à cette perfection de l'interprétation, presque décisive pour le succès de ma pièce. Et cependant, même par mon renoncement, je ne pus le protéger, bien que je lui eusse refusé le rôle et que je n'eusse jamais depuis donné une nouvelle pièce à la scène. Je devais encore, sans la moindre faute de ma part, être mêlé au destin d'autrui.

*

Je me rends bien compte qu'on me soupçonnera de raconter une histoire de fantômes. Matkowsky et Kainz, cela pourrait encore s'expliquer par l'effet d'une fâcheuse coïncidence. Mais pourquoi Moissi après eux, puisque je lui avais refusé le rôle et n'avais plus écrit de nouveau drame ? Les choses se passèrent ainsi : des années après — ici j'anticipe dans ma chronique —, au cours de l'année 1935, j'étais à Zurich et ne me doutais de rien quand je reçus de Milan un télégramme d'Alexandre Moissi par lequel il m'annonçait qu'il arrivait à Zurich le soir même pour me voir et me priait de l'attendre sans faute. C'est singulier, pensai-je, que peut-il avoir de si urgent à me communiquer, alors que je n'ai pas de pièce nouvelle et que, depuis des années, le théâtre m'est devenu tout à fait indifférent ? Mais, bien entendu, je l'attendis avec joie, car j'aimais vraiment comme un frère cet homme chaleureux et cordial. En descendant du wagon, il se précipita vers moi, nous nous étreignîmes à la manière italienne, et dans l'auto qui nous emportait il m'expliqua déjà avec sa magnifique impatience ce que je pouvais faire pour lui. Il avait une très grande requête à m'adresser. Pirandello lui avait fait un honneur singulier en lui confiant la création de sa nouvelle pièce, *Non si sà mai,* et non pas seulement en Italie, mais la véritable création mondiale — elle devait avoir lieu à Vienne et en langue allemande. C'était la première fois qu'un tel maître italien accordait à l'étranger la priorité pour une de ses œuvres, il n'avait même jamais pu se décider pour Paris. Or Pirandello, qui redoutait que le caractère musical et les harmoniques de sa prose ne se perdissent dans la traduction, avait exprimé un vœu qui lui tenait particulièrement à cœur. Il aurait bien voulu que la version allemande ne fût pas l'œuvre d'un traducteur de hasard, mais la mienne, car il estimait depuis longtemps ma connaissance des ressources de la langue. Pirandello avait naturellement hésité à me demander de gaspiller mon temps à une traduction. C'est ainsi que Moissi lui-même s'était chargé de me transmettre la pièce de Pirandello. Assurément, la traduction n'était plus du tout mon fait depuis des années. Mais je vénérais trop Pirandello, avec qui j'avais eu quelques bonnes rencontres, pour lui infliger une déception ; et c'était d'autre part une joie pour moi de pouvoir donner à un ami aussi intime que Moissi un témoignage de ma camaraderie. J'abandonnai pour une ou deux semaines mon propre travail ; quelque temps après, la pièce de Pirandello dans ma traduction était annoncée à Vienne pour une première représentation internationale qui, en raison de l'arrière-plan politique, devait en outre être donnée avec une particulière solennité. Pirandello avait promis d'y assister en personne, et comme alors Mussolini passait pour le protecteur déclaré de l'Autriche, tous les cercles politiques, le chancelier en tête, annoncèrent qu'ils seraient présents. Cette soirée devait être en même temps une démonstration publique de l'amitié austro-italienne (en réalité du protectorat italien sur l'Autriche).

Moi-même, je me trouvais par hasard à Vienne dans les jours où devaient commencer les premières répétitions. Je me réjouissais de revoir Pirandello et j'étais quand même curieux d'entendre les paroles de ma traduction servies par la diction musicale de Moissi. Or le même événement se reproduisit à un quart de siècle de distance, avec une analogie fantomatique. Quand je dépliai mon journal, de bon matin, j'y lus que Moissi était arrivé de Suisse avec une grippe très grave et que les répétitions seraient reportées à cause de sa maladie. Une grippe, pensais-je, cela ne peut être très sérieux. Mais j'avais le cœur qui battait violemment quand j'approchai de l'hôtel — Dieu soit loué, me disais-je, pour me rassurer, ce n'est pas l'Hôtel Sacher, mais le Grand Hôtel ! — où j'allais voir mon ami malade ; le souvenir de ma visite inutile chez Kainz revint me traverser comme un frisson. Et les mêmes circonstances se renouvelèrent à un quart de siècle d'intervalle auprès du plus grand acteur de ce temps. Il ne me fut plus permis de voir Moissi, le délire de la fièvre s'était déclaré. Deux jours après, je me trouvais, comme pour Kainz, devant un cercueil au lieu d'assister à une répétition.

*

J'ai anticipé en mentionnant ce dernier accomplissement de la mystérieuse malédiction qui s'attachait à mes
essais théâtraux. Bien entendu, je ne vois dans cette
répétition qu'un hasard. Mais il ne fait aucun doute qu'en
leur temps les deux morts qui se sont succédé si
rapidement de Matkowsky et de Kainz ont exercé une
influence déterminante sur l'orientation de ma vie. Si
alors Matkowsky à Berlin, Kainz à Vienne avaient porté
sur la scène les premiers drames du jeune homme de
vingt-six ans, je me serais, grâce à leur art, qui pouvait
conduire au succès même la pièce la plus faible, fait
connaître beaucoup plus rapidement et peut-être injustement d'un plus large public ; en revanche, je n'aurais pas
connu mes années de lent apprentissage et d'exploration
du monde. À l'époque, de façon bien compréhensible, je
me suis considéré comme persécuté par le destin, car si le
théâtre me présentait dès mes débuts des perspectives que
je n'aurais jamais rêvées, ce n'était que pour me les retirer
cruellement au dernier moment. Mais c'est seulement
dans les années de la prime jeunesse qu'on identifie
encore le hasard avec la destinée. Plus tard, on sait que la
véritable orientation d'une vie est déterminée du dedans.
Si bizarrement, si absurdement que notre chemin semble
s'écarter de nos vœux, il finit pourtant toujours par nous
ramener à notre but invisible.

Par-delà les frontières de l'Europe

Le temps s'écoulait-il alors plus rapidement que de nos jours, où il est comblé d'événements qui, pour des siècles, transformeront notre monde de la peau aux entrailles ? Ou bien si ces dernières années de ma jeunesse, avant la première guerre européenne, me paraissent assez noyées de brumes, est-ce seulement parce que je les ai consacrées à un travail régulier ? J'écrivais, je publiais, on connaissait déjà un peu mon nom en Allemagne et même au-dehors, j'avais des partisans et déjà — ce qui, à vrai dire, témoigne mieux d'une certaine originalité — des adversaires. Tous les grands journaux de l'Empire étaient à ma disposition, je n'avais plus besoin d'envoyer mes textes, j'étais sollicité. Mais en moi-même, je n'entretiens nulle illusion : tout ce que je faisais et écrivais dans ces années-là serait aujourd'hui sans importance ; tous nos soucis, nos ambitions, nos déceptions et nos amertumes d'alors me semblent maintenant bien lilliputiens. Le changement des dimensions entre les deux époques a nécessairement modifié notre optique. Si j'avais commencé ce livre il y a quelques années, j'aurais rapporté des conversations avec Gerhart Hauptmann, avec Arthur Schnitzler, Beer-Hofmann, Dehmel, Pirandello, Wassermann, Schalom Asch et Anatole France (ces dernières étaient à la vérité singulièrement gaies, car le vieux monsieur nous servait tout l'après-midi des histoires scabreuses, mais avec un sérieux souverain et une grâce indescriptible). Je pourrais parler des grandes premières : celle de la dixième symphonie de Gustav Mahler * à Munich ou celle du *Chevalier à la rose* à Dresde, de la Karsavina et de Nijinski, car en ma qualité d'invité curieux et voyageur, j'ai été témoin de beaucoup d'événements artistiques « historiques ». Mais tout ce qui n'a plus de lien avec les problèmes de notre temps demeure périmé quand nous le mesurons à l'aune plus sévère qui définit à présent l'essentiel. Aujourd'hui, il y a longtemps que ces hommes de ma jeunesse qui tournaient mon regard vers la littérature me paraissent moins importants que ceux qui le détournaient vers la réalité.

Parmi ceux-ci, je citerai en premier lieu un homme qui, à une des époques les plus tragiques, eut à maîtriser le destin de l'empire allemand et qu'atteignit la première balle meurtrière des nationaux-socialistes, onze ans avant que Hitler prît le pouvoir : Walter Rathenau. Nos relations d'amitié étaient anciennes et cordiales ; elles avaient débuté d'une manière singulière. Un des premiers hommes auxquels j'ai dû un encouragement dès l'âge de dix-neuf ans était Maximilien Harden, dont la *Zukunft* ** a joué un rôle décisif dans les dernières décennies de l'empire wilhelminien. Harden, jeté dans la politique par Bismarck en personne, qui se servait volontiers de lui comme d'un porte-voix ou d'un paratonnerre, renversait des ministres, faisait exploser l'affaire Eulenburg ***, faisait trembler le palais impérial, qui redoutait chaque semaine de nouvelles attaques, de nouvelles révélations. Malgré tout, Harden, dans le privé, vouait tout son amour au théâtre et à la littérature. Un jour parut dans la

---

* En fait, il s'agissait de la huitième.
* La revue hebdomadaire « L'Avenir. »
** Le prince Philipp zu Eulenburg, ancien ambassadeur à Vienne, ami et confident de Guillaume II, sur la politique de qui il exerçait une grande influence, fut en 1906 la cible des attaques de Harden. Les procès qui s'ensuivirent ternirent la réputation de l'empereur.

Zukunft une suite d'aphorismes signés d'un pseudonyme dont je ne puis me souvenir et qui me frappèrent par une intelligence particulière ainsi que par la puissance de concentration de l'expression. En ma qualité de collaborateur permanent, j'écrivis à Harden : « Qui est cet homme nouveau ? Voilà des années que je n'ai pas lu d'aphorismes aussi aiguisés. »

La réponse ne me vint pas de Harden, mais d'un monsieur qui signait Walter Rathenau et qui, je l'appris par sa lettre ainsi que par d'autres sources de renseignements, n'était rien de moins que le fils du tout-puissant directeur de la Société berlinoise d'électricité et lui-même grand commerçant, grand industriel, membre du conseil d'administration d'innombrables sociétés, un de ces nouveaux hommes d'affaires allemands qu'on peut (en utilisant une expression de Jean Paul) qualifier d' « aussi divers que l'univers ». Il m'écrivait avec beaucoup de cordialité et de gratitude : ma lettre, disait-il, était le premier témoignage d'approbation que lui eût valu son essai littéraire. Bien qu'âgé d'au moins dix ans de plus que moi, il m'avouait ouvertement son peu de confiance en lui : devait-il réellement publier, dès maintenant, tout un volume de pensées et d'aphorismes ? Il n'était après tout qu'un amateur en littérature et jusqu'alors toute son activité s'était déployée dans le domaine de l'économie. Je l'encourageai sincèrement, nous restâmes en contact épistolaire, et lors de mon séjour suivant à Berlin je l'appelai au téléphone. Une voix hésitante répondit : « Ah ! c'est vous ? Quel dommage, je pars demain matin pour l'Afrique du Sud... » Je l'interrompis : « Alors nous nous verrons une autre fois, naturellement. » Mais la voix poursuivit avec une lenteur qui trahissait la réflexion : « Non, attendez... un instant... mon après-midi est pris par des conférences... Le soir, il faut que j'aille au ministère et ensuite j'ai un dîner dans un club... Mais pourriez-vous venir chez moi à onze heures quinze ? »

J'acquiesçai. Nous bavardâmes jusqu'à deux heures du matin. A six heures, il partait — chargé d'une mission par l'empereur d'Allemagne, comme je l'appris plus tard — pour le Sud-Ouest africain.

Je rapporte ces détails parce qu'ils sont extrêmement caractéristiques de Rathenau. Cet homme aux multiples occupations avait toujours du temps. Je l'ai vu durant les journées les plus dures de la guerre comme immédiatement avant la conférence de Gênes, et peu de jours avant son assassinat j'ai roulé avec lui dans la même automobile où il a été tué, en empruntant la même rue. Le programme de sa journée était toujours fixé à la minute près, et il pouvait cependant passer sans peine d'un sujet à l'autre à chaque instant, parce que son cerveau était toujours prêt, instrument d'une précision et d'une rapidité que je n'ai jamais observées chez un autre homme. Ses paroles coulaient comme s'il avait lu un texte écrit sur une feuille invisible et il donnait cependant à chacune de ses phrases une forme si accomplie et si claire que sa conversation, sténographiée, aurait constitué un exposé parfaitement propre à être imprimé tel quel. Il parlait le français, l'anglais et l'italien avec la même sûreté que l'allemand ; jamais sa mémoire ne le trahissait, jamais il n'avait besoin pour une matière quelconque d'une préparation particulière. Quand on causait avec lui, on se sentait tout à la fois stupide, insuffisamment cultivé, peu sûr et confus en regard de son intelligence positive qui pesait tranquillement toute chose et la dominait d'une vue claire. Mais il y avait dans cette lucidité éblouissante, dans la clarté cristalline de sa pensée, quelque chose qui inspirait un sentiment de malaise, comme, dans son appartement, les meubles les plus choisis, les plus beaux tableaux. Son esprit était un appareil génialement conçu, sa demeure un musée, et dans son château féodal de la marche de Brandebourg, qui avait appartenu à la reine Louise, on ne parvenait pas à se réchauffer, tant il y régnait d'ordre, de netteté et de propreté. Il y avait dans sa pensée je ne sais quoi de transparent comme le verre et par là même d'insubstantiel. J'ai rarement éprouvé plus fortement que chez lui la tragédie de l'homme juif qui, avec toutes les apparences de la supériorité, est plein de trouble et d'incertitude. Mes autres amis, par exemple Verhaeren, Ellen Key, Bazalgette, n'avaient pas le dixième de son intelligence, pas le centième de son universalité, de sa connaissance du monde, mais ils étaient assurés en eux-mêmes. Chez Rathenau, je sentais toujours qu'avec son incommensurable intelligence le sol lui manquait sous les pieds. Toute son existence n'était qu'un seul conflit de contradictions toujours nouvelles. Il avait hérité de son père toute la puissance imaginable, et cependant il ne voulait pas être son héritier, il était commerçant et voulait se sentir artiste, il possédait des millions et jouait avec des idées socialistes, il était très juif d'esprit et lorgnait du côté du Christ. Il pensait en internationaliste et divinisait le prussianisme, il rêvait d'une démocratie populaire et se sentait toujours très honoré d'être invité et consulté par l'empereur Guillaume, dont il pénétrait avec clairvoyance les faiblesses et les vanités, sans pour autant parvenir à se rendre maître de sa propre vanité. Ainsi, son activité de tous les instants n'était peut-être qu'un opiat destiné à apaiser sa nervosité intérieure et à étouffer le sentiment de solitude qui entourait sa vie la plus intime. C'est seulement à l'heure des responsabilités, quand, en 1919, après l'effondrement des armées allemandes, lui incomba la tâche la plus difficile de l'histoire, celle de tirer du chaos l'État ébranlé et de lui rendre une forme viable que, soudain, les forces prodigieuses latentes en lui se composèrent en une force unique. Et il se donna la grandeur inscrite de naissance dans son génie en mettant toute sa vie au service d'une seule idée : sauver l'Europe.

＊

En dehors de bien des vues très vastes sur le monde qu'il me donna au cours de conversations vivifiantes qui, en intensité spirituelle et en lucidité, ne sauraient peut-être se comparer qu'avec celles de Hofmannsthal, de Valéry et du comte Keyserling, en dehors de l'élargissement de mon horizon qui, de la littérature, s'étendit aux problèmes de l'histoire contemporaine, je dois aussi à Rathenau la première incitation à ne pas m'en tenir aux limites de l'Europe. « Vous ne pouvez pas comprendre l'Angleterre, me disait-il, tant que vous ne connaissez que l'île. Et pas davantage notre continent, tant que vous n'avez pas au moins une fois franchi ses frontières. Vous êtes un homme libre, mettez à profit cette liberté! La littérature est une merveilleuse profession, parce que la hâte y est superflue. Une année plus tôt, une année plus tard, cela n'y fait rien, quand il s'agit d'un vrai livre. Pourquoi n'iriez-vous pas une fois en Inde et en Amérique? » Ce propos de hasard me frappa, et je résolus de suivre immédiatement son conseil.

L'Inde produisit sur moi une impression d'inquiétude et d'accablement à laquelle je ne m'attendais pas. Je fus effrayé de la misère de ces êtres émaciés, du sérieux sans joie que je lisais dans les regards sombres, de la monotonie souvent cruelle du paysage et surtout de la séparation rigide des classes et des races dont j'avais déjà observé un exemple sur le bateau. Deux jeunes filles délicieuses aux yeux noirs, sveltes, cultivées et bien élevées, modestes et élégantes, voyageaient sur notre paquebot. Dès le premier jour, je fus frappé qu'elles se tinssent à distance ou fussent tenues à distance par une barrière invisible. Elles ne paraissaient pas au bal, ne se mêlaient pas à la conversation, mais s'asseyaient à l'écart, lisant des livres anglais ou français. Je ne découvris que le deuxième ou le troisième jour que ce n'étaient pas elles qui évitaient la société anglaise, mais que c'étaient les autres qui se tenaient éloignés de ces *halfcasts*, bien que ces jeunes filles charmantes fussent les enfants d'un gros commerçant parsi et d'une Française. Dans leur pensionnat de Lausanne, dans la *finishing-school* en Angleterre, elles avaient eu pendant deux ou trois ans exactement les mêmes droits que leurs camarades ; mais sur le bateau qui cinglait vers l'Inde se déclara aussitôt cette proscription froide, invisible et d'autant plus cruelle, qui les mettait au ban de la société. Pour la première fois j'observais la folie de la pureté de la race, cette peste qui est devenue plus fatale à notre monde que la véritable peste dans les siècles passés.

Cette première rencontre aiguisa d'emblée mon regard. Je jouis avec un peu de honte de cette vénération — disparue depuis longtemps par notre faute — pour l'Européen considéré comme une sorte de dieu blanc et qui, s'il faisait une expédition touristique, par exemple l'ascension du pic d'Adam à Ceylan, était obligatoirement accompagné par douze ou quatorze serviteurs ; agir autrement aurait été au-dessous de sa « dignité ». Je ne pouvais me délivrer de ce sentiment inquiétant que les décennies et les siècles à venir devaient nécessairement apporter dans cette situation absurde des changements et des bouleversements dont nous n'osions rien soupçonner dans notre Europe confortable et qui se croyait en sûreté. Grâce à ces observations, je ne vis pas, comme par exemple Pierre Loti, une Inde « romantique » dans une lumière rose, mais elle m'apparut comme un avertissement. Et ce ne sont pas les temples merveilleux, les palais délabrés ou les paysages de l'Himalaya qui, au cours de ce voyage, apportèrent le plus à ma formation intérieure, mais les hommes dont je fis la connaissance, des hommes d'une autre sorte et d'un autre monde que ceux qu'un écrivain a l'habitude de rencontrer dans les limites de l'Europe. Dans ce temps-là, où l'on était plus économe et où les excursions de l'agence Cook n'étaient pas encore organisées, celui qui voyageait hors de l'Europe était presque toujours, de par son état et sa situation, un homme d'une espèce particulière : le marchand n'était pas un petit épicier aux vues étroites, mais un grand commerçant, le médecin un véritable explorateur, l'entrepreneur était de la race des conquistadores, audacieux, sans scrupules, et doué de vues larges ; même l'écrivain était un homme d'une haute curiosité intellectuelle. Durant les longs jours, les longues nuits du voyage, que la radio à l'époque ne remplissait pas encore de son bavardage, j'en appris davantage sur les forces et les tensions qui ébranlent notre monde par la fréquentation de cette autre espèce d'hommes que par la lecture de cent livres. Quand change la distance qui nous sépare de notre patrie, notre jauge intérieure change aussi. Après mon retour, je commençai à considérer comme insignifiantes bien des choses qui m'avaient occupé plus qu'il ne convenait, et je ne tins plus notre vieille Europe pour l'axe éternel de l'univers.

*

Parmi les hommes que je rencontrai au cours de mon voyage en Inde, il en est un qui a exercé sur l'histoire de notre temps une influence immense, même si elle ne s'est pas manifestée au grand jour. De Calcutta jusqu'en Indochine, et sur un bateau qui remontait l'Iraouaddi, j'ai passé chaque jour des heures avec Karl Haushofer et sa femme ; on l'avait envoyé au Japon en qualité d'attaché militaire de l'Allemagne. Cet homme maigre, qui se tenait très droit, au visage osseux et au nez en bec d'aigle, me donna la première idée des extraordinaires qualités et de la discipline intérieure d'un officier d'état-major allemand. Auparavant, à Vienne, j'avais naturellement fréquenté à l'occasion des militaires, des jeunes gens aimables, sympathiques et même fort gais qui, pour la plupart issus de familles dans la gêne, avaient trouvé un refuge sous l'uniforme et cherchaient à se rendre leur service aussi agréable que possible. Haushofer, en revanche, on le sentait immédiatement, sortait d'une famille cultivée d'excellente bourgeoisie — son père avait publié bon nombre de poèmes et avait été, je crois, professeur d'université — et sa culture en dehors même du domaine militaire était universelle. Chargé d'étudier sur place le théâtre de la guerre russo-japonaise, il s'était familiarisé avec la langue et même avec la poésie japonaises, et sa femme en avait fait autant ; son exemple me fit constater une fois de plus que toute science, même la science militaire, quand on la considère avec une certaine largeur de vues, doit nécessairement s'étendre au-delà du terrain strictement professionnel et toucher à toutes les autres. Sur le bateau, il travaillait tout le jour, observait à la jumelle toutes les particularités du paysage, rédigeait des journaux ou des rapports, étudiait des lexiques ; rarement je l'ai vu sans un livre entre les mains. Observateur précis, il savait bien exposer ; j'ai beaucoup appris de lui, au cours de nos conversations, sur l'énigme de l'Orient, et après mon retour je conservai des relations amicales avec la famille Haushofer ; nous échangions des lettres et nous nous rendions visite à Salzbourg et à Munich. Une grave affection des poumons, qui le retint une année à Davos ou à Arosa, favorisa par son éloignement de l'armée son passage aux sciences ; s'étant rétabli, il put se charger d'un commandement pendant la guerre mondiale. Lors de la défaite, je pensai souvent à lui avec sympathie. Je pouvais me représenter combien il avait dû souffrir de voir le Japon, où il s'était fait beaucoup d'amis, parmi les adversaires victorieux, lui qui, dans son invisible retraite, avait travaillé pendant des années à l'édification de la puissance allemande et peut-être aussi de la machine de guerre allemande.

Il s'avéra bientôt un des premiers à songer systémati-quement et avec une grande largeur de vues à une reconstitution de la puissante position de l'Allemagne. Il publia une revue de « géopolitique » et, comme si souvent, je ne compris pas, à ses débuts, le sens profond de ce nouveau mouvement. Je pensai sincèrement qu'il ne s'agissait que d'observer le jeu des forces dans le concert des nations, et même le terme d' « espace vital » des peuples — qu'il fut, je crois, le premier à consacrer —, je ne le comprenais, dans le sens de Spengler, que comme l'énergie relative et mouvante avec les époques que chaque nation en vient à dégager dans le cycle des temps. Même l'idée de Haushofer qui demandait qu'on étudiât plus attentivement les particularités individuelles des peuples et qu'on établît un appareil permanent d'investi-gation de nature scientifique, me paraissait parfaitement juste, car je pensais que cette enquête devait servir exclusivement les tendances qui visaient au rapproche-ment des nations. Peut-être — je ne puis l'affirmer — les intentions primitives de Haushofer n'avaient-elles vrai-ment rien de politique. Je lisais naturellement ses livres (dans lesquels, d'ailleurs, il me cita une fois) avec le plus grand intérêt et sans aucun soupçon, j'entendais tous les auditeurs objectifs louer ses conférences comme singuliè-rement instructives, et personne ne l'accusait de servir par ses idées une nouvelle politique de force et d'agres-sion et de ne les destiner qu'à motiver idéologiquement, sous une forme nouvelle, les vieilles prétentions de la grande Allemagne. Mais un jour, à Munich, alors que je mentionnais par hasard son nom, quelqu'un déclara sur le ton de la plus parfaite évidence : « Ah! l'ami de Hitler ? » Je n'aurais pu être plus étonné que je le fus. Car premièrement, la femme de Haushofer n'était pas de pure race aryenne, et ses fils (très doués et sympathiques) ne sauraient nullement satisfaire aux lois de Nuremberg contre les Juifs. De plus, je ne voyais pas la possibilité d'une relation spirituelle directe entre un savant d'une haute culture, dont la pensée tendait à l'universel, et un sauvage agitateur buté dans un germanisme compris au sens le plus étroit et le plus brutal du terme. Mais Rudolf Hess avait été un des élèves de Haushofer, et c'est lui qui avait établi cette relation ; Hitler, en lui-même peu accessible aux idées d'autrui, possédait cependant dès le principe l'instinct de s'approprier tout ce qui pouvait servir ses buts personnels ; c'est pourquoi la « géopolitique » aboutit et se réduisit pour lui à une politique national-socialiste, il lui demanda tous les services qu'elle pouvait rendre à ses desseins. La technique du national-socialisme a toujours été de donner à ses instincts de puissance exclusivement égoïstes un fondement idéologique et pseudo-moral, et cette notion d' « espace vital » fournissait à sa volonté d'agression toute nue un petit manteau philosophique, un slogan qui paraissait inoffensif par le vague de sa définition et qui, en cas de succès, pouvait légitimer toute annexion, même la plus arbitraire, en la représentant comme une nécessité éthique et ethnologique. C'est ainsi mon vieux compagnon de voyage qui — je ne puis dire si c'est en le sachant et en le voulant — est responsable de ce déplacement fondamental et si fatal pour le monde des buts de Hitler, lesquels, à l'origine, ne tendaient qu'au nationalisme et à la pureté de la race mais, grâce à la théorie de l' « espace vital », dégénérèrent ensuite en ce slogan : « Aujourd'hui l'Allemagne nous appartient, demain ce sera le monde ent…' C'est là un exemple significatif de la puis…' seule formule frappante, par la f… parole, d'engendrer des actes et d… tout comme autrefois les formules sur le règne de la *raison* * aboutirent finalement à leur contraire, à la Terreur et aux émotions collectives des masses. Personnellement, Haushofer n'a jamais, à ma connaissance, occupé dans le parti une situation en vue, peut-être n'a-t-il même jamais été membre du parti ; je ne vois nullement en lui, comme les habiles journalistes d'aujourd'hui, une « éminence grise » démoniaque qui, cachée à l'arrière-plan, combine les plus redoutables plans et les souffle au Führer. Mais il ne fait pas de doute que ce sont ses théories, davantage que les plus enragés conseillers de Hitler, qui ont poussé, à son insu ou non, la politique agressive du nazisme au-delà du domaine national étroit dans celui de l'universel. Seule la postérité, avec sa documentation meilleure que celle dont nous pouvons disposer, nous autres contemporains, assignera à cette figure ses véritables dimensions dans l'histoire.

*

Ce premier voyage outre-mer fut suivi quelque temps après d'un second, en Amérique, que j'entrepris, lui aussi, sans autre intention que de découvrir le monde et si possible une part de l'avenir qui s'ouvrait à nous. Je crois vraiment avoir été un des très rares écrivains qui firent la traversée, non pas pour aller gagner de l'argent ou exploiter l'Amérique en journaliste, mais seulement pour confronter avec la réalité une représentation assez incertaine du nouveau continent.

Cette représentation — je n'ai pas honte de l'avouer — était toute romantique. L'Amérique, c'était pour moi Walt Whitman, le pays des rythmes nouveaux, de la

_____
* En français dans le texte.

fraternité universelle à venir. Avant de partir, je relus encore une fois les longs vers sauvages et coulant en cataracte du grand *Camerado*, et j'abordai ainsi à Manhattan avec un sentiment ingénu et fraternel au lieu de l'orgueil ordinaire des Européens. Je me souviens encore que la première chose que je fis fut de demander au portier de l'hôtel où se trouvait la tombe de Whitman, que je voulais visiter. Ma demande plongea naturellement le pauvre Italien dans une terrible perplexité. Il n'avait jamais entendu ce nom.

Ma première impression fut formidable, bien que New York n'eût pas encore, comme aujourd'hui, cette enivrante beauté nocturne. Il y manquait les ruisselantes cascades de lumières de Times Square et ce ciel de rêve étoilé de la ville qui, de nuit, projette vers les vraies étoiles du ciel l'éclat de ses milliards d'étoiles artificielles. L'image de la ville ainsi que la circulation manquaient encore de la grandeur audacieuse de maintenant, car la nouvelle architecture se cherchait encore avec beaucoup d'incertitude dans quelques gratte-ciel isolés ; et l'étonnant progrès du goût dans les vitrines et les décorations n'en était qu'à ses débuts timides. Mais plonger ses regards sur le port depuis le Brooklyn Bridge animé en permanence d'un léger balancement et circuler dans les défilés de pierre des avenues, c'était là une moisson suffisante de découvertes et d'excitations qui, il faut pourtant le reconnaître, le cédaient au bout de deux ou trois jours à un autre sentiment, plus violent : celui de l'extrême solitude ! Je n'avais rien à faire à New York, et nulle part un homme inoccupé n'était alors moins à sa place que là. Il n'y avait pas encore les cinémas où l'on peut se distraire une heure, ni les petites cafétérias confortables, il y avait moins de galeries d'art, de bibliothèques et de musées qu'aujourd'hui, tout était encore bien en retard sur notre Europe dans le domaine de la culture. Après avoir consciencieusement fait le tour des musées et des principales curiosités, en deux ou trois jours, je me mis à errer, comme un bateau sans gouvernail, par les rues glacées et venteuses. A la fin, le sentiment de l'absurdité de mes pérégrinations se fit si fort que je ne pus le surmonter qu'en me les rendant plus attrayantes au moyen d'un truc. J'inventai en effet un jeu à jouer avec moi-même. Je me suggérais, comme j'errais tout à fait solitaire, que j'étais un des innombrables immigrants qui ne savaient que devenir et que je n'avais que sept dollars en poche. Fais donc de ton plein gré ce que ceux-ci sont contraints de faire ! Imagine que tu es forcé de gagner ton pain dans trois jours au plus. Avise aux moyens de trouver immédiatement une occupation, bien qu'étranger, sans relations et sans amis ! Je me mis donc à aller d'un bureau de placement à l'autre, et à étudier les placards d'embauche affichés aux portes. Ici on cherchait un boulanger, là un commis surnuméraire, qui devait savoir le français et l'italien, ailleurs un aide-libraire : cet emploi-là offrait quand même une première chance à mon moi imaginaire. Je gravis trois étages par des escaliers tournants en fer, je m'informai du traitement et le comparai, en regardant les annonces des journaux, avec le prix d'une chambre dans le Bronx. Après deux jours de « recherche d'une place », j'avais théoriquement trouvé cinq postes qui auraient pu assurer mon existence. Je m'étais ainsi persuadé, bien mieux que par une flânerie sans objet, des nombreuses possibilités du vaste espace qui s'offrait dans ce pays jeune à un homme désireux de travailler, et cela m'en imposait. J'avais pu me rendre compte aussi, en courant d'une agence à l'autre, en me présentant dans les maisons de commerce, de la divine liberté dont on jouissait dans ce pays. Personne ne ⌐rmait de ma nationalité, de ma religion, de mon ⌐ — ce qui peut paraître fantastique dans notre ⌐intes digitales, de visas et de rapports de ⌐agé sans passeport. Il y avait là du travail qui attendait son homme, et cela seul était décisif. Le contrat était conclu en une minute, dans ces temps de liberté devenus légendaires. Sans intervention gênante de l'État, sans formalités et sans *trade unions*. Grâce à cette « quête d'une place », j'en ai appris davantage sur l'Amérique, dès les premiers jours, que durant toutes les semaines qui suivirent, où je visitai en touriste, tout à mon aise, Philadelphie, Boston, Baltimore, Chicago, toujours seul, sauf à Boston, où je passai quelques heures agréables dans la société de Charles Loeffler, qui avait mis quelques-uns de mes poèmes en musique. Une seule fois, une surprise interrompit le parfait anonymat de mon existence. Je me souviens encore distinctement de cet instant. Je flânais à Philadelphie le long d'une large avenue ; je m'arrêtai devant une grande librairie afin d'éprouver le sentiment du connu, du familier, au moins en lisant les noms des auteurs. Soudain, je tressaillis. Dans la vitrine de cette librairie étaient disposés, en bas à gauche, six ou sept livres allemands, et de la couverture de l'un d'eux, mon propre nom bondit vers moi. Je regardai comme enchanté et me mis à méditer. Quelque chose de mon moi, qui se traînait par ces rues étrangères, inconnu de tous, sans but apparent et sans se faire remarquer de personne, m'avait précédé là : le libraire avait dû inscrire mon nom sur un bulletin de commande, afin que ce livre naviguât dix jours sur l'océan. Pour un instant, mon sentiment d'abandon se dissipa et quand, il y a deux ans, je repassai à Philadelphie, je recherchai sans cesse cet étalage, involontairement.

Je n'avais plus le courage d'atteindre San Francisco — à l'époque, Hollywood n'avait pas encore été inventé. Mais je pus du moins satisfaire en un autre endroit mon désir de voir le Pacifique, qui me fascinait depuis que j'avais lu dans mon enfance les relations des premiers voyages autour du monde, en un endroit qui a aujourd'hui disparu, un endroit que jamais un œil mortel ne reverra :

ces dernières buttes de terre du canal de Panama, alors encore en construction. Je m'étais rendu là-bas sur un petit bateau par les Bermudes et Haïti — notre génération poétique n'avait-elle pas appris de Verhaeren à admirer les merveilles techniques de notre temps avec le même enthousiasme que nos prédécesseurs les antiquités romaines ? Panama en lui-même était déjà un spectacle inoubliable ; ce lit de rivière excavé dont l'ocre jaune brûlait les yeux même à travers des lunettes noires, un air infernal vibrant du bourdonnement de millions et de milliards de moustiques, dont on comptait les victimes en files interminables au cimetière. Combien étaient tombés pour cette œuvre que l'Europe avait commencée et que l'Amérique devait terminer ! Et c'était seulement maintenant, après trente ans de catastrophes et de déceptions, qu'elle prenait forme et consistance. Encore quelques mois pour les derniers travaux aux écluses, puis une pression du doigt sur l'interrupteur, et les deux mers, après des millénaires, allaient pour toujours mêler leurs eaux ; mais j'ai été un des derniers de ce temps à les voir séparées avec la pleine et lucide conscience du moment historique que je vivais. C'était une bonne façon de prendre congé de l'Amérique que de jeter ce regard sur la plus grande réalisation de son génie créateur.

Les rayons et les ombres sur l'Europe

J'avais ainsi vécu les dix premières années du nouveau siècle, j'avais vu l'Inde, une partie de l'Amérique et de l'Afrique ; c'est avec une joie nouvelle, mieux informée, que je reportai mes regards vers notre Europe. Jamais je n'ai aimé *davantage* notre vieille terre que dans ces dernières années d'avant la Première Guerre mondiale, jamais je n'ai espéré *davantage* l'unification de l'Europe, jamais je n'ai cru *davantage* en l'avenir que dans ce temps où nous pensions apercevoir une nouvelle aurore. Mais c'était déjà, en réalité, la lueur de l'incendie qui allait embraser le monde.

Il est peut-être difficile de peindre à la génération actuelle, qui a été élevée dans les catastrophes, les écroulements et les crises, pour laquelle la guerre a été une possibilité permanente, attendue presque quotidiennement, l'optimisme, la confiance dans le monde qui nous animaient, nous, les jeunes, depuis le début de ce siècle. Quarante années de paix avaient fortifié l'organisme économique des pays, la technique avait accéléré le rythme de l'existence, les découvertes scientifiques avaient empli de fierté l'esprit de cette génération ; un essor commençait, qui se faisait presque également sentir dans tous les pays de notre Europe. Les villes devenaient plus belles et plus populeuses d'année en année, le Berlin de 1905 ne ressemblait plus à celui que j'avais connu en 1901, la Résidence était devenue une grande capitale cosmopolite, et le Berlin de 1910, à son tour, la dépassait de beaucoup. Chaque fois que l'on revenait à Vienne, à Milan, à Paris, à Londres, à Amsterdam, on était étonné et comblé de joie. Les rues se faisaient plus larges, plus fastueuses, les bâtiments publics plus imposants, les magasins étaient plus luxueux et aménagés avec plus de goût. On sentait en toutes choses que la richesse s'accroissait et se répandait plus largement. Même nous, les écrivains, le remarquions à nos tirages qui, en ce seul espace de dix années, avaient triplé, quintuplé, décuplé. Partout s'ouvraient de nouveaux théâtres, de nouvelles bibliothèques, de nouveaux musées. Toutes sortes de commodités, comme les salles de bains et le téléphone, naguère le privilège de cercles très étroits, pénétraient dans les milieux petits-bourgeois et, depuis que le temps de travail avait été réduit, le prolétariat s'élevait pour prendre sa part au moins aux petites joies et commodités de l'existence. Partout on allait de l'avant. Quiconque risquait gagnait à coup sûr. Qui achetait une maison, un livre, un tableau, en voyait monter le prix ; plus une entreprise était audacieuse, et plus on était sûr qu'elle serait d'un bon rapport. Une merveilleuse insouciance avait ainsi gagné le monde, car enfin, qu'est-ce qui aurait bien pu interrompre cette ascension, entraver cet essor qui tirait sans cesse de nouvelles forces de son propre élan ? Jamais l'Europe n'avait été plus puissante, plus riche, plus belle, jamais elle n'avait cru plus intimement à un avenir encore meilleur. Personne, à l'exception de quelques vieillards déjà décrépits, ne regrettait plus, comme autrefois, le « bon vieux temps ».

Mais ce n'étaient pas seulement les villes qui changeaient ; les hommes eux-mêmes devenaient plus beaux et plus sains grâce au sport, à la nourriture meilleure, à la réduction de la durée du travail et à une relation plus intime avec la nature. On avait découvert que l'hiver, jadis saison morne, que les hommes passaient dans les auberges à jouer aux cartes d'un air chagrin ou à s'ennuyer dans des pièces surchauffées, pouvait dispenser un soleil filtré, un nectar pour les poumons, une volupté de la peau où affluait un sang léger. Et les montagnes, les lacs, la mer n'étaient plus si éloignés que par le passé. La bicyclette, l'automobile, les chemins de fer électriques avaient raccourci les distances et donné au monde un nouveau sentiment de l'espace. Le dimanche, des milliers et des dizaines de milliers de touristes en anoraks aux couleurs vives descendaient les pentes vertigineuses sur leurs skis et leurs luges, partout on construisait des palais des sports et des piscines. Et c'est justement à la piscine qu'on pouvait observer distinctement le changement survenu. Tandis qu'au temps de ma jeunesse un homme vraiment bien fait frappait parmi ces gros cous, ces panses volumineuses et ces poitrines creuses, maintenant, des corps assouplis par la gymnastique, brunis par le soleil, durcis par le sport rivalisaient dans un joyeux concours à l'antique. Personne, sinon les plus pauvres, ne restait plus à la maison le dimanche, toute la jeunesse partait en excursion, grimpait et luttait, rompue à toute espèce d'exercice. Qui avait des vacances ne les passait plus, comme du temps de mes parents, dans les environs de la ville ou, en mettant les choses au mieux, dans le Salzkammergut * ; on était devenu curieux de savoir si le monde était partout aussi beau, et d'une beauté différente ; tandis que naguère seuls les privilégiés avaient vu les pays étrangers, des employés de banque et de petits industriels voyageaient en Italie, en France. Les voyages étaient devenus moins onéreux, plus commodes, et c'était par-dessus tout le nouveau courage, la nouvelle audace des hommes qui les rendait aussi plus hardis dans leurs pérégrinations, moins craintifs et économes dans leur manière de vivre — bien plus, on avait honte de se

---

* Région très pittoresque des Alpes autrichiennes, près de Salzbourg.

montrer craintif. Toute la génération décidait d'être plus juvénile ; au contraire de ce qui se passait dans le monde de mes parents, chacun était fier d'être jeune ; les barbes disparurent soudain, tout d'abord chez les cadets, puis leurs aînés les imitèrent, afin de ne pas passer pour vieux. Le mot d'ordre devint d'être jeune, d'être frais, et de ne plus affecter des airs de dignité. Les femmes jetèrent les corsets qui avaient comprimé leur poitrine, elles renoncèrent à leurs ombrelles et à leurs voiles, parce qu'elles ne craignaient plus l'air et le soleil, elles raccourcirent leurs robes afin de mieux mouvoir leurs jambes au tennis, elles n'eurent plus honte de laisser voir leurs mollets bien faits. La mode se fit toujours plus naturelle, les hommes portaient des culottes de cheval, les femmes se risquaient sur des selles d'hommes, on ne se voilait plus, on ne se cachait plus des autres. Le monde n'était pas seulement plus beau, il était aussi devenu plus libre.

C'est la santé, la confiance en soi de la génération venue après la nôtre, qui a conquis cette liberté dans les mœurs. Pour la première fois, on vit déjà des jeunes filles sans gouvernante qui partaient en excursion avec de jeunes amis ou se livraient au sport avec eux ouvertement, en toute camaraderie ; elles n'étaient plus craintives et prudes, elles savaient ce qu'elles voulaient et ce qu'elles ne voulaient pas. Ayant échappé au contrôle anxieux de leurs parents, gagnant leur vie elles-mêmes en qualité de secrétaires ou d'employées, elles se donnaient le droit d'organiser leur vie. La prostitution, seule institution de l'amour autorisée dans le monde passé, recula sensiblement grâce à cette liberté nouvelle et plus saine, toute manifestation de la pruderie passa pour démodée. Dans les bains publics, on abattait de plus en plus fréquemment la cloison de bois qui, jusque-là, séparait inexorablement le bassin des hommes de celui des femmes ; femmes et hommes n'éprouvaient plus de honte à montrer comment ils étaient bâtis. Au cours de ces dix années, on avait reconquis plus de liberté, de spontanéité et de naturel que précédemment en cent ans.

Car il y avait un rythme nouveau dans le monde. Une année ! Que ne se passait-il pas en une année ! Une invention, une découverte chassait la précédente, et chacune devenait très vite le bien de tous. Pour la première fois, les nations se sentaient plus solidaires quand il y allait de l'intérêt général. Le jour où le Zeppelin prit son vol pour son premier voyage, j'étais par hasard de passage à Strasbourg, me rendant en Belgique ; il tourna autour de la cathédrale aux acclamations enthousiastes de la foule, comme s'il voulait, lui qui flottait dans les airs, s'incliner devant l'œuvre millénaire. Le soir, en Belgique, chez Verhaeren, arriva la nouvelle que le dirigeable s'était écrasé à Echterdingen. Verhaeren avait les larmes aux yeux et était terriblement agité. Loin d'être, en tant que Belge, indifférent à la catastrophe qui frappait l'Allemagne, en tant qu'Européen, en tant qu'homme de notre temps, il éprouvait aussi vivement la victoire commune sur les éléments que la commune épreuve. Nous poussâmes des cris d'allégresse, à Vienne, quand Blériot franchit la Manche, comme s'il était un héros de notre patrie. Grâce à la fierté qu'inspiraient à chaque heure les triomphes sans cesse renouvelés de notre technique, de notre science, pour la première fois, un sentiment de solidarité européenne, une conscience nationale européenne, était en devenir. Combien absurdes, nous disions-nous, sont ces frontières, alors qu'un avion les survole avec autant de facilité que si c'était un jeu, combien artificielles ces barrières doua-nières et ces gardes-frontières, combien contradictoires à l'esprit de notre temps qui manifestement désire l'union et la fraternité universelle ! Cet essor du sentiment n'était pas moins merveilleux que celui des aéroplane͏͏
tous ceux qui n'ont pas vécu ces dernière͏
l'enfance de l'Europe. Car l'air autour de n͏

mort, n'est pas vide, il porte en lui la vibration et le rythme de l'heure. Il en pénètre à notre insu notre sang, il les propage jusqu'au fond de notre cœur et de notre cerveau. Durant ces années, chacun de nous a aspiré en lui la force qu'il tirait de l'élan général de notre époque, et sa confiance personnelle s'est accrue de la confiance collective. Peut-être, ingrats comme le sont les hommes, n'avons-nous pas su alors combien puissamment, combien sûrement nous portait le flot. Mais seul celui qui a vécu cette époque de confiance universelle sait que tout, depuis, a été décadence et obscurcissement.

*

Elle était merveilleuse, cette vague tonique de force qui, de tous les rivages de l'Europe, battait contre nos cœurs. Mais ce qui nous rendait si heureux recelait en même temps un danger que nous ne soupçonnions pas. La tempête de fierté et de confiance qui soufflait alors sur l'Europe charriait aussi des nuages. L'essor avait peut-être été trop rapide. Les États, les villes avaient acquis trop vite leur puissance, et le sentiment de leur force incite toujours les hommes, comme les États, à en user ou à en abuser. La France regorgeait de richesses. Mais elle en voulait davantage encore, elle voulait encore une colonie, bien qu'elle n'eût pas assez d'hommes, et de loin, pour peupler les anciennes ; pour le Maroc, on faillit en venir à la guerre. L'Italie voulait la Cyrénaïque, l'Autriche annexait la Bosnie. La Serbie et la Bulgarie se lançaient contre la Turquie, et l'Allemagne, encore tenue à l'écart, serrait déjà les poings pour porter un coup furieux. Partout le sang montait à la tête des États, y portant la congestion. La volonté fertile de consolidation intérieure commençait partout, en même temps, comme s'il s'agissait d'une infection bacillaire, à se transformer en désir d'expansion. Les industriels français, qui gagnaient gros, menaient une campagne de haine contre les Allemands, qui s'engraissaient de leur côté, parce que les uns et les autres voulaient livrer plus de canons — les Krupp et les Schneider du Creusot. Les compagnies de navigation hambourgeoises, avec leurs dividendes formidables, travaillaient contre celles de Southampton, les paysans hongrois contre les serbes, les grands trusts les uns contre les autres ; la conjoncture les avait tous rendus enragés de gagner toujours plus dans leur concurrence sauvage. Si aujourd'hui on se demande à tête reposée pourquoi l'Europe est entrée en guerre en 1914, on ne trouve pas un seul motif raisonnable, pas même un prétexte. Il ne s'agissait aucunement d'idées, il s'agissait à peine des petits districts frontaliers ; je ne puis l'expliquer autrement que par cet excès de puissance, que comme une conséquence tragique de ce dynamisme interne qui s'était accumulé durant ces quarante années de paix et voulait se décharger violemment. Chaque État avait soudain le sentiment d'être fort et oubliait qu'il en était exactement de même du voisin ; chacun voulait davantage et nous étions justement abusés par le sentiment que nous aimions le plus : notre commun optimisme. Car chacun se flattait qu'à la dernière minute l'autre prendrait peur et reculerait ; ainsi les diplomates commencèrent leur jeu de bluff réciproque. Quatre fois, cinq fois, à Agadir, dans la guerre des Balkans, en Albanie, on s'en tint au jeu ; mais les grandes coalitions resserraient sans cesse leurs liens, se militarisaient toujours plus. En Allemagne, on établit en pleine paix un impôt de guerre ; en France, on prolongea la durée du service ; finalement les forces en excès durent se décharger, et les signes météorologiques dans les Balkans indiquaient la direction d'où les nuages ~~ chaient déjà de l'Europe.

Ce n'était pas encore la panique, mais

inquiétude couvait partout ; nous éprouvions toujours un léger malaise quand les coups de feu crépitaient dans les Balkans. La guerre allait-elle vraiment nous assaillir sans que nous sachions pourquoi ni dans quel dessein ? Lentement — beaucoup trop lentement, beaucoup trop timidement, comme nous le savons aujourd'hui ! — les forces opposées à la guerre se rassemblaient. Il y avait le parti socialiste, des millions d'êtres de ce côté de la frontière, des millions de l'autre côté, qui dans leur programme reniaient la guerre ; il y avait les puissants groupes catholiques sous la direction du pape et quelques konzerns internationaux, il y avait un petit nombre d'hommes politiques raisonnables, qui s'élevaient contre ces menées souterraines. Et nous aussi, nous étions dans les rangs des ennemis de la guerre, nous autres écrivains, mais toujours isolés dans notre individualisme, au lieu d'être unis et résolus. L'attitude de la plupart des intellectuels était malheureusement celle de l'indifférence passive, car par la faute de notre optimisme, le problème de la guerre, avec toutes ses conséquences morales, n'était absolument pas entré dans notre horizon intérieur. Dans aucun des ouvrages essentiels des esprits éminents de ce temps-là ne se trouve une seule déclaration de principe, un seul avertissement passionné. Nous croyions assez faire en pensant en Européens et en nous liant en une fraternité internationale, en avouant pour idéal — dans notre sphère d'activité qui n'exerçait pourtant qu'une influence indirecte sur les réalités de notre temps — la compréhension réciproque et la fraternité spirituelle par-dessus les frontières des langues et des États. Et c'était justement la nouvelle génération qui se montrait le plus attachée à cette idée européenne. A Paris, je trouvais rassemblés autour de mon ami Bazalgette tout un groupe de jeunes hommes qui, au contraire de la génération précédente, avaient répudié tout nationalisme étroit et tout impérialisme agressif : Jules Romains, qui écrivit plus tard, en pleine guerre, son grand poème *Europe*, Georges Duhamel, Charles Vildrac, Durtain, René Arcos, Jean-Richard Bloch, tous rassemblés à l' « Abbaye », puis à l' « Effort libre », étaient des pionniers passionnés de l'entité européenne à venir et inébranlables, comme l'épreuve du feu le montra durant la guerre, dans leur haine de tout militarisme — une jeunesse telle que la France en a rarement enfanté de plus vaillante, de plus douée, de plus moralement résolue. En Allemagne, c'était Werfel qui, avec son *Ami du monde*, donnait les plus forts accents lyriques à l'idée de la fraternisation universelle ; et René Schickelé qui, en sa qualité d'Alsacien, se trouvait placé par le destin entre les deux nations, œuvrait passionnément à une entente réciproque. D'Italie, G. A. Borgese nous saluait en camarade ; des encouragements nous venaient des pays slaves et scandinaves. « Venez donc un jour chez nous, m'écrivait un grand écrivain russe. Montrez aux panslavistes, qui veulent nous exciter à la guerre, qu'en Autriche vous ne la voulez pas. » Ah ! nous aimions tous notre temps, qui nous portait sur ses ailes, nous aimions l'Europe ! Mais cette foi heureuse et confiante en la raison, dont nous pensions qu'à la dernière heure elle arrêterait la folie, a été en même temps notre seule faute. Il est certain que nous n'avons pas considéré avec assez de méfiance les signes de feu inscrits sur la muraille, mais n'est-ce pas le sens d'une vraie jeunesse de n'être pas défiante, mais pleine de foi ? Nous mettions notre confiance en Jaurès, en l'Internationale socialiste ; nous croyions que les cheminots feraient sauter les rails plutôt que de laisser embarquer pour le front leurs camarades traités en bétail de boucherie ; nous comptions sur les femmes, qui refuseraient au Moloch leurs enfants, leurs maris ; nous étions persuadés que la force spirituelle, que la force morale de l'Europe s'affirmerait triomphalement au dernier instant critique. Notre commun idéalisme, notre optimisme fondé sur le progrès en marche nous faisaient méconnaître et mépriser le danger commun.

Et ce qui nous manquait, c'était un organisateur qui eût coalisé dans la conscience du but à atteindre les forces latentes en nous. Nous n'avions parmi nous qu'un seul homme qui prodiguât ses avertissements, qui sût prévoir de loin les événements ; mais le plus curieux est qu'il vivait parmi nous et que pendant longtemps nous ne sûmes rien de cet homme que le destin avait assigné comme guide. Pour moi, ce fut une de mes chances décisives de le découvrir à la dernière heure, et il était difficile de le découvrir car, en plein Paris, il vivait à l'écart de la *foire sur la place* *. Si quelqu'un entreprend un jour d'écrire une histoire honnête de la littérature française au XXe siècle, il ne lui sera pas permis de négliger ce phénomène surprenant qu'on encensait dans les journaux de Paris tous les écrivains et tous les noms imaginables, mais qu'on ne connaissait pas les trois plus considérables ou qu'on ne savait pas leur rendre justice. De 1900 à 1914, je n'ai jamais vu le nom de Paul Valéry, en tant que poète, ni dans *Le Figaro* ni dans *Le Matin,* Marcel Proust passait pour un gommeux de salon, Romain Rolland pour un musicographe très averti ; ils avaient près de cinquante ans quand le premier rayon encore timide de la renommée les atteignit, et leur grande œuvre était plongée dans l'obscurité au milieu de la ville la plus curieuse et la plus spirituelle du monde.

*

C'est par hasard que je decouvris encore à temps Romain Rolland. Une Russe qui faisait de la sculpture à

---

* En français dans le texte.

Florence m'avait invité à prendre le thé chez elle pour me montrer ses travaux et pour tenter aussi de faire une esquisse de moi. Je fus exact au rendez-vous, à quatre heures, oubliant qu'elle était russe, et par conséquent fort au-delà des contingences du temps et de la ponctualité. Une vieille *babouchka*, qui, comme je l'appris, avait déjà été la nourrice de sa mère, me fit pénétrer dans l'atelier, où l'élément le plus pittoresque était le désordre, et me pria d'attendre. Il y avait là en tout et pour tout quatre petites sculptures, en deux minutes je les eus examinées. C'est ainsi que, pour ne pas perdre mon temps, je saisis un livre, ou plutôt quelques petites brochures brunes qui gisaient çà et là. Elles s'intitulaient *Cahiers de la Quinzaine* et je me souvins d'avoir entendu ce nom à Paris. Mais qui pouvait suivre toutes les petites revues qui se levaient partout dans le pays, comme des fleurs idéalistes à la vie brève, et puis disparaissaient ? Je feuilletai le volume et me mis à lire, de plus en plus étonné et intéressé, *L'Aube*, de Romain Rolland. Qui était ce Français qui connaissait si bien l'Allemagne ? Bientôt, je fus reconnaissant à cette brave Russe de son défaut de ponctualité. Quand elle arriva enfin, ma première question fut : « Qui est ce Romain Rolland ? » Elle ne put me renseigner précisément, et ce n'est que lorsque je me fus procuré les autres volumes (les derniers de l'ouvrage étaient encore en gestation) que je sus : là était enfin l'œuvre qui servait non pas une seule nation européenne mais toutes et leur fraternisation ; là était l'homme, l'écrivain qui mettait en jeu toutes les forces morales : la connaissance aimante et la volonté sincère de connaître, une justice éprouvée et filtrée et une foi ardente en la mission de l'art, qui est d'unir les hommes. Tandis que nous nous dispersions dans de petites manifestations, il s'était mis à l'œuvre en silence, avec patience, afin de montrer les uns aux autres les peuples divers dans les qualités par lesquelles ils étaient le plus dignes d'être aimés. C'était le premier roman consciemment européen qui s'achevait ici, le premier appel décisif à la fraternisation, plus efficace parce qu'il atteignait des masses plus nombreuses que les hymnes de Verhaeren, plus incisif que tous les pamphlets et toutes les protestations ; ici se trouvait accompli dans le silence ce que nous espérions et attendions tous à notre insu.

Mon premier soin à Paris fut de m'informer de lui, en me souvenant de la parole de Goethe : « Il a appris, il peut nous instruire. » Je m'enquis de lui auprès de mes amis. Verhaeren croyait se souvenir d'un drame, *Les Loups,* qui avait été joué au Théâtre du Peuple, fondé par les socialistes. Bazalgette, quant à lui, avait entendu dire que Rolland était un musicologue et qu'il avait écrit un petit livre sur Beethoven. Dans le catalogue de la Bibliothèque nationale, je trouvai une douzaine d'ouvrages sur la musique ancienne et moderne, sept ou huit drames, qui tous avaient paru chez de petits éditeurs ou aux *Cahiers de la Quinzaine.* Finalement, pour établir un lien entre nous, je lui envoyai un de mes livres. Bientôt arriva une lettre par laquelle il m'invitait à passer chez lui, et ainsi débuta une amitié qui, avec celles de Verhaeren et de Freud, a été la plus fructueuse et même, en bien des heures, décisive pour la direction à donner à ma vie.

*

Les jours marquants de notre existence ont en eux plus de luminosité que les jours ordinaires. C'est ainsi que je me souviens encore avec la plus extrême netteté de cette première visite. Je gravis cinq étages d'un escalier tournant assez étroit, dans une maison de peu d'apparence, non loin du boulevard Montparnasse, et devant la porte, déjà, j'éprouvai l'impression d'un silence particulier ; on entendait à peine davantage le murmure du boulevard que le vent qui soufflait sous les fenêtres à travers les arbres d'un vieux jardin de couvent. Rolland vint m'ouvrir et me conduisit dans sa chambre tapissée de livres jusqu'au plafond ; je voyais pour la première fois ces yeux bleus singulièrement lumineux, les yeux les plus clairs et les plus bienveillants que j'aie jamais vus, ces yeux qui, dans la conversation, tirent leur couleur et leur feu du sentiment le plus intime, s'assombrissant dans le deuil, s'approfondissant dans la réflexion, jetant des éclairs dans l'excitation, ces pupilles sans pareilles, entre les bords des paupières un peu fatiguées et légèrement rougies par la lecture et les veilles, capables de rayonner merveilleusement d'une lumière qui se communique à vous et vous remplit de bonheur. J'observai un peu craintivement sa stature. Très grand et svelte, il allait un peu voûté, comme si les nombreuses heures passées à sa table de travail lui avaient ployé la nuque ; il avait l'air plutôt maladif avec ses traits accusés et son teint d'une extrême pâleur. Il parlait très bas, comme, d'ailleurs, il ménageait au plus haut point son corps ; il n'allait presque jamais se promener, mangeait peu, ne buvait ni ne fumait, évitait tout effort physique, mais je dus reconnaître plus tard avec admiration quelle prodigieuse endurance était inhérente à ce corps ascétique, quelle puissance de travail intellectuel se dissimulait sous cette apparente faiblesse. Il écrivait des heures à sa petite table surchargée, il lisait des heures dans son lit, n'accordant jamais plus de trois ou quatre heures de sommeil à son corps fatigué. Et pour toute distraction, il ne se permettait que la musique ; il jouait admirablement du piano, avec un toucher d'une douceur qui reste pour moi inoubliable, caressant le clavier comme s'il voulait en obtenir les sons non par la force mais par la seule séduction. Aucun virtuose — et j'ai entendu dans les cercles les plus étroits Max Reger, Busoni, Bruno Walter — ne m'a donné à ce point le sentiment d'une communion immédiate avec les maîtres aimés. Son savoir faisait honte par son étendue et sa diversité ; ne vivant en quelque sorte que par ses yeux de liseur, il possédait la littérature, la philosophie, l'histoire, les problèmes de tous les pays et de tous les temps. De la musique, il connaissait chaque mesure ; les œuvres les plus oubliées de Galuppi, de Telemann, et même de musiciens de sixième ou de septième ordre, lui étaient familières. Avec cela, il prenait part avec passion à tous les événements du présent. Dans cette modeste cellule monacale, le monde se mirait comme dans une chambre obscure. Il avait humainement joui de l'intimité des grands hommes de son temps, il avait été l'élève de Renan, l'hôte de la maison de Wagner, l'ami de Jaurès ; c'est à lui que Tolstoï avait écrit cette lettre célèbre qui, en tant que témoignage humain, est digne de trouver place à côté de son œuvre littéraire. Ici je sentais — et cela libère toujours en moi un sentiment de bonheur — la supériorité morale et humaine, une liberté intérieure sans orgueil, une liberté qui allait de soi pour une âme forte. Au premier coup d'œil je reconnus en lui — et le temps m'a donné raison — l'homme qui, à l'heure décisive, serait la conscience de l'Europe. Nous parlâmes de *Jean-Christophe*. Rolland m'expliqua qu'il avait essayé par cet ouvrage de s'acquitter d'un triple devoir en exprimant sa reconnaissance à la musique, sa foi en l'unité européenne et un appel à la conscience et à la raison des peuples. Maintenant, disait-il, nous devions tous agir, chacun à sa place, chacun dans son pays, chacun dans sa langue. Il était temps d'être vigilant, de plus en plus vigilant. Les puissances qui poussaient à la haine étaient, en raison même de la bassesse de leur nature, plus véhémentes et plus agressives que les forces de conciliation ; se tenaient en outre derrière elles des intérêts matériels qui en eux-mêmes étaient plus dénués de scrupules que les nôtres. L'absurdité était visiblement à l'œuvre et la lutte contre elle plus importante même que notre art. Je sentis qu'il s'affligeait de la fragilité de ce que nous construisions en ce monde, ce qui était doublement saisissant chez un homme qui avait célébré dans toute son œuvre l'éternité de l'art. « Il peut nous consoler chacun en particulier, me répondait-il, mais il ne peut rien contre la réalité. »

*

C'était en 1913. Ce fut la première conversation à partir de laquelle je reconnus qu'il était de notre devoir de ne pas nous montrer imprévoyants et inactifs face à une guerre européenne toujours possible. Au moment décisif, rien ne conféra à Rolland une si prodigieuse supériorité morale sur tous les autres que le fait qu'il s'était par avance affermi l'âme, douloureusement. Nous pouvions bien, nous aussi, avoir fait diverses choses dans nos milieux, j'avais beaucoup traduit, j'avais attiré l'attention sur les poètes qui se trouvaient chez nos voisins, j'avais en 1912 accompagné Verhaeren à travers toute l'Allemagne dans une tournée de conférences qui avait pris l'aspect d'une manifestation symbolique de fraternisation franco-allemande ; à Hambourg, Verhaeren et Dehmel, le plus grand poète lyrique français et le plus grand poète lyrique allemand, s'étaient donné l'accolade. J'avais gagné Reinhardt au dernier drame de Verhaeren, jamais notre collaboration, de part et d'autre de la frontière, n'avait été plus cordiale, plus intense, plus riche d'impulsions, et dans bien des heures d'enthousiasme, nous nous abandonnions à l'illusion que nous avions montré au monde la juste direction, la direction du salut. Mais le monde se souciait peu de telles manifestations littéraires, il suivait sa propre voie, qui était la mauvaise voie. Il y avait dans la charpente je ne sais quel crépitement électrique produit par des frottements, à tout moment jaillissait une étincelle — l'affaire de Saverne, la crise en Albanie, une interview maladroite ; chaque fois, ce n'était justement qu'une étincelle, mais chacune aurait pu mettre le feu aux explosifs accumulés. En Autriche, nous nous sentions tout particulièrement au cœur de la zone de turbulence. En 1910, l'empereur François-Joseph était entré dans sa quatre-vingt-unième année. Ce vieillard déjà passé au rang de symbole ne pouvait plus durer bien longtemps, et le sentiment mystique se répandit dans l'opinion qu'après la disparition de sa personne rien ne serait plus en mesure d'arrêter le processus de dissolution de la monarchie millénaire. A l'intérieur, les pressions poussant les nationalités les unes contre les autres allaient croissant, au-dehors, l'Italie, la Serbie, la Roumanie et, en un certain sens, l'Allemagne attendaient pour se partager l'empire. La guerre des Balkans, où Krupp et Schneider du Creusot faisaient l'essai de leurs canons respectifs sur un « matériel humain » étranger comme plus tard les Allemands et les Italiens devaient faire l'essai de leurs avions au cours de la guerre civile d'Espagne, nous entraînait de plus en plus dans le courant de cette cataracte. A tout moment, on sursautait de frayeur avant de respirer de nouveau : « Ce n'est pas encore pour cette fois. Et, espérons-le, ce ne sera jamais. »

*

Or l'expérience a montré qu'il est mille fois plus facile de reconstituer les faits d'une époque que son atmosphère morale ; celle-ci ne se manifeste pas dans les événements officiels, mais bien plutôt dans de petits épisodes personnels, tels ceux que je voudrais rapporter ici. Pour être sincère, je dois dire qu'à l'époque je ne croyais pas à la guerre. Mais deux fois j'y ai en quelque sorte rêvé et j'ai tressailli d'effroi. La première fois, ce fut lors de l' « affaire Redl » qui, de même que tous les événements historiques importants se jouant à l'arrière-plan, est peu connue.

Personnellement, je n'avais connu que de façon super-ficielle ce colonel Redl, héros d'un des drames d'espion-nage les plus compliqués. Il habitait le même arrondisse-ment que moi, à une rue de distance. Un jour, mon ami le procureur T... me l'avait présenté au café, où ce bon vivant à l'air sympathique fumait un cigare ; depuis, nous nous saluions dans la rue. Mais je ne découvris que plus tard à quel point dans notre vie nous sommes environnés de mystères et combien nous savons peu de chose des hommes qui respirent le même air que nous. Ce colonel, qui avait l'apparence d'un bon officier moyen de l'armée autrichienne, était l'homme de confiance du prince héritier ; on lui avait confié la charge importante de diriger le service secret de l'armée et de contrecarrer celui de l'adversaire. Or l'information avait transpiré qu'en 1912, pendant la crise de la guerre des Balkans, alors que l'Autriche et la Russie mobilisaient l'une contre l'autre, le document secret le plus important de l'armée autri-chienne, le « plan de concentration », avait été vendu à la Russie, ce qui en cas de guerre aurait nécessairement provoqué une catastrophe sans exemple, car les Russes connaissaient ainsi d'avance et de point en point tous les mouvements tactiques de l'armée autrichienne d'inva-sion. La panique que cette trahison déchaîna dans les milieux de l'état-major général des armées fut terrible. C'est au colonel Redl, plus haut responsable en la matière, qu'incombait la tâche de découvrir le traître, qui ne pouvait se trouver que dans le cercle très étroit des gens occupant les postes les plus élevés. De son côté, le ministère des Affaires étrangères, qui ne se fiait pas trop à l'habileté des autorités militaires, offrit un exemple typique du jeu des rivalités qui opposent les différents organes de l'État en donnant le mot d'ordre de procéder à une enquête pour son propre compte, sans en aviser l'état-major général, et chargea la police, en sus de toutes les autres mesures utiles, d'ouvrir toutes les lettres adressées poste restante sans égard pour le secret de la correspondance.

Un jour arriva à un bureau de poste une lettre en provenance de la station frontière russe de Podwoloczyska, et qui portait l'adresse chiffrée « Bal de l'Opéra », poste restante. Quand on l'ouvrit, on constata qu'elle ne contenait pas de papier à lettres, mais bien six ou huit billets neufs de mille couronnes autrichiennes. Aussitôt, on avisa de cette découverte suspecte le chef de la police, qui donna l'ordre de poster un détective au guichet afin d'arrêter immédiatement la personne qui réclamerait cette lettre.

Pour un moment, la tragédie commença par tourner à la bonne farce viennoise. Vers midi, un monsieur se présenta, demanda une lettre portant la mention « Bal de l'Opéra ». Aussitôt, l'employé préposé au guichet donna discrètement le signal convenu au détective. Mais il se trouva que le détective était justement allé boire sa chope matinale, et quand il revint, on put seulement établir que l'inconnu avait pris un fiacre et s'était éloigné dans une direction inconnue. Et tout aussitôt débuta le second acte de la comédie viennoise. A cette époque des fiacres, de ces véhicules élégants et *fashionables* tirés par deux chevaux, le cocher se considérait comme une personnalité bien trop distinguée pour nettoyer sa voiture de ses propres mains. A chaque station se trouvait par conséquent ce qu'on appelait un « arroseur », dont la fonction était de nettoyer les voitures. Or cet arroseur avait heureusement retenu le numéro du fiacre qui venait de partir ; en un quart d'heure, tous les postes de police furent alertés, le fiacre retrouvé. Le cocher donna un signalement du monsieur, qui s'était fait conduire au Café Kaiserhof, où je rencontrais toujours le colonel Redl, et, par un heureux hasard, on trouva en outre dans la voiture le couteau de poche avec lequel l'inconnu avait ouvert l'enveloppe. Aussitôt, les détectives se précipitèrent au Café Kaiserhof. Le monsieur, dont ils donnèrent le signalement, était reparti. Mais les garçons déclarèrent tout naturellement que ce monsieur n'était autre que leur vieil habitué, le colonel Redl, et qu'il venait de s'en retourner à l'Hôtel Klomser.

Le détective demeura stupéfait. Le mystère était percé. Le colonel Redl, chef suprême de l'espionnage autrichien, était en même temps un espion à la solde du grand état-major russe. Il n'avait pas seulement vendu les secrets et les plans de concentration, mais on comprit du coup comment il se faisait qu'au cours de l'année précédente tous les espions autrichiens envoyés par lui en Russie avaient été régulièrement arrêtés et condamnés. On se mit à téléphoner fiévreusement de tous côtés jusqu'à ce qu'on joignît enfin Konrad von Hötzendorf, le chef du grand état-major autrichien. Un témoin de cette scène m'a raconté qu'aux premiers mots qu'on lui dit il devint blanc comme un linge. La nouvelle fut transmise par téléphone au palais impérial, les délibérations se succédèrent. Que faire, à présent ? La police, dans l'intervalle, avait pris des mesures pour empêcher le colonel Redl de s'enfuir. Comme il était sur le point de quitter l'hôtel et chargeait encore le portier d'une commission, un détective s'approcha de lui sans se faire remarquer, lui tendit le couteau de poche et demanda poliment : « Monsieur le colonel n'a-t-il pas oublié ce couteau dans un fiacre ? » A cette seconde, Redl sut qu'il était perdu. Partout où il se rendit, il aperçut les visages

bien connus des gens de la police secrète qui le surveillaient, et quand il retourna à son hôtel, deux officiers le
suivirent dans sa chambre et posèrent un revolver devant
lui. Car entre-temps on avait décidé, à la *Hofburg* *, de
régler discrètement cette affaire si ignominieuse pour
l'armée autrichienne. Jusqu'à deux heures du matin, les
deux officiers patrouillèrent devant la chambre de Redl à
l'Hôtel Klomser. Ce n'est qu'alors que le coup de
revolver partit à l'intérieur.

Le lendemain parut dans les journaux du soir une
courte notice nécrologique sur le colonel Redl, qui avait
rendu de grands services et qui était décédé subitement.
Mais trop de personnes avaient été impliquées dans la
poursuite pour que l'on pût garder le secret. Peu à peu,
on apprit des particularités qui expliquaient psychologi-
quement beaucoup de choses. Le colonel Redl était
homosexuel, à l'insu de ses supérieurs et de ses camarades, et depuis des années la proie de maîtres chanteurs
qui l'avaient finalement acculé à ce moyen désespéré. Un
frisson d'épouvante courut à travers toute l'armée. Tout
le monde savait qu'en cas de guerre ce seul homme aurait
coûté la vie à des centaines de milliers et que la monarchie
aurait été poussée par lui au bord de l'abîme ; ce n'est
qu'à cet instant que nous comprîmes, en Autriche,
combien déjà nous avions été près de la guerre au cours
de l'année précédente.

*

C'était la première fois que l'angoisse me prenait à la
gorge. Le lendemain, je rencontrai par hasard Berta von

---

* Palais impérial.

Suttner, la grande et généreuse Cassandre de notre temps. Aristocrate issue d'une de nos plus anciennes familles, elle avait assisté dans sa prime jeunesse aux horreurs de la guerre de 1866 aux environs du château de ses ancêtres, en Bohême. Et avec la passion d'une Florence Nightingale, elle ne se vit plus qu'une seule tâche dans la vie : empêcher une seconde guerre, empêcher la guerre en général. Elle écrivit un roman, *Bas les armes,* qui obtint un succès mondial, elle organisa d'innombrables congrès pacifistes, et le triomphe de sa vie fut qu'elle réveilla la conscience d'Alfred Nobel, l'inventeur de la dynamite, et le détermina à fonder le prix Nobel de la paix et de l'entente internationale, en réparation du mal qu'il avait causé avec sa dynamite. Elle m'aborda tout agitée.

« Les hommes ne comprennent pas ce qui se passe », s'écria-t-elle à haute voix en pleine rue, elle qui parlait ordinairement d'une voix si calme, si aimable et si paisible. « C'était déjà la guerre, et une fois de plus ils nous ont tout caché, ils ont tout tenu secret. Pourquoi ne faites-vous rien, vous les jeunes ? C'est vous que cela regarde avant tout ! Défendez-vous donc, unissez-vous ! Ne laissez pas toujours tout faire à quelques vieilles femmes que personne n'écoute. »

Je lui dis que j'allais à Paris ; peut-être pourrait-on vraiment tenter d'organiser une manifestation en commun.

« Pourquoi peut-être ? me pressa-t-elle. La situation est pire que jamais. Vous voyez bien que la machine est déjà en marche. »

Étant fort inquiet moi-même, j'eus de la peine à la tranquilliser.

Mais c'est justement en France qu'un second épisode devait me rappeler à quel point la vieille femme qu'on ne prenait pas au sérieux à Vienne avait deviné l'avenir d'une vue prophétique. Ce fut un tout petit épisode, mais qui produisit sur moi une impression particulièrement forte.

Au printemps de 1914, avec une amie, j'étais parti de Paris pour la Touraine afin de visiter le tombeau de Léonard de Vinci. Nous avions marché pendant des heures le long des rives amènes et ensoleillées de la Loire, et le soir nous étions très fatigués. Dans la ville un peu endormie de Tours, où j'avais fait auparavant ma révérence à la maison natale de Balzac, nous décidâmes donc d'aller au cinéma.

C'était un petit cinéma de faubourg qui ne ressemblait encore en rien aux modernes palais de chrome et de verre étincelant : une salle adaptée tant bien que mal à son usage, et remplie de petites gens, des ouvriers, des soldats, des vendeuses du marché, le vrai public, en un mot, qui bavardait gentiment et, malgré la défense de fumer, soufflait dans l'air étouffant des nuages bleus de scaferlati et de caporal. Tout d'abord, ce furent les « actualités du monde » qui défilèrent sur l'écran. Une course de bateaux en Angleterre : les gens bavardaient et riaient. Suivit une parade militaire en France : ici encore les spectateurs témoignèrent peu d'intérêt. Troisième tableau : « L'empereur Guillaume rend visite à l'empereur François-Joseph. » Je vis soudain sur l'écran le quai qui m'était familier de l'affreuse gare de l'Ouest à Vienne, où quelques policiers attendaient l'arrivée du train. Puis un signal : le vieil empereur François-Joseph s'avançait devant la garde d'honneur pour recevoir son hôte. Quand il parut, un peu voûté déjà, et, un peu branlant sur ses jambes, s'avança le long du front des troupes, les Tourangeaux se moquèrent gentiment du vieillard aux favoris blancs. Puis le train entra en gare, le premier, le deuxième, le troisième wagon. La porte du wagon-salon s'ouvrit, et Guillaume II en descendit, la moustache haut retroussée, en uniforme de général autrichien.

Au moment où l'empereur parut sur l'écran éclata tout à fait spontanément dans la salle obscure un vacarme de sifflets et de trépignements. Tout le monde criait et

sifflait, femmes, hommes, enfants, tous huaient co⟩
s'ils étaient personnellement offensés. J'en fus effray⟩
effrayé du fond du cœur. Car je sentis combien il avait
fallu que l'empoisonnement par la propagande de haine
poursuivie des années durant gagnât de terrain, si même
ici, dans une petite ville de province, les citoyens et les
soldats sans malice avaient déjà été excités à ce point
contre l'empereur, contre l'Allemagne, qu'une simple
image fugitive sur l'écran pouvait mettre le feu aux
poudres. Cela ne dura qu'une seconde, une seule
seconde. Quand succédèrent d'autres tableaux, tout était
oublié. Les gens riaient à pleine gorge au film comique
qui se déroulait maintenant, ils se donnaient de grandes
claques sur les cuisses. Cela n'avait duré qu'une seconde,
mais une seconde qui me montra à quel point il pourrait
être facile, au moment d'une crise sérieuse, de soulever
les peuples de part et d'autre de la frontière, malgré tous
les essais d'entente, malgré nos propres efforts.

Toute la soirée était gâtée pour moi. Je ne pus
m'endormir. Si cela s'était passé à Paris, cela m'aurait
inquiété, mais non pas bouleversé à ce point. Que la
haine eût rongé jusqu'au fond de la province, jusque dans
les profondeurs d'un peuple aimable et naïf, cela me
faisait frissonner. Au cours des jours suivants je racontai
cet épisode à mes amis ; la plupart ne le prirent pas au
sérieux : « Nous nous sommes bien moqués aussi de la
grosse reine Victoria, nous autres Français, et deux ans
plus tard, nous avions conclu une alliance avec l'Angleterre. Tu ne connais pas les Français. Chez eux, la
politique ne va pas bien profond. » Seul Rolland voyait
les choses autrement : « Plus un peuple est naïf, plus il
est facile de le retourner. Les choses vont mal depuis que
Poincaré a été nommé. Son voyage à Saint-Pétersbourg
ne sera pas un voyage d'agrément. » Nous parlâmes
encore longtemps du congrès socialiste international
convoqué à Vienne l'été suivant, mais ici encore Rolland

sceptique que les autres. « Combien y en
ndront une fois que les ordres de mobili-
ffichés, qui le sait ? Nous sommes entrés
ue de grands sentiments de masse, d'hysté-
, dont on ne peut encore absolument pas
ssance en cas de guerre. »

Mais, je l'ai déjà dit, de tels instants d'inquiétude
s'envolaient comme des toiles d'araignée au vent. Certes,
nous pensions quelquefois à la guerre — comme à une
chose possible, mais vraisemblablement bien éloignée. Et
Paris était trop beau en ces journées de printemps. Je me
souviens encore de la farce charmante qu'imagina Jules
Romains : couronner, pour se moquer du « *prince des
poètes* * » un « *prince des penseurs* * », un brave homme
un peu simple, qui se laissa conduire en grande pompe
par les étudiants au pied de la statue de Rodin, devant le
Panthéon. Et le soir, pour la parodie de banquet, nous
nous déchaînâmes comme des écoliers en liesse. Les
arbres étaient en fleurs, le souffle de l'air doux et léger ;
qui donc, en présence de tant d'enchantements, aurait pu
songer à quelque chose d'aussi inconcevable ? Mes amis
étaient plus que jamais mes amis et je m'en étais acquis de
nouveaux dans ce pays étranger — dans ce pays
« ennemi » ; la ville était plus insouciante que jamais, et,
en même temps que celle de Paris, on aimait sa propre
insouciance. Durant ces derniers jours, j'accompagnai
Verhaeren à Rouen, où il devait donner une conférence.
Dans la nuit, nous nous tînmes devant la cathédrale, dont
les flèches brillaient d'une lueur magique à la clarté de la
lune. De telles merveilles de douceur appartenaient-elles
encore à une « patrie », ne nous appartenaient-elles pas à
nous tous ? A la gare de Rouen, à l'endroit même où,
deux ans plus tard, une de ces machines qu'il avait

---

* En français dans le texte.

chantées devait le déchirer, nous prîmes congé. Il m'embrassa : « Au 1er août, chez moi, au Caillou qui bique. » Je le lui promis : chaque année, je lui rendais visite dans sa maison de campagne pour traduire avec lui, la main dans la main, ses derniers vers. Pourquoi pas cette année aussi ? Sans éprouver aucune appréhension, je pris congé de mes autres amis, je pris congé de Paris, un congé insouciant, nullement sentimental, comme lorsqu'on quitte sa propre maison pour quelques semaines. Mes plans pour les mois suivants étaient bien tracés. En Autriche d'abord, retiré quelque part à la campagne, je voulais avancer dans mon travail sur Dostoïevski (ouvrage qui ne put paraître que cinq ans plus tard), et achever ainsi mon livre des *Trois Maîtres,* qui devait montrer trois grandes nations, chacune à travers un de ses plus grands romanciers. Puis j'irais chez Verhaeren et, au cours de l'hiver, je ferais peut-être mon voyage depuis longtemps projeté en Russie, afin d'y constituer un groupe en faveur de notre entente spirituelle. Tout se présentait uni et clair à mes yeux en cette trente-deuxième année de ma vie ; le monde s'offrait à moi beau et chargé de sens comme un fruit délicieux dans cet été rayonnant. Et je l'aimais pour son présent et pour son avenir encore plus beau.

Alors, le 28 juin 1914, retentit à Sarajevo ce coup de feu qui, en une seconde, fit voler en mille éclats, comme un vase de terre creux, ce monde de la sécurité et de la raison créatrice dans lequel nous avions été élevés, dans lequel nous avions grandi, et où nous nous sentions chez nous.

Les premiers jours de la guerre de 1914

Même sans la catastrophe qu'il déchaîna sur l'Europe, cet été de 1914 nous serait demeuré inoubliable. Car j'en ai rarement vécu de plus luxuriant, de plus beau, je dirais presque de plus estival. Jour après jour, le ciel resta d'un bleu de soie, l'air était doux sans être étouffant, les prairies parfumées et chaudes, les forêts sombres et touffues avec leur jeune verdure. Aujourd'hui encore, quand je prononce le mot été, je ne peux que songer involontairement à ces radieuses journées de juillet que je passai à Baden, près de Vienne. Je m'étais retiré dans cette petite ville romantique, que Beethoven choisissait si volontiers pour séjour d'été, afin d'y consacrer ce mois à mon travail, dans une profonde concentration, et de passer ensuite le reste de l'été chez Verhaeren, mon ami vénéré, dans sa modeste maison de campagne, en Belgique. A Baden, il n'est pas nécessaire de quitter la petite ville pour jouir du paysage. La belle forêt des collines se glisse insensiblement entre les maisons basses de style Biedermeier, qui ont conservé la simplicité et la grâce de l'époque beethovenienne. Dans les cafés et les restaurants, on s'attablait partout en plein air, on pouvait se mêler à son gré au peuple gai des curistes qui se promenaient en voiture dans le parc de l'établissement de bains ou s'égaraient sur des chemins solitaires.

La veille de ce 29 juin, qui dans la catholique Autriche est la fête de saint Pierre et saint Paul, de nombreux hôtes étaient déjà arrivés de Vienne. En clairs vêtements d'été, joyeuse, insouciante, la foule affluait dans le parc devant le kiosque à musique. La journée était douce ; le ciel sans nuages s'étendait au-dessus des larges couronnes des châtaigniers, et c'était un vrai jour à se sentir heureux. Les vacances approchaient pour les adultes, pour les enfants, et avec ce premier jour férié de l'été, c'était comme s'ils aspiraient par avance tout l'été avec son air plein de félicité, son vert nourri, son oubli des soucis quotidiens. J'étais assis à l'écart de la foule du parc et lisais un livre — je me souviens que c'était *Tolstoï et Dostoïevski*, de Merejkovski —, je le lisais avec une attention concentrée. Cependant, le vent dans les arbres, le gazouillement des oiseaux et la musique du parc qui flottait dans l'air étaient également présents à ma conscience. J'entendais distinctement des mélodies sans en être gêné, car notre oreille est si capable d'adaptation qu'une rumeur soutenue, une rue bruyante, un ruisseau bouillonnant, s'installe complètement dans notre conscience au bout de quelques minutes et qu'au contraire seule une rupture inattendue du rythme nous fait dresser l'oreille.

C'est ainsi que j'interrompis involontairement ma lecture quand soudain la musique se tut au milieu d'une mesure. Je ne savais pas quel morceau jouait l'orchestre de l'établissement de bains. Je sentis seulement que la musique avait cessé tout d'un coup. Instinctivement, je levai les yeux de mon livre. La foule qui se promenait entre les arbres comme une seule masse claire et flottante semblait elle aussi se transformer ; elle aussi interrompait subitement son va-et-vient. Il devait s'être passé quelque chose. Je me levai et vis que les musiciens quittaient leur kiosque. Cela aussi était singulier, car le concert durait d'ordinaire une heure ou plus. Il fallait que quelque événement eût provoqué cette interruption. En m'approchant, je remarquai que les gens se pressaient en groupes agités devant le kiosque à musique autour d'une communication qui, de toute évidence, venait d'y être affichée. C'était, comme je l'appris au bout de quelques minutes, la dépêche annonçant que Son Altesse impériale, l'héritier du trône François-Ferdinand et son épouse, qui s'étaient rendus en Bosnie pour assister aux manœuvres, y avaient été victimes d'un assassinat politique.

Une foule toujours plus nombreuse s'amassait devant ce placard. On se communiquait de proche en proche la nouvelle inattendue. Mais, pour faire honneur à la vérité, on ne pouvait lire sur les visages aucune consternation ni aucune amertume. Car l'héritier du trône n'était nullement aimé. Je me souviens encore de cet autre jour, dans ma première enfance, où le prince héritier Rodolphe, le fils unique de l'empereur, avait été trouvé tué d'une balle à Mayerling. Alors, toute la ville avait été soulevée d'émotion, des foules immenses s'étaient pressées pour l'exposition du corps, la sympathie pour l'empereur et l'effroi s'étaient exprimés avec une force irrésistible, car son fils unique et son héritier, un Habsbourg ami du progrès et un homme extraordinairement sympathique, qui avait fait naître les plus grands espoirs, s'en était allé dans la force de l'âge. François-Ferdinand, au contraire, manquait de ce qui est, en Autriche, d'une importance immense pour se faire une véritable popularité : l'amabilité personnelle, le charme humain et les manières sociables. Je l'avais souvent observé au théâtre. Il restait assis dans sa loge, puissant et large, les yeux froids et fixes, sans jeter sur le public un seul regard aimable ni encourager les artistes par de chaleureux applaudissements. On ne le voyait jamais sourire, aucune photographie ne le montrait dans une attitude détendue. Il n'avait aucun sens de la musique, aucun sens de l'humour, et sa femme avait la même mine revêche. Un air glacial environnait ces deux personnes ; on savait qu'ils n'avaient pas d'amis, on savait que le vieil empereur haïssait cordialement le prince parce qu'il ne savait pas dissimuler avec tact son impatience d'accéder au trône. Mon pressentiment presque mystique que quelque malheur viendrait un jour de cet homme à la nuque de bouledogue, aux yeux froids, ne m'était donc nullement personnel, il était au contraire largement répandu dans toute la nation; la nouvelle de son assassinat n'éveilla donc aucune sympathie profonde. Deux heures après, on ne pouvait plus observer aucun signe de deuil véritable. Les gens bavardaient et riaient, tard le soir la musique se remit à jouer dans les cafés. Ce jour-là, il y eut beaucoup de gens en Autriche qui respirèrent en secret, soulagés que cet héritier du vieil empereur eût été éliminé au profit du jeune archiduc Charles, infiniment plus aimé.

Le lendemain, les journaux consacrèrent naturellement aux victimes des articles nécrologiques circonstanciés et exprimèrent comme il convenait leur indignation devant cet attentat. Mais rien n'indiquait que cet événement dût être exploité en vue d'une action politique contre la Serbie. Pour la maison impériale, cette mort causa d'abord des soucis d'un tout autre ordre, relatifs au cérémonial de l'enterrement. En sa qualité d'héritier du trône et surtout par le fait qu'il était mort au service de la monarchie, le prince aurait naturellement dû trouver place dans la crypte des Capucins, sépulture historique des Habsbourg. Mais François-Ferdinand, après une lutte acharnée contre la famille impériale, avait épousé une comtesse Chotek, de la plus haute noblesse à la vérité, mais qui, en vertu de la loi mystérieuse et plusieurs fois séculaire de la maison des Habsbourg, n'était pas son égale par la naissance, et les archiduchesses revendiquaient opiniâtrement, à l'occasion des grandes cérémonies, la préséance sur la femme de l'héritier présomptif, dont les enfants n'étaient pas aptes à succéder. L'orgueil de la cour se dressa même contre la morte. Quoi? déposer le corps d'une comtesse Chotek dans la crypte impériale des Habsbourg? Non, cela ne saurait être permis ! On ourdit une formidable intrigue, les archiduchesses donnèrent l'assaut au vieil empereur. Tandis qu'on réclamait officiellement du peuple un deuil profond, les rancunes se déchaînaient à la *Hofburg* et, comme toujours, c'est au mort qu'on donna tort. Les maîtres des cérémonies inventèrent cette fiction que ç'avait été le propre vœu du défunt d'être enseveli à Artstetten, une petite ville de province, et sous ce pieux prétexte on put éluder doucement l'exposition du corps, le cortège funèbre et toutes les querelles de préséance qui s'y attachaient. Les cercueils des deux victimes furent transportés sans bruit et inhumés à Artstetten. Vienne, qu'on avait ainsi privée d'une grande occasion de satisfaire son éternel goût des spectacles, commençait déjà à oublier ce tragique événement. Et, après tout, en Autriche, la mort violente de l'impératrice Élisabeth, du prince héritier, et la fuite scandaleuse de toutes sortes de membres de la famille impériale avaient depuis longtemps accoutumé les gens à la pensée que le vieil empereur survivrait, solitaire et inébranlable à sa maison de Tantalides. Quelques semaines encore, et le nom et la figure de François-Ferdinand seraient pour toujours effacés de l'histoire.

Mais voici qu'au bout d'une semaine environ commença soudain dans les journaux tout un jeu d'escarmouches, dont le crescendo était trop bien synchronisé pour qu'il pût être tout à fait accidentel. On accusait le gouvernement serbe d'intelligence avec les assassins, et l'on insinuait à demi-mot que l'Autriche ne pouvait laisser impuni ce meurtre de l'héritier du trône — qu'on disait bien-aimé. On ne pouvait se défendre de l'impression que quelque action se préparait avec l'aide de la presse, mais personne ne pensait à la guerre. Ni les banques, ni les maisons de commerce, ni les particuliers ne modifièrent leurs dispositions. En quoi nous regardaient ces perpétuelles chamailleries avec la Serbie qui, nous le savions bien, n'étaient nées que de certains traités de commerce relatifs à l'exportation des porcs serbes ? J'avais bouclé mes malles en vue de mon voyage en Belgique, où j'irais retrouver Verhaeren ; mon travail était en bonne voie ; qu'est-ce que cet archiduc mort, dans son sarcophage, avait à faire avec ma vie ? L'été était beau comme jamais et promettait de devenir encore plus beau ; tous, nous admirions le monde sans la moindre inquiétude. Je me souviens encore que je m'étais promené dans les vignes de Baden avec un ami, la veille de mon départ, et qu'un vieux vigneron nous avait dit : « Un été comme celui-ci, nous n'en avons pas eu depuis longtemps. Et si cela dure, nous aurons un vin comme jamais. Les gens se souviendront de cet été. »

Mais il ne savait pas, ce vieillard en habit d'encaveur, à quel point ce qu'il disait était terriblement vrai.

*

Dans la petite station balnéaire près d'Ostende, Le Coq, où je voulais passer deux semaines avant de me rendre comme chaque année dans la maisonnette de campagne de Verhaeren, régnait la même insouciance. Les gens heureux de leurs congés étaient allongés sur la plage sous leurs tentes bariolées ou se baignaient ; les enfants lâchaient des cerfs-volants ; devant les cafés, les jeunes gens dansaient sur la digue. Toutes les nations imaginables se trouvaient rassemblées en paix, on entendait beaucoup parler allemand — en particulier, car, ainsi que tous les ans, c'était sur la côte belge que la Rhénanie, toute proche, envoyait le plus volontiers ses vacanciers d'été. Le seul trouble était causé par les petits marchands de journaux qui hurlaient, pour mieux vendre leur marchandise, les manchettes menaçantes des feuilles parisiennes : « *L'Autriche provoque la Russie* * », « *L'Allemagne prépare la mobilisation* * ». On voyait s'assombrir les visages des gens qui achetaient les journaux, mais ce n'était jamais que pour quelques minutes. Après tout, nous connaissions depuis des années ces conflits diplomatiques ; ils s'étaient heureusement toujours apaisés à temps, avant que cela devînt sérieux. Pourquoi pas cette fois encore ? Une demi-heure après, on voyait déjà les mêmes personnes s'ébrouer de nouveau joyeusement et barboter dans l'eau, les cerfs-volants remontaient, les mouettes battaient des ailes, et le soleil riait clair et chaud sur le pays paisible.

Cependant, les nouvelles les plus graves s'accumulaient et se faisaient de plus en plus menaçantes. D'abord l'ultimatum de l'Autriche à la Serbie, la réponse évasive, les télégrammes échangés entre les monarques et finalement les mobilisations à peine déguisées. Je ne pus plus tenir dans ce petit lieu écarté. Je me rendais tous les jours à Ostende par le petit train électrique, pour être plus à portée des nouvelles ; et elles étaient toujours pires. Les gens se baignaient encore, et les hôtels étaient encore pleins, les vacanciers se promenaient encore en foule sur la digue, riant et bavardant. Mais pour la première fois, un élément nouveau s'ajouta au tableau. Brusquement, on vit surgir des soldats belges qui, en temps ordinaire, ne venaient jamais sur la plage. Les mitrailleuses étaient — particularité curieuse de l'armée belge — traînées par des chiens sur de petites voitures.

J'étais alors installé dans un café avec quelques amis belges, un jeune peintre et l'écrivain Commelynck. Nous avions passé l'après-midi chez James Ensor, le plus grand peintre moderne de la Belgique, un homme très singulier, solitaire et renfermé, qui était bien plus fier des mauvaises

---

* En français dans le texte.

petites polkas qu'il composait pour des fanfares militaires que de ses peintures fantastiques esquissées dans des tons éclatants. Il nous avait montré ses œuvres, d'assez mauvaise grâce à vrai dire, car il était tourmenté par la crainte bouffonne que quelqu'un voulût lui en acheter une. Son rêve était en fait, me dirent mes amis en riant, de les vendre très cher et cependant de pouvoir les garder toutes, car il tenait avec la même âpreté à l'argent qu'à chacune de ses toiles. Chaque fois qu'il en cédait une, il restait désespéré pendant plusieurs jours. Ce génial Harpagon nous avait égayés par toutes ses bizarres lubies ; et comme justement passait de nouveau une de ces troupes de soldats avec sa mitrailleuse attelée à un chien, l'un d'entre nous se leva et caressa la bête, au grand dépit de l'officier, qui craignait que cette caresse à un objet guerrier ne compromît la dignité de l'institution militaire.

— Pourquoi ces stupides marches et contremarches ? grogna quelqu'un dans notre groupe.

Mais un autre répondit tout excité :

— Il faut bien prendre ses précautions. Cela veut dire qu'en cas de guerre les Allemands ont l'intention de faire une percée en passant par chez nous.

—- Impossible ! dis-je avec une conviction sincère, car dans ce vieux monde d'alors on croyait encore en la sainteté des traités. Si quelque chose devait se passer et si les Français et les Allemands s'exterminaient jusqu'au dernier homme, vous autres Belges seriez bien tranquillement à couvert !

Mais notre pessimiste ne céda pas. Si l'on prenait de telles mesures en Belgique, soutenait-il, cela avait nécessairement un sens. Des années auparavant, déjà, on avait eu vent d'un plan secret du grand état-major allemand prévoyant, en cas d'attaque contre la France, une percée à travers la Belgique, en dépit de toutes les conventions jurées. Moi, je ne cédai pas davantage. Il me semblait tout à fait absurde qu'une armée se tînt sur la frontière, prête à l'invasion, pendant qu'ici des milliers et des dizaines de milliers d'Allemands jouissaient, détendus et joyeux, de l'hospitalité de ce petit pays neutre.

— C'est un non-sens ! Vous pouvez me pendre à cette lanterne, si les Allemands entrent en Belgique !

Je suis encore reconnaissant à mes amis de ne pas m'avoir pris au mot.

Mais alors vinrent les jours les plus critiques, tout à la fin de juillet, et à chaque heure une nouvelle qui contredisait la précédente, les télégrammes de l'empereur Guillaume au tsar, les télégrammes du tsar à l'empereur Guillaume, la déclaration de guerre de l'Autriche à la Serbie, l'assassinat de Jaurès. On sentait que la situation devenait sérieuse. Tout d'un coup, le vent froid de la crainte balaya la plage et la vida. Par milliers, les gens quittèrent les hôtels ; les trains furent pris d'assaut, même les plus confiants commençaient maintenant à faire leurs malles en toute hâte. Et moi aussi, dès que j'appris la déclaration de guerre de l'Autriche à la Serbie, je retins une place, et il n'était que temps. Car cet express d'Ostende fut le dernier train à quitter la Belgique pour l'Allemagne. Nous nous tenions debout dans les couloirs, excités et pleins d'impatience, chacun parlait avec son voisin. Personne ne pouvait rester tranquillement à sa place ou lire ; à chaque station, on se précipitait sur le quai pour aller chercher d'autres nouvelles, avec l'espoir secret que quelque main déterminée pourrait encore retenir le destin déchaîné. On ne croyait toujours pas à la guerre et encore moins à une invasion de la Belgique ; on ne pouvait pas y croire parce qu'on ne voulait pas admettre un tel égarement. Peu à peu, le train se rapprochait de la frontière ; nous passâmes Verviers, la dernière station belge. Des contrôleurs allemands montèrent dans les wagons, nous devions être en territoire allemand dix minutes plus tard.

Mais à mi-chemin de Herbesthal, la première station allemande, le train s'arrêta soudain en rase campagne. Dans les couloirs, nous nous pressâmes aux fenêtres. Qu'était-il arrivé ? Et alors, dans l'obscurité, je vis venir à notre rencontre, l'un après l'autre, plusieurs trains de marchandises, des wagons plats recouverts de bâches, sous lesquelles je crus reconnaître les formes indistinctes et menaçantes de canons. Mon cœur cessa de battre. Ce ne pouvait être que l'avance de l'armée allemande. Peut-être, me disais-je quand même pour me consoler, n'était-ce là qu'une mesure de protection, une menace de mobilisation et non pas la mobilisation elle-même. Car toujours, aux heures de danger, la volonté d'espérer encore devient immense. Enfin vint le signal « Voie libre ». Le train se remit à rouler et entra en gare de Herbesthal. Je ne fis qu'un bond du haut du marchepied pour me procurer un journal et obtenir des renseignements. Mais la gare était occupée par les soldats. Quand je voulus me rendre dans la salle d'attente, je trouvai devant la porte fermée un employé, sévère, à barbe blanche, qui m'en défendit l'entrée : personne ne devait pénétrer dans les locaux de la gare. Déjà, j'avais aperçu, derrière les vitres de la porte soigneusement masquées de rideaux, le léger cliquetis des sabres et le bruit sec des crosses qu'on repose. Aucun doute, la monstruosité était en marche, l'invasion de la Belgique par les troupes allemandes contre tous les principes du droit des gens. Je remontai dans le train en frissonnant et continuai mon voyage vers l'Autriche. Il n'y avait désormais plus de doute : j'entrais dans la guerre.

*

Le lendemain matin en Autriche ! Dans chaque station étaient collées les affiches qui avaient annoncé la mobilisation générale. Les trains se remplissaient de recrues qui allaient prendre leur service, des drapeaux flottaient. A Vienne, la musique résonnait et je trouvai toute la ville en délire. La première crainte qu'inspirait la guerre que personne n'avait voulue, ni les peuples, ni le gouvernement, cette guerre qui avait glissé contre leur propre intention des mains maladroites des diplomates qui en jouaient et bluffaient, s'était retournée en un subit enthousiasme. Des cortèges se formaient dans les rues, partout s'élevaient soudain des drapeaux, s'agitaient des rubans, montaient des musiques ; les jeunes recrues s'avançaient en triomphe, visages rayonnants, parce qu'on poussait des cris d'allégresse sur leur passage à eux, les petites gens de la vie quotidienne que personne, d'habitude, ne remarquait ni ne fêtait.

Je dois à la vérité d'avouer que dans cette première levée des masses, il y avait quelque chose de grandiose, d'entraînant et même de séduisant, à quoi il était difficile de se soustraire. Et malgré toute ma haine et toute mon horreur de la guerre, je ne voudrais pas être privé dans ma vie du souvenir de ces premiers jours ; ces milliers et ces centaines de milliers d'hommes sentaient comme jamais ce qu'ils auraient dû mieux sentir en temps de paix : à quel point ils étaient solidaires. Une ville de deux millions d'habitants, un pays de près de cinquante millions éprouvaient à cette heure qu'ils participaient à l'histoire universelle, qu'ils vivaient un moment qui ne reviendrait plus jamais et que chacun était appelé à jeter son moi infime dans cette masse ardente pour s'y purifier de tout égoïsme. Toutes les différences de rangs, de langues, de classes, de religions, étaient submergées pour cet unique instant par le sentiment débordant de la fraternité. Des inconnus se parlaient dans la rue, des gens qui s'étaient évités pendant des années se serraient la main, partout on voyait des visages animés. Chaque individu éprouvait un accroissement de son moi, il n'était plus l'homme isolé de naguère, il était incorporé à une masse, il était le peuple, et sa personne, jusqu'alors insignifiante, avait pris un sens. Le petit employé de la poste qui, d'ordinaire, ne faisait que trier des lettres du matin au soir, qui triait et triait sans interruption du lundi au samedi, le commis aux écritures, le cordonnier avaient soudain dans la vie une autre perspective, une perspective romantique : ils pouvaient devenir des héros. Les femmes célébraient déjà tous ceux qui portaient un uniforme, et ceux qui restaient les saluaient avec vénération, par avance, de ce nom romantique. Ils appréciaient la puissance inconnue qui les arrachait à leur existence quotidienne. Même l'affliction des mères, la crainte des femmes, sentiments par trop naturels, avaient honte de se manifester à l'heure de ces premiers débordements d'enthousiasme. Mais peut-être une puissance plus profonde, plus mystérieuse, était-elle aussi à l'œuvre sous cette ivresse. Cette houle se répandit si puissamment, si subitement sur l'humanité que, recouvrant la surface de son écume, elle arracha des ténèbres de l'inconscient, pour les tirer au jour, les tendances obscures, les instincts primitifs de la bête humaine, ce que Freud, avec sa profondeur de vues, appelait « le dégoût de la culture », le besoin de s'évader une bonne fois du monde bourgeois des lois et des paragraphes et d'assouvir les instincts sanguinaires immémoriaux. Peut-être ces puissances obscures avaient-elles aussi leur part dans cette brutale ivresse où tout se mêlait, la joie du sacrifice et l'alcool, le goût de l'aventure et la foi la plus pure, la vieille magie des drapeaux et des discours patriotiques — cette inquiétante ivresse de millions d'êtres, qu'on peut à peine peindre avec des mots et qui donnait pour un instant au plus grand crime de notre époque un élan sauvage et presque irrésistible.

*

La génération actuelle, qui n'a vu éclater que la Seconde Guerre mondiale, se demande peut-être : Pourquoi n'avons-nous pas vécu cela ? Pourquoi les masses ne s'enflammèrent-elles pas en 1939 du même enthousiasme qu'en 1914 ? Pourquoi n'obéirent-elles à l'appel qu'avec fermeté et résolution, silencieuses et fatalistes ? Les mêmes intérêts n'étaient-ils pas en jeu, n'y allait-il pas en fait de biens encore plus sacrés, plus élevés, dans notre guerre actuelle, qui était une guerre pour les idées et non pas seulement pour les frontières et les colonies ?

La réponse est simple : c'est que notre monde de 1939 ne disposait plus d'autant de foi naïve et enfantine que celui de 1914. Alors, le peuple se fiait encore sans réserve à ses autorités ; personne en Autriche n'aurait osé risquer cette pensée que l'empereur François-Joseph, le père de la patrie universellement vénéré, aurait dans sa quatre-vingt-quatrième année appelé son peuple au combat sans y être absolument contraint, qu'il aurait exigé le sanglant sacrifice sans que des adversaires méchants, perfides, criminels eussent menacé la paix de l'empire. Les Allemands, de leur côté, avaient lu les télégrammes de leur empereur au tsar, dans lesquels il luttait pour la paix ; un prodigieux respect de « ceux d'en haut », des ministres, des diplomates et de leur clairvoyance, de leur honnêteté, animait encore les gens simples. Si l'on en était venu à la guerre, cela n'avait pu être que contre la volonté de leurs propres hommes d'État ; eux-mêmes ne pouvaient être en faute, personne dans tout le pays n'encourait la moindre responsabilité. C'était donc de l'autre côté de la frontière, dans l'autre pays, que devaient nécessairement se trouver les criminels, les fauteurs de guerre ; si l'on prenait les armes, c'était en état de légitime défense contre un ennemi astucieux et fourbe, qui sans le moindre motif « attaquait » la pacifique Autriche, la pacifique Allemagne. En 1939, au contraire, cette foi presque religieuse en l'honnêteté ou, tout au moins, en la capacité du gouvernement avait déjà disparu dans toute l'Europe. On méprisait la diplomatie depuis qu'avec amertume on l'avait vue trahir à Versailles les espoirs d'une paix durable ; les peuples ne se rappelaient que trop bien avec quelle absence de vergogne on les avait trompés en leur promettant le désarmement, la suppression de la diplomatie secrète. Au fond, en 1939, il n'y avait pas un seul des hommes d'État qu'on respectât, et personne ne remettait avec foi sa destinée entre leurs mains. Le moindre cantonnier français se moquait de Daladier ; en Angleterre, depuis Munich — *peace for our time**! —, toute confiance en la prévoyance de Chamberlain avait disparu ; en Italie, en Allemagne, les masses levaient des yeux, pleins de crainte, vers Mussolini, vers Hitler : où va-t-il encore nous mener ? Sans doute, on ne pouvait s'en défendre, il y allait de la patrie ; ainsi les soldats prirent leurs fusils, les femmes laissèrent partir leurs enfants, mais ce n'était plus, comme autrefois, avec la conviction inébranlable que le sacrifice n'avait pu être évité. On obéissait, mais on ne témoignait pas d'allégresse. On montait au front, mais on ne rêvait plus d'être un héros ; déjà les peuples et les individus sentaient qu'ils n'étaient que les victimes, ou de quelque folie humaine, politique, ou d'une fatalité insondable et maligne.

Et puis, en 1914, après un demi-siècle de paix, que savaient de la guerre les grandes masses ? Elles ne la connaissaient pas. Il ne leur était guère arrivé d'y penser. Elle restait une légende et c'était justement cet éloignement qui l'avait faite héroïque et romantique. On la

---

* Paix pour notre temps. Voir ci-après pp. 507-508.

voyait toujours dans la perspective des livres de lecture scolaires et des tableaux des musées : d'éblouissantes attaques de cavaliers en uniformes resplendissants ; la balle mortelle, généreusement, frappait toujours en plein cœur ; toute la campagne était une foudroyante marche à la victoire : « Nous serons de retour à la maison pour Noël », criaient à leur mère, en riant, les recrues de 1914. Qui, au village ou à la ville, se souvenait encore de la « véritable » guerre ? Tout au plus quelques vieillards qui, en 1866, avaient combattu contre les Prussiens, nos alliés d'aujourd'hui ; et que cette guerre avait été rapide et lointaine, qu'il s'y était versé peu de sang ! Une campagne de trois semaines, et sans beaucoup de victimes, finalement, avant qu'on reprenne haleine ! Une rapide excursion en pays romantique, une aventure sauvage et virile — c'est de ces couleurs que la guerre se peignait en 1914 dans l'imagination de l'homme du peuple, et les jeunes gens avaient même sérieusement peur de manquer, dans leur vie, une expérience aussi merveilleuse et excitante ; c'est pourquoi ils se pressaient en tumulte autour des drapeaux, c'est pourquoi ils chantaient et poussaient des cris de joie dans les trains qui les menaient à l'abattoir. Les flots rouges d'un sang sauvage et enfiévré battaient dans les veines de tout l'empire. Mais la génération de 1939 connaissait la guerre. Elle ne s'illusionnait plus. Elle savait qu'elle n'était pas romantique mais barbare. Elle savait qu'elle durerait des années et des années, temps irremplaçable dans une vie. Elle savait qu'on ne se lançait pas à l'assaut de l'ennemi sous des ornements de feuilles de chêne et de rubans multicolores, mais qu'on demeurait tapi pendant des semaines dans ses tranchées ou ses quartiers, couvert de poux et à demi mourant de soif, qu'on pouvait être déchiqueté et mutilé de loin sans avoir jamais vu l'adversaire. On connaissait d'avance par les journaux, par les cinémas, les techniques nouvelles et diaboliques des arts de l'extermination ; on savait que les tanks gigantesques broyaient au passage les blessés et que les avions déchiquetaient femmes et enfants dans leur lit ; on savait qu'une guerre mondiale en 1939, du fait de sa mécanisation sans âme, serait mille fois plus ignoble, plus bestiale, plus inhumaine que toutes les guerres précédentes dans l'histoire de l'humanité. Pas un seul homme de la génération de 1939 ne croyait plus à une justice de la guerre, voulue par Dieu ; pis encore, on ne croyait plus en la justice ni en la durabilité de la paix qu'elle était censée gagner par les armes. Car on se souvenait encore trop bien de toutes les déceptions que la dernière avait apportées : la misère au lieu de l'enrichissement, l'amertume au lieu de l'apaisement, la famine, la dépréciation de la monnaie, les révoltes, la perte des libertés civiques, l'asservissement à l'État, une insécurité qui détruisait les nerfs, la méfiance de tous vis-à-vis de tous.

Voilà ce qui créait la différence. La guerre de 1939 avait une signification spirituelle, il y allait de la liberté, de la sauvegarde d'un bien moral ; et le fait de combattre pour une idée rend l'homme dur et résolu. La guerre de 1914, en revanche, ne savait rien des réalités, elle servait encore une illusion, le rêve d'un monde juste et pacifique. Et seule l'illusion rend heureux, non le savoir. C'est pourquoi les victimes d'alors poussaient dans leur ivresse des cris de joie en marchant à l'abattoir, guirlandes de fleurs et feuilles de chêne au casque, dans les rues sonores et étincelantes comme par un jour de fête.

*

Si je ne succombai pas moi-même à cette subite ivresse patriotique, je ne le dus nullement à une lucidité ou à une clairvoyance spéciales, mais au genre de vie que j'avais mené jusque-là. Deux jours auparavant, j'étais encore en

« pays ennemi », et j'avais ainsi pu me persuader que les grandes masses, en Belgique, étaient tout aussi pacifiques que les gens de chez nous, qu'elles non plus ne se doutaient de rien. De plus, j'avais trop longtemps mené une existence cosmopolite pour pouvoir du jour au lendemain haïr un monde qui était mien au même titre que ma patrie. Depuis des années je me défiais de la politique, et je venais ces derniers temps, au cours d'innombrables conversations avec mes amis français, mes amis italiens, de discuter de l'absurdité que représentait une possible guerre. J'étais donc en quelque sorte vacciné par la défiance contre l'infection de l'enthousiasme patriotique, et, prémuni comme je l'étais contre cet accès de fièvre de la première heure, je demeurai bien résolu à ne point me laisser ébranler dans ma conviction qu'une union de l'Europe était nécessaire par une lutte fratricide qu'avaient déchaînée des diplomates maladroits et des fabricants de munitions brutaux.

Au-dedans de moi-même, je fus donc affermi dès le premier instant dans ma position de citoyen du monde ; il me fut plus difficile de trouver une attitude convenable en tant que citoyen de l'État. Bien que je n'eusse que trente-deux ans, je ne fus tout d'abord soumis à aucune obligation militaire, parce que tous les conseils de révision m'avaient déclaré inapte, ce qui, sur le moment déjà, m'avait rendu fort heureux. Premièrement, cet ajournement m'évitait de perdre dans l'armée une année de service militaire stupide ; être exercé en plein XX\ :e siècle au maniement d'armes meurtrières me paraissait de plus un anachronisme criminel. L'attitude convenable pour un homme qui nourrissait mes convictions aurait été de me déclarer *conscientious objector* * en temps de guerre, ce qui, en Autriche (au contraire de ce qui se passait en

---

* Objecteur de conscience.

Angleterre), était menacé des plus lourdes peines pensables et réclamait de l'âme une véritable fermeté de martyr. Mais — je ne rougis pas de reconnaître ouvertement ce défaut — l'héroïsme ne convient pas à ma nature. Mon mouvement naturel, dans toutes les situations périlleuses, a toujours été de les esquiver, et ce n'est pas dans cette seule circonstance qu'on a pu, peut-être à bon droit, accuser mon irrésolution, reproche qu'on a si souvent adressé dans un autre siècle à mon maître vénéré, Érasme de Rotterdam. D'autre part, en un temps pareil, il était insupportable pour un homme relativement jeune d'attendre qu'on le tirât de son obscurité pour le jeter à une place qui n'était pas la sienne. Je cherchai donc une activité où je pusse quand même me rendre utile sans travailler à exciter les esprits, et comme un de mes amis, officier supérieur, était aux Archives militaires, je pus y être engagé. J'avais à assurer un service de bibliothèque où ma connaissance des langues me permit d'être de quelque secours ; je pus améliorer le style des communications destinées au public — ce n'était pas là, assurément, une activité glorieuse, j'en conviens très volontiers, cependant elle me semblait personnellement plus convenable que d'enfoncer une baïonnette dans les entrailles d'un paysan russe. Mais ce qui me décida, c'est qu'il me restait du temps, après mon travail qui n'était pas trop absorbant, pour cet autre travail qui me paraissait le plus important dans cette guerre : préparer la réconciliation future.

*

Ma situation dans le cercle de mes amis viennois se révéla plus délicate que ma situation officielle. N'ayant que peu de culture européenne et vivant dans un horizon purement allemand, la plupart de nos écrivains pensaient ne pouvoir jouer mieux leur partie qu'en exaltant l'enthousiasme des foules, et en étayant d'appels poétiques ou d'idéologies scientifiques la prétendue beauté de la guerre. Presque tous les écrivains allemands, Hauptmann et Dehmel en tête, se croyaient obligés, comme au temps des anciens Germains, de jouer les bardes et d'enflammer de leurs chants et de leurs runes les combattants qui allaient au front pour les encourager à bien mourir. Des poésies pleuvaient par centaines, qui faisaient rimer gloire et victoire *, effort et mort. Les écrivains se rassemblaient pour jurer solennellement de ne plus jamais entretenir de relations culturelles avec un Français, avec un Anglais ; bien plus, ils niaient du jour au lendemain qu'il eût jamais existé une culture anglaise, une culture française. Tout cela était insignifiant et sans valeur en regard de l'esprit allemand, de l'art allemand et des mœurs allemandes. Les savants étaient pires. Les philosophes ne connaissaient soudain plus d'autre sagesse que de déclarer la guerre un « bain d'acier » bienfaisant qui préservait du relâchement les forces des peuples. A leurs côtés se rangeaient les médecins, qui vantaient leurs prothèses avec une telle emphase qu'on avait presque envie de se faire amputer une jambe afin de remplacer le membre sain par un appareil artificiel. Les prêtres de toutes les confessions ne voulaient pas rester en retrait et mêlaient leurs voix au chœur. Il semblait parfois qu'on entendait vociférer une horde de possédés, et cependant tous ces hommes étaient les mêmes dont nous admirions encore une semaine, un mois auparavant, la raison, la force créatrice, la dignité humaine.

Mais ce qu'il y avait de plus affligeant dans cette folie, c'était que la plupart de ces hommes étaient sincères. La

---

* En allemand, *Krieg auf Sieg*, guerre et victoire ; *Not auf Tod*, nécessité et mort.

plupart, ou trop âgés ou physiquement inaptes au service militaire, se croyaient décemment tenus de « participer » d'une manière ou d'une autre à l'action commune. Ce qu'ils avaient créé, ils le devaient à la langue et par conséquent au peuple. Ils voulaient donc servir leur peuple par la langue et lui faire entendre ce qu'il désirait entendre : que dans cette lutte le droit était tout entier de son côté, tous les torts de l'autre, que l'Allemagne serait victorieuse et que ses adversaires succomberaient ignominieusement — sans se douter le moins du monde qu'ils trahissaient ainsi la vraie mission du poète, qui est de protéger et de défendre ce qu'il y a d'universellement humain dans l'homme. Plusieurs, à la vérité, sentirent bientôt sur leur langue la saveur amère du dégoût que leur inspirait leur propre parole, quand la mauvaise eau-de-vie du premier enthousiasme se fut évaporée. Mais durant ces premiers mois, les plus écoutés furent ceux qui hurlaient le plus fort, et d'un côté comme de l'autre, ils chantèrent et crièrent donc en un chœur sauvage.

Le cas le plus typique, le plus bouleversant, d'une telle extase sincère encore qu'insensée, fut pour moi celui d'Ernst Lissauer. Je le connaissais bien. Il écrivait de petits poèmes succincts et durs, et il était avec cela l'homme le plus débonnaire qu'on pût imaginer. Je me souviens encore que je dus me mordre les lèvres pour dissimuler un sourire quand il me rendit visite pour la première fois. D'après ses vers très allemands, nerveux, qui recherchaient en tout l'extrême concision, je m'étais inconsciemment représenté ce poète lyrique comme un jeune homme élancé et ossu. Or celui que je vis entrer dans ma chambre en tanguant était un petit bonhomme à panse de tonneau, avec un visage qui respirait la cordialité sur un double menton, débordant de vivacité et d'amour-propre, qui bredouillait en parlant, était possédé par la poésie, et que rien ne pouvait retenir de citer et de réciter ses vers, sans trêve ni repos. Avec tous ses ridicules, on ne pouvait se défendre de l'aimer, parce qu'il était chaleureux, bon camarade, loyal et presque démoniaquement dévoué à son art.

Issu d'une famille allemande fortunée, il avait fait ses classes au lycée Frédéric-Guillaume à Berlin, et il était peut-être le plus prussien ou le plus prussianisé des Juifs que je connusse. Il ne parlait aucune autre langue vivante que la sienne, il n'était jamais sorti d'Allemagne. L'Allemagne était pour lui le monde, et plus une chose était allemande, plus elle l'enthousiasmait. Yorck, et Luther, et Stein étaient ses héros, la guerre de libération de l'Allemagne * son thème favori, Bach son dieu en musique ; il le jouait merveilleusement, malgré ses petits doigts courts, épais et bouffis. Personne ne connaissait mieux que lui la poésie allemande, personne n'était plus amoureux, plus enchanté de la langue allemande — comme beaucoup de Juifs dont les familles n'étaient entrées que tard dans la culture germanique, il croyait en l'Allemagne plus que le plus croyant des Allemands.

Quand la guerre éclata, son premier soin fut de courir à la caserne et de s'engager comme volontaire. Et je puis me figurer les éclats de rire des sergents-chefs et des soldats de première classe quand cette masse épaisse gravit l'escalier en haletant. Ils le renvoyèrent aussitôt. Lissauer était désespéré ; mais comme les autres, il voulait au moins servir l'Allemagne avec sa poésie. Pour lui, tout ce que rapportaient les journaux allemands était la plus sûre des vérités. Son pays avait été attaqué, et le pire criminel, conformément à la mise en scène de la Wilhelmstrasse **, était ce perfide Lord Grey, le ministre des Affaires étrangères anglais. Il exprima ce sentiment que l'Angleterre était la grande coupable envers l'Allemagne et la principale responsable de la guerre dans un « Chant

---

* Contre Napoléon, en 1813.
** Le ministère des Affaires étrangères allemand.

287

de haine contre l'Angleterre », poème — je ne l'ai pas sous les yeux — qui, en vers durs, serrés, saisissants, portait la haine de l'Angleterre jusqu'au serment éternel de ne jamais pardonner à cette nation son « crime ». Malheureusement, il apparut bientôt combien il est facile d'agir au moyen de la haine (ce petit Juif obèse et aveuglé de Lissauer préfigurait l'exemple de Hitler). Le poème tomba comme une bombe dans un dépôt de munitions. Jamais peut-être une poésie allemande, pas même la « Garde au Rhin* », n'a connu une popularité aussi rapide que ce « Chant de haine contre l'Angleterre » de triste renom. L'empereur, enthousiasmé, conféra à Lissauer l'ordre de l'Aigle rouge, on reproduisit sa poésie dans les journaux, les instituteurs la lurent aux enfants dans les écoles, les officiers s'avancèrent devant le front des troupes et la récitèrent aux soldats jusqu'à ce que chacun sût par cœur cette litanie de haine. Mais on ne s'en tint pas là. Le petit poème fut mis en musique et développé en un chœur qui fut exécuté dans les théâtres ; il n'y eut bientôt plus un seul des soixante-dix millions d'Allemands qui ne connût de la première ligne à la dernière ce « Chant de haine » ; et le monde entier ne tarda pas à le connaître à son tour, même si sans doute il l'accueillit avec moins d'enthousiasme. Du jour au lendemain, Lissauer avait conquis une réputation qui, il est vrai, devait plus tard brûler sa chair comme la tunique de Nessus. Car dès que la guerre fut finie et que les marchands se remirent à vouloir faire des affaires, que les politiciens s'efforcèrent loyalement à l'entente, on fit tout pour désavouer ce poème, qui réclamait une haine éternelle contre l'Angleterre. Et pour se décharger de toute complicité, on mit au pilori le pauvre « Lissauer la Haine », comme le seul responsable de cette hystérie

---

* « *Die Wacht am Rhein* », poème patriotique de Max Schnecken-burger (1840).

haineuse que tous, en 1914, avaient partagée, du premier au dernier. En 1919, ceux qui l'avaient fêté en 1914 se détournèrent ostensiblement de lui. Les journaux ne publièrent plus ses poèmes ; quand il se montrait parmi ses camarades, il s'établissait un silence contraint. L'abandonné fut ensuite expulsé par Hitler de cette Allemagne à laquelle il était attaché par toutes les fibres de son cœur, et il mourut oublié, victime tragique de ce seul poème qui ne l'avait élevé si haut que pour le briser dans une chute d'autant plus profonde.

*

Tous étaient comme Lissauer — sincères dans leurs sentiments et croyant agir loyalement, ces poètes, ces professeurs d'alors soudain patriotes ; je ne le nie pas. Mais, au bout de très peu de temps, déjà, on put reconnaître quel mal terrible ils faisaient avec leur glorification de la guerre et leurs orgies de haine. En 1914, de toute façon, tous les peuples en guerre se trouvaient en état de surexcitation ; les pires rumeurs se transformaient aussitôt en vérités, les plus absurdes calomnies trouvaient créance. En Allemagne, les gens juraient par douzaines qu'ils avaient vu de leurs propres yeux, immédiatement avant le début de la guerre, des automobiles chargées d'or rouler de France vers la Russie ; les fables des yeux crevés et des mains coupées, qui se répandent promptement le troisième ou le quatrième jour de chaque guerre, remplissaient les journaux. Hélas, ils ne savaient pas, ces inconscients qui propageaient de tels mensonges, que la technique consistant à accuser les soldats ennemis de toutes les atrocités imaginables fait partie du matériel de guerre au même titre que les munitions et les avions, et que dans les premiers jours de chaque guerre on s'empresse régulièrement de les tirer de leurs magasins. La guerre ne peut s'accorder avec la raison et l'équité. Il lui faut l'enthousiasme pour sa propre cause et la haine de l'adversaire.

Or il est dans la nature humaine que des sentiments violents ne sauraient durer indéfiniment, ni dans un individu ni dans un peuple, et l'organisation militaire le sait. C'est pourquoi elle a besoin d'un aiguillonnement artificiel, d'un continuel *doping* de l'excitation, et ce travail de stimulation, c'est aux intellectuels qu'il incombait, aux poètes, aux écrivains, aux journalistes — que ce fût avec bonne ou mauvaise conscience, loyalement ou par routine professionnelle, peu importait. Ils avaient battu le tambour de la haine et ils continuèrent à le battre énergiquement jusqu'à ce que le plus impartial sentît ses oreilles tinter et son cœur frémir. Presque tous, en Allemagne, en France, en Italie, en Russie, en Belgique, servaient la « propagande de guerre » et par là même la folie, la haine collective, au lieu de la combattre.

Les suites en furent désastreuses. A l'époque, comme la propagande ne s'était pas encore usée dès le temps de paix, les peuples, malgré les déceptions par milliers qu'ils avaient connues, tenaient encore pour vrai tout ce qui était imprimé. Et c'est ainsi que le pur, le bel enthousiasme prêt à tous les sacrifices des premiers jours se transforma peu à peu en une orgie des sentiments les plus détestables et les plus stupides. On « combattait » la France et l'Angleterre à Vienne et à Berlin, sur le Ring et sur la Friedrichstrasse, ce qui était singulièrement plus aisé. Les inscriptions en français ou en anglais aux devantures des magasins devaient disparaître, même un couvent « *Zu den Englischen Fraülein* * » dut changer de nom, parce que le peuple s'irritait, ne soupçonnant pas

---

* Ce qui peut se comprendre comme « Aux demoiselles *anglaises* » au lieu de « Aux demoiselles angéliques ».

qu'*Englische* désignait les anges et non pas les Anglais. D'honnêtes commerçants estampillaient leurs enveloppes de la devise : *Gott strafe England**, des femmes de la bonne société juraient (et écrivaient dans des lettres aux journaux) qu'elles ne parleraient plus jamais un mot de français. Shakespeare était banni des scènes allemandes, Mozart et Wagner des salles de concert de France et d'Angleterre, les professeurs allemands expliquaient que Dante était un Germain, les français que Beethoven était un Belge, on réquisitionnait sans scrupules les trésors culturels des pays étrangers, comme le blé ou les minerais. Ce n'était pas assez que chaque jour des milliers de paisibles citoyens de ces pays s'entretuassent sur le front, on insultait et on conspuait à l'arrière, dans les deux camps, les grands défunts ennemis qui depuis des siècles reposaient muets dans leurs tombeaux. La confusion des esprits devenait de plus en plus absurde. La cuisinière à son fourneau, qui n'avait jamais franchi l'enceinte de sa ville et n'avait pas ouvert un atlas depuis ses années d'école, était persuadée que l'Autriche ne pouvait pas vivre sans le Sandjak (un petit district frontalier quelque part en Bosnie). Les cochers se disputaient dans la rue sur le montant des indemnités de guerre qu'il faudrait imposer à la France, cinquante ou cent milliards, sans savoir ce que représentait un milliard. Point de ville, point de groupe qui ne succombât à cette épouvantable hystérie de la haine. Les prêtres prêchaient devant leurs autels, les sociaux-démocrates qui, un mois auparavant, stigmatisaient le militarisme comme le plus grand des crimes, faisaient encore plus de bruit que les autres, s'il était possible, afin de ne point passer, selon le mot de Guillaume II, pour des « sans-patrie ». C'était la

---

* « Que Dieu punisse l'Angleterre. »

guerre d'une génération sans soupçon, et cette foi intacte des peuples en la justice unilatérale de leur cause devint justement le plus grand des dangers.

*

Peu à peu, au cours de ces premières années de la guerre de 1914, il devint impossible d'échanger avec quiconque une parole raisonnable. Les plus pacifiques, les plus débonnaires, étaient enivrés par les vapeurs de sang. Des amis que j'avais toujours connus comme des individualistes déterminés, voire comme des anarchistes intellectuels, s'étaient transformés du jour au lendemain en patriotes fanatiques, et de patriotes en annexionnistes insatiables. Toutes les conversations se terminaient par des phrases aussi sottes que celle-ci : « Qui ne sait haïr ne sait pas non plus aimer vraiment », ou encore par de grossières accusations. Des camarades avec qui je n'avais jamais eu de querelle depuis des années m'accusaient avec la dernière rudesse de n'être plus un Autrichien ; je n'avais qu'à aller là-bas, en France ou en Belgique. Ils insinuaient même prudemment que l'on devrait en fait dénoncer aux autorités des opinions comme celle que cette guerre était un crime, car les « défaitistes » — ce beau mot venait d'être inventé en France — étaient les pires criminels envers la patrie.

Il ne restait dès lors qu'une chose à faire : se replier sur soi-même et se taire aussi longtemps que dureraient la fièvre et le délire des autres. Cela n'était pas facile. Car même vivre en exil — je l'ai éprouvé surabondamment — n'est pas si terrible que d'être seul dans sa patrie. A Vienne, je m'étais aliéné mes anciens amis, ce n'était pas le moment d'en chercher de nouveaux. Avec le seul Rainer Maria Rilke j'avais parfois une conversation pleine d'intime compréhension. On avait réussi à le réquisitionner lui aussi pour nos archives de guerre, bien à l'écart des opérations, car il aurait été le soldat le plus impossible, avec la délicatesse excessive de ses nerfs, auxquels la saleté, les odeurs, le bruit donnaient de vrais malaises physiques. Je ne peux me retenir de sourire toutes les fois que je me souviens de lui en uniforme. Un jour on frappa à ma porte. Un soldat se tenait là, l'air passablement intimidé. L'instant d'après je tressaillis : Rilke — Rainer Maria Rilke déguisé en militaire ! Il était si touchant de maladresse, serré au col, troublé à la pensée d'avoir à présenter les marques de respect à chaque officier, en claquant les talons. Et comme, dans son obsession magique de la perfection, il voulait exécuter avec une précision exemplaire jusqu'à ces insignifiantes formalités du règlement, il se trouvait dans un état de permanente consternation. « J'ai détesté ce costume militaire depuis l'école des cadets, me disait-il de sa voix douce. Je croyais y avoir échappé pour toujours. Et voici qu'il me faut l'endosser de nouveau, à près de quarante ans ! » Il y eut heureusement des mains secourables pour le protéger et il fut bientôt réformé grâce à un examen médical de complaisance. Il revint frapper à la porte de mon bureau pour prendre congé — cette fois en vêtements civils —, je dirais presque apporté par le vent, tant sa démarche était toujours indescriptiblement silencieuse. Il voulait me remercier encore d'avoir essayé, par l'entremise de Rolland, de sauver sa bibliothèque, confisquée à Paris. Pour la première fois, il n'avait plus l'air jeune ; on aurait dit que la pensée de l'horreur l'avait épuisé. « A l'étranger ! disait-il. Si seulement on pouvait aller à l'étranger ! La guerre est toujours une prison. » Puis il s'en fut. J'étais de nouveau tout seul.

Au bout de quelques semaines, résolu à échapper à cette dangereuse psychose collective, je déménageai pour m'installer dans une banlieue champêtre, afin de commencer en pleine guerre ma guerre personnelle : la lutte contre la trahison de la raison au profit de l'actuelle passion des masses.

La lutte pour la fraternité spirituelle

En lui-même, le fait de se retirer ne servait à rien. L'atmosphère demeurait oppressante. Et c'est justement pourquoi je m'étais rendu compte qu'une attitude purement passive, que le refus de s'associer à ce concert d'insultes grossières jetées à l'adversaire n'était pas suffisant. Après tout, on était un écrivain, on avait la parole et par conséquent le devoir d'exprimer ses convictions, pour autant qu'il était possible de le faire sous le règne de la censure. J'essayai. J'écrivis un article, « A mes amis de l'étranger », où je m'engageais, en opposition directe et abrupte avec les fanfares de haine des autres, à rester fidèle à mes amis de l'étranger, bien que toute relation fût actuellement impossible, afin que nous puissions à la première occasion travailler de nouveau en commun à la reconstruction d'une culture européenne. Je l'envoyai au journal le plus lu d'Allemagne. A ma grande surprise, le *Berliner Tageblatt* n'hésita pas à l'insérer sans coupures. Un seul membre de phrase, « même si nous remportions la victoire », tomba sous les ciseaux de la censure, parce que, à l'époque il n'était pas permis d'émettre fût-ce le moindre doute quant à la certitude absolue que l'Allemagne sortirait en vainqueur de cette guerre mondiale. Mais même amputé de cette réserve, l'article m'attira quelques lettres indignées de superpatriotes : ils ne comprenaient pas qu'en un pareil moment on pût encore entretenir des relations avec ces adversaires scélérats. De toute ma vie, je n'avais jamais eu l'intention d'amener autrui à mes convictions. Il me suffisait de pouvoir les faire connaître, de pouvoir les proclamer ostensiblement.

Quinze jours après (j'avais déjà presque oublié cet article), je trouvai une lettre, munie d'un timbre suisse et ornée de l'estampille de la censure, dont je reconnus aussitôt, à l'écriture familière, qu'elle était de la main de Romain Rolland. Il devait avoir lu mon article, car il m'écrivait : « *Non, je ne quitterai jamais mes amis** *. » Je compris aussitôt que ces quelques lignes se voulaient une expérience destinée à établir s'il était possible, pendant la guerre, d'entrer en correspondance avec un ami autrichien. Je lui répondis aussitôt. Dès lors, nous nous écrivîmes régulièrement, et cet échange de lettres s'est ensuite poursuivi pendant plus de vingt-cinq ans, jusqu'à ce que la Seconde Guerre — plus brutale que la première — interrompît toute relation entre les pays.

Cette lettre fut un des grands instants de bonheur de ma vie ; comme une colombe blanche, elle sortait de l'arche de la bestialité hurlante, trépignante, vociférante. Je ne me sentais plus seul, mais enfin relié de nouveau à un être qui partageait mes opinions. Je me trouvai affermi par la force d'âme supérieure de Rolland. Car je savais à quel point Rolland, de l'autre côté de la frontière, conservait merveilleusement son humanité. Il avait trouvé le seul bon chemin que l'écrivain eût à prendre personnellement dans une époque pareille : ne pas participer à la destruction, au meurtre, mais — suivant l'exemple magnifique de Walt Whitman, qui avait servi comme infirmier durant la guerre de Sécession — s'engager activement dans des œuvres de secours et d'humanité. Vivant en Suisse, dispensé par sa santé chancelante de tout service militaire, il s'était immédiatement mis à la disposition de la Croix-Rouge à Genève, où il se trouvait

---

* En français dans le texte.

au début de la guerre, et il travaillait là tous les jours dans des salles bondées pour l'œuvre merveilleuse à laquelle je tentai plus tard d'exprimer ma reconnaissance publique dans un article, « Le Cœur de l'Europe ». Après les combats meurtriers des premières semaines, toute communication était rompue ; dans tous les pays, les parents ne savaient pas si leur fils, leur frère, leur père était tombé ou s'il était seulement disparu ou prisonnier, et ils ne savaient pas non plus où ils devaient s'adresser, car il n'y avait pas à attendre d'informations de l' « ennemi ». La Croix-Rouge avait alors assumé la tâche, au milieu de l'horreur et de la cruauté, de décharger au moins les hommes de la pire des souffrances, de la torturante incertitude sur le sort d'êtres aimés, en faisant parvenir dans leur patrie les lettres des prisonniers de guerre. Cette organisation préparée depuis des dizaines d'années n'avait cependant pas prévu une tâche d'une telle ampleur, intéressant des millions d'hommes. De jour en jour, d'heure en heure, il fallait augmenter le nombre des collaborateurs bénévoles, car chaque heure d'attente représentait une éternité pour les parents. A la fin de décembre 1914, déjà, c'étaient trente mille lettres qui affluaient quotidiennement ; bientôt, douze cents personnes s'entassèrent dans l'exigu Musée Rath, à Genève, pour expédier la correspondance journalière, pour y répondre. Et parmi elles travaillait, au lieu de s'occuper égoïstement de son œuvre personnelle, le plus humain des écrivains : Romain Rolland.

Mais il n'avait pas oublié son second devoir, le devoir de l'artiste, qui est d'exprimer ses convictions, fût-ce en se heurtant à l'opposition de sa propre patrie et à l'hostilité de tout le monde en guerre. Dès l'automne 1914, alors que la plupart des écrivains s'enrouaient à crier leur haine, s'injuriaient et se vilipendaient, il avait écrit cette merveilleuse profession de foi, *Au-dessus de la mêlée*, dans laquelle il combattait la haine spirituelle entre les nations et réclamait des artistes justice et humanité, même en pleine guerre — cet article qui surexcita les esprits comme aucun autre à cette époque et donna lieu à toute une littérature pour lui et contre lui.

Car ce qui distinguait heureusement la Première Guerre de la Seconde, c'est qu'alors la parole avait encore du pouvoir. Elle n'avait pas encore été entraînée dans une chevauchée de la mort par le mensonge organisé, par la « propagande ». Les hommes étaient encore attentifs à la parole écrite, ils l'attendaient. Tandis qu'en 1939 pas une seule déclaration d'écrivain ne produisit le moindre effet soit en bien, soit en mal, tandis que jusqu'à présent aucun livre, aucune brochure, aucun article, aucun poème n'a touché le cœur des masses ou n'a influencé leur pensée, en 1914, un sonnet, comme ce « Chant de haine », de Lissauer, une manifestation insensée comme celle des « Quatre-vingt-treize intellectuels allemands », et de l'autre côté un essai de huit pages comme cet *Au-dessus de la mêlée*, de Rolland, un roman comme *Le Feu*, de Barbusse, faisaient figure d'événements. La conscience morale du monde n'était pas encore harassée et lessivée comme aujourd'hui, elle réagissait avec véhémence à chaque mensonge manifeste, à chaque outrage au droit des gens et à l'humanité, avec toute la force d'une conviction plusieurs fois centenaire. Une violation du droit comme l'invasion par l'Allemagne de la Belgique neutre, qui, aujourd'hui que Hitler a fait du mensonge une chose qui va de soi et a élevé l'inhumanité à la dignité d'une loi, ne saurait plus guère être blâmée, avait alors le pouvoir de susciter l'émotion d'un bout à l'autre du monde. L'exécution de l'infirmière Cavell, le torpillage du *Lusitania* furent plus fatals à l'Allemagne qu'une bataille perdue, grâce à l'explosion d'indignation morale universelle qu'ils provoquèrent. Le poète, l'écrivain pouvaient donc parler avec quelque chance de succès, en ce temps où l'oreille et l'âme n'avaient pas encore été submergées par les flots incessants et bavards de la radio ; au contraire : la manifestation spontanée d'un grand poète avait mille fois plus d'effet que tous les discours officiels des hommes d'État, dont on savait qu'ils étaient composés tactiquement, politiquement, en fonction des besoins de l'heure, et ne renfermaient, dans le meilleur des cas, que la moitié de la vérité. Cette confiance dans le poète, considéré comme le garant d'une certaine pureté des sentiments, révélait encore infiniment plus de foi dans cette génération si cruellement déçue depuis. Mais comme ils connaissaient cette autorité dont jouissaient les poètes, les militaires, les bureaux cherchaient de leur côté à atteler à leur travail d'excitation tous les hommes d'un grand prestige moral ou intellectuel : ils étaient censés expliquer, prouver, confirmer, jurer que toute l'injustice, tout le mal s'accumulaient dans l'autre camp, que tout le droit, toute la vérité étaient le propre de leur nation à eux. Auprès de Rolland, ils ne réussirent pas. Il ne croyait pas que son devoir consistait à rendre plus étouffante encore l'atmosphère de haine créée par tous les moyens d'excitation, mais au contraire à la purifier.

Qui relit aujourd'hui les huit pages de cet article, *Au-dessus de la mêlée,* ne parvient vraisemblablement plus à en comprendre l'immense retentissement. Tout ce que Rolland y postulait, si on le lit d'un esprit clair, paraît aller de soi. Mais ces paroles ont été proférées en un temps où les masses étaient en proie à une rage spirituelle qu'il n'est plus guère possible de reconstituer aujourd'hui. Quand cet article parut, les superpatriotes français jetèrent les hauts cris, comme s'ils avaient saisi par mégarde un fer rouge entre leurs mains. Du jour au lendemain, Rolland fut boycotté par ses plus anciens amis ; les libraires ne se risquèrent plus à exposer *Jean-Christophe* en vitrine ; les autorités militaires, qui avaient besoin de la haine pour stimuler les soldats, envisagèrent déjà des mesures contre lui ; des brochures se succédèrent, reprenant cet argument : « *Ce qu'on donne pendant la guerre à l'humanité est volé à la patrie**. » Mais comme toujours, les clameurs prouvaient que le coup avait porté de plein fouet. La discussion sur l'attitude de l'intellectuel en temps de guerre ne pouvait plus être étouffée, le problème était posé, inéluctable, devant la conscience de chaque individu.

*

Je ne regrette rien tant, au moment où je relate mes souvenirs, que de n'avoir pas sous la main les lettres que Rolland m'écrivit au cours de ces années-là ; la pensée qu'elles pourraient être détruites ou se perdre dans ce nouveau déluge pèse sur moi comme une responsabilité. Car, si chère que me soit son œuvre, je crois possible que plus tard on les compte, elles, parmi les choses les plus belles et les plus humaines que son grand cœur et sa raison passionnée aient jamais exprimées. Nées du bouleversement sans mesure d'une âme compatissante, de toute la force d'une amertume impuissante, écrites à un ami d'au-delà de la frontière, donc à un « ennemi » officiel, elles représentent peut-être les documents moraux les plus émouvants d'une époque où la compréhension demandait une dépense de force prodigieuse et où la fidélité à ses propres convictions réclamait, à elle seule, un courage grandiose. Bientôt se cristallisa à partir de notre correspondance amicale un projet positif : Rolland suggéra que l'on devait essayer d'inviter à une conférence qui aurait lieu en Suisse les personnalités intellectuelles les plus marquantes de toutes les nations,

---

* En français dans le texte.

afin d'aboutir à une attitude plus uniforme et plus digne, et peut-être même de lancer solidairement au monde un appel à l'entente. Il se chargerait d'inviter à ce congrès les intellectuels français et étrangers ; de mon côté, je devais, d'Autriche, sonder nos écrivains et nos savants ainsi que ceux d'Allemagne, pour autant qu'ils ne se seraient pas encore compromis publiquement par une propagande de haine. Je me mis aussitôt à l'œuvre. Le plus important, le plus représentatif des poètes allemands était alors Gerhart Hauptmann. Pour lui rendre l'acceptation ou le refus plus faciles, je ne voulus pas m'adresser directement à lui. J'écrivis donc à notre ami commun Walter Rathenau, le priant d'interroger confidentiellement Hauptmann. Rathenau refusa — fût-ce ou non en accord avec Hauptmann, je ne l'ai jamais appris : il n'était pas encore temps, soutenait-il, de songer à une paix des esprits. Ainsi la tentative avorta, car Thomas Mann se trouvait alors dans l'autre parti et venait justement d'adopter, dans un article sur Frédéric le Grand, le point de vue que le camp de l'Allemagne était celui du droit. Rilke, que je savais de notre côté, se dérobait par principe à toute action publique et commune. Dehmel, ancien socialiste, signait maintenant ses lettres, avec un orgueil patriotique enfantin : « Lieutenant Dehmel. » Quant à Hofmannsthal et à Jacob Wassermann, des conversations privées m'avaient appris qu'il ne fallait pas compter sur eux. Ainsi, il n'y avait pas grand-chose à espérer du côté allemand, et Rolland ne réussit guère mieux en France. En 1914-1915, la tentative était prématurée, la guerre était trop éloignée pour les gens de l'arrière. Nous restions seuls.

Seuls, et pourtant pas tout à fait seuls. Nous avions déjà obtenu quelque chose par nos relations épistolaires : une première vue des quelques douzaines d'hommes sur les dispositions intérieures desquels on pouvait compter et qui, dans les pays neutres ou belligérants, pensaient comme nous. Nous pouvions attirer nos attentions respectives sur les livres, les articles, les brochures qui paraissaient dans l'un et l'autre camp ; un certain point de cristallisation était assuré, auquel de nouveaux éléments pouvaient s'agréger — d'abord en hésitant, mais toujours plus résolument, par suite de la pression de plus en plus accablante que ces temps exerçaient. Ce sentiment de ne pas me trouver tout à fait dans le vide me donna le courage d'écrire plusieurs fois des articles destinés à attirer à la lumière, par leurs réponses et leurs réactions, tous ceux qui, isolés, en secret, pensaient comme nous. J'avais quand même à ma disposition les grands journaux d'Allemagne et d'Autriche, et de ce fait un champ d'influence étendu ; il n'y avait pas à craindre une opposition de principe de la part des autorités, car je n'empiétais pas sur la politique du jour. Sous l'influence de l'esprit libéral, le respect de la chose littéraire était encore très grand, et quand je parcours les articles que je réussis alors à diffuser en contrebande dans le public le plus large, je ne puis refuser aux autorités militaires de l'Autriche mon respect pour leur largeur d'esprit. Il m'était toujours possible, en pleine guerre mondiale, de louer avec enthousiasme la fondatrice du pacifisme, Berta von Suttner, qui stigmatisait la guerre comme le crime des crimes, et de donner dans un journal autrichien un compte rendu détaillé sur *Le Feu*, de Barbusse. Il nous fallait, il est vrai, mettre au point une certaine technique, tandis que nous répandions dans un cercle étendu ces considérations inopportunes en plein conflit mondial. Pour représenter l'horreur de la guerre, l'indifférence de l'arrière, il était naturellement nécessaire, en Autriche, de souligner, dans un article sur *Le Feu* les souffrances d'un fantassin « français », mais des centaines de lettres du front autrichien me prouvaient à quel point les nôtres avaient reconnu leur propre destin. Ou bien nous choisissions, pour exprimer nos convictions, l'artifice de la controverse apparente. C'est ainsi qu'un de mes amis français polémiquait dans le *Mercure de France* contre mon article « A mes amis de l'étranger » ; mais comme, dans sa prétendue polémique, il le traduisait et le publiait jusqu'au dernier mot, il l'avait ainsi fait heureusement passer en contrebande en France, où tout le monde pouvait le lire (ce qui était notre intention). De cette façon, des signaux lumineux qui n'étaient que des façons de se rappeler au bon souvenir des uns et des autres allaient et venaient par-dessus les frontières. Un petit épisode me montra plus tard à quel point ces signes étaient compris de ceux auxquels ils étaient destinés. Quand en mai 1915 l'Italie déclara la guerre à l'Autriche, son ancienne alliée, cet événement souleva chez nous une vague de haine. Tout ce qui était italien était insulté. Or, par hasard, venaient de paraître les souvenirs d'un jeune Italien de l'époque du *Risorgimento*, Carlo Poerio, qui décrivait une visite à Goethe. Pour démontrer, au milieu de ces clameurs de haine, que les Italiens avaient toujours eu des liens excellents avec notre culture, j'écrivis un article : « Un Italien chez Goethe », et comme ce livre comportait une introduction de Benedetto Croce, je profitai de l'occasion pour consacrer à Croce quelques mots qui exprimaient mon profond respect. Des paroles d'admiration pour un Italien constituaient naturellement en Autriche, à une époque où l'on ne devait rendre justice à aucun poète, à aucun savant des pays ennemis, une démonstration assez claire, et celle-ci fut comprise jusqu'au-delà des frontières. Croce, qui était alors ministre en Italie *, me raconta plus tard qu'un employé du ministère qui ne lisait pas l'allemand lui annonça, un peu confus, qu'il y avait quelque chose contre lui dans le plus grand journal de l'adversaire (car il ne pouvait imaginer

---

* Croce ne fut ministre qu'en 1920-1921 (note de l'éditeur allemand).

qu'on mentionnât le nom de Croce autrement que pour l'attaquer). Celui-ci fit venir la *Neue Freie Presse* et fut d'abord étonné, puis amusé, dans le meilleur sens du terme, d'y trouver un hommage au lieu d'une attaque.

*

Je ne songe nullement à surestimer ces petits essais isolés. Il va de soi qu'ils n'ont pas exercé la moindre influence sur la marche des événements. Mais ils nous ont aidés — nous et bien des lecteurs inconnus. Ils ont atténué l'affreux isolement, le désespoir de l'âme dans lequel était plongé un homme du XXe siècle ayant des sentiments vraiment humains — et qui s'y retrouve, aujourd'hui, après vingt-cinq ans, aussi impuissant contre des puissances démesurées et, je le crains, davantage encore. Alors déjà, j'avais pleinement conscience que je ne réussissais plus à me décharger de mon véritable fardeau au moyen de ces petites protestations et de ces petits tours d'adresse ; lentement commença à se former en moi le plan d'un ouvrage dans lequel je pourrais exposer non seulement quelques particularités, mais toute mon attitude en face de mon temps et du peuple, de la catastrophe et de la guerre.

Mais pour pouvoir représenter la guerre en une synthèse poétique, il me manquait en fait l'essentiel : je ne l'avais pas vue. Depuis près d'une année maintenant, j'étais fermement ancré à mon bureau et l' « essentiel » se passait dans des lointains invisibles : la réalité, l'horreur de la guerre. L'occasion d'aller au front s'était présentée souvent ; par trois fois, de grands journaux m'avaient demandé de joindre les armées pour y être leur reporter. Mais toute espèce de description aurait entraîné l'obligation de représenter la guerre dans un sens purement positif et patriotique, et je m'étais juré — serment que j'ai tenu en 1940 également — de ne jamais écrire un mot qui parût approuver la guerre ou rabaisser une autre nation. Or une occasion se présenta par hasard. Au printemps de 1915, la grande offensive austro-allemande avait percé les lignes russes à Tarnow et conquis la Galicie et la Pologne en une seule avance concentrique. Les Archives militaires désiraient recueillir pour leur bibliothèque les originaux de toutes les proclamations et affiches russes en territoire autrichien occupé avant qu'ils ne fussent arrachés ou détruits de quelque autre manière. Le colonel, qui connaissait par hasard ma technique de collectionneur, me demanda si je voulais me charger de cette mission ; j'acquiesçai aussitôt et on établit un laissez-passer à mon nom, si bien que, sans dépendre d'aucune autorité particulière, ni être soumis directement à aucun service ni à des supérieurs, je pouvais voyager en empruntant n'importe quel train et me rendre librement où bon me semblait, ce qui donna lieu aux incidents les plus singuliers : en effet, je n'étais pas officier, mais seulement sergent-chef titulaire, et je portais un uniforme sans insignes distinctifs. Quand je produisais mon mystérieux document, cela inspirait à tout le monde un respect tout particulier, car les officiers du front et les fonctionnaires supposaient que je devais être quelque officier d'état-major déguisé ou que j'étais chargé de quelque mission secrète. Comme j'évitais aussi de me trouver au mess des officiers et que je ne descendais qu'à l'hôtel, j'y gagnai de plus cet avantage de me trouver en dehors de la grande machinerie et d'avoir la possibilité de voir tout ce qui me plaisait sans personne pour me « guider ».

Ma mission proprement dite, qui était de rassembler les proclamations, ne me donnait pas trop de mal. Chaque fois que j'arrivais dans une de ces villes de Galicie, à Tarnow, à Drohobycz, à Lemberg, je trouvais là quelques Juifs qui se tenaient à la gare, ceux qu'on appelait les « facteurs » et dont la profession consistait à vous procurer tout ce dont vous pouviez avoir besoin ; il me suffisait de dire à l'un de ces praticiens universels que je désirais les proclamations et les affiches de l'occupation russe, et le facteur courait comme un lièvre transmettre la commission par des voies mystérieuses à des douzaines de sous-facteurs ; trois heures après, sans avoir fait un pas, j'avais tout le matériel imaginable au grand complet. Grâce à cette organisation modèle, il me restait le temps de voir beaucoup de choses, et j'en vis beaucoup. Et avant tout l'affreuse misère de la population civile, sur les yeux de laquelle l'horreur de ce qu'elle avait vécu pesait encore comme une ombre. Je vis la misère, que je n'avais jamais soupçonnée, de la population juive des ghettos, où l'on habitait à huit ou à douze des pièces de plain-pied ou en sous-sol. Et je vis pour la première fois « l'ennemi ». A Tarnow, je tombai sur le premier convoi de prisonniers russes. Ils étaient parqués dans un grand carré sur le sol nu, fumaient et bavardaient, surveillés par deux ou trois douzaines de vieux soldats tyroliens du *Landsturm* *, la plupart barbus, aussi déguenillés et négligés que les prisonniers et ressemblant bien peu aux beaux soldats bien rasés, en uniforme impeccable, qu'on voyait représentés chez nous dans les journaux illustrés. Cette garde n'avait pas le moindre caractère martial ou draconien. Les prisonniers ne manifestaient aucune inclination naturelle à la fuite, les gens du *Landsturm* autrichien ne paraissaient nullement disposés à la sévérité dans leur surveillance. Ils s'asseyaient comme des camarades parmi les prisonniers, et le fait même que les uns et les autres ne savaient se faire comprendre que dans leur propre langue fournissait, des deux côtés, matière à toutes sortes de plaisanteries. On échangeait des cigarettes, on se regar-

---

* Formation équivalant à peu près à l'armée territoriale.

dait en riant. Un Tyrolien du *Landsturm* était justement en train de tirer d'un portefeuille très vieux et crasseux les photographies de sa femme et de ses enfants, et les montrait aux « ennemis », qui les admiraient l'un après l'autre et demandaient en comptant sur leurs doigts si tel enfant avait trois ou quatre ans. J'eus la conviction irrésistible que ces hommes simples et primitifs avaient de la guerre un sentiment bien plus juste que nos professeurs d'université et nos poètes : le sentiment que la guerre était un malheur qui avait fondu sur eux et auquel ils ne pouvaient rien, et que chacun de ceux qui étaient tombés dans ce malheur était en quelque sorte un frère. Cette constatation m'accompagna comme une consolation durant tout mon voyage à travers les villes bombardées, devant les magasins pillés, dont les meubles gisaient épars au milieu de la chaussée comme des membres brisés et des entrailles arrachées. Les champs bien cultivés qui s'étendaient entre les zones de combat me donnèrent aussi l'espoir que dans quelques années la trace de toutes ces destructions aurait disparu. Il est vrai qu'alors je ne pouvais pas encore concevoir qu'aussi vite que les signes de la guerre s'effaceraient de la surface de la terre, le souvenir de ses abominations s'effacerait de la mémoire des hommes.

Au cours des premiers jours, je ne m'étais pas trouvé en face des véritables horreurs de cette guerre. Son visage dépassa mes pires appréhensions. Comme il ne circulait pour ainsi dire aucun train régulier de voyageurs, je fis route un jour sur une plate-forme d'artillerie, assis sur l'affût d'un canon, une autre fois dans un de ces wagons à bestiaux où les gens, harassés, dormaient, entassés et entremêlés dans la plus lourde puanteur, tandis qu'on les menait à l'abattoir, déjà semblables eux-mêmes à du bétail de boucherie. Mais le plus terrible, c'étaient les trains-hôpitaux que je dus prendre deux ou trois fois. Ah ! qu'ils ressemblaient peu à ces trains sanitaires bien éclairés, bien blancs, bien lavés, dans lesquels les archiduchesses et les dames de la bonne société viennoise s'étaient fait photographier en infirmières au commencement de la guerre ! Ce que je pus voir en frissonnant, c'étaient des wagons de marchandises ordinaires, sans véritables fenêtres, pourvus seulement d'une étroite fente d'aération, et éclairés par des lampes à huile fuligineuses. Des civières rudimentaires s'alignaient l'une à côté de l'autre, et toutes étaient occupées par des êtres gémissants, suants, d'une pâleur mortelle, qui râlaient à la recherche d'un peu d'air dans l'odeur insupportable d'excréments et d'iodoforme. Les soldats du service de santé titubaient plutôt qu'ils ne marchaient tant ils étaient recrus de fatigue ; on ne voyait rien des literies d'un blanc éblouissant que montraient les photographies. Sous les couvertures grossières et depuis longtemps tout imbibées de sang, les gens étaient couchés sur la paille ou sur les dures civières, et dans chacun de ces wagons il y avait deux ou trois morts parmi les agonisants et les blessés gémissants. Je parlai avec le médecin qui, en fait, il me l'avoua, n'était que dentiste dans une petite ville de Hongrie et n'avait pas pratiqué la chirurgie depuis des années. Il était désespéré. Il avait, me dit-il, déjà téléphoné d'avance à sept stations par lesquelles devait passer le train pour obtenir de la morphine. Mais toutes les provisions étaient épuisées, et il n'avait plus d'ouate, plus de pansements frais, pour les vingt heures que durerait le voyage jusqu'à l'hôpital de Budapest. Il me pria de l'aider, car son personnel ne pouvait plus remuer de fatigue. J'essayai, maladroit comme je l'étais, et je pus du moins me rendre utile en descendant à chaque station et en aidant à porter quelques seaux d'eau, de mauvaise eau sale, normalement destinée aux seules locomotives, mais qui, à présent, offrait pourtant un rafraîchissement, et pouvait servir à laver au moins un peu ces gens et à évacuer le sang qui dégouttait sans cesse sur le plancher.

A cela s'ajoutait encore pour les soldats entassés dans ce cercueil roulant, où se côtoyaient toutes les nationalités imaginables, une aggravation particulière de leur cas, qui résultait de la confusion babylonienne des langues. Ni le médecin ni les infirmières ne comprenaient le ruthène ou le croate ; le seul qui pût être de quelque secours était un vieux prêtre à cheveux blancs qui — de même que le médecin était désespéré de n'avoir pas de morphine — se plaignait amèrement de ne pouvoir accomplir son office sacré, de manquer d'huile pour l'extrême-onction. Dans toute sa vie, il n'avait pas « administré » autant de gens que dans ce dernier mois. Et c'est de lui que j'entendis ce mot, que je n'ai jamais oublié, prononcé d'une voix dure et pleine de colère : « J'ai soixante-sept ans, j'ai vu bien des choses. Mais je n'ai jamais cru possible que l'humanité pût commettre un tel crime. »

*

Ce train-hôpital par lequel je rentrais arriva au petit jour à Budapest. Je me fis aussitôt conduire dans un hôtel, afin d'abord de dormir un peu ; la seule place assise dans ce train-là avait été ma cantine ; fatigué comme je l'étais, je dormis jusqu'à onze heures ; après quoi, je me hâtai de m'habiller pour prendre mon petit déjeuner. Mais je n'avais pas plus tôt fait quelques pas dans la rue que je dus me frotter les yeux pour m'assurer que je ne rêvais pas. C'était une de ces journées radieuses qui, le matin, sont encore le printemps, à midi sont déjà l'été, et Budapest était plus beau et plus insouciant que jamais. Les femmes vêtues de blanc se promenaient bras dessus bras dessous avec des officiers, qui m'apparurent soudain comme des officiers d'une tout autre armée que celle que j'avais vue encore la veille, l'avant-veille. Les vêtements,

la bouche, le nez encore imprégnés de l'odeur d'iodoforme du train sanitaire, je les voyais acheter des
bouquets de violettes qu'ils offraient galamment aux
dames, je voyais rouler dans les rues des autos impeccables, transportant des messieurs impeccablement rasés et
vêtus. Et tout cela à huit ou neuf heures d'express du
front ! Mais avait-on le droit d'accuser ces gens ? N'était-
il pas tout naturel de vivre et d'essayer de jouir de la vie ?
Et, peut-être en raison justement du sentiment que tout
était menacé, de ramasser à la hâte tout ce qui pouvait
encore être ramassé, les quelques beaux vêtements, les
dernières belles heures ? Quand on venait de constater à
quel point l'homme est un être fragile et facile à anéantir,
à qui un petit morceau de plomb peut en un millième de
seconde arracher la vie avec tous ses souvenirs, toutes ses
connaissances, toutes ses extases, on comprenait qu'en un
tel matin de corso des milliers de personnes affluassent
sur les rives du fleuve pour voir le soleil, se sentir elles-
mêmes, sentir leur propre sang, leur propre vie avec peut-
être une force accrue. J'étais déjà presque réconcilié avec
ce qui m'avait d'abord effrayé. Mais alors, fort malencontreusement, l'obligeant garçon de café m'apporta un
journal viennois. J'essayai de le lire ; c'est alors seulement
que le dégoût s'empara de moi sous la forme d'une
véritable colère. Je trouvais là toutes les grandes phrases
sur la volonté inflexible de vaincre, sur les pertes minimes
de nos propres troupes, et les pertes énormes de l'adversaire ; alors bondit sur moi, nu, gigantesque et éhonté, le
mensonge de la guerre ! Non, les coupables, ce n'étaient
pas les promeneurs, les indolents, les insouciants, mais
uniquement ceux qui, par la parole, excitaient à la guerre.
Et nous étions coupables, nous aussi, si nous ne leur
opposions pas notre propre parole.

*

Ainsi me fut donnée, et alors seulement, l'impulsion décisive : il fallait lutter contre cette guerre ! La matière était prête en moi, il ne m'avait manqué pour commencer que cette ultime confirmation concrète de mon instinct. J'avais reconnu l'adversaire que j'avais à combattre — le faux héroïsme qui préfère envoyer les autres à la souffrance et à la mort, l'optimisme facile des prophètes sans conscience, politiques aussi bien que militaires, qui, promettant sans scrupules la victoire, prolongent la boucherie ; et derrière eux, le chœur stipendié de tous ces « phraseurs de la guerre » que Werfel a mis au pilori dans son beau poème. Quiconque exprimait un doute les gênait dans leur commerce patriotique ; quiconque prodiguait ses mises en garde, ils le traitaient de pessimiste et se moquaient de lui ; quiconque combattait la guerre, dont eux-mêmes n'avaient pas à souffrir, ils le stigmatisaient comme un traître. C'était toujours la même clique, éternelle à travers les âges, de ceux qui appellent lâches les prudents et faibles les plus humains, pour demeurer eux-mêmes désemparés au moment de la catastrophe qu'ils ont provoquée par leur légèreté. C'était toujours la même bande, la bande de ceux qui bafouaient Cassandre à Troie, Jérémie à Jérusalem, et jamais je n'avais compris le tragique et la grandeur de ces figures comme en ces heures trop pareilles à celles qu'elles avaient vécues. Dès le début, je ne croyais pas en la « victoire », et je n'étais certain que de ceci : même si elle pouvait être acquise au prix de sacrifices inouïs, elle ne justifiait pas ces sacrifices. Mais parmi tous mes amis je restais encore le seul à lancer un tel avertissement, et les cris de victoire avant le premier coup de fusil, le partage du butin avant la première bataille me faisaient souvent douter si je n'étais pas fou moi-même parmi tous ces sages, ou plutôt si je n'étais pas seul terriblement éveillé et lucide au milieu de leur ivresse. Je trouvai donc tout naturel de peindre dans une pièce de théâtre ma propre situation, la situation tragique du « défaitiste » — on avait inventé ce mot pour accuser faussement de vouloir la défaite ceux qui s'efforçaient de favoriser une entente. Je choisis pour symbole la figure de Jérémie, de celui qui avait averti en vain. Cependant, il ne s'agissait nullement pour moi d'écrire une pièce « pacifiste », de mettre en discours et en vers ce lieu commun que la paix vaut mieux que la guerre, mais de montrer que celui que l'on méprise comme un faible et un craintif dans le temps de l'enthousiasme se révèle, à l'heure de la défaite, comme le seul qui, non seulement la supporte, mais encore la domine. Depuis ma première pièce, *Thersite,* le problème de la supériorité morale du vaincu n'avait jamais cessé de me préoccuper. J'étais toujours tenté de montrer l'endurcissement que toute forme de puissance produit dans un homme, la glaciation de l'âme que la victoire provoque dans des peuples entiers, et de leur opposer le pouvoir de bouleversements douloureux et terribles de la défaite, qui laboure l'âme de part en part. En pleine guerre, alors que les autres, triomphant prématurément, se démontraient les uns aux autres que la victoire était certaine, je me jetais déjà au plus profond abîme de la catastrophe et cherchais la voie qui permettrait d'en remonter.

Mais en choisissant un thème biblique, j'avais inconsciemment touché à quelque chose qui était demeuré jusqu'alors inemployé en moi : à ma communauté de destin avec le peuple juif, fondée obscurément sur le sang ou la tradition. N'était-ce pas lui, mon peuple, qui avait sans cesse été vaincu par tous les autres peuples, toujours et toujours, et qui pourtant leur survivait grâce à une force mystérieuse — la force, précisément, de transformer la défaite par la volonté réaffirmée d'y résister ? Ne l'avaient-ils pas prévue, nos prophètes, cette perpétuelle existence traquée, ces perpétuelles expulsions qui, une fois de plus, nous jettent aujourd'hui sur les routes comme balle au vent, et n'avaient-ils pas accepté cette nécessité de succomber sous la violence, ne l'avaient-ils pas bénie, même, comme une voie qui menait à Dieu ? La mise à l'épreuve n'avait-elle pas été éternellement un gain pour tous et pour chacun — je le sentais avec bonheur en écrivant ce drame, le premier de mes ouvrages qui eût une valeur à mes propres yeux. Je le sais aujourd'hui : sans tout ce que j'ai souffert pendant la guerre, en sympathie avec les victimes, avec la prescience de ses lendemains, je serais resté l'écrivain que j'étais avant la guerre, « agréablement animé », comme on dit en musique, mais je n'aurais jamais été saisi, pris, atteint jusqu'aux plus intimes entrailles. J'avais pour la première fois le sentiment de parler au même titre pour moi-même et pour mon temps. En m'efforçant d'aider les autres, je me suis alors aidé moi-même : je me suis disposé à écrire mon œuvre la plus personnelle, au même degré que mon *Érasme,* dans lequel, en 1934, aux jours de Hitler, je luttai pour me relever et surmonter une crise comparable. Dès l'instant que j'essayai de donner forme à la tragédie de mon temps, je n'en souffris plus aussi cruellement.

Je n'avais pas cru un instant au succès d'un pareil ouvrage porté à la scène. Par la rencontre de tant de problèmes — celui du prophétisme, celui du pacifisme, celui du judaïsme —, par la structure chorale des scènes finales, qui s'élèvent à un hymne du vaincu à son destin, l'étendue de ma composition avait tellement dépassé les dimensions normales d'un drame que la représentation intégrale en eût exigé deux ou trois soirées. Et puis, comment, alors que tous les quotidiens claironnaient chaque jour : « Vaincre ou périr ! », faire paraître sur une scène allemande une pièce qui annonçait la défaite et même en faisait l'éloge ? Si la publication du livre était autorisée, il me faudrait déjà considérer cela comme un miracle, mais même dans le pire des cas, même si elle ne l'était pas, l'œuvre m'aurait du moins aidé à supporter les moments les plus difficiles. J'avais mis en dialogue poétique tout ce qu'il me fallait taire dans mes conversations avec les gens de mon entourage. J'avais rejeté loin de moi le fardeau qui pesait sur mon âme et j'étais rendu à moi-même. A l'heure où tout en moi était un « Non » à mon époque, j'avais trouvé mon « Oui » à moi-même.

Au cœur de l'Europe

Quand, à Pâques 1917, ma tragédie *Jérémie* parut en librairie, j'eus une surprise. Je l'avais écrite en opposant à mon temps la résistance la plus acharnée et je devais, de ce fait, m'attendre à une opposition acharnée. Mais ce fut tout le contraire qui se produisit. Vingt mille exemplaires du livre se vendirent immédiatement, chiffre fantastique pour une œuvre théâtrale ; se déclarèrent publiquement pour lui non seulement des amis, comme Romain Rolland, mais même ceux qui auparavant se tenaient plutôt de l'autre côté, tels que Rathenau et Richard Dehmel. Des directeurs de théâtre auxquels la pièce n'avait pas été soumise — une représentation en Allemagne demeurait quand même inconcevable pendant la guerre — m'écrivirent et me prièrent de leur en réserver la création pour le temps de paix ; même l'opposition des bellicistes se montra courtoise et respectueuse. Je m'étais attendu à tout sauf à cela.

Que s'était-il passé ? Rien, sinon que la guerre durait déjà depuis deux ans et demi ; le temps avait fait son œuvre de cruel dégrisement. Après la terrible saignée sur les champs de bataille, la fièvre commençait à tomber. Les hommes regardaient le visage de la guerre avec des yeux plus froids et plus durs que dans les premiers mois d'enthousiasme. Le sentiment de la solidarité commençait à se relâcher, car on ne percevait plus le moindre signe de la grande « purification morale » annoncée avec emphase. Une profonde fissure divisait le peuple de part

315

en part ; le pays était en quelque sorte disloqué en deux mondes ; à l'avant, celui des soldats qui combattaient et enduraient les plus affreuses privations ; à l'arrière, celui des gens qui étaient restés chez eux, qui continuaient à vivre sans soucis, peuplaient les théâtres et même s'enrichissaient de la misère des autres. Le front et l'arrière se profilaient en un contraste de plus en plus accusé. Par les portes des bureaux s'était introduit sous cent masques divers un odieux système de protection ; on savait que des gens, grâce à leur argent ou à leurs relations, obtenaient des commandes qui rapportaient gros, alors que des paysans et des ouvriers déjà à moitié déchiquetés par les balles se voyaient sans cesse renvoyés dans les tranchées. Chacun chercha dès lors sans le moindre scrupule à se tirer d'affaire comme il pouvait. Les objets de première nécessité se faisaient plus chers de jour en jour en raison des pratiques éhontées des intermédiaires, les vivres plus rares, et par-dessus le marécage de la misère générale brillait comme des feux follets le luxe provocant des profiteurs de guerre. Une méfiance exaspérée commença peu à peu à s'emparer de la population — méfiance à l'égard des généraux, des officiers, des diplomates, méfiance à l'égard de tous les communiqués du gouvernement et du grand état-major, méfiance à l'égard des journaux et de leurs nouvelles, méfiance à l'égard de la guerre elle-même et de sa nécessité. Ce n'était donc nullement la valeur poétique de mon livre qui lui valait ce succès surprenant ; je n'avais fait qu'exprimer ce que les autres n'osaient pas dire ouvertement : la haine de la guerre, la méfiance quant à la victoire.

Il paraissait autrefois impossible d'exprimer un tel état d'esprit sur la scène, au moyen de la parole vivante. Des manifestations se seraient inévitablement produites, et je crus donc devoir renoncer à voir jouer, pendant la guerre, ce premier drame contre la guerre. Mais je reçus inopinément du directeur du théâtre municipal de Zurich une

lettre par laquelle il m'annonçait qu'il désirait immédiatement mettre en scène mon *Jérémie* et m'invitait à assister
à la première. J'avais oublié qu'il existait encore —
comme dans cette Seconde Guerre — une petite mais
précieuse étendue de terre allemande qui avait eu la grâce
de se tenir à l'écart, un pays démocratique où la parole
était encore libre, où la pensée avait encore conservé sa
sérénité. Bien entendu, j'acquiesçai immédiatement.

Ce ne pouvait être à la vérité qu'un assentiment de
principe ; car il présupposait la permission de pouvoir
quitter pour quelque temps et mon service et mon pays.
Or il se trouva heureusement qu'il y avait — ce qui n'est
pas le cas dans cette Seconde Guerre — une section de la
« propagande culturelle ». On est toujours obligé, pour
rendre sensible la différence de l'atmosphère spirituelle
entre la Première et la Seconde Guerre mondiale, de
souligner qu'alors les peuples, les chefs, les empereurs,
les rois, élevés dans une tradition d'humanité, nourris-
saient encore dans leur subconscient la honte de la
guerre. Pays après pays, chacun repoussait comme basse
calomnie le reproche d'être ou d'avoir été « militariste » ;
au contraire, chacun rivalisait de zèle pour démontrer,
pour expliquer, pour mettre en évidence qu'il était une
« nation civilisée ». En 1914, il n'était rien à quoi on
aspirât de façon plus pressante qu'à faire reconnaître, par
un monde qui mettait la culture au-dessus de la force et
qui aurait abhorré comme immoraux des slogans tels que
« *sacro egoismo* » ou « espace vital », qu'on avait produit
des ouvrages de l'esprit qui enrichissaient le patrimoine
de l'humanité. C'est pourquoi tous les pays neutres
étaient inondés de manifestations artistiques qu'on leur
offrait. L'Allemagne envoyait en Suisse, en Hollande, en
Suède, ses orchestres dirigés par des chefs de réputation
mondiale, l'Autriche sa Philharmonique ; même les
poètes, les écrivains, les savants étaient envoyés à l'étranger, non pas pour vanter des exploits militaires ou

célébrer des tendances annexionnistes, mais uniquement pour prouver par leurs vers, par leurs œuvres, que les Allemands n'étaient pas des « barbares » et ne produisaient pas que des lance-flammes ou de bons gaz toxiques, mais aussi des valeurs absolues qui avaient cours dans toute l'Europe. Dans les années 1914-1918 — il faut que j'y insiste sans cesse — la conscience universelle était encore une puissance à laquelle on rendait hommage ; les éléments productifs dans le domaine des arts, les éléments moraux d'une nation représentaient encore dans la guerre une force estimée, à laquelle on prêtait une grande influence ; les États s'efforçaient de se concilier la sympathie des hommes au lieu de les terrasser exclusivement au moyen d'une terreur inhumaine, comme l'Allemagne en 1939. Ainsi, ma demande d'une permission au cours de laquelle je me rendrais en Suisse afin d'y assister à la représentation d'une pièce avait en elle-même de bonnes chances d'être acceptée ; si l'on devait craindre quelques difficultés, c'était tout au plus parce qu'il s'agissait d'une pièce qui s'opposait à la guerre et dans laquelle un Autrichien — encore que ce fût sous une forme symbolique — anticipait la défaite comme possible. Je me fis annoncer au ministère auprès du chef de la section et lui exprimai mon vœu. A mon grand étonnement, il me promit aussitôt de prendre toutes les dispositions nécessaires, en m'exposant ses raisons, qui étaient des plus singulières : « Dieu soit loué, vous n'avez jamais été de ces imbéciles qui poussaient leurs cris de guerre. Alors, faites de votre mieux, là-bas, pour que cette affaire finisse une bonne fois. » Quatre jours plus tard, j'avais ma permission et un passeport pour l'étranger.

*

J'avais été un peu surpris d'entendre parler si librement, en pleine guerre, un des plus hauts fonctionnaires d'un ministère autrichien. Mais n'étant pas initié aux démarches secrètes de la politique, je ne soupçonnais pas qu'en 1917, sous le nouvel empereur Charles, un mouvement imperceptible s'ébauchait déjà dans les milieux gouvernementaux pour secouer la dictature des militaires allemands qui, sans égard pour elle et contre sa volonté la plus intime, entraînaient l'Autriche toujours plus loin à la remorque de leur féroce annexionnisme. Au grand état-major autrichien, on haïssait l'autoritarisme brutal de Ludendorff ; au ministère des Affaires étrangères, on se défendait désespérément contre la guerre sous-marine totale, qui devait faire de l'Amérique notre ennemie ; même le peuple murmurait contre l' « arrogance prussienne ». Tout cela ne s'exprimait encore que par insinuations prudentes et par des remarques sans intention apparente. Mais durant les jours qui suivirent, je devais en apprendre davantage et j'acquis avant les autres, tout à fait à l'improviste, quelque connaissance d'un des plus grands secrets politiques de ce temps.

Voici comment les choses se passèrent à l'occasion de mon voyage en Suisse. Je m'arrêtai deux jours à Salzbourg, où j'avais acheté une maison et projetais d'habiter après la guerre. Dans cette ville se trouvait un petit cercle de catholiques très convaincus, parmi lesquels deux hommes, Heinrich Lammasch et Ignaz Seipel, allaient jouer un rôle décisif dans l'histoire de l'Autriche après la guerre, en qualité de chanceliers. Le premier était un des professeurs de droit les plus éminents de son temps et avait présidé certaines conférences de La Haye ; Ignaz Seipel, un prêtre catholique d'une intelligence presque inquiétante, était destiné, après l'effondrement de la monarchie, à prendre la tête du gouvernement de la petite Autriche, et fit la preuve, à cette occasion, de son extraordinaire génie politique. Tous deux étaient des pacifistes convaincus, des catholiques très croyants, de vieux Autrichiens passionnés et, en cette qualité, des ennemis déclarés du militarisme allemand, prussien, protestant, qu'ils tenaient pour incompatible avec les idées traditionnelles de l'Autriche et sa mission catholique. Dans ces cercles religieux et pacifistes, mon drame de *Jérémie* avait rencontré la plus grande sympathie, et le conseiller aulique Lammasch — Seipel était justement en voyage — me pria chez lui à Salzbourg. Ce vieux savant distingué me parla avec beaucoup de cordialité de mon livre qui, disait-il, satisfaisait à notre idée autrichienne d'une action conciliatrice, et dont il espérait vivement qu'il exercerait ses effets en dehors de la littérature. A mon grand étonnement, il me confia, à moi qu'il n'avait jamais vu, et avec une franchise qui prouvait son courage moral, le secret que nous nous trouvions en Autriche à un tournant décisif. Depuis que la Russie était, d'un point de vue militaire, éliminée de la guerre, il n'existait plus, ni pour l'Allemagne — pour autant qu'elle voulût se défaire de ses tendances agressives — ni pour l'Autriche, un seul obstacle véritable à la conclusion de la paix ; on ne pouvait se permettre de laisser échapper cet instant. Si la clique pangermaniste continuait en Allemagne à s'opposer à toute négociation, l'Autriche devait prendre les choses en main et agir pour son propre compte. Il me laissa entendre que le jeune empereur Charles avait promis son aide à ces tendances ; peut-être verrait-on déjà dans un temps très rapproché les effets de sa politique personnelle. Tout dépendait à présent de cette question : l'Autriche aurait-elle assez d'énergie pour imposer une paix de compromis et d'entente au lieu de cette « paix par la victoire » que réclamait le parti militaire quels que fussent les nouveaux sacrifices qu'elle coûterait ? Mais, au besoin, il faudrait se résoudre à une mesure extrême : l'Autriche devait se détacher à temps de l'alliance, avant d'être entraînée dans une catastrophe par les militaires allemands. « Personne ne peut nous accuser d'infidélité, disait-il d'un ton ferme et résolu. Nous avons plus d'un million de morts. Nous avons assez fait, consenti assez de sacrifices. Désormais plus une seule vie humaine, plus une seule pour l'hégémonie mondiale de l'Allemagne ! »

J'eus la respiration coupée. Nous avions souvent pensé tout cela en secret, mais personne n'avait eu le courage de l'exprimer aussi ouvertement : « Détachons-nous à temps des Allemands et de leur politique d'annexion », car cela aurait passé pour une « trahison » de nos frères d'armes. Et voici qu'un homme le disait, qui, comme je le savais déjà, jouissait en Autriche de la confiance de l'empereur et à l'étranger de la plus grande considération par son activité à La Haye ; il me le disait à moi, qui étais presque un inconnu pour lui, avec une telle tranquillité et une telle assurance que je sentis immédiatement qu'une action séparée de l'Autriche n'en était plus au stade de la préparation, mais qu'elle était déjà en cours. L'idée était audacieuse : ou bien rendre l'Allemagne plus disposée à entamer les négociations par la menace d'une paix séparée, ou bien, au besoin, mettre la menace à exécution ; c'était alors — l'histoire l'a prouvé — la seule, la dernière possibilité de sauver l'empire, la monarchie et, du même coup, l'Europe. Dans l'exécution, malheureusement, on manqua de cette résolution qui avait présidé à l'élaboration du plan primitif. A l'insu de la cour de Berlin, l'empereur Charles envoya effectivement à Clemenceau le frère de sa femme, le prince de Parme, muni d'une lettre secrète, afin de sonder les possibilités de paix et d'en engager éventuellement les préliminaires. La façon dont cette mission secrète parvint à la connaissance de l'Allemagne n'est, je crois, pas encore très clairement établie ; malheureusement, l'empereur Charles n'eut pas le courage de déclarer publiquement sa conviction, soit que l'Allemagne menaçât l'Autriche d'invasion — comme beaucoup le soutiennent —, soit qu'en sa qualité de Habsbourg il répugnât à dénouer au moment décisif une alliance conclue par François-Joseph et scellée par tant de sang. Quoi qu'il en soit, il n'appela pas à la présidence du Conseil Lammasch ou Seipel, les seuls qui, en leur qualité d'internationalistes catholiques, auraient eu grâce à leur conviction morale la force d'assumer la honte d'une rupture avec l'Allemagne, et cette hésitation entraîna sa perte. L'un et l'autre ne devinrent présidents du Conseil que dans la République autrichienne mutilée et non dans le vieil empire des Habsbourg ; cependant, personne mieux que ces deux personnalités considérables et considérées n'aurait été capable de défendre devant le monde l'injustice apparente. Par une menace ouverte de séparation ou par la séparation même, non seulement Lammasch aurait sauvé l'existence de l'Autriche, mais il aurait encore préservé l'Allemagne du plus grand danger qui la menaçât de l'intérieur — de sa volonté effrénée d'annexion. Notre Europe serait en meilleur point si l'action que cet homme sage et profondément religieux m'annonça alors ouvertement n'avait pas été compromise par la faiblesse et la maladresse.

*

Le lendemain, je poursuivis mon voyage et franchis la frontière suisse. Il est difficile de se représenter ce que signifiait alors de passer en zone neutre quand on venait d'un pays en guerre barricadé et déjà à moitié réduit par la famine. Il n'y avait que quelques minutes d'une station à l'autre, mais dès la première seconde, on était pris par le sentiment de quitter un air étouffant et renfermé pour pénétrer soudain dans une atmosphère vivifiante et neigeuse, par une sorte de vertige que l'on sentait se répandre du cerveau dans tous les nerfs et dans tous les organes des sens. Des années après, chaque fois que, venant d'Autriche, je passai par cette station (dont le nom, sans ces circonstances, ne me serait jamais resté dans la mémoire) se renouvela, rapide comme l'éclair, cette sensation de respiration subitement retrouvée. On sautait du train, et voilà — première surprise — qu'attendaient dès le buffet toutes ces choses dont on avait déjà oublié que naguère encore elles faisaient tout naturellement partie de la vie quotidienne ; il y avait là des oranges dorées et juteuses, des bananes, il y avait là bien en vue du chocolat et des jambons, que, chez nous, on ne pouvait obtenir qu'en se glissant par des portes de derrière, il y avait du pain et de la viande sans carte de pain, sans carte de viande — et les voyageurs se jetaient véritablement comme des bêtes affamées sur ces splendeurs à bon marché. Il y avait un bureau de télégraphe, un bureau de poste d'où l'on pouvait, sans être censuré, écrire ou câbler des messages dans toutes les directions, partout dans le monde. Il y avait là les journaux français, italiens, anglais, et on pouvait les acheter impunément, les déplier et les lire. Ce qui était interdit chez nous était permis ici, à cinq minutes, et ce qui était permis ici était interdit là-bas. Toute l'absurdité d'une guerre européenne se manifesta à mes sens avec une parfaite évidence du fait de cette étroite juxtaposition dans l'espace ; là-bas, dans la petite ville frontière, dont on pouvait lire les enseignes à l'œil nu, on tirait les hommes de chaque maisonnette, de chaque cabane, et on les embarquait dans des wagons pour les envoyer se faire assassiner en Ukraine ou en Albanie — ici, à cinq minutes, les hommes du même âge étaient tranquillement assis avec leurs femmes devant leur porte encadrée de lierre et fumaient la pipe ; je me demandai machinalement si les poissons de ce petit fleuve qui marquait la frontière n'étaient pas eux aussi des animaux belligérants du côté droit et neutres à gauche. A la seconde même où je franchis la frontière, je pensai autrement, avec plus de liberté et d'excitation, moins de servilité, et j'éprouvai dès le lendemain combien, dans le monde en guerre, non seulement nos dispositions morales, mais aussi notre organisme étaient diminués ; quand, invité chez des parents, je bus une tasse de café noir et fumai un havane après le déjeuner, sans me méfier, j'eus un subit étourdissement et de violentes palpitations. Il s'avérait que mon corps, mes nerfs, après de longs mois de succédanés, ne supportaient plus le vrai café, le vrai tabac ; le corps lui-même, habitué à l'antinaturel de la guerre, avait besoin de se réadapter au naturel de la paix.

Ce vertige, ce bienfaisant étourdissement, s'étendait aussi au domaine de l'esprit. Chaque arbre me semblait plus beau, chaque montagne plus libre, chaque paysage me rendait plus heureux, car dans un pays en guerre la paix d'une prairie qui respire la félicité donne au regard assombri l'impression d'une impudente indifférence de la nature, chaque coucher de soleil empourpré rappelle le sang répandu. Ici, dans l'état naturel de la paix, la noble impassibilité de la nature était redevenue naturelle, et j'aimais la Suisse comme je ne l'avais jamais aimée. J'étais toujours venu volontiers dans ce pays grandiose malgré son peu d'étendue, et que sa diversité rend inépuisable. Mais je n'avais jamais éprouvé aussi vivement le sens de son existence : l'idée suisse de la cohabitation sans hostilité des nations dans un même espace, cette maxime très sage de hausser jusqu'à la fraternité les différences des langues et des populations, par l'estime réciproque et la démocratie honnêtement vécue. Quel exemple pour toute notre Europe en proie à la pire confusion ! Refuge de tous les persécutés, depuis des siècles asile de la paix et de la liberté, hospitalière à toutes les opinions tout en conservant avec la plus grande fidélité son caractère particulier — combien s'est révélée importante pour notre monde l'existence de cet État supranational unique ! Ce pays me semblait à juste titre doué de beauté, comblé de richesses. Non, ici l'on n'était pas un étranger, ici, durant cette heure tragique de l'histoire du monde, un homme libre et indépendant se sentait plus chez lui que dans sa propre patrie. Pendant des heures, j'errai la nuit par les rues de Zurich et le long des rives du lac. Les lumières rayonnaient la paix, ici les gens jouissaient encore du calme heureux de la vie. Je croyais deviner que, derrière les fenêtres, les femmes ne gisaient pas dans leur lit sans trouver le sommeil, pensant à leurs fils ; je ne voyais pas de blessés, pas de mutilés, pas de jeunes soldats que, demain, après-demain peut-être, on ferait monter dans des trains. Ici l'on se sentait mieux le droit de vivre, tandis que dans un pays en guerre on éprouvait une sorte de honte et presque un sentiment de culpabilité à n'être pas estropié.

Mais le plus urgent pour moi, ce n'étaient pas les discussions au sujet de ma représentation, ce n'étaient pas les rencontres avec mes amis suisses et étrangers. Je voulais avant tout voir Romain Rolland, l'homme dont je savais qu'il pouvait me rendre plus ferme, plus lucide et plus actif, et je voulais le remercier de tout ce que m'avaient donné ses encouragements et son amitié dans les jours de la plus amère solitude morale. C'est chez lui que devaient me mener mes premiers pas, et je partis aussitôt pour Genève. Or, en notre qualité d'« ennemis », nous nous trouvions alors dans une situation assez compliquée. Il va de soi que les gouvernements des pays belligérants ne voyaient pas d'un bon œil leurs citoyens entretenir en terrain neutre des relations personnelles avec ceux des nations ennemies. Mais d'autre part, aucune loi ne l'interdisait. Il n'y avait pas un seul paragraphe d'après lequel on pût être puni pour une telle rencontre. Seuls restaient interdits et assimilés à la haute trahison le « commerce avec l'ennemi », les relations d'affaires, et pour ne pas nous rendre suspects de la moindre infraction à cette défense, nous évitions même par principe, entre amis, de nous offrir une cigarette — car il ne faisait pas le moindre doute que nous étions constamment observés par d'innombrables agents secrets. Pour échapper à tout soupçon d'avoir quelque chose à redouter ou d'avoir mauvaise conscience, nous autres, amis internationaux, nous choisîmes la méthode la plus simple, qui consistait à agir ouvertement. Nous ne nous écrivions pas à des adresses convenues ou poste restante, nous n'allions pas nous voir secrètement de nuit ; au contraire, nous nous promenions ensemble dans les rues, ou bien nous nous installions dans les cafés à la vue de tous. C'est ainsi qu'aussitôt après mon arrivée à Genève je m'annonçai auprès du portier de l'hôtel en déclinant mon nom et mon prénom, je lui dis que je désirais parler à monsieur Romain Rolland, précisément parce qu'il valait bien mieux pour les services de renseignements allemands ou français qu'ils pussent annoncer qui j'étais et à qui je rendais visite. Pour nous, il allait de soi que deux vieux amis n'avaient pas à s'éviter subitement parce qu'ils appartenaient par hasard à deux nations différentes qui, par hasard, se trouvaient maintenant en guerre l'une contre l'autre. Nous ne nous sentions pas obligés de partager un comportement absurde parce que le monde se conduisait d'une manière absurde.

Et maintenant je me trouvais enfin dans sa chambre — elle me semblait presque la même que celle de Paris. Comme autrefois, la table et les chaises étaient encombrées de livres. Le bureau était inondé de revues, de lettres et de papiers ; c'était toujours la même cellule monacale vouée au travail, si simple et pourtant reliée au monde entier, qu'il aménageait autour de lui selon sa nature partout où il se trouvait. Au premier instant, je ne trouvai pas de mots pour le saluer, nous nous tendîmes simplement la main — c'était la première main française que je pouvais de nouveau serrer depuis des années. Rolland était le premier Français avec lequel je parlais depuis trois ans, mais au cours de ces trois ans nous nous étions plus rapprochés que jamais. Dans cette langue étrangère, je parlai plus familièrement et plus librement qu'avec aucun de ceux de ma patrie. Je savais parfaitement que cet ami qui était debout devant moi était l'homme le plus important de cette heure de l'histoire du monde, que c'était la conscience morale de l'Europe qui me parlait. C'est alors seulement que je pus embrasser d'un regard tout ce qu'il avait fait et faisait dans son action grandiose au service de l'entente internationale. Travaillant nuit et jour, toujours seul, sans aide, sans secrétaire, il se tenait au courant de toutes les manifestations dans tous les pays, il entretenait une correspondance avec d'innombrables personnes qui lui demandaient conseil sur des cas de conscience, il rédigeait quotidiennement plusieurs pages de son journal ; il avait comme aucun autre en ce temps-là le sentiment de la responsabilité que lui imposait le fait de vivre une époque historique, et il éprouvait le besoin de rendre des comptes à la postérité. (Où sont-ils, maintenant, ces innombrables volumes manuscrits du journal, qui donneront un jour un éclaircissement complet sur tous les conflits moraux et spirituels de cette Première Guerre mondiale ?) En même temps il publiait ses articles, dont chacun créait alors une agitation internationale, il travaillait à son roman *Clérambault* ; sans repos ni réserve, il consacrait son existence, il sacrifiait toute son existence à l'immense responsabilité qu'il avait assumée d'agir en chaque chose de façon humaine, juste et exemplaire, au milieu de cet accès de folie qui avait atteint l'humanité. Il ne laissait jamais une lettre sans réponse, il lisait toutes les brochures qui touchaient aux problèmes de l'heure ; cet homme fragile, délicat, et justement alors très menacé dans sa santé, qui n'était capable de parler qu'à voix basse et avait sans cesse à lutter contre une légère toux, qui ne pouvait jamais sortir sans châle dans le corridor et était obligé de s'arrêter dès qu'il avait fait quelques pas un peu rapides, déploya alors des forces qui, par ce qu'elles exigeaient de lui, confinaient à l'invraisemblable. Rien ne pouvait l'ébranler, aucune attaque, aucune perfidie ; il considérait le tumulte du monde d'un œil clair et sans crainte. Je contemplais ici l'autre héroïsme, l'héroïsme spirituel et moral, à une échelle monumentale, dans une personne vivante — même dans mon livre sur Rolland je ne l'ai peut-être pas assez dépeint, parce que, avec les vivants, on a toujours une certaine pudeur à trop les louer. Combien profondément je fus alors bouleversé et, si j'ose ainsi m'exprimer, « purifié », quand je le vis dans cette petite chambre d'où, invisible, rayonnait dans toutes les zones du monde une influence fortifiante que j'ai encore éprouvée, bien des jours après ; et je sais que la force tonique, régénératrice, que Rolland créait alors par le fait qu'il combattait seul ou presque seul la haine insensée de millions d'hommes, fait partie de ces impondérables qui échappent à toute mesure ou évaluation. Nous seuls, les témoins de ce temps, savons ce que représentaient son existence et son inébranlable fermeté. Grâce à lui, l'Europe en proie à un accès de folie furieuse avait conservé sa conscience morale.

Je fus saisi, au cours des entrevues de cet après-midi et des jours suivants, par la légère tristesse qui enveloppait toutes ses paroles, la même qu'on sentait lorsqu'on parlait de la guerre avec Rilke. Il était plein d'amertume à l'égard des politiciens et de ceux qui ne trouvaient jamais assez de victimes étrangères pour rassasier leur orgueil national. Mais en même temps, il s'y mêlait toujours de la compassion pour ceux, innombrables, qui souffraient et mouraient pour une raison qu'ils ne comprenaient pas eux-mêmes et qui n'était que pure déraison. Il me montra le télégramme de Lénine qui — avant de quitter la Suisse dans ce train plombé de si fâcheuse réputation — l'avait conjuré de le suivre en Russie, parce qu'il comprenait bien de quelle importance aurait été pour sa cause l'autorité morale de Rolland. Mais Rolland demeura fermement résolu à n'adhérer à aucun groupe, à rester indépendant et à ne servir que par sa propre personne la cause à laquelle il s'était consacré : la cause commune de l'humanité. Comme il n'exigeait de personne de se soumettre à ses idées, il se refusait à tout engagement. Qui l'aimait devait lui-même demeurer indépendant, et il ne voulait proposer nul autre exemple que celui d'un homme qui peut rester libre et fidèle à sa propre conviction même contre le monde tout entier.

*

A Genève je rencontrai aussi dès le premier soir le petit groupe de Français et d'autres étrangers qui se rassemblaient autour de deux petits journaux indépendants, *La Feuille* et *Demain* : Pierre Jean Jouve, René Arcos, Franz Masereel. Nous devînmes des amis intimes, avec ce rapide élan qui ne noue d'ordinaire que des amitiés de jeunesse. Mais nous sentions instinctivement que nous nous trouvions au début d'une vie toute nouvelle. La plupart de nos anciennes relations s'étaient rompues par la faute de l'aveuglement patriotique de nos camarades d'antan. Nous avions besoin d'amis nouveaux, et comme nous étions sur le même front, dans les mêmes tranchées spirituelles, luttant contre le même ennemi, il se forma spontanément entre nous une sorte de camaraderie passionnée ; au bout de vingt-quatre heures, nous étions aussi intimes que si nous nous étions connus depuis des années et, comme il est d'usage sur tous les fronts, nous nous accordions déjà le tutoiement fraternel. Nous sentions tous — « *We few, we happy few, we band of brothers* » —, avec le danger personnel que nous courions, la témérité unique de notre union. Nous savions qu'à cinq heures de distance chaque Allemand qui guettait un Français, comme chaque Français qui épiait un Allemand, le perçait de sa baïonnette ou le déchiquetait au moyen d'une grenade à main, et obtenait une distinction pour cet exploit, que des millions et des millions d'êtres, de part et d'autre, ne rêvaient que de s'exterminer et de s'éliminer de la surface de la terre, que les journalistes ne parlaient des « adversaires » que l'écume à la bouche, tandis que nous, petite poignée parmi des millions et des millions d'hommes, nous étions installés à la même table, non seulement pacifiques, mais encore avec un sentiment bien conscient de fraternité loyale et passionnée. Nous savions dans quelle opposition à tout ce qui était officiel et commandé nous nous placions ainsi, nous savions qu'en déclarant sincèrement notre amitié nous nous mettions personnellement en danger du côté de nos patries ; mais le risque, justement, portait notre audace à une intensité pour ainsi dire extatique. Nous voulions prendre des risques, et nous goûtions la jouissance de ces risques, car seul le risque donnait réellement du poids à notre protestation. C'est ainsi que j'ai organisé à Zurich, fait unique dans cette guerre, une lecture publique en commun avec P. J. Jouve — il lut ses poèmes en français, moi en allemand des passages de mon *Jérémie* —, mais c'est précisément en jouant ainsi cartes sur table que nous montrions que nous étions honnêtes dans ce jeu audacieux. Ce qu'on en pensait dans nos consulats et nos légations nous était indifférent, même si nous avions par là brûlé nos vaisseaux comme Cortez. Car nous étions intimement convaincus que ce n'étaient pas nous les « traîtres », mais les autres, ceux qui trahissaient le devoir humain du poète au profit des hasards de l'heure. Et comme ils vivaient héroïquement, ces jeunes Français et ces jeunes Belges ! Il y avait là Franz Masereel qui, dans ses estampes contre les horreurs de la guerre, gravait sous nos yeux dans le bois le durable témoignage graphique de la guerre, ces inoubliables pages en noir et blanc qui, en violence et en colère, ne le cèdent pas même aux *Desastros de la guerra*, de Goya. Jour et nuit, cet homme viril gravait infatigablement de nouvelles figures et de nouvelles scènes dans le bois muet ; sa petite chambre et sa cuisine étaient déjà pleines de ces blocs, mais chaque matin *La Feuille* présentait une nouvelle accusation graphique ; aucune de ses estampes ne visait une nation particulière, toutes ne s'attaquaient qu'à notre adversaire commun, la guerre. Comme nous rêvions d'avions qui lâcheraient sur les villes et sur les armées, au lieu de bombes, ces terribles feuilles vengeresses, que tout le monde aurait comprises, même le plus humble, privé de l'usage des mots ! Elles auraient, j'en suis sûr, tué la guerre avant terme. Mais malheureusement, elles ne paraissaient que dans le petit journal *La Feuille*, qui ne franchissait guère les limites de Genève. Tout ce que nous disions et tentions se trouvait confiné dans le cadre étroit de la Suisse et ne produisit son effet que quand il fut trop tard. Au fond, nous ne nous faisions pas d'illusions, nous savions que nous étions impuissants contre la grande machine des états-majors généraux et des autorités politiques ; s'ils ne nous poursuivaient pas, c'était peut-être parce que nous ne pouvions devenir dangereux pour eux, notre parole demeurant étouffée et notre action entravée comme elles l'étaient. Mais le fait justement que nous savions combien nous étions peu, combien nous étions seuls, nous serrait plus étroitement les uns contre les autres, poitrine contre poitrine, cœur contre cœur. Jamais plus, dans les années de ma maturité plus avancée, je n'ai éprouvé une amitié plus enthousiaste que durant ces heures de Genève, et cette liaison s'est maintenue tout au long des années qui ont suivi.

*

Du point de vue psychologique et historique (non pas artistique), la figure la plus extraordinaire de ce groupe était Henri Guilbeaux ; en sa personne j'ai trouvé confirmée de manière plus convaincante que dans aucune autre cette loi immuable de l'histoire qui veut que, dans des époques de violents bouleversements, en particulier au cours d'une guerre ou d'une révolution, l'audace et la témérité vaillent souvent mieux, à court terme, que la valeur intrinsèque, et qu'un bouillant courage civique puisse être plus décisif que le caractère et la constance. Quand le temps s'accélère et que les événements se précipitent, les natures qui savent se jeter à l'eau sans la moindre hésitation ont toujours l'avantage sur les autres. Et que de figures éphémères, Bela Kun, Kurt Eisner, se sont alors trouvées portées au-dessus d'elles-mêmes, jusqu'à une place où elles ne pouvaient se soutenir ! Guilbeaux, petit homme blond, chétif, aux yeux gris, vifs, inquiets, et à la faconde des plus animées, n'était en lui-même nullement doué. Bien que ce fût lui qui, près de dix ans plus tôt déjà, avait traduit mes poèmes en français, je dois honnêtement qualifier ses dons littéraires d'insignifiants. Son expression ne s'élevait pas au-dessus du médiocre, sa culture n'atteignait en aucun domaine à la profondeur. Toute sa force était dans la polémique. Par une malheureuse disposition de son caractère, il était de ces gens qui ont toujours besoin de se déclarer « contre », peu importe contre quoi. Il n'était heureux que s'il pouvait se battre, en vrai gamin qu'il était, et se jeter contre plus fort que lui. A Paris, avant la guerre, bien qu'il fût au fond un bon compagnon, il n'avait cessé de polémiquer contre telle ou telle tendance littéraire, contre tel ou tel écrivain, puis il s'était mêlé aux partis avancés. Or maintenant, l'antimilitariste qu'il était avait soudain trouvé un adversaire gigantesque : la guerre mondiale. La timidité, la lâcheté de la plupart, face à l'audace, à la folle témérité avec laquelle il se jetait dans la lutte, firent de lui pour un moment un personnage important et même indispensable. Il était attiré précisément par ce qui effrayait les autres, le danger. Le fait que les autres osaient si peu et que lui seul osait tant conféra à ce littérateur en lui-même sans importance une soudaine grandeur et exalta ses capacités de publiciste, de polémiste, au-dessus de leur niveau naturel — phénomène qu'on peut observer aussi du temps de la Révolution française chez les petits avocats et juristes de la Gironde. Tandis que les autres se taisaient, que nous-mêmes hésitions et, en chaque occasion, pesions soigneusement ce qu'il convenait de faire et d'éviter, il attaquait résolument, et le mérite restera durablement à Guilbeaux d'avoir fondé et dirigé la seule revue intellectuellement importante qui luttât contre la Première Guerre mondiale : *Demain*, document que chacun doit relire, s'il veut réellement comprendre les courants intellectuels de cette époque. Il nous donnait ce dont nous avions besoin, un centre de discussion internationale, supranationale, en pleine guerre. Le fait que Rolland se tînt derrière lui décida de l'importance de la revue, car, grâce à son autorité morale et à ses relations, Rolland pouvait lui amener les collaborateurs les plus précieux d'Europe, d'Amérique et d'Inde ; d'autre part, les révolutionnaires alors exilés de Russie, comme Lénine, Trotski et Lounatcharski, accordèrent leur confiance au radicalisme de Guilbeaux et écrivirent régulièrement pour *Demain*. C'est ainsi que, pendant douze ou vingt mois, il n'y eut pas au monde de revue plus intéressante, plus indépendante, et si elle avait survécu à la guerre, elle aurait peut-être influencé de façon déterminante l'opinion publique. En même temps, Guilbeaux représentait en Suisse les groupes avancés de France que la dure main de Clemenceau avait bâillonnés. Aux fameuses conférences de Kienthal et de Zimmerwald, où les socialistes demeurés internationalistes se séparèrent de ceux qui étaient devenus patriotes, il joua un rôle historique ; aucun Français, pas même ce capitaine Sadoul qui se rallia aux bolcheviks en Russie, n'était aussi craint et haï dans les cercles politiques et militaires de Paris que ce petit homme blond. Enfin le bureau français d'espionnage réussit à lui faire un croc-en-jambe. Dans un hôtel de Berne, on vola à un agent allemand des feuilles de papier buvard et des copies qui établissaient que des services officiels allemands avaient pris quelques abonnements à *Demain*, cela et *rien de plus*. La chose en soi n'était nullement compromettante, car étant donné la conscience méthodique et scrupuleuse, la *Gründlichkeit* germanique, ces exemplaires étaient sans doute destinés aux divers bureaux et bibliothèques. Mais, à Paris, le prétexte suffit pour traiter Guilbeaux d'agitateur acheté par l'Allemagne et pour lui faire un procès. Il fut condamné à mort par contumace — tout à fait injustement, ce que prouve d'ailleurs le fait que, dix ans après, cette sentence fut cassée au cours d'un procès en révision. Mais peu après, à cause de sa véhémence et de son intransigeance, qui commençaient aussi à constituer un danger pour Rolland et pour nous tous, il entra en outre en conflit avec les autorités suisses, fut arrêté et emprisonné. Lénine, qui avait à son égard une inclination personnelle ainsi que de la reconnaissance pour l'aide qu'il avait reçue de lui dans les temps les plus difficiles, finit par le sauver en le transformant d'un trait de plume en un citoyen russe et en le faisant venir à Moscou par le second train plombé. C'est alors qu'il aurait pu déployer des forces productives. Car à Moscou lui était donnée, pour la seconde fois, toute possibilité d'agir, à lui qui avait tous les mérites d'un vrai révolutionnaire après son incarcération et sa condamnation à mort par contumace. Comme à Genève avec l'aide de Rolland, il aurait pu, grâce à la confiance de Lénine, faire œuvre positive dans la reconstruction de la Russie ; d'autre part, il n'était peut-être personne qui, par son attitude courageuse pendant la guerre, fût plus désigné que lui pour jouer après celle-ci, en France, un rôle décisif au Parlement et dans la vie publique, car tous les groupes avancés voyaient en lui l'homme véritable, actif et courageux, le chef né. Cependant, il se trouva en réalité que Guilbeaux n'était rien moins qu'une nature de chef, mais que, comme beaucoup de poètes de la guerre et de politiciens de la révolution, il n'était que le produit d'une heure fugitive, et les natures mal équilibrées finissent toujours par s'effondrer après une soudaine ascension. En Russie, Guilbeaux, polémiste incurable, tout comme précédemment à Paris, gaspilla ses dons en querelles et en chicanes et se brouilla peu à peu avec ceux-là mêmes qui avaient respecté son courage, avec Lénine d'abord, puis avec Barbusse et Rolland, puis avec nous tous. Il finit, dans une époque historique moins grande, comme il avait commencé, par des brochures insignifiantes et des tracasseries mesquines ; il est mort tout à fait ignoré dans un coin de Paris, peu après avoir obtenu sa grâce. Celui qui, pendant la guerre, avait été le plus audacieux et le plus vaillant adversaire de la guerre, celui qui, s'il avait su utiliser et mériter l'élan que lui avait donné l'époque, aurait pu devenir une des grandes figures de notre temps, est aujourd'hui complètement oublié, et je suis peut-être un des derniers qui se souviennent encore de lui avec reconnaissance pour son exploit de *Demain*.

De Genève, je retournai à Zurich au bout de quelques jours, afin d'entamer les pourparlers au sujet des répétitions de ma pièce. J'avais toujours aimé cette ville pour sa belle situation au bord du lac, à l'ombre des montagnes, et tout autant pour sa culture distinguée, un peu conservatrice. Mais grâce à la paix dont jouissait la Suisse au milieu des États belligérants, Zurich était sorti de sa tranquillité et devenu du jour au lendemain la ville la plus importante d'Europe, un lieu de rencontre de tous les mouvements intellectuels ainsi que de tous les affairistes, spéculateurs, espions, agents de propagande, que la population indigène, en raison de ce subit amour, considérait avec une défiance très justifiée... Dans les restaurants, dans les cafés, dans les tramways, dans la rue, on entendait parler toutes les langues. Partout on rencontrait des connaissances, agréables ou non, et qu'on le voulût ou non, on était jeté dans un torrent de discussions animées. Car l'existence de tous ces gens que le destin avait amenés là, les uns chargés d'une mission par leur gouvernement, les autres persécutés et proscrits, tous détachés de leur vie normale et exposés à tous les hasards, était liée à l'issue de la guerre. Comme ils n'avaient pas de foyer, ils cherchaient sans cesse à nouer des relations de camaraderie, et comme il n'était pas en leur pouvoir d'influer sur les événements militaires et politiques, ils discutaient jour et nuit dans une sorte de fièvre cérébrale, qui nous excitait et nous fatiguait tout ensemble. Cependant, après avoir vécu chez soi des mois et des années les lèvres scellées, on pouvait difficilement se refuser le plaisir de parler, on se sentait poussé à écrire, à publier, depuis que, pour la première fois, on pouvait de nouveau penser et écrire sans être censuré. Chacun était tendu au maximum de ses possibilités, et même des natures médiocres — comme je l'ai montré par l'exemple de Guilbeaux — étaient plus intéressantes qu'elles ne l'avaient jamais été et ne devaient l'être par la suite. Écrivains et politiques de toutes les nuances et de toutes les langues se trouvaient rassemblés là. Alfred H. Fried, prix Nobel de la paix, publiait à Zurich sa *Frie-denswarte* *, Fritz von Unruh, qui avait été officier prussien, nous lisait ses drames, Leonhard Frank écrivait son livre excitant *L'homme est bon,* Andreas Latzko faisait sensation avec ses *Hommes dans la guerre,* Franz Werfel vint donner une conférence. Je rencontrais des gens de toutes les nations dans mon vieil Hôtel Schwerdt, où Casanova et Goethe étaient descendus en leur temps. Je voyais des Russes qui devaient ensuite sortir de l'ombre pendant la révolution et dont je n'ai jamais appris les vrais noms, des Italiens — prêtres catholiques, socialistes intransigeants et membres du parti belliciste proallemand ; parmi les Suisses, le magnifique pasteur Leonhard Ragaz et l'écrivain Robert Faesi étaient à nos côtés ; à la librairie française je rencontrai mon traducteur Paul Morisse, dans la salle de concerts le chef d'orchestre Oscar Fried — tout était là, tout passait devant nous, on entendait toutes les opinions, les plus absurdes et les plus sages, on se fâchait, on s'enthousiasmait. On fondait des revues, on menait des polémiques, les contraires entraient en relation ou creusaient leur opposition, des groupes se constituaient ou se défaisaient. Jamais je n'ai rencontré un mélange aussi hétéroclite et aussi passionné d'opi-nions et de personnes dans une forme aussi concentrée, et pour ainsi dire en ébullition, que dans ces jours ou plutôt ces nuits de Zurich (car on discutait jusqu'à ce que le Café Bellevue ou le Café Odéon éteignît ses lumières, puis il arrivait encore souvent que l'on se raccompagnât l'un chez l'autre). Personne dans ce monde enchanté ne voyait plus le paysage, les montagnes, le lac et leur douce paix ; on vivait dans les journaux, dans les nouvelles et les rumeurs, dans les opinions, dans les discussions. Et, chose singulière, sur le plan spirituel, on vivait en fait la

---

* *L'Observatoire de la paix.*

guerre avec plus d'intensité ici que dans sa patrie, puissance belligérante, parce que le problème s'était en quelque sorte objectivé et complètement détaché de l'intérêt national qu'on prenait à une victoire ou à une défaite. On ne considérait plus la guerre d'un point de vue politique particulier, mais du point de vue européen, comme un événement terrible et cruel, qui ne devait pas seulement déplacer quelques lignes de frontières sur la carte, mais transformer la figure et l'avenir de notre monde.

*

Les plus émouvants de ces hommes étaient pour moi les apatrides — comme si m'avait déjà touché quelque pressentiment de mon sort à venir — ou, pis encore, ceux qui, au lieu d'une patrie, en avaient deux ou trois et ne savaient pas au fond d'eux-mêmes à laquelle ils appartenaient. J'apercevais, le plus souvent seul dans un coin du Café Odéon, un jeune homme à barbiche brune, qui portait sur ses yeux noirs et perçants des lunettes qui frappaient par leur épaisseur. On me dit que c'était un écrivain anglais très doué. Quand, au bout de quelques jours, je fis la connaissance de James Joyce, il nia catégoriquement toute espèce d'affinité avec l'Angleterre : il était irlandais. Certes, il écrivait en anglais, mais il ne pensait pas et ne voulait pas penser en anglais : « Je voudrais, me disait-il alors, une langue qui serait au-dessus des langues, une langue que toutes serviraient. Je ne puis m'exprimer complètement en anglais, sans m'enfermer du même coup dans une tradition. » Cela ne m'était pas tout à fait clair, car je ne savais pas qu'à cette époque il travaillait déjà à son *Ulysse* ; il m'avait seulement prêté son livre *Portrait of the Artist as a Young*

Man *, le seul exemplaire qu'il possédât, et son petit drame *Exiles* **, que j'eus même l'intention de traduire afin de l'aider. Plus j'apprenais à le connaître, plus il me remplissait d'étonnement par sa connaissance fantastique des langues ; sous ce front rond, vigoureusement martelé et lisse, qui, à la lumière électrique, brillait comme de la porcelaine, étaient estampés tous les vocables de tous les idiomes, et il en jouait de la manière la plus étincelante. Un jour, il me demanda comment je rendrais en allemand une phrase difficile de son *Portrait of the Artist,* et nous essayâmes d'abord de lui donner forme en italien et en français ; pour chaque mot, il en avait trois ou quatre tout prêts dans chaque idiome, même des termes dialectaux, et il en connaissait la valeur, le poids et jusqu'aux infimes nuances. Une certaine amertume le quittait rarement, mais je crois que cette irritation était justement la force qui, du dedans, le rendait véhément et productif. Son ressentiment contre Dublin, contre l'Angleterre, contre certaines personnes, avait pris en lui la forme d'une énergie dynamique et ne s'est réellement libéré que dans son œuvre littéraire. Mais il semblait aimer sa propre dureté ; jamais je ne l'ai vu rire, jamais je ne l'ai vu vraiment gai. Il donnait toujours l'impression d'une force obscure et ramassée sur elle-même, et quand je le voyais dans la rue, serrant fortement ses lèvres minces et marchant toujours d'un pas rapide, comme s'il avait un but bien déterminé, je sentais mieux encore qu'au cours de nos conversations l'attitude de défense, l'isolement intérieur de sa nature. Et je ne fus nullement étonné, plus tard, que ce fût lui justement qui eût écrit l'œuvre la plus solitaire, la plus impossible à rattacher à quoi que ce fût

---

* *Dedalus, Portrait de l'artiste par lui-même.* (Nous rectifions *an* en *the.*)
** *Les Exilés.*

d'autre, tombée comme un météore au milieu de notre temps.

Un autre de ces hommes qui vivaient en amphibies entre deux nations était Feruccio Busoni, Italien de naissance et d'éducation, Allemand par le choix de son genre de vie. Dès ma prime jeunesse, je n'avais jamais aimé un virtuose autant que lui. En concert, quand il jouait du piano, ses yeux prenaient un éclat merveilleusement rêveur. Sur le clavier, ses mains faisaient sans peine naître une musique d'une perfection inégalée ; la belle tête légèrement penchée en arrière, et où transparaissait toute son âme, écoutait la musique qu'il créait, s'en imprégnait. En ces occasions, il semblait toujours l'objet d'une sorte de transfiguration. Que de fois, dans les salles de concerts, j'avais contemplé, comme enchanté, ce visage illuminé, tandis que les sons doucement enveloppés et pourtant d'une clarté argentine pénétraient jusque dans mon sang. Maintenant je le revoyais, et ses cheveux étaient gris, ses yeux assombris par le deuil. « Quelle est ma patrie ? me demanda-t-il un jour. Quand je rêve la nuit et que je m'éveille, je sais que j'ai parlé en italien dans mon rêve. Et quand, ensuite, je me mets à écrire, je pense avec des paroles allemandes. » Ses élèves étaient disséminés dans le monde entier — « et peut-être qu'actuellement ils se tirent les uns sur les autres » — et il n'osait pas encore se mettre à son œuvre véritable, son opéra *Docteur Faust,* parce qu'il se sentait troublé. Il composait une petite pièce facile en un acte pour se délivrer, mais le nuage qui enveloppait son front ne se dissipa pas pendant la guerre. Je n'entendais plus que rarement ce rire d'une magnifique véhémence, digne de l'Arétin, que j'avais tant aimé chez lui. Et une fois, je le rencontrai à une heure avancée de la nuit dans la grande salle du buffet de la gare ; il avait bu tout seul deux bouteilles de vin. Comme je passais, il me héla : « S'étourdir ! me dit-il en montrant du doigt les bouteilles. Non pas boire, mais il faut parfois s'étourdir, sinon on ne le supporterait pas. La musique ne le peut pas toujours, et le travail ne nous visite qu'aux heures favorables. »

Cette situation ambiguë était particulièrement pénible pour les Alsaciens, et la plus pénible de toutes pour ceux d'entre eux qui, comme René Schickelé, étaient français de cœur et écrivaient en allemand. Il y allait du sort de leur pays dans cette guerre, et la faux leur passait par le milieu du cœur. On voulait les tirer à droite ou à gauche, les forcer à se déclarer pour l'Allemagne ou pour la France, mais ils avaient en horreur ce « ou bien-ou bien » qui leur était impossible. Ils voulaient, comme nous tous, une Allemagne et une France fraternelles, l'entente au lieu de l'hostilité, et c'est pourquoi ils souffraient pour l'une et pour l'autre.

Et partout à la ronde, il y avait encore la foule incertaine de ceux qui n'étaient liés qu'à moitié à l'un des deux camps ou dont les allégeances étaient mêlées — femmes anglaises d'officiers allemands ; mères françaises de diplomates autrichiens ; familles où un fils servait dans un camp, le second dans l'autre, où les parents attendaient des lettres de part et d'autre, où d'un côté le peu qu'ils possédaient leur avait été confisqué, où de l'autre ils avaient perdu leur situation : tous ces êtres déchirés s'étaient réfugiés en Suisse afin d'échapper aux soupçons qui les poursuivaient de la même façon dans leur ancienne comme dans leur nouvelle patrie. De crainte de compromettre les uns ou les autres, ils évitaient de parler l'une comme l'autre de leurs langues et glissaient, telles des ombres errantes, existences brisées et détruites. Plus un homme d'Europe avait vécu en Européen, et plus durement il était châtié par le poing qui faisait voler l'Europe en éclats.

*

Cependant, le jour de la représentation de *Jérémie* était arrivé. Ce fut un beau succès et je ne m'inquiétai pas trop que la *Frankfurter Zeitung* eût annoncé à l'Allemagne, en un compte rendu dénonciateur, que l'ambassadeur en mission extraordinaire et ministre plénipotentiaire des États-Unis, ainsi que d'autres personnalités alliées, y avaient assisté. Nous sentions que la guerre, à présent dans sa troisième année, perdait constamment de sa force interne, et que résister à sa prolongation imposée par le seul Ludendorff n'était plus aussi dangereux que dans les premiers temps criminels de sa gloire. Mais je ne voulais pas rester plus longtemps à Zurich pendant cette période, car mes yeux s'étaient peu à peu ouverts et faits plus vigilants. Dans le premier enthousiasme de mon arrivée, je m'étais flatté de trouver parmi tous ces pacifistes et ces antimilitaristes de vrais camarades partageant mes opinions, des combattants loyaux et résolus, aspirant à une entente européenne. Bientôt, je m'aperçus que parmi ceux qui jouaient aux réfugiés et se posaient en martyrs héroïques de leurs convictions s'étaient glissés quelques sombres personnages qui appartenaient aux services de renseignements allemands et étaient payés pour espionner et surveiller tout le monde. La paisible et sage Suisse, ainsi que chacun put bientôt s'en rendre compte par sa propre expérience, se révéla minée par le travail de taupe des agents secrets des deux camps. La femme de chambre qui vidait la corbeille à papier, la téléphoniste, le garçon qui vous servait de trop près et prenait bien son temps, tous étaient au service d'une des puissances ennemies, et souvent un seul et même homme travaillait pour les deux camps. Les malles étaient ouvertes d'une façon mystérieuse, les buvards photographiés, des lettres qu'on envoyait ou qu'on aurait dû recevoir disparaissaient sur le chemin de la poste ; des femmes élégantes vous souriaient avec insistance dans les halls des hôtels, des pacifistes singulièrement zélés, dont on n'avait jamais entendu parler, s'annonçaient à l'improviste et vous invitaient à signer des proclamations ou vous priaient hypocritement de leur confier les adresses d'amis « éprouvés ». Un « socialiste » m'offrit des honoraires élevés, qui me furent aussitôt suspects, pour une conférence que j'étais censé prononcer devant les ouvriers de La Chaux-de-Fonds, qui ignoraient tout de cette affaire. Il fallait constamment être sur ses gardes. Il ne me fallut pas longtemps pour voir combien peu nombreux étaient ceux qu'on pouvait considérer comme absolument sûrs, et, ne voulant pas me laisser entraîner dans la politique, je restreignis de plus en plus le cercle de mes relations. Même chez les hommes auxquels on pouvait se fier, je m'ennuyais de la stérilité des éternelles discussions et de les voir opiniâtrement divisés en groupes radicaux, libéraux, anarchistes, bolchevistes et sans parti. Pour la première fois j'appris à bien observer le type éternel du révolutionnaire professionnel, qui, par son attitude de pure opposition, se sent grandi dans son insignifiance, et se cramponne aux dogmes parce qu'il ne trouve aucun point d'appui en lui-même. Rester dans cette confusion bavarde, c'était s'embrouiller, cultiver des camaraderies peu sûres et compromettre la sécurité morale de ses propres convictions. Je me retirai donc. En réalité, aucun de ces conspirateurs de café ne s'est jamais risqué à organiser un complot, et de tous ces maîtres improvisés de la politique mondiale, pas un seul n'a jamais su faire de la politique quand on en aurait vraiment eu besoin. Dès que commença le travail positif, la reconstruction après la guerre, ils demeurèrent plongés dans leur négativisme d'ergoteurs grincheux, tout comme, parmi les écrivains antimilitaristes de ce temps-là, bien peu, après la guerre, ont réussi à produire encore une œuvre substantielle. C'était l'époque, avec sa fièvre, qui en eux discutait, faisait de la poésie et de la politique, et comme tous les groupes qui ne doivent leur cohérence qu'à une constellation momentanée et non à une idée vécue, ce cercle de gens intéressants et doués s'est désagrégé sans laisser de traces dès que la résistance contre laquelle ils luttaient, la guerre, eut cessé.

Je choisis comme l'endroit le plus convenable à mes desseins un petit hôtel de Rüschlikon, à une demi-heure environ de Zurich. De la colline où il était situé, on dominait tout le lac et, rapetissés par la distance, les clochers de la ville. Ici, il m'était permis de ne rencontrer que ceux que je priais de venir me voir, les vrais amis, et ils y vinrent, Rolland et Masereel. Ici, je pouvais travailler pour moi et mettre à profit le temps qui s'écoulait inexorablement. L'entrée en guerre de l'Amérique fit apparaître inévitable la défaite allemande à tous ceux dont les yeux n'étaient pas aveuglés et les oreilles assourdies par les tirades patriotiques. Quand l'empereur d'Allemagne annonça soudain qu'il allait désormais gouverner « démocratiquement », nous sûmes quelle heure avait sonné. J'avoue franchement que nous autres, Autrichiens et Allemands, malgré notre communauté linguistique et spirituelle, étions impatients que l'inévitable se précipitât, puisque aussi bien il était devenu inévitable ; et le jour où l'empereur Guillaume, qui avait juré de combattre jusqu'au dernier souffle du dernier homme et du dernier cheval, s'enfuit de l'autre côté de la frontière et où Ludendorff, qui avait sacrifié à sa « paix par la victoire » des millions d'hommes, se réfugia en Suède avec ses lunettes bleues *, fut d'une grande consolation pour nous. Car nous croyions — et le monde entier avec nous — que par cette guerre le sort de « la » guerre était réglé pour tous les temps, que la bête qui avait ravagé notre

_____

* Pour éviter d'être reconnu.

344

monde était domptée, voire tuée. Nous croyions au programme grandiose de Wilson, qui était en tout point le nôtre, nous voyions se lever à l'Orient une aube incertaine, en ces jours où la révolution russe célébrait encore sa nuit de noces avec une idéologie humaine et idéaliste. Nous étions insensés, j'en conviens. Mais nous n'étions pas seuls à l'être. Celui qui a vécu ce temps-là se souvient que les rues de toutes les villes retentissaient de cris d'allégresse pour accueillir Wilson comme le sauveur du monde, que les soldats ennemis s'étreignaient et s'embrassaient ; jamais il n'y eut en Europe autant de foi que durant ces premiers jours de la paix. Car il y avait enfin place sur la Terre pour le règne si longtemps promis de la justice et de la fraternité ; c'était enfin, maintenant ou jamais, l'heure de cette Europe unie dont nous avions rêvé. L'enfer était derrière nous, qu'est-ce qui pouvait encore nous effrayer ? Un nouveau monde commençait. Et comme nous étions jeunes, nous nous disions : il sera le nôtre, ce monde que nous avons rêvé, un monde meilleur, plus humain.

Retour en Autriche

Du point de vue de la pure logique, retourner en Autriche après la défaite des armes allemandes et autrichiennes était la plus grande sottise que je pouvais commettre — dans cette Autriche qui, sur la carte de l'Europe, n'était plus qu'une lueur crépusculaire et comme une ombre grise, incertaine et sans vie de l'ancienne monarchie impériale. Les Tchèques, les Polonais, les Italiens, les Slovènes lui avaient arraché leurs territoires ; ce qui en restait était un tronc mutilé et saignant de toutes ses veines. Des six ou sept millions que l'on contraignit à se déclarer « Autrichiens-Allemands », la capitale rassembla à elle seule deux millions d'êtres affamés et grelottants de froid. Les fabriques qui avaient autrefois enrichi le pays se trouvaient à présent en territoire étranger, les lignes de chemins de fer étaient réduites à de lamentables moignons ; on avait pris son or à la Banque nationale, tout en lui imposant cependant la charge gigantesque de l'emprunt de guerre. Les frontières étaient encore indéterminées, car le congrès de la paix avait à peine commencé, les obligations de chacun n'avaient pas encore été définies, il n'y avait plus de farine, plus de pain, plus de charbon, plus de pétrole ; une révolution semblait inévitable, ou quelque autre solution catastrophique. Selon toute prévision humaine, ce pays créé artificiellement par les États victorieux ne pouvait pas vivre indépendant et — tous les partis le proclamaient d'une seule voix, les socialistes, les cléricaux, les nationaux — ne voulait absolument pas vivre indépendant. Pour la première fois dans l'histoire, à ma connaissance, se produisit ce fait paradoxal qu'on contraignit un pays à une indépendance qu'il déclinait lui-même avec acharnement. L'Autriche souhaitait être réunie ou bien aux États voisins, comme par le passé, ou bien à l'Allemagne qui lui était apparentée, mais elle ne désirait nullement, mutilée comme elle l'était, mener une existence humiliée de mendiante. Les États voisins, en revanche, ne voulaient plus d'une alliance économique avec cette Autriche, soit qu'ils la jugeassent trop pauvre, soit qu'ils craignissent un retour des Habsbourg. D'autre part, les Alliés s'opposaient à l'union avec l'Allemagne, afin de ne pas renforcer cette Allemagne vaincue. Ainsi l'on décréta : la république d'Autriche allemande doit subsister. Fait unique dans l'histoire, à un pays qui ne voulait pas exister, on commandait : « Tu dois exister ! »

Moi-même, aujourd'hui, je n'arrive plus guère à m'expliquer les raisons qui me déterminèrent à retourner volontairement là-bas, alors que les pires calamités s'étaient abattues sur ce pays. Mais tout bien considéré, nous autres, gens de l'avant-guerre, avions de par notre éducation un sentiment du devoir plus fort que ceux qui nous ont suivis ; on croyait appartenir plus que jamais à sa patrie, à sa famille, en une telle heure d'extrême détresse. Il me paraissait un peu lâche d'esquiver commodément les tragédies qui se préparaient là-bas — et j'étais conscient de ma responsabilité, justement comme auteur de *Jérémie* : il me fallait, par la parole, aider à surmonter le désastre. Alors que j'étais superflu pendant la guerre, il me semblait qu'après la défaite ma véritable place était là, d'autant que par mon opposition à la prolongation de la guerre, j'avais acquis une certaine position morale, surtout auprès de la jeunesse. Et même si l'on n'avait le pouvoir de rien faire, il restait la satisfaction de prendre sa part des souffrances communes qu'on avait prédites.

Un voyage en Autriche demandait alors des préparatifs comme une expédition en pays arctique. Il fallait s'équiper de vêtements chauds et de linge de laine, car on savait que de l'autre côté de la frontière il n'y avait pas de charbon — et l'hiver était à la porte. On faisait ressemeler ses chaussures, car là-bas il n'y avait plus que des semelles de bois. On emportait avec soi du chocolat et autant de provisions qu'il était permis d'en faire sortir de Suisse, afin de ne pas mourir de faim en attendant que vous soient délivrés les premiers tickets de pain et de graisse. On assurait ses malles pour le montant le plus élevé possible car la plupart des fourgons de bagages étaient pillés, et chaque soulier, chaque pièce de vêtement était irremplaçable. Ce n'est que dix ans plus tard, quand je fis un voyage en Russie, que je pris de semblables dispositions. Un instant, je demeurai indécis à la station frontière de Buchs, où j'étais arrivé si comblé de bonheur plus d'un an auparavant, et je me demandai si je ne ferais pourtant pas mieux de revenir en arrière au dernier moment. C'était là, je le sentais bien, un instant décisif de ma vie. Finalement, je pris le parti le plus pénible et le plus difficile. Je remontai dans le train.

*

A mon arrivée à la station frontière suisse de Buchs une année auparavant, j'avais vécu une minute exaltante. Maintenant, à mon retour, une autre minute tout aussi inoubliable m'attendait à la gare autrichienne de Feldkirch. Dès ma descente du train, j'avais remarqué chez les douaniers et les policiers une singulière agitation. Ils ne faisaient pas particulièrement attention à nous et expédiaient avec la plus grande indifférence leur visite des bagages : manifestement, ils attendaient quelque chose de plus important. Enfin se fit entendre le coup de cloche qui annonçait l'approche d'un train venant du côté autrichien. Les policiers s'alignèrent, tous les employés sortirent précipitamment de leurs cabines, leurs femmes — de toute évidence mises au courant — se pressèrent sur le quai ; parmi les gens qui attendaient, une vieille dame en noir avec ses deux filles me frappa particulièrement ; sa tenue et son costume annonçaient une aristocrate. Elle était visiblement émue et portait à tout moment son mouchoir à ses yeux.

Le train s'avança lentement, je dirais presque majestueusement, un train d'une espèce spéciale, non pas les habituelles voitures de voyageurs détériorées par l'usage et délavées par la pluie, mais de larges wagons noirs, un train salon. La locomotive s'arrêta. Un mouvement imperceptible se fit dans les rangs de ceux qui attendaient, je ne savais toujours pas pourquoi. Alors je reconnus derrière la glace du wagon la haute stature dressée de l'empereur Charles, le dernier empereur d'Autriche et son épouse en vêtements noirs, l'impératrice Zita. Je tressaillis : le dernier empereur d'Autriche, l'héritier de la dynastie des Habsbourg qui avait gouverné le pays pendant sept cents ans, quittait son empire ! Bien qu'il se fût refusé à une abdication en bonne et due forme, la République lui avait accordé son départ avec tous les honneurs, ou plutôt elle le lui avait imposé. Maintenant, cet homme grand et grave se tenait debout à la fenêtre et voyait pour la dernière fois les montagnes, les maisons, les gens de son pays. C'était un moment historique que je vivais — et doublement bouleversant pour un homme qui avait été élevé dans la tradition de l'empire, dont la première chanson qu'il avait apprise à l'école avait été l'hymne impérial, qui, plus tard, au service militaire, avait juré « obéissance sur terre, sur mer et dans les airs » à cet homme qui, dans ses vêtements civils, regardait devant lui, grave et pensif. J'avais vu d'innombrables fois le vieil empereur dans la splendeur depuis longtemps légendaire aujourd'hui des grandes festivités, je l'avais vu sur le grand escalier de Schönbrunn, entouré de sa famille et des uniformes étincelants des généraux, quand il recevait l'hommage des quatre-vingt mille enfants des écoles de Vienne, lesquels, rangés sur la vaste prairie verte, chantaient de leurs voix grêles, en un chœur touchant, le « Dieu protège l'empereur », de Haydn. Je l'avais vu aux bals de la cour, je l'avais vu en uniforme chamarré aux représentations du Théâtre Paré, ou encore à Ischl, partant pour la chasse, coiffé du chapeau vert des Styriens, je l'avais vu, la tête inclinée, se dirigeant pieusement vers l'église Saint-Étienne dans la procession de la Fête-Dieu — et, par un jour d'hiver brumeux et humide, j'avais vu le catafalque, alors qu'en pleine guerre on descendait le vieil homme dans la crypte des Capucins pour qu'il y prenne son dernier repos. « L'empereur », ce mot avait réuni pour nous toute la puissance, toute la richesse, il avait été le symbole de la pérennité de l'Autriche et, dès l'enfance, on avait appris à prononcer ces syllabes avec vénération. Et maintenant, je voyais son successeur, le dernier empereur d'Autriche, quitter le pays en proscrit. La glorieuse lignée des Habsbourg qui, de siècle en siècle, s'étaient transmis le globe et la couronne, finissait à cette minute. Tous ceux qui nous entouraient sentaient l'histoire, l'histoire universelle, dans ce spectacle tragique. Les gendarmes, les policiers, les soldats semblaient embarrassés et se détournaient un peu, honteux parce qu'ils ne savaient pas s'il leur était encore permis de rendre les honneurs, les femmes n'osaient pas lever franchement les yeux, personne ne parlait, de telle sorte qu'on entendit soudain les légers sanglots de la vieille dame en deuil, qui était venue Dieu sait d'où pour voir une fois encore « son » empereur. Finalement, le chef de train donna le signal. Chacun tressaillit instinctivement, la minute irrévocable commençait. La locomotive se mit à tirer avec une forte secousse, comme si elle aussi devait se faire violence ; le train s'éloigna lentement. Les employés le suivirent des yeux avec respect. Puis ils s'en retournèrent dans leurs bureaux avec cette espèce d'embarras qu'on observe aux enterrements. En cet instant seulement la monarchie presque millénaire avait réellement pris fin. Je savais que je rentrais dans une autre Autriche, dans un autre monde.

*

Le train n'avait pas plus tôt disparu dans le lointain qu'on nous invita à descendre des wagons suisses, propres et bien entretenus, et à monter dans les autrichiens. Il suffisait de pénétrer dans ces wagons autrichiens pour savoir d'avance ce qui était arrivé à ce pays. Les contrôleurs qui vous assignaient vos places se traînaient, maigres, affamés et à moitié déguenillés ; leurs uniformes déchirés et usés jusqu'à la corde flottaient autour de leurs épaules affaissées. Aux portières, les courroies qui servaient à lever et à abaisser les glaces avaient été coupées, car chaque morceau de cuir était un objet précieux. Des couteaux ou des baïonnettes de pillards s'étaient aussi acharnés sur les sièges ; des morceaux entiers de rembourrage avaient été détachés par quelque barbare sans scrupule qui, voulant faire réparer ses souliers, s'était procuré du cuir où il en avait trouvé. De même les cendriers avaient été volés pour la petite quantité de cuivre et de nickel qu'on en pouvait tirer. La suie et les scories du misérable lignite qui servait maintenant à chauffer les locomotives pénétraient avec le vent de l'arrière-automne par les fenêtres brisées ; elles noircissaient le plancher et les parois, mais leur puanteur atténuait du moins la prenante odeur d'iodoforme qui rappelait les multitudes de malades et de blessés qu'on avait transportés dans ces squelettes de wagons. Le fait que le train parvenait quand même à avancer était en soi un miracle, mais un miracle qui durait longtemps ; chaque fois que les grincements des roues non huilées se faisaient moins perçants, nous craignions que le souffle vînt à manquer à la machine usée au travail. Pour un trajet que l'on parcourait ordinairement en une heure, il en fallut quatre ou cinq, et au crépuscule on plongea dans une obscurité complète. Les ampoules électriques avaient été brisées ou volées, pour chercher quelque chose, il fallait tâtonner en faisant flamber des allumettes, et si l'on ne gelait pas, c'était seulement parce que dès le départ on avait dû se serrer les uns contre les autres à six ou huit par banquette. Mais dès la première station, de nouveaux voyageurs se pressèrent dans les wagons ; il y en eut de plus en plus, tous déjà harassés par des heures d'attente. Les couloirs étaient bondés, des gens étaient assis jusque sur les marchepieds dans la nuit à demi hivernale. De plus, chacun serrait encore craintivement contre lui ses bagages et son petit paquet de vivres ; dans l'obscurité, personne ne se risquait à lâcher même pour une minute ce qu'il tenait à la main. De l'asile de paix, je m'en étais retourné dans l'horreur de la guerre, qu'on croyait avoir pris fin.

Avant d'arriver à Innsbruck, la locomotive se mit soudain à râler et, malgré les halètements et les coups de sifflet, ne put vaincre une petite rampe. Les employés s'agitèrent, allant et venant dans l'obscurité avec leurs lanternes qui filaient. On dut attendre une heure une machine de secours essoufflée, puis il fallut dix-sept heures au lieu de sept pour atteindre Salzbourg. Pas un porteur en vue à la gare ; à la fin, quelques soldats dépenaillés s'offrirent à transporter les bagages jusqu'à une voiture ; mais le cheval de fiacre était si vieux et si mal nourri qu'il semblait soutenu par les limons plutôt que destiné à les tirer. Je n'eus pas le courage d'imposer à cette bête spectrale un effort supplémentaire en chargeant la voiture de mes malles et je les laissai en consigne à la gare, plein d'appréhension, naturellement, à l'idée de ne plus jamais les revoir.

Pendant la guerre, je m'étais acheté une maison à Salzbourg, car mon éloignement de mes anciens amis, dû à nos opinions divergentes sur la guerre, avait éveillé en moi le désir de ne plus vivre dans les grandes villes au milieu d'une foule de gens. Par la suite aussi, mon travail a toujours et partout profité de cette vie retirée. De toutes les petites villes autrichiennes, Salzbourg me semblait la plus idéale non seulement par la beauté du site mais aussi par sa position géographique : située à la frontière de l'Autriche, à deux heures et demie de chemin de fer de Munich, à cinq heures de Vienne, à dix heures de Zurich ou de Venise et à vingt heures de Paris, elle était un véritable point de départ pour l'Europe. Assurément elle n'était pas encore le rendez-vous des « célébrités », la ville fameuse pour ses festivals, peuplée de snobs en été (je n'aurais pas choisi un tel endroit pour y travailler) ; c'était une vieille cité romantique et somnolente sur le dernier contrefort des Alpes, dont les montagnes et les collines vont doucement rejoindre la plaine allemande. Le petit coteau boisé sur lequel j'habitais était en quelque sorte le dernier flot expirant de cette formidable chaîne de montagnes ; la maison était inaccessible aux automobiles, on ne pouvait y monter que par un chemin de croix trois fois centenaire et qui présentait plus de cent marches à escalader. En récompense de la peine qu'on avait prise, elle offrait, de sa terrasse, un coup d'œil féerique sur les toits et les pignons de la ville aux nombreux clochers. A l'arrière-plan, le panorama s'élargissait jusqu'à la chaîne glorieuse des Alpes (comme d'ailleurs jusqu'au Salzberg, près de Berchtesgaden, où un homme alors totalement inconnu du nom d'Adolf Hitler allait bientôt habiter, en face de chez moi). La maison elle-même était aussi romantique que malcommode. Pavillon de chasse d'un archevêque au XVIIe siècle, et adossée aux formidables murailles de la forteresse, elle s'était, à la fin du XVIIIe, augmentée d'une pièce à chaque aile ; une magnifique tapisserie et une boule peinte, qu'en 1807 l'empereur François avait tenue dans ses mains en jouant aux quilles dans le long corridor de cette maison qui était maintenant la mienne, témoignaient, avec quelques parchemins relatifs aux divers droits seigneuriaux, de son passé qu'on peut qualifier d'imposant.

Le fait que ce petit château — il produisait un effet assez pompeux par sa longue façade, mais il n'avait pas plus de neuf pièces, parce qu'il ne se développait pas en profondeur — constituait une antique curiosité devait plus tard ravir nos hôtes ; mais à cette époque, son caractère historique nous valut de fâcheux ennuis. Nous trouvâmes notre demeure dans un état qui la rendait presque inhabitable. La pluie dégouttait allégrement dans les chambres, après chaque chute de neige les corridors étaient transformés en flaques, et une bonne réparation du toit était impossible, car les charpentiers n'avaient pas de bois pour les chevrons, les ferblantiers pas de plomb pour les chéneaux. On boucha à grand-peine les plus gros trous au moyen de carton goudronné, et quand il avait neigé de nouveau, la seule ressource était de grimper soi-même sur le toit pour enlever à temps, avec une pelle, cette dangereuse charge de neige fraîche. Le téléphone se montrait rebelle, parce que, pour la ligne, on avait utilisé du fil de fer au lieu de fil de cuivre ; comme personne ne livrait rien, il nous fallait porter nous-mêmes jusqu'au sommet de la colline tous les menus objets dont nous avions besoin. Mais le pire était le froid, car il n'y avait pas de charbon dans toute la contrée, le bois du jardin était trop vert et sifflait comme un serpent au lieu de chauffer, et crachait en craquant au lieu de brûler. Dans cette nécessité, nous utilisâmes la tourbe, qui donnait au moins un soupçon de chaleur, mais pendant trois mois j'ai écrit presque tous mes travaux au lit, les doigts bleuis par le froid ; et chaque fois que j'avais terminé une page je les replongeais sous la couverture pour les réchauffer. Même ce domicile inconfortable exigeait pourtant d'être défendu, car à la pénurie de vivres et de combustibles s'ajoutait, en cette année catastrophique, la pénurie de logements. Pendant quatre ans, on n'avait rien bâti en Autriche, beaucoup de maisons étaient tombées en ruine, et voici que soudain refluait la foule innombrable des sans-abri, soldats démobilisés et prisonniers de guerre, si bien qu'il fallait de toute nécessité loger une famille entière dans chaque chambre disponible. Quatre fois se présentèrent des commissions, mais nous avions déjà cédé spontanément deux chambres ; en outre, l'inhospitalité de la maison et le froid qu'il y faisait, s'ils nous avaient d'abord été hostiles, tournaient maintenant à notre avantage : personne ne voulait plus escalader les cent marches pour aller geler là-haut.

Chaque descente en ville était alors un événement bouleversant : pour la première fois je considérais les yeux jaunes et dangereux de la famine. Le pain se désagrégeait en miettes noires et avait un goût de poix et de colle forte, le café était une décoction d'orge torréfiée, la bière une eau jaune, le chocolat du sable coloré, les pommes de terre étaient gelées. La plupart des gens élevaient des lapins pour ne pas oublier complètement le goût de la viande ; dans notre jardin, un jeune garçon tirait des écureuils pour le repas dominical, et des chiens ou des chats bien en chair ne rentraient que rarement de promenades un peu lointaines. Ce qu'on offrait en guise d'étoffes était en réalité du papier apprêté, succédané de succédané ; les hommes se traînaient par la ville vêtus presque exclusivement de vieux uniformes, parfois russes, qu'ils étaient allés quérir dans un dépôt ou un hôpital et dans lesquels étaient morts déjà bien des gens ; les pantalons confectionnés avec de vieux sacs n'étaient pas rares. Dans les rues, où les étalages paraissaient avoir été pillés, où le mortier s'effritait et tombait comme une teigne des maisons en ruine, où les gens, visiblement sous-alimentés, ne se traînaient que péniblement pour se rendre à leur travail, chaque pas jetait le trouble dans votre âme. La situation alimentaire était meilleure à la campagne ; avec l'effondrement général de la moralité, pas un paysan ne songeait à vendre son beurre, ses œufs, son lait au « prix maximum » fixé par ordonnance. Il tenait caché dans ses greniers tout ce qu'il pouvait et attendait que des acheteurs vinssent le trouver à domicile avec des offres plus avantageuses. Bientôt on vit naître une nouvelle profession, celle d' « accapareur », ainsi qu'on l'appelait. Des hommes sans occupation se char-geaient d'un ou deux sacs à dos et allaient trouver les paysans les uns après les autres ; ils prenaient même le train jusqu'à des endroits particulièrement rentables afin d'amasser par des voies illégales toutes sortes de vivres qu'ils détaillaient ensuite à la ville pour le quadruple ou le quintuple du prix qu'ils les avaient payées. Tout d'abord, les paysans étaient heureux de la quantité de papier-monnaie qui pleuvait dans leur maison en échange de leurs œufs et de leur beurre, et qu'ils « accaparaient » de leur côté. Mais dès qu'ils allaient à la ville avec leur portefeuille bien garni, ils découvraient avec amertume que, tandis qu'ils n'avaient exigé que le quintuple pour leurs denrées, les prix de la faux, du marteau, du chaudron qu'ils voulaient acheter avaient entre-temps été multipliés par vingt, par cinquante. Dès lors, ils ne songeaient plus qu'à se procurer des objets manufacturés et exigeaient le paiement en nature, marchandise contre marchandise. Après avoir déjà, dans ses tranchées, reculé avec succès jusqu'à l'âge des cavernes, l'humanité abolis-sait aussi la convention millénaire de l'argent monnayé et retournait au système primitif du troc. Un commerce grotesque s'instaura dans tout le pays. Les citadins emportaient chez les paysans tout ce dont ils pouvaient se passer, vases de porcelaine de Chine et tapis, sabres et carabines, appareils photographiques et livres, lampes et bibelots ; c'est ainsi qu'en entrant dans une ferme de la région de Salzbourg on pouvait, à sa grande surprise, y découvrir un bouddha indien qui vous dévisageait de son regard fixe ou une bibliothèque de style rococo qui se dressait dans un coin, pleine de livres français reliés en cuir, dont les nouveaux propriétaires faisaient grand état et n'étaient pas peu fiers. « Cuir véritable ! La France ! » disaient-ils en se donnant des airs et en gonflant leurs larges joues. Des biens tangibles, de la « substance », pas d'argent, tel était le mot d'ordre. Beaucoup durent retirer l'alliance de leur doigt et la ceinture de cuir qui entourait leur corps, afin de pouvoir nourrir ce corps.

Finalement, les autorités intervinrent pour arrêter ce trafic, dont la pratique ne profitait qu'aux riches ; de province en province, des escouades entières furent disposées, qui reçurent pour mission de saisir les marchandises des accapareurs circulant à bicyclette ou en chemin de fer et de les remettre aux offices de ravitaillement des villes. Les accapareurs ripostèrent en organisant à la manière du Far West des transports nocturnes ou en corrompant les agents chargés de la surveillance, qui avaient eux-mêmes à la maison des enfants affamés ; on en vint souvent à de véritables combats au revolver et au couteau, dont ces gaillards, après quatre ans d'exercice sur le front, connaissaient aussi bien le maniement qu'ils savaient disparaître dans la nature selon tous les principes de l'art militaire. De semaine en semaine, le chaos augmentait, la population s'excitait davantage. Car de jour en jour, la dépréciation de la monnaie se faisait plus sensible. Les États voisins avaient remplacé les billets de banque austro-hongrois par les leurs propres et avaient plus ou moins imposé à la petite Autriche la charge principale de rembourser l'ancienne « couronne ». Le premier signe de la défiance que nourrissait la population fut la disparition de la monnaie métallique, car un petit morceau de cuivre ou de nickel représentait quand même de la « substance », relativement au simple papier imprimé. L'État, il est vrai, fit rendre au maximum la planche à billets, afin de fabriquer le plus possible de cet argent artificiel, selon la recette de Méphistophélès, mais il ne parvint pas à suivre le mouvement de l'inflation ; c'est ainsi que chaque ville, petite ou grande, et finalement chaque village, se mit à imprimer son propre « argent de secours », que l'on se voyait refuser dès le plus proche village, et que l'on jetait tout simplement, le plus souvent, après avoir bien reconnu qu'il était sans valeur. Un économiste qui saurait mettre en relief toutes ces phases de l'inflation, en Autriche d'abord puis en Allemagne, pourrait facilement, à mon avis, surpasser n'importe quel roman par le caractère passionnant de ce qu'il décrirait, car le chaos revêtit des formes de plus en plus fantastiques. Bientôt, plus personne ne sut ce que coûtait un objet. Les prix faisaient des bonds tout à fait arbitraires ; une boîte d'allumettes coûtait, dans un magasin qui en avait fait monter le prix au bon moment, vingt fois plus que dans un autre, où un brave homme vendait encore naïvement sa marchandise au prix de la veille ; en récompense de son honnêteté, son magasin se vidait en une heure, car on se le disait, chacun courait et achetait ce qui était à vendre, qu'il en eût besoin ou non. Même un poisson rouge ou un vieux télescope était encore de la « substance », et tout le monde voulait de la substance au lieu de papier. C'est sur les loyers que cette disposition produisit ses effets les plus grotesques : le gouvernement, pour protéger les locataires (qui représentaient la grande masse), avait interdit toute augmentation, au détriment des propriétaires. Il se trouva bientôt qu'en

Autriche le loyer annuel d'un appartement moyen coûta moins au locataire qu'un seul déjeuner ; toute l'Autriche a en quelque sorte été logée gratuitement pendant cinq ou dix années (car plus tard aussi toute résiliation de bail fut interdite). Dans ce chaos insensé, la situation se faisait de semaine en semaine plus absurde et immorale. Qui avait économisé pendant quarante ans et, en outre, patriotiquement placé son argent dans les emprunts de guerre était réduit à la mendicité. Qui avait contracté des dettes en était déchargé. Qui s'en tenait correctement à la répartition des vivres mourait de faim ; seul celui qui la transgressait effrontément mangeait son soûl. Qui savait corrompre faisait de bonnes affaires ; qui spéculait profitait. Qui vendait en se réglant sur le prix d'achat était volé ; qui calculait soigneusement se faisait quand même rouler. Dans cet écoulement et cette évaporation de l'argent, il n'y avait point d'étalon, point de valeur fixe, il n'y avait plus qu'une seule vertu : être adroit, souple, sans scrupule, et sauter sur le dos du cheval lancé au grand galop, au lieu de se faire piétiner par lui.

A cela s'ajoutait que durant cette dépression des valeurs où les gens en Autriche avaient perdu toute mesure, bien des étrangers avaient reconnu que chez nous il était fort avantageux de pêcher en eau trouble. Les seules valeurs demeurées stables dans le pays pendant l'inflation — qui dura trois ans et dont le rythme se précipita de plus en plus —, c'étaient les monnaies étrangères. Les couronnes autrichiennes fondant entre les doigts comme gélatine, chacun voulait des francs suisses, des dollars américains, et une foule considérable d'étrangers exploitaient cette conjoncture pour dévorer le cadavre palpitant de la couronne autrichienne. On « découvrit » l'Autriche, qui connut une funeste « saison touristique ». Tous les hôtels de Vienne étaient pleins de ces vautours ; ils achetaient tout, depuis la brosse à dents jusqu'au domaine rural, ils vidaient les collections des particuliers et les magasins d'antiquités avant que les propriétaires, dans leur détresse, soupçonnassent à quel point ils étaient dépouillés et volés. De petits portiers d'hôtel venus de Suisse, des sténodactylographes de Hollande habitaient les appartements princiers des hôtels du Ring. Si incroyable que paraisse le fait, je puis le certifier, parce que j'en ai été le témoin : le célèbre et luxueux Hôtel de l'Europe de Salzbourg fut loué pendant assez longtemps à des chômeurs anglais qui, grâce aux généreuses allocations que l'Angleterre accordait à ses sans-travail, y vivaient à meilleur compte que chez eux dans leurs taudis. Tout ce qui ne tenait pas à fer et à clou disparaissait ; peu à peu se répandit toujours plus largement le bruit qu'en Autriche on pouvait vivre et acheter à vil prix. De nouveaux hôtes rapaces vinrent de Suède, de France. A Vienne, dans les rues du centre, on entendait parler l'italien, le français, le turc et le roumain plus que l'allemand. Même l'Allemagne, où l'inflation progressa d'abord à un rythme beaucoup plus lent — il est vrai que ce fut pour dépasser ensuite la nôtre d'un million de fois —, utilisait son mark contre la couronne qui se dissolvait. Ville frontière, Salzbourg m'offrait la meilleure occasion d'observer ces razzias quotidiennes. Par centaines, par milliers, les Bavarois venaient des villes et des villages voisins et se répandaient à travers la petite ville. Ils s'y faisaient confectionner leurs vêtements, réparer leurs autos, ils se rendaient dans les pharmacies et chez le médecin ; de grandes maisons de Munich expédiaient d'Autriche leurs lettres et leurs télégrammes à destination de l'étranger, afin de profiter de la différence des tarifs postaux. Finalement, à l'instigation du gouvernement allemand, on établit une surveillance à la frontière pour empêcher que tous les objets de première nécessité, au lieu d'être achetés dans les magasins du pays, ne le fussent à Salzbourg, où ils étaient moins chers et où, en échange d'un mark, on obtenait soixante-dix couronnes autrichiennes — et toute marchandise provenant d'Autriche fut énergiquement confisquée à la douane. Un article, cependant, demeurait libre et ne pouvait être saisi : la bière qu'on avait absorbée. Et les buveurs de bière bavarois calculaient tous les jours, en consultant les cours, si dans la région de Salzbourg ils pourraient, du fait de la dépréciation de la couronne, boire cinq ou six, ou dix litres pour le prix qu'il leur fallait payer un litre chez eux. On ne pouvait imaginer tentation plus alléchante, si bien que les habitants des localités voisines de Freilassing et de Reichenhall passaient la frontière par bandes, avec femmes et enfants, pour s'accorder le luxe d'ingurgiter autant de bière que leur ventre en pouvait contenir. Chaque soir, la gare offrait un véritable pandémonium de hordes d'ivrognes braillant, rotant, crachant ; il fallait charger nombre d'entre eux, qui s'étaient par trop remplis, sur les chariots qui servaient ordinairement au transport des bagages, afin de les amener jusqu'aux wagons, et le train retentissant de cris et de chants bachiques repartait vers leur pays. Bien sûr, ils ne se doutaient pas, ces joyeux Bavarois, qu'une revanche terrible les menaçait. Car lorsque la couronne se stabilisa et que le mark tomba dans des proportions astronomiques, ce furent les Autrichiens qui partirent de la même gare pour aller s'enivrer en face à bon marché, et le même spectacle se produisit une seconde fois, mais en sens inverse. Cette guerre de la bière au cours des deux inflations est un de mes souvenirs les plus singuliers, parce que, avec son caractère pittoresque et grotesque, c'est peut-être elle qui montre le plus clairement, en petit, tout l'égarement qui sévissait durant ces années.

*

Le plus étrange est qu'avec la meilleure volonté du monde je ne parviens plus à me rappeler aujourd'hui la manière dont nous avons gouverné notre maison au cours de ces années, ni en fait où chacun pouvait se procurer en Autriche, jour après jour, les milliers et les dizaines de milliers de couronnes, et plus tard, en Allemagne, les millions que l'on dépensait quotidiennement pour vivre tant bien que mal. Mais le mystérieux, c'est qu'on les avait. On s'accoutumait, on s'adaptait au chaos. Logiquement, un étranger qui n'a pas vécu cette époque doit s'imaginer que dans un temps où un œuf coûtait en Autriche autant qu'une automobile de luxe avant la guerre et plus tard, en Allemagne, quatre milliards de marks — ce qui aurait à peu près représenté, autrefois, la valeur de toutes les maisons du Grand Berlin —, les femmes échevelées couraient comme folles par les rues, que les magasins étaient déserts, parce que personne ne pouvait plus rien acheter et qu'avant tout les théâtres et les lieux de plaisir étaient complètement vides. Mais de façon surprenante, c'est exactement le contraire qui se produisit. La volonté d'assurer la continuité de la vie était plus forte que l'instabilité de la monnaie. En plein chaos financier, la vie quotidienne se poursuivait presque sans trouble. Les situations individuelles se modifiaient profondément, des riches s'appauvrissaient, parce que l'argent de leurs comptes en banque ou placé en fonds d'État fondait. Mais le volant continuait de tourner sur le même rythme, sans se soucier du sort des particuliers, rien ne s'arrêtait : le boulanger faisait cuire son pain, le cordonnier confectionnait ses bottes, l'écrivain composait ses livres, le paysan cultivait la terre, les trains circulaient régulièrement, chaque matin le journal était déposé devant la porte à l'heure habituelle, et les lieux de divertissement, les bars, les théâtres étaient bondés. Justement par le fait imprévu que la valeur naguère la plus stable, l'argent, se dépréciait tous les jours, les hommes en venaient à estimer d'autant plus les vraies valeurs de la vie — le travail, l'amour, l'amitié, l'art et la nature — et tout le peuple vivait en pleine catastrophe avec plus d'intensité que jamais. Garçons et filles s'en allaient dans les montagnes et en revenaient brunis par le soleil, les bals publics faisaient entendre leur musique jusqu'à une heure avancée de la nuit, partout on fondait de nouvelles maisons de commerce et de nouvelles fabriques. Moi-même, je ne crois guère avoir jamais vécu et travaillé plus intensément qu'au cours de ces années. Ce qui, avant la guerre, nous avait paru important devenait plus important encore ; jamais en Autriche nous n'avons aimé l'art davantage que durant ces années de chaos, car, voyant que l'argent nous trahissait, nous sentions que seul ce qu'il y avait en nous d'éternel était véritablement constant.

Jamais je n'oublierai, par exemple, une représentation à l'opéra en ces jours d'extrême détresse. On allait à tâtons par des rues à demi plongées dans l'obscurité, car l'éclairage devait être réduit par suite de la pénurie de charbon, on payait sa place de galerie avec une liasse de billets de banque qui aurait autrefois suffi à louer une loge de luxe pour toute l'année. On ne retirait pas son pardessus, car la salle n'était pas chauffée, et l'on se serrait contre son voisin pour avoir plus chaud. Et que cette salle qui avait resplendi d'uniformes et de toilettes coûteuses était triste et grise ! Personne ne savait s'il serait possible de poursuivre les représentations la semaine suivante, au cas où l'avilissement de la monnaie durerait encore, où les envois de charbon viendraient à manquer, ne fût-ce que pendant huit jours ; tout semblait doublement désespéré dans cette maison du luxe et de la surabondance impériale. Les musiciens de la Philharmonique étaient à leurs pupitres, ombres grises, eux aussi, dans leurs vieux fracs râpés, amaigris et épuisés par toutes les privations, et nous étions nous-mêmes comme des spectres dans cette maison devenue spectrale. Mais le chef d'orchestre levait sa baguette, le rideau s'écartait, et c'était plus merveilleux que jamais. Chaque chanteur, chaque musicien donnait toute sa mesure, car tous sentaient que c'était peut-être la dernière fois qu'ils se produisaient dans cette maison aimée. Et nous écoutions de toutes nos oreilles, comme jamais auparavant, car c'était peut-être pour la dernière fois. C'est ainsi que nous vivions tous, par milliers, par centaines de milliers ; chacun prodiguait toutes ses forces durant ces semaines, ces mois, ces années à un empan de la ruine. Jamais je n'ai éprouvé la volonté de vivre aussi puissante dans un peuple et en moi-même qu'à cette époque où tout était en jeu : l'existence, la survie.

*

Cependant, et malgré tout, je serais embarrassé d'expliquer à quiconque comment la pauvre et malheureuse Autriche, dépouillée, a pu alors se conserver. A droite, en Bavière, s'était établie la république des Conseils communiste, à gauche, la Hongrie était devenue bolcheviste sous Béla Kun ; encore aujourd'hui, il m'est incompréhensible que la révolution n'ait pas gagné l'Autriche. Les matières explosives ne manquaient vraiment pas. Dans les rues, les soldats revenus du front erraient à demi morts de faim dans leurs vêtements déchirés et considéraient avec amertume le luxe éhonté des profiteurs de la guerre et de l'inflation ; dans les casernes, un bataillon de la « garde rouge » se tenait déjà prêt à tirer, et il n'existait aucune contre-organisation. Deux cents hommes déterminés auraient alors pu se rendre maîtres de Vienne et de toute l'Autriche. Mais il ne se produisit rien de sérieux. Une seule fois, un groupe indiscipliné tenta un coup de force qui fut maté sans peine par cinq ou six douzaines de policiers armés. Ainsi le miracle devint réalité : ce pays séparé de ses sources d'énergie, de ses fabriques, de ses mines de charbon, de ses champs pétrolifères, ce pays dépouillé dont la monnaie de papier s'effondrait à la vitesse d'une avalanche, se maintenait, s'affirmait — peut-être grâce à sa faiblesse même, parce que les hommes étaient trop épuisés, trop affamés pour combattre encore pour une cause, mais peut-être aussi grâce à sa force la plus secrète, typiquement autrichienne : son esprit inné de conciliation. Car les deux partis les plus puissants, le social-démocrate et le chrétien-social, s'unirent en ces heures d'extrême difficulté, malgré leurs divergences profondes, pour former un gouvernement commun. Chacun fit à l'autre des concessions afin d'éviter une catastrophe qui aurait entraîné avec elle toute l'Europe. Lentement, les rapports commencèrent à s'ordonner, à se consolider, et à notre propre étonnement se produisit l'incroyable : cet État mutilé continua d'exister et plus tard manifesta même sa volonté de défendre son indépendance, quand Hitler vint pour prendre son âme à ce peuple fidèle, prêt à tous les sacrifices et d'un admirable courage au milieu des privations.

Mais ce n'est qu'extérieurement et au sens politique que le bouleversement radical fut évité ; intérieurement, une formidable révolution s'accomplit durant ces premières années de l'après-guerre. Quelque chose avait succombé au fil des ans : la foi en l'infaillibilité des autorités, dans laquelle on avait élevé notre propre jeunesse avec un tel excès d'humilité. Et les Allemands, étaient-ils censés admirer encore leur empereur, qui avait juré de lutter « jusqu'au dernier souffle du dernier homme et du dernier cheval », et qui s'était enfui de l'autre côté de la frontière à la faveur de la nuit et du brouillard, ou leurs chefs d'armées, leurs hommes politiques ou les poètes qui, sans trêve, avaient fait rimer gloire et victoire, effort et mort * ? C'était seulement maintenant que, la fumée de la poudre se dissipant sur le pays, les destructions que la guerre avait provoquées apparaissaient dans toute leur horreur. Comment une doctrine morale qui avait autorisé pendant quatre ans le meurtre et le vol à main armée sous les noms d'héroïsme et de réquisition pouvait-elle encore passer pour sacrée ? Comment un peuple pouvait-il croire aux promesses de l'État, qui avait annulé toutes les obligations qui lui étaient incommodes à l'égard du citoyen ? Et maintenant, ces mêmes hommes, cette même clique de vieux, de ceux qu'on disait expérimentés, avaient encore surpassé la folie de la guerre par le gâchis de leur paix. Chacun sait aujourd'hui — et nous étions un petit nombre à le savoir à l'époque déjà — que cette paix avait été l'une des plus grandes, sinon *la plus grande* possibilité morale de l'histoire. Wilson l'avait reconnu. Dans une vaste vision, il avait tracé le plan d'une entente véritable et durable. Mais les vieux généraux, les vieux hommes d'État, les vieux intérêts avaient déchiré et mis en pièces, réduit à des chiffons de papier sans valeur cette grande conception. La promesse sacrée, faite à des millions d'hommes, que cette guerre serait la dernière, cette promesse qui, seule, avait pu engager à mobiliser leurs dernières forces des soldats déjà à demi déçus, à demi épuisés et désespérés, fut cyniquement sacrifiée aux intérêts des fabricants de munitions et à la fureur des politiques qui surent sauver triomphalement, contre l'exigence sage et humaine de Wilson, leur fatale tactique des conventions et des délibérations derrière des portes closes. Pour autant qu'il avait les yeux ouverts, le monde s'apercevait

---

* Voir ci-dessus, p. 285.

qu'on l'avait trompé. Trompées les mères qui avaient sacrifié leurs enfants, trompés les soldats qui rentraient en mendiants, trompés tous ceux qui, par patriotisme, avaient souscrit à l'emprunt de guerre, trompés tous ceux qui avaient accordé leur confiance à une promesse de l'État, trompés nous tous qui avions rêvé d'un monde nouveau et mieux réglé, et qui constations que les mêmes ou de nouveaux hasardeurs reprenaient maintenant le vieux jeu où notre existence, notre bonheur, notre temps avaient servi de mise. Quoi d'étonnant que toute une jeune génération ne considérât qu'avec amertume et mépris ses pères, qui s'étaient d'abord laissé enlever la victoire, puis la paix ? Qui avaient mal fait toutes choses, qui n'avaient rien prévu et en tout s'étaient trompés dans leurs calculs ? N'était-il pas compréhensible que toute forme de respect disparût dans la nouvelle génération ? Toute une jeunesse nouvelle ne croyait plus aux parents, aux politiques, aux maîtres ; chaque proclamation de l'État était lue d'un œil méfiant. D'un coup, la génération d'après-guerre s'émancipait brutalement de toutes les valeurs précédemment établies et tournait le dos à toute tradition, résolue à prendre elle-même en main sa destinée, s'éloignant de tout le passé et se jetant d'un grand élan vers l'avenir. Avec elle devait commencer un monde absolument nouveau, un tout autre ordre, dans tous les domaines de la vie ; et, bien entendu, cela débuta par de violentes exagérations. Tous ceux ou tout ce qui n'était pas du même âge qu'elle passait pour périmé. Au lieu de voyager comme autrefois avec leurs parents, des enfants de onze et douze ans s'en allaient jusqu'en Italie ou à la mer du Nord, en bandes organisées de *Wandervögel* *

---

* Littéralement : Oiseaux migrateurs, ou oiseaux voyageurs. Première forme organisée du mouvement de la jeunesse dans les pays de langue allemande, qui se développe à partir de 1896 en Prusse, s'étend à tout le *Reich,* et à l'Autriche après 1911.

parfaitement instruites en matière de sexualité. Dans les écoles, on constituait, sur le modèle russe, des conseils d'élèves qui surveillaient les professeurs, le « plan d'études » était aboli, car les enfants ne devaient et ne voulaient apprendre que ce qui leur plaisait. On se révoltait par seul goût de la révolte contre toutes les formes établies, même contre la volonté de la nature, contre l'éternelle polarité des sexes. Les filles se faisaient · couper les cheveux, et si court qu'avec leur coiffure « à la garçonne » on ne pouvait les distinguer des vrais garçons ; les jeunes hommes, de leur côté, se rasaient la barbe, pour paraître plus féminins, l'homosexualité et les mœurs lesbiennes firent fureur, non pas par un penchant intérieur, mais par esprit de protestation contre les formes traditionnelles, légales, normales de l'amour. Chaque mode d'expression de l'existence s'efforçait de s'affirmer d'une manière provocante, radicale et révolutionnaire ; l'art comme les autres, naturellement. La nouvelle peinture déclarait périmé tout ce qu'avaient fait Rembrandt, Holbein et Velasquez, et entreprenait les plus folles expériences cubistes et surréalistes. Partout on proscrivait l'élément intelligible, la mélodie en musique, la ressemblance dans un portrait, la clarté dans la langue. Les articles « le, la, les » furent supprimés, la construction de la phrase mise cul par-dessus tête, on écrivait « escarpé » et « abrupt », en style télégraphique, avec de fougueuses interjections. Au demeurant, toute littérature qui n'était pas « activiste », c'est-à-dire qui ne consistait pas en théories politiques, était vouée à la poubelle. La musique cherchait obstinément une tonalité nouvelle et subdivisait les mesures. L'architecture tournait vers l'extérieur l'intérieur des maisons. Dans les salles de danse, la valse disparaissait devant des figures cubaines et négroïdes. La mode, soulignant fortement la nudité, inventait sans cesse de nouvelles absurdités ; au théâtre, on jouait *Hamlet* en frac et l'on se livrait à des essais de dramaturgie explosive. Dans tous les domaines s'ouvrait une époque vouée à l'expérimentation la plus téméraire qui prétendait, d'un seul bond fougueux, dépasser tout ce qui avait été fait et accompli ; plus un homme était jeune, moins il avait appris, plus il était bienvenu par le seul fait qu'il ne se rattachait à aucune tradition — enfin la grande vengeance de la jeunesse se déchaînait triomphalement contre le monde de nos parents. Mais au milieu de ce carnaval sauvage, rien ne m'offrit un spectacle plus tragicomique que de voir combien d'intellectuels de l'ancienne génération, dans leur crainte panique d'être dépassés et considérés comme « inactuels » se barbouillaient d'une sauvagerie factice avec la hâte du désespoir et cherchaient à suivre le mouvement d'un pas lourd et claudicant jusque dans les chemins le plus manifestement aberrants. De braves barbons d'académie compassés recouvraient leurs anciennes « natures mortes », devenues invendables, d'hexaèdres et de cubes symboliques, parce que les jeunes conservateurs des musées (partout on cherchait maintenant des jeunes ou, mieux encore, les plus jeunes) éliminaient des salles tous les autres tableaux, trop « classiques », et les mettaient au dépôt. Des écrivains qui, pendant des dizaines d'années, avaient écrit un allemand clair et lisse hachaient docilement leurs phrases et renchérissaient sur l' « activisme » ; de confortables conseillers privés prussiens donnaient des cours sur Karl Marx ; de vieilles ballerines de l'Opéra de la cour dansaient aux trois quarts nues, avec d' « abruptes » dislocations, l'*Appassionata*, de Beethoven, ou *La Nuit transfigurée*, de Schoenberg. Partout les anciens, désemparés, couraient après la dernière mode ; on n'avait soudain plus qu'une seule ambition, celle d'être « jeune » et d'inventer promptement, après celle qui, hier encore, était actuelle, une tendance encore plus actuelle, plus radicale, et qui n'eût jamais existé auparavant.

Quelle époque sauvage, anarchique, invraisemblable

que ces années où, en Autriche et en Allemagne, tandis que fondait la valeur de la monnaie, toutes les autres valeurs se mettaient à glisser ! Une époque d'extase enthousiaste et de fumisterie confuse, mélange unique d'impatience et de fanatisme. Tout ce qui était extravagant et incontrôlable connaissait un âge d'or : la théosophie, l'occultisme, le spiritisme, le somnambulisme, l'anthroposophie, la chiromancie, la graphologie, le yoga hindou et le mysticisme paracelsien. On s'arrachait tout ce qui promettait des états d'une intensité dépassant ce qu'on avait connu jusque-là, toute espèce de stupéfiants, la morphine, la cocaïne et l'héroïne ; au théâtre, l'inceste et le parricide, dans la politique, le communisme et le fascisme étaient les seuls thèmes, extrêmes, qu'on accueillît favorablement ; en revanche, on proscrivait sans appel toute forme de normalité et de mesure. Mais je ne voudrais pas que ce temps chaotique eût manqué à ma propre existence ni au développement de l'art. Poussant orgiastiquement de l'avant dans son premier élan, comme toute révolution spirituelle, il a purifié l'air en en balayant tous les miasmes traditionnels, il a servi de décharge aux tensions de nombreuses années, et il est resté malgré tout des impulsions fécondes de ses expériences audacieuses. Si déconcertés que nous fussions par tant d'excès, nous ne nous sentions pas le droit de les condamner et de les repousser dédaigneusement, car cette nouvelle jeunesse, au fond, cherchait à réparer — encore qu'avec trop d'impétuosité, trop d'impatience — ce que notre génération avait manqué par trop de prudence et d'isolement. Tout au fond, son instinct était juste, qui lui enseignait que le temps de l'après-guerre devait être autre que celui de l'avant-guerre ; et un temps nouveau, un monde meilleur, nous, les aînés, ne l'avions-nous pas souhaité tout comme ces jeunes avant la guerre et pendant la guerre ? Il est vrai qu'après la guerre aussi nous, les aînés, nous avions prouvé une fois de plus notre incapacité d'opposer à temps une organisation supranationale à la dangereuse restauration de la politique dans le monde. Déjà, pendant les pourparlers de paix, Henri Barbusse, à qui son roman, *Le Feu,* avait assuré une situation mondiale, avait pourtant essayé d'amener tous les intellectuels européens à s'unir dans un esprit de réconciliation. Ce groupe — celui des hommes à l'esprit clair — devait s'appeler *Clarté* et rassembler les écrivains et les artistes de toutes les nations, qui prendraient l'engagement solennel de s'opposer à l'avenir à toute tentative d'exciter les peuples les uns contre les autres. Barbusse nous avait confié en commun, à moi et à René Schickelé, la direction du groupe allemand, et, par là même, la partie la plus difficile de la tâche, car en Allemagne l'amertume suscitée par le traité de Versailles restait vive. Il y avait peu d'apparences que l'on pût gagner des Allemands d'un rang élevé à un internationalisme spirituel, tant que la Rhénanie, la Sarre et la tête de pont de Mayence étaient encore occupées par des troupes étrangères. Cependant on aurait réussi à créer une organisation telle que plus tard Galsworthy la réalisa avec le PEN-Club, si Barbusse ne nous avait pas fait fauxbond. Très malencontreusement, un voyage en Russie, du fait de l'enthousiasme des grandes masses qui s'était déchaîné autour de sa présence, l'avait amené à la conviction que des États bourgeois et des démocraties étaient incapables de faire naître une véritable fraternité des peuples et qu'une fraternité universelle n'était concevable que dans le communisme. Insensiblement, il chercha à faire de *Clarté* un instrument de la ltte des classes, mais nous nous refusâmes à un glissement vers l'extrême gauche, qui aurait nécessairement affaibli nos rangs. C'est ainsi que ce projet, considérable en lui-même, s'écroula prématurément, lui aussi. Une fois de plus, nous avions échoué dans notre lutte pour la liberté de l'esprit par un trop grand amour de notre propre liberté et de notre propre indépendance.

Il ne restait qu'un parti à prendre : travailler à son œuvre dans le silence et la retraite. Pour les expressionnistes et — si je puis m'exprimer ainsi — les excessionnistes, on devait déjà me ranger, avec mes trente-six ans, dans la génération ancienne et, en fait, déjà défunte, parce que je me refusais à m'adapter à eux en les singeant. Mes travaux antérieurs ne me plaisaient plus à moi-même, je ne rééditai aucun des livres de mon époque « esthétique ». Il s'agissait de recommencer et d'attendre que le flot impatient de tous ces « ismes » reculât, et mon manque d'ambition personnelle servit très bien cette volonté de m'accommoder de ma situation. Je commençai la grande série des *Architectes du monde*, dans la conviction, précisément, qu'ils m'occuperaient pendant des années ; j'écrivis des nouvelles comme *Amok* et *Lettre d'une inconnue*, tout cela en toute sérénité et sans ombre d' « activisme ». Le pays, le monde qui m'entouraient revenaient peu à peu à l'ordre, si bien qu'il ne m'était plus permis d'hésiter ; le temps était passé où je pouvais me flatter de l'illusion que tout ce que j'entreprenais n'était que provisoire. J'avais atteint le milieu de ma vie, l'âge des simples promesses était révolu ; il s'agissait maintenant de justifier les espoirs qu'on avait pu fonder sur moi, de m'affirmer ou de renoncer définitivement.

De nouveau par le monde

Pendant les trois années les plus dures de l'après-guerre en Autriche, 1919, 1920 et 1921, j'avais vécu enterré à Salzbourg, renonçant déjà, à vrai dire, à l'espoir de jamais revoir le monde. La débâcle après la guerre, la haine qui sévissait à l'étranger contre tout Allemand ou toute personne écrivant en langue allemande, la dévaluation de notre monnaie étaient si catastrophiques qu'on s'était résigné d'avance à demeurer fixé dans la sphère étroite de sa patrie. Mais tout s'était amélioré. On mangeait de nouveau à sa faim. On s'asseyait à sa table de travail sans être importuné. Il n'y avait pas eu de pillages, il n'y avait pas eu de révolution. On vivait, on éprouvait ses forces. Ne fallait-il pas expérimenter une fois encore les joies de ses jeunes années et s'en aller au loin ?

Il était trop tôt pour songer à de longs voyages. Mais l'Italie était tout près, à huit ou dix heures seulement. Fallait-il s'y risquer ? En qualité d'Autrichien, on passait là-bas pour l'« ennemi héréditaire », bien qu'on n'eût jamais éprouvé soi-même ce sentiment. Fallait-il s'exposer à se voir repoussé sans aménité, à devoir croiser d'anciens amis sans s'arrêter, afin de ne pas les mettre dans une situation pénible ? Enfin je m'y risquai et passai la frontière un jour, à l'heure de midi.

Le soir, j'arrivai à Vérone et me rendis dans un hôtel. On me présenta la fiche des arrivées, je m'y inscrivis ; le portier relut la feuille et s'étonna quand, sous la rubrique nationalité, il lut le mot *Austriaco*. « *Lei è Austriaco ?* »

me demanda-t-il. Va-t-il me montrer la porte ? pensai-je. Mais quand je lui répondis affirmativement, il en poussa presque des cris de joie : « *Ah, che piacere! Finalmente!* » C'étaient les premiers mots d'accueil qui m'étaient adressés, et une nouvelle confirmation du sentiment que j'avais déjà éprouvé pendant la guerre : toute cette propagande de haine et d'excitation n'avait engendré qu'une fièvre intellectuelle passagère, et n'avait au fond jamais atteint les véritables masses de l'Europe. Un quart d'heure après, ce brave portier monta encore spontanément dans ma chambre pour s'assurer que je ne manquais de rien. Il loua mon italien avec enthousiasme et nous nous séparâmes sur une cordiale poignée de main.

Le lendemain, j'étais à Milan ; je revis le Dôme, je flânai dans la *Galleria*. Cela faisait du bien d'entendre de nouveau cette chère musique vocale de la langue italienne, de se retrouver si aisément dans toutes les rues et de jouir de l'étranger comme de quelque chose de familier. En passant, je vis sur la façade d'un grand bâtiment l'inscription *Corriere della sera*. Soudain, je m'avisai que mon vieil ami G. A. Borgese y exerçait des fonctions de directeur à la rédaction, Borgese en compagnie de qui j'avais passé à Berlin et à Vienne tant de soirées exaltantes avec le comte Keyserling et Benno Geiger. Un des meilleurs écrivains d'Italie et un des plus passionnés, exerçant une influence extraordinaire sur la jeunesse, il avait nettement pris position contre l'Allemagne et l'Autriche pendant la guerre, encore qu'il eût traduit *Werther* et fût un fanatique de la philosophie allemande, et côte à côte avec Mussolini, dont il se sépara par la suite, il avait poussé à la guerre. Durant tout ce conflit, ç'avait été pour moi un étrange sentiment que de savoir qu'un de mes vieux camarades était interventionniste, dans le camp adverse. Je n'en éprouvai que plus vivement le désir de voir un tel « ennemi ». Cependant, je ne voulais pas m'exposer à être repoussé. Je laissai donc ma carte pour lui, après y avoir inscrit l'adresse de mon hôtel. Or je n'étais pas encore au bas de l'escalier que déjà quelqu'un se précipitait sur mes talons, le visage animé d'une vie intense rayonnant de joie — Borgese. Au bout de cinq minutes, nous nous parlions aussi cordialement que par le passé, et peut-être plus cordialement encore. Lui aussi, cette guerre l'avait instruit, et de l'une et de l'autre rive, nous nous étions plus rapprochés que jamais.

Partout les choses se passèrent de même. A Florence, mon vieil ami Albert Stringa, un peintre, se jeta sur moi dans la rue, et il me serra dans ses bras si violemment et si inopinément que ma femme, qui m'accompagnait et ne le connaissait pas, crut que cet étranger barbu méditait un attentat contre moi. Tout était comme par le passé, non, plus cordial encore. Je respirai : la guerre était enterrée. La guerre était finie.

Mais elle n'était pas finie. Seulement nous ne le savions pas. Nous nous abusions tous dans notre bonne foi et nous confondions nos propres dispositions avec celles du monde. Pourtant, nous n'avons pas à rougir de cette erreur, car les politiques, les économistes, les banquiers ne se sont pas trompés moins que nous, eux qui, dans ces années-là, ont pris eux aussi une conjoncture trompeuse pour la guérison et la lassitude pour l'apaisement. En réalité, la lutte n'avait fait que changer de terrain, passant du national au social ; et dès les premiers jours, je fus témoin d'une scène dont je ne compris que plus tard la signification et la portée. A l'époque, nous ne savions pas grand-chose en Autriche de la politique italienne, sinon qu'à la faveur de la déception qui avait suivi la guerre des tendances socialistes et même bolchevistes accusées s'étaient introduites dans la péninsule. Sur chaque mur on pouvait lire, tracée au crayon ou à la craie, en caractères maladroits, l'inscription *Viva Lenin*. De plus, on avait entendu dire qu'un des chefs socialistes, du nom de Mussolini, s'était détaché du parti pendant la guerre et avait formé un groupe opposé. Mais on ne prenait connaissance de ce genre de renseignements qu'avec indifférence. Quelle importance pouvait bien avoir un tel petit groupe ? Dans tous les pays, il existait alors des cliques comparables ; dans les pays baltes marchaient des corps francs, en Rhénanie, en Bavière se formaient des groupes séparatistes, partout il y avait des manifestations et des tentatives de coup de force, mais elles étaient presque toujours étouffées. Personne ne songeait donc à considérer ces « fascistes » qui, au lieu des chemises rouges des garibaldiens, en avaient revêtu des noires, comme un facteur essentiel dans l'évolution future de l'Europe.

Mais à Venise, ce qui n'était qu'un mot se chargea soudain pour moi d'un contenu sensible. Venant de Milan, je débarquai un après-midi dans ma chère ville par la lagune. Il n'y avait pas un porteur, pas une gondole en vue, les ouvriers et les employés du chemin de fer restaient là sans rien faire, les mains démonstrativement plongées dans leurs poches. Comme je traînais deux valises assez lourdes, je regardai autour de moi, cherchant de l'aide, et je demandai à un monsieur d'un certain âge où je pourrais trouver des porteurs. « Vous êtes venu un mauvais jour, me dit-il d'un ton de regret. Mais nous avons à présent très souvent de pareilles journées. Il y a encore une grève générale. » Je ne savais pas pourquoi il y avait une grève et je ne m'en informai pas davantage. Nous y étions habitués, venant d'Autriche, où les socialistes n'usaient que trop souvent et pour leur grand malheur de ce moyen — le plus radical dont ils disposassent — sans savoir comment l'exploiter ensuite utilement. Je continuai donc péniblement à charrier mes valises, jusqu'à ce qu'enfin, dans un canal écarté, je visse un gondolier me faire un signe rapide et furtif ; il embarqua mes deux valises. En une demi-heure, passant devant quelques poings tendus contre le briseur de grève, nous fûmes à mon hôtel. Avec le naturel d'une vieille habitude, je m'en allai aussitôt à la place Saint-Marc. Elle me frappa par son abandon. Les rideaux de fer de la plupart des magasins étaient abaissés, il n'y avait personne dans les cafés, et seulement une grande foule d'ouvriers qui se tenaient en groupes séparés sous les arcades, paraissant attendre quelque chose de particulier. J'attendis avec eux. Et soudain la chose survint. D'une des rues latérales parut, marchant ou plutôt courant au pas cadencé, un groupe de jeunes gens en bon ordre qui chantaient en mesure, bien exercés, une chanson dont je ne connaissais pas le texte — plus tard, je sus que c'était *Giovinezza*. Et déjà, brandissant leurs cannes, ils s'éloignaient au pas de gymnastique, avant que la masse cent fois supérieure en nombre eût le temps de se jeter sur l'adversaire. Le passage intrépide et vraiment courageux de ce petit groupe organisé s'était fait si rapidement que les autres ne furent conscients de la provocation que lorsqu'ils ne pouvaient plus se saisir de l'adversaire. Ils se rassemblèrent alors, pleins de rage, serrèrent les poings, mais il était trop tard. La petite troupe d'assaut ne pouvait plus être rattrapée.

Les impressions visuelles ont toujours quelque chose de convaincant. Pour la première fois, je savais maintenant que ce fascisme légendaire, que je connaissais à peine, était quelque chose de réel, quelque chose de très bien dirigé, et qu'il fanatisait en sa faveur des jeunes gens résolus et audacieux. Désormais, je ne pouvais plus approuver mes amis d'un certain âge qui, à Florence et à Rome, qualifiaient avec un haussement d'épaules ces jeunes gens de « bande mercenaire » et raillaient leur « Fra Diavolo ». Par curiosité, j'achetai quelques numéros du *Popolo d'Italia* et je sentis dans le style de Mussolini, mordant, plastique, concis à la manière latine, la même résolution que dans l'assaut donné à la place Saint-Marc par ces jeunes gens. Bien entendu, je ne pouvais pas soupçonner les dimensions qu'allait prendre ce combat dès l'année suivante. Mais qu'un combat se préparait là et partout, et que notre paix n'était pas *la* paix, j'en fus conscient dès cette heure.

*

Ce fut pour moi le premier avertissement de ce fait que, sous sa surface apparemment pacifiée, notre Europe était pleine de dangereux courants. Le second ne se fit pas attendre longtemps. Je m'étais résolu, excité de nouveau par le goût des voyages, à me rendre en été à Westerland, sur la côte allemande de la mer du Nord. A cette époque, un séjour en Allemagne avait encore pour un Autrichien quelque chose de réconfortant. Le mark s'était jusqu'alors magnifiquement tenu en comparaison de notre couronne dépréciée, la convalescence semblait rapide. Les trains arrivaient à l'heure, les hôtels étaient propres et bien tenus, partout, à droite et à gauche de la voie, on découvrait des maisons neuves, de nouvelles fabriques, partout cet ordre impeccable et silencieux qu'on détestait dans l'avant-guerre et qu'on avait appris à estimer dans le chaos. Il y avait dans l'air, il est vrai, une certaine tension, car tout le pays attendait : les conférences de Gênes et de Rapallo, les premières auxquelles l'Allemagne était admise avec les mêmes droits que les puissances ennemies d'antan, allaient-elles apporter l'allégement espéré des charges de la guerre ou, du moins, un geste timide de véritable entente ? Celui qui menait ces négociations si mémorables dans l'histoire de l'Europe n'était personne d'autre que mon vieil ami Rathenau. Son génial instinct d'organisation s'était déjà magnifiquement affirmé pendant la guerre ; dès la première heure, il avait reconnu le point le plus faible de l'économie allemande, où elle devait d'ailleurs recevoir plus tard le coup mortel : l'approvisionnement en matières premières, et il avait au bon moment (ici encore en avance sur son temps) centralisé toute l'économie. Quand il s'agit, après la guerre, de trouver un homme qui — d'égal à égal avec les plus habiles et les plus expérimentés parmi les adversaires — pût les rencontrer dans ces échanges diplomatiques en qualité de ministre des Affaires étrangères d'Allemagne, le choix tomba naturellement sur lui.

Je lui téléphonai à Berlin, après avoir hésité. Comment importuner un homme alors qu'il façonnait le destin de son temps ? « Oui, c'est difficile, me dit-il au téléphone, je dois maintenant sacrifier à ma charge l'amitié elle-même. » Mais, avec la technique extraordinaire qu'il avait de mettre à profit chaque minute il trouva aussitôt une possibilité de rencontre. Il devait, me dit-il, déposer quelques cartes de visite aux différentes ambassades, et comme cela supposait une demi-heure d'automobile depuis Grünewald, le plus simple était que j'aille le trouver chez lui et que nous bavardions ensuite pendant le trajet. De fait, son pouvoir de concentration intellectuelle, sa facilité stupéfiante à passer d'un sujet à l'autre étaient si parfaits qu'à chaque heure il pouvait en auto ou dans le train parler avec autant de précision et de profondeur que dans son bureau. Je ne voulus pas manquer cette occasion, et je crois que cela lui fit du bien, à lui aussi, de pouvoir s'exprimer librement avec un homme politiquement indépendant et qui était lié d'amitié avec lui depuis des années. Ce fut une longue conversation, et je puis témoigner que Rathenau, qui, personnellement, n'était certes pas exempt de vanité, n'avait pas reçu le portefeuille de ministre des Affaires étrangères d'Allemagne d'un cœur léger, et moins encore avec avidité ou impatience. Il savait d'avance que sa tâche, pour le moment, restait insoluble et qu'en mettant les choses au mieux il remporterait un quart de succès, quelques concessions sans importance, mais qu'on ne pouvait pas encore espérer une paix véritable, une généreuse volonté d'entente. « Dans dix ans, peut-être, me dit-il, à supposer que les choses aillent mal pour tout le monde, et non pas seulement pour nous. Il faut d'abord que la vieille génération soit écartée de la diplomatie et que les généraux ne se dressent plus que statufiés et muets sur les places publiques. » Il était pleinement conscient de la double responsabilité que lui imposait sa qualité de Juif. Rarement dans l'histoire, peut-être, un homme s'est mis avec autant de scepticisme et de réserves intérieures à une tâche dont il savait que ce n'était pas lui, mais le temps seul qui pourrait l'accomplir, et il connaissait le danger personnel qu'elle comportait pour lui. Depuis le meurtre d'Erzberger, qui s'était chargé de signer l'armistice, mission désagréable devant laquelle Ludendorff s'était prudemment dérobé en passant à l'étranger, il ne lui était pas permis de douter qu'un sort semblable l'attendait, lui aussi, comme pionnier d'une entente. Mais n'étant pas marié, sans enfants, et au fond terriblement solitaire, il croyait ne pas devoir craindre le danger ; moi-même, je n'eus pas le courage de l'exhorter à la prudence. C'est un fait historique qu'à Rapallo Rathenau a mené son affaire aussi excellemment que le permettaient alors les circonstances. Son don éblouissant de saisir chaque moment favorable, ses qualités d'homme du monde et son prestige personnel ne se sont jamais affirmés plus brillamment. Mais déjà étaient forts dans le pays les groupes qui savaient qu'ils ne se rendraient populaires qu'en répétant sans cesse au peuple vaincu qu'il n'était pas vaincu du tout et que négocier et céder quoi que ce fût, c'était trahir la nation. Déjà les sociétés secrètes — fort mêlées d'homosexuels — étaient plus puissantes que ne le soupçonnaient les chefs de la République, qui, selon leur conception de la liberté, laissaient faire tous ceux qui voulaient supprimer pour toujours toute liberté en Allemagne.

En ville, je pris congé de lui devant le ministère, sans soupçonner que c'était un congé définitif. Et plus tard je reconnus sur les photographies que la rue par laquelle nous étions passés ensemble était la même que celle où, peu de temps après, les meurtriers devaient guetter la même auto : ce ne fut en somme qu'un hasard si je ne fus pas témoin de cette fatale scène historique. Je pus donc me représenter d'une manière plus sensible encore et avec plus d'émotion l'épisode tragique qui marqua le début du malheur de l'Allemagne, du malheur de l'Europe.

Ce jour-là, j'étais déjà à Westerland et à la plage, et des centaines de curistes se baignaient sereinement. De nouveau, comme en ce jour où l'on avait annoncé l'assassinat de François-Ferdinand, un orchestre jouait devant des gens insouciants, en vêtements d'été, quand, pareils à des pétrels blancs, les crieurs de journaux s'abattirent sur la promenade : « Walter Rathenau assassiné ! » Une panique s'ensuivit, et elle ébranla tout l'empire. Le mark tomba d'un coup et sa chute ne connut plus de trêve avant d'avoir atteint les chiffres fantastiques et fous qui s'exprimaient en milliards. C'est alors seulement que commença le vrai sabbat de l'inflation, au regard de laquelle la nôtre, en Autriche, avec sa proportion déjà assez absurde pourtant de 1 à 15 000, n'était qu'un misérable jeu d'enfant. Il faudrait un livre pour la raconter avec ses particularités, ses circonstances incroyables, et ce livre semblerait un conte de fées aux hommes d'aujourd'hui. J'ai vécu des journées où il me fallait payer le matin cinquante mille marks pour un journal, et le soir cent mille ; celui qui devait changer de l'argent étranger répartissait les opérations de change entre les diverses heures du jour, car à quatre heures il recevait plusieurs fois ce qu'il aurait obtenu à trois heures, et à cinq heures, de nouveau, plusieurs fois ce qu'il aurait obtenu soixante minutes auparavant. J'envoyai par exemple à mon éditeur un manuscrit auquel j'avais travaillé une année, et je croyais bien prendre mes assurances en exigeant qu'il me payât d'avance mes droits pour dix mille exemplaires vendus ; quand le chèque me parvint, il suffisait à peine à couvrir ce que m'avait coûté l'affranchissement du paquet une semaine auparavant. On payait des millions dans les tramways. Des camions transportaient le papier-monnaie de la *Reichsbank* dans les diverses banques et quinze jours après, on trouvait des billets de cent mille marks dans le caniveau : un mendiant les avait jetés avec dédain. Un lacet de soulier coûtait plus cher que précédemment un soulier, non, plus cher qu'un magasin de luxe avec deux mille paires de chaussures, une vitre à remplacer plus que précédemment toute la maison, un livre plus que l'imprimerie avec ses centaines de machines. Pour cent dollars, on pouvait acheter des files d'immeubles de six étages sur le Kurfürstendamm ; des fabriques, évaluées en devises étrangères, ne coûtaient pas plus que naguère une brouette. Des adolescents qui avaient trouvé une caisse de savon oubliée sur le port roulaient pendant des mois en auto et vivaient comme des princes en vendant chaque jour un morceau, tandis que leurs parents, qui avaient été des gens riches, mendiaient leur pain. Des porteurs de journaux fondaient des banques et spéculaient sur toutes les valeurs. Au-dessus d'eux tous se dressait, gigantesque, la figure de Stinnes, l'homme aux gains fabuleux. Elargissant son crédit en exploitant la chute du mark, il achetait tout ce qui pouvait s'acheter, des mines de charbon et des bateaux, des fabriques et des paquets d'actions, des châteaux et des domaines agricoles, et tout cela en réalité pour rien, parce que chaque montant, chaque dette, se réduisait finalement à rien. Bientôt, le quart de l'Allemagne était entre ses mains et la foule, qui dans ce pays s'enivre toujours d'un succès visible, l'applaudissait avec perversité comme un génie. Les chômeurs se traînaient par milliers dans les rues et montraient le poing aux mercantis et aux étrangers dans leurs automobiles de luxe, qui achetaient toute une rue comme une boîte d'allumettes. Quiconque savait seulement lire et écrire trafiquait et spéculait, gagnait de l'argent, avec la conviction secrète que tous se trompaient mutuellement et étaient à leur tour trompés par une main cachée qui mettait très sciemment en scène ce chaos afin de libérer l'État de ses dettes et de ses obligations. Je crois connaître assez bien l'histoire, que je sache, mais elle n'a jamais produit une époque où la folie eût pris des proportions aussi gigantesques, une époque évoquant à ce point un asile d'aliénés. Toutes les valeurs étaient altérées, et non pas seulement dans l'ordre matériel ; on se riait des ordonnances de l'État, on ne respectait aucun principe, aucune morale. Berlin se transforma en Babylone du monde. Bars, parcs d'attractions, débits d'eau-de-vie poussaient comme des champignons. Il s'avéra que ce que nous avions vu en Autriche n'était qu'un modeste et timide prélude à ce sabbat, car les Allemands mettaient dans la perversion toute leur véhémence et tout leur esprit de système. Sur le Kurfürstendamm se promenaient des jeunes gens fardés, la taille artificiellement cintrée, et qui n'étaient pas tous des professionnels ; chaque lycéen voulait gagner de l'argent, et dans les bars obscurcis on voyait des secrétaires d'État et de grands financiers caresser tendrement et sans la moindre honte des matelots ivres. Même la Rome de Suétone n'a pas connu des orgies comparables aux bals de travestis de Berlin, où des centaines d'hommes en vêtements de femmes et de femmes en habits d'hommes dansaient sous les regards bienveillants de la police. Dans cette chute de toutes les valeurs, une sorte de délire saisit justement les milieux bourgeois, jusqu'alors inébranlables dans leur ordre. Les jeunes filles se vantaient d'être perverses ; être soupçonnée d'avoir encore à seize ans sa virginité aurait passé alors pour une injure dans toutes les écoles de Berlin ; chacun voulait pouvoir raconter ses aventures, et plus elles étaient exotiques, plus elles étaient prisées. Mais ce qu'il y avait de plus important dans cet érotisme pathétique, c'est que tout y était abominablement faux. Au fond, toute cette orgie allemande qui éclata avec l'inflation n'était que fiévreuse singerie ; on voyait bien à leur mine que ces jeunes filles de bonnes familles bourgeoises auraient préféré porter de simples bandeaux plutôt que de se donner une tête d'homme aux cheveux bien plaqués, qu'elles auraient préféré manger à la petite cuiller une tarte aux pommes avec de la crème fouettée plutôt que de boire de violents alcools ; partout, on ne pouvait méconnaître que cette surexcitation était insupportable à tout le peuple, que cet étirage quotidien sur les extenseurs de l'inflation lui brisait les nerfs, et que toute la nation harassée par la guerre ne soupirait en fait qu'après l'ordre, le repos, qu'après un peu de sécurité et de confort bourgeois. En secret, elle haïssait la république, non pas parce que celle-ci aurait étouffé cette licence effrénée, mais au contraire parce qu'elle tenait la bride d'une main trop lâche.

Quiconque a vécu ces mois, ces années apocalyptiques, et en a été dégoûté et aigri, sentait qu'il devait se produire un choc en retour, une terrible réaction. Et ceux-là mêmes qui avaient précipité le peuple allemand dans ce chaos attendaient à l'arrière-plan en souriant, la montre à la main. « Plus tout va mal dans le pays, mieux cela vaut pour nous. » Ils savaient que leur heure allait venir. La contre-révolution se cristallisait ouvertement autour de Ludendorff, plus même qu'autour de Hitler, qui était encore sans pouvoir. Les officiers à qui on avait arraché leurs épaulettes s'organisaient en sociétés secrètes ; les petits-bourgeois, qui se voyaient frustrés de leurs économies, se rassemblaient tout doucement et se tenaient prêts d'avance à obéir à n'importe quel slogan, pourvu qu'il leur promît l'ordre. Rien ne fut plus fatal à la république allemande que sa tentative idéaliste de laisser la liberté au peuple et même à ses propres ennemis. Car le peuple allemand, peuple désireux d'ordre, ne savait que faire de sa liberté et tournait déjà ses regards, plein d'impatience, vers ceux qui devaient la lui ravir.

*

Le jour où prit fin l'inflation allemande (1923) aurait pu devenir un tournant de l'histoire. Quand, au coup de cloche, un milliard de marks frauduleusement enflés fut échangé contre un seul mark nouveau, une norme fut établie. Et, de fait, l'écume trouble, avec toute sa boue et sa fange, reflua bientôt, les bars, les débits d'alcool disparurent, la situation redevint normale, chacun pouvait maintenant compter exactement ce qu'il avait gagné, ce qu'il avait perdu. La plupart, l'énorme masse, avait perdu. Cependant, on en rendit responsables non pas ceux qui avaient provoqué la guerre, mais ceux qui, dans un esprit de sacrifice — et sans qu'on leur en sût gré — avaient assumé la charge d'établir l'ordre nouveau. Il faut le rappeler sans cesse, rien n'a aigri, rien n'a rempli de haine le peuple allemand, rien ne l'a rendu mûr pour le régime de Hitler comme l'inflation. Car la guerre, si meurtrière qu'elle eût été, avait quand même offert des heures de jubilation, avec les cloches sonnant à la volée et les fanfares de victoire. Et l'Allemagne, cette nation incurablement militaire d'esprit, se sentait grandie dans son orgueil par les victoires temporaires, tandis qu'elle ne se trouvait que salie, dupée et abaissée par l'inflation. Toute une génération n'a jamais oublié ces années, ne les a jamais pardonnées à la république allemande, et elle a préféré rappeler ses propres bouchers. Mais cela était encore bien loin. Extérieurement, en 1924, la vilaine fantasmagorie semblait passée comme une ronde de feux follets. On était de nouveau en plein jour, on voyait où on allait. Et déjà nous saluions, avec le retour de l'ordre, le début d'une durable tranquillité. Une fois de plus, une fois de plus, nous pensions que la guerre était surmontée, sots, incurables sots que nous étions et avions toujours été. Pourtant, cette illusion trompeuse nous a accordé au moins dix ans de travail, d'espérance et même de sécurité.

*

De notre point de vue d'aujourd'hui, ces dix petites années qui s'étendent de 1924 à 1933, de la fin de l'inflation allemande jusqu'à la prise du pouvoir par Hitler, représentent, malgré tout, une pause dans la succession de catastrophes dont notre génération a été le témoin et la victime depuis 1914. Non pas que cette époque eût manqué de tensions, d'agitations et de crises — la crise économique de 1929 surtout —, mais durant cette décennie la paix semblait assurée en Europe, et c'était déjà beaucoup. On avait accueilli l'Allemagne avec tous les honneurs dans la Société des Nations, on avait favorisé, en souscrivant des emprunts, son redressement économique — en réalité son réarmement secret —, l'Angleterre avait désarmé, en Italie Mussolini avait assumé la protection de l'Autriche. Le monde semblait vouloir se reconstruire. Paris, Vienne, Berlin, New York, Rome, les villes des vainqueurs comme des vaincus se faisaient plus belles que jamais, l'avion rendait les communications plus rapides, les prescriptions relatives aux passeports s'adoucissaient. Les fluctuations monétaires avaient cessé, on savait combien on gagnait, combien on pouvait dépenser, l'attention ne se portait pas aussi fiévreusement sur ces problèmes matériels. On pouvait se remettre au travail, se recueillir, penser aux choses de l'esprit. On pouvait même de nouveau rêver et espérer une Europe unie. Pendant ces dix années — un instant à l'échelle de l'histoire universelle — il sembla qu'une vie normale allait enfin être accordée à notre génération éprouvée.

Ce qu'il y a de plus remarquable à signaler dans ma vie personnelle, c'est que dans ces années un hôte bienveillant vint dans ma maison et s'y établit, un hôte que je n'avais jamais attendu — le succès. Il ne m'est naturellement pas très agréable de mentionner le succès extérieur de mes livres, et dans une situation normale je me serais abstenu d'y faire même la plus fugitive allusion, qui aurait pu être interprétée comme de la suffisance ou de la vantardise. Mais j'ai un droit particulier à ne pas taire cette circonstance dans le récit de ma vie, et j'y suis même contraint, car depuis sept ans, depuis l'arrivée de Hitler, ce succès appartient à l'histoire. Des centaines de milliers et même des millions d'exemplaires de mes livres qui avaient leur place assurée dans les librairies et dans d'innombrables maisons, on ne peut plus s'en procurer un seul en Allemagne : qui en possède encore un l'a soigneusement caché, et dans les bibliothèques publiques ils demeurent enfouis dans ce qu'on appelle « l'armoire aux poisons », à l'usage du petit nombre de ceux qui veulent, munis d'une permission spéciale des autorités, les utiliser à des fins « scientifiques » — le plus souvent dans le dessein de m'outrager. Parmi mes lecteurs, parmi mes amis qui m'écrivaient, plus aucun ne se risque, depuis longtemps, à mettre mon nom abhorré sur une enveloppe. Et ce n'était pas assez ; en France, en Italie, dans tous les pays actuellement asservis, où mes livres étaient parmi les plus lus, en traduction, la sentence de proscription a été également rendue sur l'ordre de Hitler. Je suis aujourd'hui en tant qu'écrivain, ainsi que le disait notre Grillparzer, « un homme qui marche vivant derrière son propre cadavre ». Tout ce que j'ai construit en quarante ans sur le plan international, ce poing unique l'a démoli. Ainsi, quand je fais mention de mon « succès », je parle de quelque chose non pas qui m'appartient, mais qui m'a appartenu un jour, comme ma maison, ma patrie, ma sécurité personnelle, ma liberté, mon ingénuité ; je ne pourrais pas rendre sensible dans toute sa profondeur et sa totalité la chute que j'ai subie plus tard — avec d'innombrables autres, tout aussi innocents — si je ne montrais pas d'abord la hauteur d'où j'ai été précipité, et je ne pourrais pas non plus rendre évidents le caractère unique et les conséquences de cette extirpation de toute notre génération littéraire, dont je ne connais à la vérité point d'autre exemple dans l'histoire.

Ce succès n'avait pas fait une irruption soudaine dans ma maison ; il vint lentement, précautionneusement, mais il demeura constant et fidèle, jusqu'à l'heure où Hitler, avec le fouet de ses décrets, le chassa loin de moi. Il accentua son effet d'année en année. Le premier livre que je publiai après mon *Jérémie*, le premier volume de mes *Architectes du monde*, la trilogie des *Maîtres*, ouvrit la voie ; les expressionnistes, les activistes, les expérimentistes avaient achevé leur rôle ; le chemin qui va au peuple était de nouveau libre pour les patients et les persévérants. Mes nouvelles, *Amok* et *Lettre d'une inconnue*, furent aussi populaires que des romans, elles furent portées au théâtre, récitées en public, filmées ; un petit livre, *Les Heures étoilées de l'humanité*, lu dans toutes les écoles, atteignit en peu de temps le tirage de 250 000 exemplaires à l'*Inselbücherei*. En quelques années, je m'étais créé ce qui, à mon sentiment, représente pour un auteur la forme la plus précieuse du succès : une communauté, un groupe sûr de gens qui attendaient et achetaient chacun de mes nouveaux livres, qui me faisaient confiance et dont il n'était pas permis de décevoir la confiance. Ce cercle de fidèles lecteurs s'étendit peu à peu, de plus en plus. De tous les livres que je publiais, il se vendait le premier jour en Allemagne vingt mille exemplaires, avant même qu'une seule publicité eût paru dans les journaux. Parfois, je cherchais consciemment à esquiver le succès, mais il me suivait avec une obstination surprenante. C'est ainsi que, pour mon plaisir personnel, j'avais écrit la biographie de Fouché ; quand je l'envoyai à l'éditeur, il m'écrivit qu'il en faisait immédiatement imprimer dix mille exemplaires. Je l'adjurai par retour du courrier de ne pas en tirer autant : Fouché était un personnage antipathique, le livre ne renfermait pas un seul épisode féminin, et il était impossible qu'il attirât un cercle un peu nombreux de lecteurs ; on devrait plutôt, pour commencer, se borner à cinq mille. Un an après, cinquante mille exemplaires en étaient vendus en Alle-magne, dans cette même Allemagne qui aujourd'hui n'a plus le droit de lire une ligne de moi. Avec ma défiance presque pathologique vis-à-vis de moi-même, j'aboutis à un résultat analogue quand j'adaptai *Volpone.* J'avais l'intention d'en donner une version en vers et, en neuf jours, facilement et sans tension, j'en écrivis les scènes en prose. Comme, par hasard, le *Hoftheater* de Dresde, envers lequel je me sentais tenu moralement depuis la création de mon premier-né, *Thersite*, m'avait interrogé ces jours-là sur mes nouveaux projets, je lui envoyai ma version en prose, en m'excusant : ce que je lui soumettais n'était qu'une esquisse destinée à être remaniée en vers. Mais le théâtre me télégraphia immédiatement de ne pas y changer une ligne, pour rien au monde. De fait, la pièce, sous cette forme, a ensuite été représentée sur toutes les scènes du monde (à New York à la *Theatre Guild* avec Alfred Lunt). Quoi que j'entreprisse au cours de ces années, le succès et un public de lecteurs toujours plus nombreux me demeuraient fidèles.

Comme je m'étais toujours fait un devoir, à propos des

écrivains étrangers ou de leurs œuvres, de rechercher par les voies de la biographie ou de l'essai les causes de leur action sur leurs contemporains ou au contraire de leur échec, je ne pus éviter de me demander, au cours de longues heures de méditation, sur quelle qualité particulière de mes livres se fondait un succès si inattendu pour moi. En dernière analyse, je crois qu'il est dû à un défaut de ma nature : au fait que je suis un lecteur impatient et plein de fougue. Toutes les redondances, toutes les mollesses, tout ce qui est vague, indistinct et peu clair, tout ce qui est superflu et retarde le mouvement dans un roman, dans une biographie ou une discussion d'idées m'irrite. Seul un livre qui, constamment, page après page, se maintient au niveau le plus élevé et vous entraîne tout d'un trait jusqu'à la dernière sans vous laisser le temps de respirer me donne un plaisir sans mélange. Je trouve que les neuf dixièmes des livres qui me sont tombés sous la main tirent trop en longueur par des descriptions inutiles, des dialogues prolixes et des personnages secondaires dont on pourrait se passer, et sont par là trop peu passionnants, trop peu dynamiques. Même dans les chefs-d'œuvre classiques les plus célèbres, les nombreux passages sablonneux et traînants me gênent, et souvent j'ai exposé à des éditeurs le projet audacieux de publier, en une série où l'on s'oriente aisément, toute la littérature mondiale depuis Homère jusqu'à *La Montagne magique* en passant par Balzac et Dostoïevski, en éliminant radicalement de chacun de ces livres tout le superflu : tous ces ouvrages qui ont sans aucun doute un contenu destiné à triompher du temps pourraient alors exercer sur notre époque une influence renouvelée et vivifiée.

Cette aversion pour toutes les longueurs, pour toute prolixité, devait nécessairement se reporter de la lecture des ouvrages d'autrui sur la composition des miens et m'éduquer à une vigilance particulière. Au fond, je produis vite et sans effort ; dans la première version d'un livre, je laisse courir librement ma plume et fais passer dans ma fabulation tout ce qui me tient à cœur. De même, dans un ouvrage biographique, j'utilise d'abord toutes les particularités documentaires qui sont à ma disposition ; pour une biographie comme *Marie-Antoinette*, j'ai réellement vérifié chaque facture pour établir le compte des dépenses personnelles de la reine, j'ai étudié tous les journaux et tous les pamphlets de l'époque, épluché toutes les pièces du procès, de la première à la dernière ligne. Mais dans mon livre imprimé, on ne peut retrouver une ligne de tout cela, car à peine la première rédaction approximative d'un ouvrage a-t-elle été mise au net que le travail véritable débute pour moi, celui de la condensation et de la composition, un travail qui ne me paraît jamais suffisant, de version en version. C'est un perpétuel lâcher de lest, une concentration et une clarification perpétuelles de l'architecture interne. Tandis que la plupart des autres ne peuvent se résoudre à rien taire de ce qu'ils savent et, en quelque sorte amoureux de chaque ligne réussie, veulent se montrer plus vastes et plus profonds qu'ils ne le sont réellement, mon ambition est d'en savoir toujours plus long qu'il ne le paraît au-dehors.

Ce processus de condensation en même temps que de dramatisation se répète encore une, deux, trois fois sur les épreuves en placard ; cela devient finalement une sorte de chasse joyeuse de trouver encore une phrase, ou ne serait-ce qu'un mot, dont l'absence ne nuirait pas à la précision et pourrait en même temps accélérer le mouvement. De tous mes travaux, cet élagage m'est en somme le plus agréable. Et je me souviens qu'un jour, comme je me levais particulièrement satisfait de mon travail, et que ma femme me disait que je lui paraissais avoir réussi là quelque chose d'extraordinaire, je lui répondis fièrement : « Oui, j'ai réussi à supprimer encore tout un alinéa et à trouver ainsi une transition plus rapide. » Si donc on loue parfois dans mes livres le mouvement entraînant, cette qualité ne résulte nullement d'une chaleur naturelle ou d'une agitation intérieure, mais uniquement de cette méthode systématique qui consiste à supprimer sans cesse toutes les pauses superflues et tous les bruits parasites, et si j'ai conscience de quelque forme d'art, c'est de l'art du renoncement, car je ne me plains pas si, de mille pages écrites, huit cents prennent le chemin de la corbeille à papier, tandis que seules deux cents subsistent, qui en sont l'essence filtrée. Si quelque chose m'a expliqué dans une certaine mesure l'effet de mes livres, c'est cette stricte discipline qui me faisait préférer les formes plus limitées, mais où je me bornais toujours à l'absolument essentiel ; et je fus réellement heureux, moi dont la pensée d'emblée ne s'était tournée que vers l'européen, vers l'international, de constater que des éditeurs étrangers s'adressaient maintenant à moi : français, bulgares, arméniens, portugais, argentins, nor-végiens, lettons, finnois, chinois, ils me proposaient de publier mes ouvrages. Il me fallut bientôt acheter une impressionnante armoire murale pour y placer tous les exemplaires des diverses traductions, et un jour, je lus dans les statistiques de la « Coopération intellectuelle » de la Société des Nations de Genève que j'étais à cette époque l'auteur le plus traduit du monde entier (confor-mément à mon tempérament, je tins d'ailleurs cette nouvelle pour fausse). Un autre jour arriva une lettre de mon éditeur russe, par laquelle il m'annonçait qu'il désirait publier une édition complète de mes œuvres en langue russe et me demandait si j'étais d'accord pour que Maxime Gorki rédigeât l'introduction. Si j'étais d'ac-cord ! Écolier, j'avais lu les nouvelles de Gorki sous mon pupitre, je l'aimais et je l'admirais depuis des années. Mais jamais je ne m'étais imaginé qu'il eût entendu prononcer mon nom ni, à plus forte raison, qu'il eût lu une ligne de moi, ni surtout qu'un tel maître pût juger digne de lui d'écrire une préface à mon œuvre. Et un autre jour encore parut dans ma maison de Salzbourg, muni d'une recommandation — comme si elle eût été nécessaire —, un éditeur américain qui me fit la proposition de prendre en charge mon œuvre au complet et de la publier de façon continue. C'était Benjamin Huebsch, de Viking Press, qui est demeuré depuis mon ami et conseiller le plus sûr, et qui, lorsque tout le reste a été piétiné et écrasé par les bottes à revers de Hitler, m'a conservé une dernière patrie dans le verbe, tandis que je perdais l'ancienne, la véritable, la patrie allemande, européenne.

*

Un tel succès auprès du public était dangereusement propre à égarer un homme qui avait jusqu'alors cru davantage à ses bonnes intentions qu'à ses capacités et à l'effet de ses ouvrages. En soi, toute forme de notoriété signifie pour une personne une perturbation de son équilibre naturel. Dans des conditions normales, le nom que porte un homme n'est rien de plus pour lui que la bague * pour un cigare : une marque distinctive, un objet extérieur et presque sans importance, qui n'a qu'un lien assez lâche avec le véritable sujet, le moi essentiel. Mais en cas de succès, ce nom s'enfle démesurément. Il se détache de la personne qui le porte et devient par lui-même une puissance, une force, une chose en soi, un article de commerce, un capital, et par un violent choc en retour, il devient intérieurement une force qui se met à influencer, à dominer, à transformer l'homme qui le

---

* L'auteur écrit la « chape ». Nous rectifions ce lapsus probable.

porte. Des gens d'une nature heureuse, conscients de leur valeur, s'identifieront alors inconsciemment avec l'influence qu'ils exercent. Un titre, une situation, une décoration, et à plus forte raison la notoriété de leur nom, ont le pouvoir de faire naître en eux une plus grande sécurité, une plus grande confiance en eux-mêmes, et peuvent inspirer le sentiment d'avoir en partage une importance particulière dans la société, dans l'Etat et dans leur époque ; dès lors, ils se gonflent involontairement afin d'atteindre, par leur personne, au volume de leur influence extérieure. Mais celui qui, par nature, est disposé à la méfiance envers lui-même éprouve toute espèce de succès comme une obligation de se conserver inchangé, pour autant que cela est possible, justement dans une situation si difficile.

Je ne veux pas dire par là que je n'étais pas heureux de mon succès. Au contraire, il me réjouissait fort, mais seulement dans la mesure où il se limitait aux productions de mon esprit, à mes livres, et aux schèmes de mon nom qui y étaient liés. Il était touchant pour moi de me trouver par hasard dans une librairie, en Allemagne, et de voir entrer un lycéen qui, sans me connaître, demandait *Les Heures étoilées* et payait l'ouvrage de son maigre argent de poche. La vanité pouvait être agréablement flattée quand, dans un wagon-lit, le chef de train, après avoir vu mon nom, prenait mon passeport avec plus de respect ou qu'un employé de la douane italienne, par reconnaissance pour un livre qu'il avait lu, renonçait magnanimement à fouiller dans mes bagages. Même l'élément purement quantitatif de son influence personnelle a pour un auteur quelque chose de séducteur. J'arrivai par hasard à Leipzig le jour où commençait la distribution d'un de mes livres. Je fus étonnamment excité de voir combien de travail humain on a inconsciemment mis en œuvre par ce qu'on a écrit en trois ou quatre mois sur trois cents feuilles de papier. Des ouvriers empaquetaient les livres dans de robustes caisses ; d'autres les traînaient en geignant jusqu'aux camions qui attendaient en bas ; ceux-ci, à leur tour, les emportaient jusqu'aux wagons qui partaient dans toutes les directions. Des douzaines de jeunes filles empilaient les feuilles dans l'imprimerie, les compositeurs, les relieurs, les expéditeurs, les commissionnaires travaillaient du matin au soir, et l'on pouvait calculer que tous ces livres, alignés à la manière des pavés, auraient déjà pu servir à construire une route imposante. Je n'ai jamais non plus méprisé avec hauteur le côté matériel. Dans les années de mes débuts, je n'aurais jamais osé penser que je pourrais un jour gagner de l'argent avec mes ouvrages et même bâtir une existence sur leur produit. Or ils me rapportaient soudain des sommes considérables, qui allaient toujours croissant et semblaient devoir me décharger de tout souci — qui aurait pu songer aux temps que nous vivons ? Je pouvais me livrer libéralement à la vieille passion de ma jeunesse, collectionner des autographes, et nombre de ces merveilleuses reliques, parmi les plus belles et les plus précieuses, trouvèrent chez moi un asile amoureusement gardé. En échange des ouvrages que j'avais écrits, assez éphémères si on les considère d'un point de vue un peu élevé, je pouvais acquérir les manuscrits d'œuvres impérissables, des manuscrits de Mozart, de Bach et de Beethoven, de Goethe et de Balzac. Ce serait donc une pose ridicule de ma part si je prétendais que mon succès inespéré m'a trouvé indifférent, voire intérieurement mal disposé à son égard.

Mais je suis parfaitement sincère quand je dis que je me réjouissais de mes succès tant qu'ils ne se rapportaient qu'à mes livres et à mon nom dans la littérature, et qu'ils me devinrent plutôt une charge quand la curiosité se reporta sur ma personne physique. Dès ma prime jeunesse, rien n'avait été plus fort en moi que le vœu intime de demeurer libre et indépendant. Je sentais que, chez chaque individu, le meilleur de sa liberté personnelle est compromis et gâté par la notoriété due aux photographies. D'autre part, ce que j'avais entrepris par inclination risquait de prendre la forme d'une profession, voire d'une industrie. Chaque courrier m'apportait des tas de lettres, d'invitations, de sollicitations, de demandes auxquelles il fallait répondre. Et quand il m'arrivait de partir en voyage pour un mois, je perdais ensuite deux ou trois jours à me débarrasser de la masse accumulée et à remettre en ordre le « train de mes affaires ». Sans le vouloir, je m'étais trouvé engagé, par le succès de mes livres sur le marché, dans une sorte de commerce qui demandait de l'ordre, de l'attention, de la ponctualité et de l'habileté pour être bien conduit — toutes vertus des plus respectables qui, malheureusement, ne répondent pas du tout à ma nature et risquaient de troubler de la manière la plus dangereuse la pureté et la spontanéité de ma méditation et de ma rêverie. C'est pourquoi plus on sollicitait ma participation, plus on me demandait de donner des conférences, de paraître à des manifestations officielles, et plus je me confinais dans ma retraite. Je n'ai jamais pu surmonter cette crainte presque pathologique de répondre de mon nom par ma personne. Encore aujourd'hui, dans une salle, un concert, une représentation théâtrale, je suis porté instinctivement à me mettre au dernier rang, celui qui est le moins en vue, et rien ne m'est plus insupportable que d'exposer aux regards mon visage sur une scène ou dans quelque autre endroit de ce genre ; l'anonymat de l'existence, sous toutes ses formes, est pour moi un besoin. Déjà quand j'étais tout enfant, je trouvais incompréhensibles les écrivains et les artistes de la génération précédente qui tenaient à se faire reconnaître dans la rue par des vestes de velours et des cheveux bouffants, par des boucles pendant sur le front, comme, par exemple, mes amis vénérés Arthur Schnitzler et Hermann Bahr, ou encore par une coupe frappante de la barbe ou un costume extravagant. Je suis persuadé que le fait d'être connu dans son apparence extérieure entraîne inconsciemment un homme à vivre en « reflet dans un miroir » de son moi véritable, selon l'expression de Werfel, à adopter dans chaque geste un certain style, et avec cette modification de la tenue extérieure se perdent ordinairement la cordialité, la liberté et l'insouciance de la nature intime. Si je pouvais aujourd'hui recommencer ma vie, j'aspirerais à jouir doublement de ces deux circonstances heureuses : les succès littéraires et l'anonymat personnel, en publiant mes œuvres sous un autre nom, un nom d'emprunt, un pseudonyme ; car si déjà la vie est en soi pleine de séductions et de surprises, à plus forte raison la double vie !

Soleil couchant

Ce fut pour l'Europe — je veux m'en souvenir toujours avec reconnaissance — une époque de tranquillité relative que cette décennie qui s'étend de 1924 à 1933, avant que ce seul homme bouleversât notre monde. Justement parce qu'elle avait si durement souffert des troubles, notre génération prit la paix relative comme un présent inespéré. Nous avions tous le sentiment qu'il nous fallait rattraper ce que les mauvaises années de la guerre et de l'après-guerre avaient volé à notre vie en fait de bonheur, de liberté, de concentration spitituelle. On travaillait davantage et cependant de façon plus libre, on voyageait, on essayait, on découvrait l'Europe, le monde. Jamais les hommes ne se sont autant déplacés que durant ces années — était-ce l'impatience des jeunes gens à regagner en hâte ce qu'ils avaient manqué dans leur isolement les uns des autres ? Était-ce peut-être un obscur pressentiment qui nous avertissait de sortir à temps de notre confinement avant que le barrage ne fût établi ?

Moi aussi, je voyageai beaucoup dans ce temps-là, mais c'était déjà un autre genre de voyage qu'aux jours de ma jeunesse. Car je n'étais plus un étranger dans les pays lointains, partout j'avais des amis, des éditeurs, un public ; j'y arrivais en qualité d'auteur de mes livres, et non plus comme le curieux anonyme d'autrefois. Cela me procurait toutes sortes d'avantages. Je pouvais lutter avec plus de vigueur, et en rencontrant une plus large audience, pour l'idée qui, depuis des années, était véritablement celle de toute ma vie : l'union spirituelle de l'Europe. Je donnais des conférences en ce sens en Suisse, en Hollande, je parlais français au Palais des Arts à Bruxelles, italien à Florence, dans l'historique *Sala dei Dugento* où Michel-Ange et Léonard de Vinci avaient siégé, anglais en Amérique au cours d'un *lecture tour* de l'Atlantique au Pacifique. C'était une autre manière de voyager ; partout je voyais maintenant en camarades les meilleurs esprits du pays, sans avoir à les chercher ; les hommes vers lesquels, au temps de ma jeunesse, j'avais levé des regards pleins de vénération et auxquels je n'aurais jamais osé écrire une ligne étaient devenus pour moi des amis. Je pénétrais dans des cercles qui d'ordinaire se ferment orgueilleusement aux étrangers, je voyais les palais du faubourg Saint-Germain, les *palazzi* italiens, les collections privées. Dans les bibliothèques publiques, je ne me tenais plus en suppliant devant le guichet de la distribution, les directeurs en personne me montraient les trésors cachés, j'étais reçu chez les antiquaires, des millionnaires en dollars comme le Dr Rosenbach à Philadelphie, devant les magasins desquels le petit collectionneur que j'avais été passait avec des regards furtifs. J'avais pour la première fois accès à ce qu'on appelle le « grand monde », avec en outre l'agrément et la facilité de n'avoir à importuner personne pour y être introduit, car tout venait spontanément à moi. Mais en voyais-je mieux le monde pour autant ? J'avais sans cesse la nostalgie des voyages de ma jeunesse, quand nul ne m'attendait et que mon isolement me faisait paraître toutes choses plus mystérieuses. Je ne voulus donc pas renoncer absolument à mon ancienne façon de voyager. Quand j'arrivais à Paris, je me gardais d'en aviser aussitôt même mes meilleurs amis, tels que Roger Martin du Gard, Jules Romains, Duhamel, Masereel. Je voulais d'abord rôder de nouveau par les rues, comme jadis lorsque j'étais étudiant, sans être gêné ni attendu. Je recherchais les anciens cafés et les petites auberges, je m'amusais à me replonger dans ma jeunesse. De même, quand je voulais travailler, je me rendais dans les endroits les plus absurdes, dans une petite ville de province comme Boulogne, Tirano ou Dijon ; il était merveilleux d'être inconnu, de loger dans les petits hôtels, après avoir été dans les palaces au luxe rebutant, tantôt de me mettre en avant, tantôt de me retirer à l'écart, de faire alterner l'ombre et la lumière selon qu'il m'en prenait l'envie. Et quoi que Hitler m'ait enlevé plus tard, même lui n'a pu ni confisquer ni détruire cette agréable conscience d'avoir quand même vécu encore une dizaine d'années à mon gré, avec la plus complète liberté intérieure, en Européen.

*

Parmi tous ces voyages, il en est un qui fut pour moi tout particulièrement excitant et instructif : un voyage dans la Russie nouvelle. En 1914 déjà, immédiatement avant la guerre et alors que je travaillais à mon livre sur Dostoïevski, j'avais préparé ce voyage ; mais alors la faux sanglante de la guerre s'était abattue, et depuis, un scrupule m'avait retenu. La Russie, par l'expérience du bolchevisme, était devenue pour tous les hommes de pensée le pays le plus fascinant de l'après-guerre et, sans être très bien connue, elle suscitait des admirations enthousiastes aussi bien que des haines fanatiques. Personne — du fait de la propagande et de la campagne de dénigrement tout aussi enragée — ne disposait d'informations fiables sur ce qui se passait là-bas. Mais on savait qu'il s'y tentait quelque chose de tout nouveau, quelque chose qui pouvait être déterminant, soit en bien, soit en mal, pour la figure que revêtirait à l'avenir notre monde.

Shaw, Wells, Barbusse, Istrati, Gide et bien d'autres y étaient allés, les uns en étaient revenus enthousiastes, les autres déçus, et je n'aurais pas été un homme lié spirituellement à toute nouveauté et tourné vers elle si je n'avais pas été tenté d'y aller moi aussi afin de m'en faire une image à partir de ce que j'y verrais moi-même. Mes livres y étaient extrêmement répandus, non seulement l'édition complète avec l'introduction de Maxime Gorki, mais aussi de petites éditions bon marché, à quelques kopecks, et qui pénétraient jusque dans les plus larges masses ; j'étais donc certain d'y être bien accueilli. Ce qui me retenait, c'est qu'à l'époque tout voyage en Russie impliquait d'emblée une sorte de prise de parti et forçait à une adhésion publique ou, au contraire, à un rejet public, tandis que moi, qui détestais profondément toute politique et tout dogmatisme, je ne voulais pas me laisser imposer l'obligation d'émettre un jugement après quelques semaines passées à observer un pays sur lequel il était impossible d'acquérir une vue d'ensemble et à examiner un problème qui n'a pas encore été résolu. Ainsi, malgré ma brûlante curiosité, je n'avais jamais pu me résoudre à partir pour la Russie des soviets.

Or voici qu'au printemps de 1928 me parvint une invitation à assister, en qualité de délégué des écrivains autrichiens, aux fêtes du centième anniversaire de la naissance de Léon Tolstoï, afin d'y prendre la parole lors de la soirée solennelle célébrant l'événement. Je n'avais aucune raison d'esquiver une telle occasion ; comme il ne s'agissait pas d'une manifestation partisane, ma visite était ainsi soustraite à la politique. Tolstoï, apôtre de la non-violence, ne pouvait être considéré comme un bolcheviste, et j'avais un droit manifeste de parler de lui en tant qu'écrivain, puisque mon livre sur lui était répandu à des milliers et des milliers d'exemplaires. Du point de vue européen également, le fait que les écrivains de tous les pays se réunissent pour apporter leur hommage commun au plus grand d'entre eux me paraissait une manifestation importante. J'acceptai donc, et je n'eus pas à regretter ma rapide décision. La traversée de la Pologne fut déjà une expérience. Je vis avec quelle rapidité notre époque peut guérir les blessures qu'elle a infligées elle-même. Les villes de Galicie que j'avais découvertes en ruine en 1915 se dressaient maintenant toutes neuves et propres ; je reconnaissais une fois de plus que dix années qui, dans la vie d'un individu, représentent une large tranche de son existence, ne sont qu'un clin d'œil dans la vie d'un peuple. A Varsovie, on ne pouvait découvrir une trace rappelant que le flot des armées victorieuses ou vaincues y avait passé deux fois, trois fois, quatre fois. Les cafés étaient pleins de femmes élégantes ; les officiers qui se promenaient dans les rues, sveltes et sanglés dans leurs uniformes, faisaient l'effet de parfaits acteurs du *Hoftheater* jouant des rôles de soldats. Partout on remarquait l'activité, la confiance et la fierté justifiée de voir que la jeune République polonaise se relevait si bien d'entre les décombres des siècles. De Varsovie, je poursuivis vers la frontière russe. Le pays se faisait plus plat et sablonneux ; à chaque station se rassemblait toute la population du village dans ses costumes traditionnels bariolés car, à l'époque, un seul train de voyageurs par jour se rendait dans le pays défendu et fermé, et c'était le grand événement que de voir les wagons bien astiqués d'un express qui reliait le monde de l'Est au monde de l'Ouest. Enfin, j'atteignis la station frontière, Niégorolié. Au-dessus des voies étaient tendue une large banderole rouge sang portant une inscription dont je ne pus pas lire les caractères cyrilliques. On me traduisit : « Travailleurs de tous les pays, unissez-vous ! » En passant sous ce calicot rouge vif, on avait pénétré dans un monde nouveau, dans l'empire du prolétariat, dans la république des soviets. Le convoi dans lequel nous voyageâmes ensuite n'avait cependant rien de prolétarien. Train de wagons-lits qui datait de l'époque tsariste, il s'avéra plus commode et plus confortable que les trains de luxe européens, parce qu'il était plus large et allait plus lentement. Je traversai pour la première fois le pays russe et, chose singulière, il ne me donna pas une impression d'étrangeté. Tout m'était remarquablement familier, l'immense steppe vide avec sa douce mélancolie, les isbas, les petites villes avec leurs tours à bulbes, les hommes aux longues barbes, mi-paysans, mi-prophètes, qui nous saluaient avec un large sourire bienveillant, les femmes, avec leurs fichus aux couleurs vives et leurs blouses blanches, qui vendaient du *kwas,* des œufs et des concombres. Comment donc connaissais-je tout cela? Par la seule maîtrise de la littérature russe — par Tolstoï, Dostoïevski, Gorki, Aksakov, qui nous ont décrit la vie du « peuple » avec un réalisme si admirable. Bien que je ne connusse pas la langue, il me semblait comprendre les gens, quand ils parlaient, ces hommes d'une simplicité si touchante qui se tenaient solidement campés sur leurs jambes dans leurs amples blouses et ces jeunes ouvriers, dans le train, qui jouaient aux échecs, ou lisaient, ou discutaient ; il me semblait comprendre cette spiritualité inquiète et indomptable de la jeunesse, qui par l'appel à toutes les forces a encore fait l'expérience d'une particulière résurrection. Était-ce l'amour de Tolstoï et de Dostoïevski pour le « peuple » qui produisait le même effet qu'un souvenir personnel ? En tout cas, j'éprouvai déjà dans le train un sentiment de sympathie pour ce qu'il y avait d'enfantin et de touchant, de sage et d'inculte dans ces gens.

Les quinze jours que je passai en Russie soviétique s'écoulèrent dans un état constant de haute tension. On voyait, on entendait, on admirait, on était rebuté, on s'enthousiasmait, on s'irritait, c'était une perpétuelle douche écossaise alternativement brûlante et glacée. La ville de Moscou en elle-même avait déjà deux visages. Ici, la merveilleuse place Rouge, avec ses murailles et ses campaniles bulbeux offrant quelque chose de splendidement tartare, d'oriental, de byzantin et par là d'essentiellement russe, et tout à côté, comme une horde étrangère de géants américains, des gratte-ciel modernes, ultramodernes. Rien ne s'accordait ; dans les églises luisaient encore faiblement les vieilles icônes noircies par la fumée des cierges et les autels des saints étincelants de joyaux ; cent mètres plus loin reposait dans son cercueil de verre le corps de Lénine dont on venait de raviver les couleurs (je ne sais si c'était en notre honneur), vêtu d'un costume noir. A côté de quelques automobiles rutilantes, les *istvochiks* barbus et crasseux fouettaient leurs maigres petits chevaux avec des paroles caressantes qui faisaient un bruit de baisers ; le grand opéra dans lequel nous prenions la parole brillait d'un éclat pompeux et tout à fait tsariste devant le public prolétarien, et dans les faubourgs, pareilles à des vieillards sales et négligés, les vieilles maisons vermoulues devaient s'appuyer l'une contre l'autre pour ne pas s'effondrer. Tout avait été trop longtemps vieux et lent et rouillé, et voulait maintenant devenir tout à coup moderne, ultramoderne, supertechnique. Par cette hâte, Moscou donnait l'impression d'être bondé, surpeuplé et dans un état de confusion indescriptible. Partout les gens se pressaient, dans les magasins, devant les théâtres, et partout ils étaient obligés d'attendre ; tout était trop organisé, et par là même ne fonctionnait pas bien. La nouvelle bureaucratie, censée mettre de l' « ordre », prenait encore plaisir à remplir des formulaires et des autorisations, et retardait tout. La grande soirée, qui devait commencer à six heures, débuta vers neuf heures et demie ; quand je quittai l'opéra tout recru de fatigue à trois heures du matin, les orateurs continuaient imperturbablement à discourir. A chaque réception, à chaque rendez-vous, l'Européen était une heure en avance. Le temps nous coulait entre les mains, et pourtant chaque seconde était extraordinairement remplie par des observations et des discussions. Il y avait dans tout cela je ne sais quelle fièvre, et on sentait que s'emparaient insidieusement de vous cette mystérieuse inflammation de l'âme russe et son indomptable plaisir d'exprimer immédiatement, en les tirant de soi encore tout chauds, les sentiments et les idées. Sans bien savoir pourquoi, on était légèrement exalté, cela tenait à l'atmosphère agitée et nouvelle.

Bien des choses étaient magnifiques, Leningrad avant tout, cette ville génialement conçue par des princes audacieux, avec ses larges perspectives, ses palais immenses — et cependant c'était encore l'oppressant Pétersbourg des « nuits blanches » et de Raskolnikov. L'Ermitage, imposant, offrait le spectacle inoubliable des foules d'ouvriers, de soldats, de paysans en gros souliers qui se promenaient dans les salles naguère impériales, et, tenant respectueusement leur chapeau à la main, comme autrefois devant leurs icônes, contemplaient les tableaux avec l'orgueil secret de se dire : ceci nous appartient, maintenant, et nous allons nous efforcer de comprendre ces choses. Des instituteurs menaient à travers les salles des enfants aux joues rondes, des commissaires des Beaux-Arts expliquaient Rembrandt et Titien à des paysans qui les écoutaient un peu embarrassés ; chaque fois qu'on leur montrait quelque particularité, ils levaient timidement les yeux de dessous leurs lourdes paupières. Ici, comme partout ailleurs, il y avait quelque petit ridicule dans ces purs et loyaux efforts pour élever du jour au lendemain le « peuple » jusqu'à la compréhension de Beethoven et de Vermeer, mais cet effort, d'un côté pour faire comprendre du premier coup les plus hautes valeurs, et de l'autre pour les comprendre, était également impatient de part et d'autre. Dans les écoles, on permettait aux enfants de peindre les choses les plus débridées, les plus extravagantes ; sur les pupitres de jeunes filles de douze ans, on trouvait les œuvres de Hegel et de Sorel (que moi-même je ne connaissais pas encore) ; des cochers qui savaient à peine lire tenaient des livres à la main, simplement parce que c'étaient des livres et que les livres représentaient la « culture », donc l'honneur et le devoir du nouveau prolétariat. Que de fois nous ne pouvions nous empêcher de sourire, quand on nous montrait des fabriques moyennes et que l'on s'attendait à nous voir pleins d'étonnement, comme si nous n'en avions jamais vu en Europe et en Amérique. « Électrique », me disait fièrement un ouvrier en me désignant une machine à coudre, et il me regardait dans l'espoir de me voir pousser des cris d'admiration. Comme le peuple voyait pour la première fois tous ces produits de la technique, il croyait humblement que c'étaient la révolution et les petits pères Lénine et Trotski qui les avaient imaginés et inventés. Ainsi, on souriait en admirant, et on admirait tout en étant secrètement amusé. Quel grand enfant merveilleusement doué et bienveillant que cette Russie ! songeait-on toujours, et l'on se demandait : Apprendra-t-elle vraiment cette gigantesque leçon aussi vite qu'elle se l'est proposé ? Ce plan va-t-il encore se développer de façon grandiose ou se perdre dans les sables de la vieille « oblomoverie » russe ? D'une heure à l'autre, la méfiance succédait à la confiance. Plus je voyais de choses, moins j'étais au clair.

Mais cette dualité tenait-elle à moi ? Ne tenait-elle pas plutôt au caractère russe, voire à l'âme de Tolstoï que nous étions venus célébrer ? Dans le train qui me menait à Iasnaïa Poliana, j'en parlai à Lounatcharski. « Qu'était-il au fond, me dit Lounatcharski, un révolutionnaire ou un réactionnaire ? Le savait-il lui-même ? En bon Russe qu'il était, il voulait, après des millions d'années, changer le monde entier en un tournemain — tout comme nous, ajouta-t-il en souriant, et au moyen d'une seule formule, exactement comme nous. On se fait une fausse image de nous autres Russes, quand on nous dit patients. Nous sommes patients avec notre corps et même avec notre âme. Mais avec notre pensée nous sommes plus impatients qu'aucun autre peuple, nous voulons toujours connaître immédiatement toutes les vérités, " *la* Vérité ". Et comme il s'est tourmenté à ce sujet, le vieil homme ! » Et réellement, en visitant la maison de Tolstoï à Iasnaïa Poliana, j'éprouvai sans cesse ce seul et même sentiment : comme il s'est tourmenté, le grand vieillard ! Il y avait là le bureau sur lequel il avait écrit ses œuvres impérissables, et il l'avait abandonné pour confectionner des souliers dans une misérable petite pièce voisine, de mauvais souliers. Là était la porte, là l'escalier par où il avait tenté d'échapper à cette maison, aux conflits de son existence. Il y avait là le fusil avec lequel il avait tué des ennemis, pendant la guerre, lui qui était l'ennemi de toute guerre. Toute la question de son existence se dressait là devant moi, fortement et sensiblement représentée dans cette maison de campagne blanche et basse, mais ensuite, tout ce tragique s'atténua merveilleusement au cours d'une visite à sa dernière demeure.

Car je n'ai rien vu en Russie de plus grandiose, de plus saisissant que la tombe de Tolstoï. Cet illustre lieu de pèlerinage est situé dans un endroit écarté et solitaire, au fond d'une forêt. Un étroit sentier conduit jusqu'à ce monticule, qui n'est qu'un tertre carré que personne ne garde, que personne ne surveille, simplement ombragé par quelques grands arbres. Ces arbres qui se dressent vers le ciel, m'expliqua sa petite-fille devant la tombe, c'est Léon Tolstoï lui-même qui les a plantés. Enfants, son frère Nicolas et lui avaient entendu une femme du village raconter qu'un endroit où l'on plante des arbres devient un lieu de félicité. C'est ainsi qu'à moitié par jeu ils avaient mis en terre quelques pousses. Ce n'est que plus tard que le vieil homme se souvint de cette merveilleuse promesse et exprima aussitôt le désir d'être enseveli sous ces arbres qu'il avait plantés lui-même. Ainsi fut fait, et cette tombe est la plus impressionnante du monde par son émouvante simplicité. Un petit monticule quadrangulaire au milieu de la forêt, dominé par de grands arbres — *nulla crux, nulla corona!* pas de croix, pas de pierre tombale, pas d'inscription. Le grand homme est enterré anonymement, lui qui a souffert comme aucun autre de son nom et de sa gloire, tout comme un vagabond qu'on aurait trouvé par hasard, comme un soldat inconnu. On n'empêche personne de s'approcher de sa dernière demeure, la légère palissade qui l'entoure n'est pas fermée. Rien d'autre que la vénération des hommes ne protège le dernier repos de celui qui n'a jamais trouvé le repos dans sa vie. Tandis qu'ailleurs la curiosité se presse autour du faste d'un tombeau, la simplicité décourage ici toute badauderie. Le vent murmure comme la parole de Dieu par-dessus la tombe de l'anonyme. Il n'y a point d'autre voix, on pourrait passer là et se dire seulement que quelqu'un y est enterré, un Russe quelconque dans la terre russe. Ni la crypte de Napoléon sous la coupole de marbre des Invalides, ni le cercueil de Goethe dans le caveau des princes, ni les monuments de l'abbaye de Westminster n'impressionnent autant que cette tombe merveilleusement silencieuse, à l'anonymat touchant, quelque part dans la forêt, environnée par le murmure du vent, et qui ne livre par elle-même nul message, ne profère nulle parole.

*

Après quinze jours en Russie, j'éprouvais encore et toujours cette tension intérieure, j'étais comme dans les brumes d'une légère ivresse spirituelle. Qu'y avait-il

donc là de tellement excitant ? Je le reconnus bientôt :
c'étaient les hommes et la cordialité impulsive qui
émanait d'eux. Tous, du premier au dernier, étaient
persuadés qu'ils participaient à une œuvre formidable,
qui intéressait l'humanité entière, tous étaient pénétrés de
la conviction que ce qu'ils devaient consentir de privations et de restrictions servait une mission supérieure.
L'ancien sentiment d'infériorité à l'égard de l'Europe
s'était renversé en un orgueil enivré d'être en avance, en
avance sur tous les autres. *Ex oriente lux* — c'est d'eux
que venait le salut, ils le pensaient en toute sincérité, en
toute honnêteté. « *La* Vérité », ils l'avaient reconnue ; il
leur était donné d'accomplir ce que les autres ne faisaient
que rêver. Quand ils nous montraient la chose la plus
insignifiante, leurs yeux rayonnaient : « C'est nous qui
avons fait cela. » Et ce « nous » courait dans tout le
peuple. Le cocher qui vous conduisait désignait de son
fouet quelque maison neuve, un rire lui dilatait les joues :
« Nous » avons construit cela. Dans leurs salles d'étudiants, Tatars, Mongols s'approchaient de vous, ils
montraient leurs livres avec fierté : « Darwin », disait
l'un, « Marx », disait l'autre, tout aussi fiers que s'ils
avaient eux-mêmes écrit ces livres. Sans cesse ils se
pressaient autour de vous pour vous montrer, pour vous
expliquer quelque chose ; ils étaient si reconnaissants que
quelqu'un fût venu pour voir « leur » œuvre. Chacun —
c'étaient des années avant Staline ! — avait une confiance
illimitée en un Européen, ils levaient sur vous leurs bons
yeux fidèles et vous serraient vigoureusement et fraternellement la main. Mais c'étaient justement les moins
considérables qui vous montraient en même temps que
s'ils vous aimaient, ils n'éprouvaient pas pour vous du
« respect » — on était frères, après tout, *tovarichtch*,
camarades. Il n'en allait pas autrement chez les écrivains.
Nous étions assis ensemble dans la maison qui avait
appartenu à Alexandre Herzen, non pas seulement des

Européens et des Russes, mais des Toungouses, des Géorgiens et des Caucasiens, chaque État soviétique avait envoyé ses délégués pour Tolstoï. On ne pouvait se faire entendre de la plupart d'entre eux, et cependant on se comprenait. Parfois, l'un d'eux se levait, s'approchait, citait le titre d'un livre qu'on avait écrit, faisait le geste de montrer son cœur pour dire : « Je l'aime beaucoup », puis il vous saisissait par la main et vous la secouait comme s'il avait l'intention de vous briser toutes les articulations par pur amour. Et, ce qui était encore plus touchant, chacun apportait un cadeau. Les temps étaient encore durs ; ces gens ne possédaient aucun objet de prix, mais chacun allait chercher quelque chose pour vous laisser un souvenir, une gravure sans valeur, un livre qu'on ne pouvait pas lire, une sculpture en bois faite par des paysans. Il m'était plus facile à moi de faire le généreux, car je pouvais répondre par des trésors que la Russie n'avait pas vus depuis des années : une lame de rasoir Gillette, un stylo, quelques feuilles de bon papier à lettres blanc, une paire de souples pantoufles de cuir, si bien que je rentrai avec un bagage des plus réduits. C'est précisément le caractère muet et pourtant impulsif de cette cordialité qui était irrésistible, et elle exerçait ses effets avec une ampleur et une chaleur inconnues chez nous et qu'on éprouvait là-bas sensuellement — car enfin chez nous on n'atteint jamais vraiment le « peuple » ; chaque réunion avec ces gens devenait une dangereuse séduction à laquelle, en effet, beaucoup d'écrivains étrangers ont succombé au cours de leurs visites en Russie. Se voyant fêtés comme jamais et aimés de la masse véritable, ils croyaient devoir louer le régime sous lequel on les lisait et les aimait tant. Car il est dans la nature humaine de répondre à la générosité par la générosité et à l'exubérance par l'exubérance. Je dois reconnaître qu'en bien des moments, en Russie, je fus moi-même près de devenir lyrique et de me laisser emporter par l'enthousiasme général.

Si je ne fus pas victime de cette ivresse magique, je ne le dois pas tant à ma propre force intérieure qu'à un inconnu dont j'ignore et ignorerai toujours le nom. C'était après une festivité chez des étudiants. Ils m'avaient entouré, embrassé, m'avaient serré les mains. Je me sentais encore le cœur tout chaud de leur enthousiasme, je voyais, plein de joie, leurs visages animés. Quatre ou cinq m'accompagnèrent à mon domicile, toute une troupe, et l'interprète qu'on m'avait donnée, étudiante elle aussi, me traduisait tout. Ce n'est que lorsque j'eus refermé derrière moi la porte de ma chambre d'hôtel que je me trouvai réellement seul, seul en somme pour la première fois depuis douze jours, car toujours on était accompagné, toujours on était protégé, porté par de chaudes vagues. Je me mis à me déshabiller et enlevai mon habit. Je perçus alors un froissement ; je plongeai la main dans ma poche. C'était une lettre. Une lettre en français, mais une lettre qui n'était pas venue par la poste, une lettre qu'on avait dû glisser adroitement dans ma poche tandis que tous ces étudiants se pressaient autour de moi et m'embrassaient.

C'était une lettre sans signature, une lettre très sage, humaine, non pas d'un « Blanc », à la vérité, mais cependant pleine d'amertume contre la limitation toujours croissante de la liberté au cours des dernières années. « Ne croyez pas tout ce qu'on vous dit, m'écrivait cet inconnu. N'oubliez pas, avec tout ce qu'on vous montre, qu'il y a bien des choses qu'on ne vous montre pas. Souvenez-vous que les personnes qui parlent avec vous ne vous disent pas, la plupart du temps, ce qu'elles veulent vous dire, mais seulement ce qu'il leur est permis de vous dire. Nous sommes tous surveillés et vous ne l'êtes pas moins. Votre interprète rapporte chacun de vos propos. On écoute vos conversations téléphoniques,

chacun de vos pas est contrôlé. » Il me citait toute une
série d'exemples et de particularités que je n'étais pas en
mesure de vérifier. Mais je brûlai la lettre conformément
à ses instructions — « ne vous bornez pas à la déchirer,
car on en retirerait les morceaux de votre corbeille à
papier, et on les assemblerait » — et je me mis pour la
première fois à réfléchir à tout cela. N'était-ce pas un fait
qu'au milieu de toute cette loyale cordialité, de cette
merveilleuse camaraderie, je n'avais jamais eu une seule
occasion de parler sans contrainte avec quiconque entre
quatre yeux ? Mon ignorance de la langue m'avait
empêché de prendre vraiment contact avec les gens du
peuple. Et puis, quelle infime partie de cet immense
empire j'avais pu voir durant ces quinze jours ! Si je
voulais être sincère avec moi-même et avec les autres, je
devais reconnaître que mon impression, si excitante, si
exaltante qu'elle pût être par maint détail, ne pouvait
avoir aucune valeur objective. Il se trouva ainsi que,
tandis que presque tous les autres écrivains européens qui
rentraient de Russie publiaient aussitôt un livre pour
proclamer leur oui enthousiaste ou leur non plein
d'amertume, je me bornai à écrire quelques articles. Et je
m'applaudis de cette réserve car, trois ou quatre mois
après, déjà, bien des choses n'étaient plus telles que je les
avais vues, et une année après, par suite des transformations rapides, chacune de mes paroles aurait été démentie
par les faits. Quoi qu'il en soit, j'ai senti en Russie le
mouvement rapide de notre temps, comme rarement je
l'ai éprouvé dans ma vie.

＊

A mon départ de Moscou, mes valises étaient plutôt
vides. Tout ce que je pouvais donner, je l'avais partagé et,

de mon côté, je n'avais emporté que deux icônes qui longtemps décorèrent ma chambre. Mais ce que je rapportais de plus précieux, c'était l'amitié de Maxime Gorki, qu'à Moscou j'avais rencontré personnellement pour la première fois. Je le revis un ou deux ans plus tard à Sorrente, où il avait dû se rendre à cause de sa santé menacée et, hôte de sa maison, j'y passai trois jours inoubliables.

Cette rencontre fut à vrai dire fort singulière. Gorki ne maîtrisait aucune langue étrangère, et moi, de mon côté, je ne savais pas le russe. Selon toutes les règles de la logique, nous aurions donc dû demeurer muets face à face ou ne soutenir une conversation que grâce aux bons offices de notre amie vénérée, la baronne Maria Budberg, qui nous servait d'interprète. Mais ce n'était certes pas par hasard que Gorki était l'un des conteurs les plus géniaux de la littérature mondiale ; le récit ne représentait pas seulement pour lui une forme d'expression artistique, c'était une émanation fonctionnelle de tout son être. Il vivait ce qu'il racontait, il se transformait lui-même en ce qu'il racontait, et je le comprenais d'avance, sans entendre sa langue, par l'action plastique de son visage. En lui-même, il avait l'air intégralement et uniquement « russe » — je ne saurais l'exprimer autrement. Rien n'était frappant dans les traits ; avec sa chevelure jaune paille et ses larges pommettes, on aurait pu s'imaginer ce grand homme maigre paysan à la campagne, cocher de fiacre, petit cordonnier, vagabond négligé. Il n'était rien que « peuple », archétype concentré du Russe. Dans la rue, on l'aurait croisé sans y prendre garde, sans s'apercevoir de sa particularité. Ce n'est que lorsqu'on était assis en face de lui et qu'il se mettait à raconter qu'on reconnaissait ce qu'il était. Car il se transformait involontairement en l'homme dont il faisait le portrait. Je me rappelle comment il me décrivait — je comprenais avant même qu'on me traduisît — un vieillard bossu et fatigué, qu'il avait rencontré un jour au cours de ses pérégrinations. Sans qu'il en eût conscience, sa tête retombait, ses épaules s'affaissaient, ses yeux, lumineux et d'un bleu resplendissant quand il avait commencé son récit, devenaient sombres et las, sa voix se brisait : il s'était, sans le savoir, transformé en son vieux bossu. Et dès qu'il racontait quelque chose de gai, son rire éclatait, il s'appuyait nonchalamment en arrière, une clarté luisait sur son front ; c'était un plaisir inexprimable que de l'écouter, tandis que de ses gestes arrondis, pareils en quelque sorte à ceux d'un sculpteur, il disposait autour de lui le cadre et les personnages. Tout chez lui était simple et naturel, sa démarche, sa façon de se tenir assis, sa manière d'écouter, sa pétulance. Un soir, il se costuma en boyard, ceignit un sabre et tout de suite son regard prit une expression de hauteur. Ses sourcils se froncèrent de l'air du commandement, il allait et venait dans la chambre d'un pas énergique, comme s'il méditait un terrible oukase ; le moment d'après, ayant ôté son costume, il riait d'un rire enfantin, comme un fils de paysan. Sa vitalité était un prodige ; il vivait avec son poumon abîmé, en dépit de toutes les lois de la médecine, à vrai dire, mais une énorme volonté de vivre, un sentiment du devoir aussi dur que l'airain le maintenaient debout. Chaque matin, il travaillait à son grand roman, de sa claire calligraphie, répondait à des centaines de questions que lui adressaient de jeunes écrivains et des ouvriers de sa patrie. Me trouver avec lui, c'était pour moi vivre la Russie, non pas la Russie bolcheviste, non pas celle d'autrefois, non pas celle d'aujourd'hui, mais l'âme vaste, forte et obscure du peuple éternel. Au-dedans de lui-même, il n'avait pas encore tout à fait décidé, ces années-là. En vieux révolutionnaire qu'il était, il avait souhaité la chute de l'ancien régime, il avait été lié d'amitié avec Lénine, mais il hésitait encore à s'inféoder complètement au parti, « à devenir pope ou pape », comme il disait, et cependant il avait un certain remords à n'être pas avec les siens au cours de ces années où chaque semaine apportait une décision.

Ces jours-là, je fus témoin par hasard d'une de ces scènes caractéristiques, tout à fait néo-russes, et qui me dévoila toute sa dualité. Pour la première fois, un navire de guerre russe qui faisait une croisière d'exercice était entré dans le port de Naples. Les jeunes matelots, qui n'étaient jamais allés dans cette métropole, se promenaient Via Toledo dans leurs beaux uniformes et ne pouvaient se rassasier de contempler tant de nouveautés, de leurs grands yeux curieux de paysans. Le lendemain, un groupe de ces marins se décida à aller jusqu'à Sorrente pour voir « leur » écrivain ; ils n'annoncèrent pas leur visite ; avec leur idée de la fraternité russe, il leur paraissait tout naturel que « leur » écrivain dût toujours avoir du temps à leur consacrer. Ils se trouvèrent à l'improviste devant sa maison, et ils ne s'étaient pas trompés : Gorki ne les fit pas attendre et les invita chez lui. Mais — Gorki me le raconta lui-même en riant le lendemain — ces jeunes gens, qui ne mettaient rien au-dessus de la « cause », se montrèrent d'abord très sévères à son égard. « Comment se fait-il que tu habites ici, lui dirent-ils, à peine entrés dans la belle et confortable villa. Tu vis tout à fait comme un bourgeois. Et pourquoi ne retournes-tu pas en Russie ? » Gorki dut tout leur expliquer du mieux qu'il put. Mais au fond, ces braves gens ne le jugeaient pas si sévèrement. Ils avaient seulement voulu lui démontrer qu'ils n'avaient pas le « respect » de la célébrité et qu'ils commençaient par examiner les opinions de chacun. Ils s'installèrent sans aucune gêne, burent du thé, bavardèrent, et pour finir ils l'embrassèrent l'un après l'autre au moment de prendre congé. Entendre Gorki raconter la scène était merveilleux ; il était tout épris des manières libres et de l'absence de contrainte de cette nouvelle génération, et il n'était nullement blessé de leur gaillardise. « Que nous étions

418

différents, répétait-il sans cesse, soit humbles, soit pleins de véhémence, mais jamais sûrs de nous. » Toute la soirée, ses yeux brillèrent. Et quand je lui dis : « Je crois que vous auriez préféré repartir au pays avec eux », il parut tout interloqué et me regarda fixement. « Comment le savez-vous ? Réellement je me suis demandé jusqu'au dernier moment si je n'allais pas tout planter là, mes livres, mes papiers et mon travail, et aller faire un voyage de quinze jours dans l'azur, sur le bateau de ces jeunes gens. Alors j'aurais de nouveau su ce que c'est que la Russie. Dans l'éloignement, on oublie ce qu'il y a de meilleur, personne d'entre nous n'a encore rien fait de bon en exil. »

*

Mais Gorki se trompait en appelant Sorrente un exil, car il pouvait retourner chez lui d'un jour à l'autre, et en effet il y retourna. Il n'était pas proscrit dans ses livres, dans sa personne, comme Merejkovski — j'ai rencontré à Paris cet homme plein d'une tragique amertume —, comme nous le sommes aujourd'hui, nous qui, selon la belle parole de Grillparzer, « sommes doublement à l'étranger et n'avons point de patrie », nous qui sommes privés de l'asile qu'offrent des langues familières et poussés au hasard par tous les vents. Je pus en revanche, durant les jours suivants, aller trouver à Naples un véritable exilé, d'une espèce particulière : Benedetto Croce. Pendant des dizaines d'années il avait été le guide spirituel de la jeunesse, il avait eu dans son pays toutes les distinctions extérieures en qualité de sénateur et de ministre, jusqu'à ce que sa résistance au fascisme le mît en conflit avec Mussolini. Il se démit de toutes ses fonctions et se confina dans la retraite ; mais cela ne suffit pas aux intransigeants, ils voulaient briser sa résistance et, au besoin même, le châtier. Les étudiants qui, au contraire de ce qui se passait naguère, forment aujourd'hui partout les troupes de choc de la réaction, assiégèrent sa maison et lui brisèrent ses vitres. Mais le petit homme courtaud, qui, avec ses yeux intelligents et sa barbiche en pointe, a plutôt l'air d'un bourgeois bien à son aise, ne se laissa pas intimider. Il ne quitta pas le pays, il resta dans sa maison, retranché derrière le rempart de ses livres, et son autorité était si grande que, sur ordre de Mussolini, la censure, ordinairement impitoyable, l'épargna — tout en éliminant complètement ses disciples, ceux qui partageaient ses opinions. Il fallait à un Italien, et même à un étranger, un courage particulier pour aller voir cet homme, car les autorités savaient bien que dans sa citadelle, dans ses pièces pleines de livres, il s'exprimait sans masque et sans fard. Il vivait ainsi en quelque sorte dans un espace hermétiquement clos, dans une sorte de bouteille de verre au milieu de ses quarante millions de concitoyens. Cet isolement hermétique d'un seul homme dans une ville, dans un pays comptant des millions d'habitants, avait pour moi quelque chose de spectral et de grandiose tout à la fois. Je ne savais pas encore que c'était pourtant là une forme d'étouffement spirituel singulièrement plus douce que celle qui devait être plus tard notre lot, et je ne pouvais me défendre d'admirer avec quelle fraîcheur et quel ressort moral cet homme, quand même déjà vieux, se conservait dans le combat quotidien. Il en riait : « C'est justement la résistance qui nous rajeunit. Si j'étais resté sénateur, j'aurais eu la vie trop facile, il y a longtemps que mon esprit serait devenu paresseux et inconséquent. Rien n'est plus nuisible aux hommes qui pensent que le défaut de résistance ; c'est seulement depuis que je suis seul et que je ne sens plus la jeunesse autour de moi, que je suis forcé de rajeunir moi-même. »

Mais quelques années devaient d'abord se passer avant

que je comprisse, moi aussi, que l'épreuve est un défi, que la persécution nous fortifie, et que la solitude nous grandit, pour autant qu'elle ne nous brise pas. Comme pour toutes les choses essentielles de la vie, ce n'est jamais par l'expérience d'autrui que l'on acquiert ce genre de connaissances, mais toujours par sa propre destinée.

*

Si je n'ai jamais vu l'homme le plus considérable d'Italie, il faut l'attribuer à la gêne que j'éprouve à m'approcher des personnalités politiques ; même dans ma patrie, la petite Autriche, je n'ai jamais rencontré aucun des principaux hommes d'État — ni Seipel, ni Dollfuss, ni Schuschnigg —, ce qui était un vrai tour d'adresse. Et pourtant il aurait été de mon devoir d'aller remercier personnellement Mussolini, dont je savais par des amis communs qu'il avait été un des premiers et des meilleurs lecteurs de mes livres en Italie, pour la manière spontanée dont il avait exaucé la première requête que j'eusse adressée à un homme d'État.

Voici comment les choses se passèrent. Un jour, je reçus d'un ami de Paris une dépêche par laquelle il m'annonçait qu'une dame italienne souhaitait me voir à Salzbourg pour une affaire importante, et me priait de la recevoir immédiatement. Elle se fit annoncer le lendemain, et ce qu'elle me dit était vraiment bouleversant. Son mari, un éminent médecin issu d'une famille pauvre, avait été élevé par Matteotti et à ses frais. Lors de l'assassinat brutal de ce chef socialiste par les fascistes, la conscience universelle déjà passablement fatiguée avait encore une fois réagi violemment contre un crime isolé. Toute l'Europe s'était levée pour crier son indignation. Or l'ami fidèle avait été un de ces six hommes courageux qui avaient alors osé porter publiquement le cercueil de la victime par les rues de Rome ; peu après, boycotté et menacé, il avait pris le chemin de l'exil. Mais le sort de la famille Matteotti ne lui laissait pas de repos ; il voulait, en souvenir de son bienfaiteur, faire sortir clandestinement d'Italie les enfants de celui-ci. Alors qu'il s'y employait, il était tombé entre les mains d'espions ou d'agents provocateurs, et il avait été arrêté. Comme tout ce qui rappelait Matteotti était délicat pour l'Italie, un procès intenté pour ce fait-là n'aurait guère risqué de mal tourner pour lui ; mais le procureur le mêla habilement à un autre procès qui se tenait au même moment, et dont le fond était un projet d'attentat à la bombe contre Mussolini. Et le médecin, qui avait obtenu sur le front les plus hautes décorations militaires, fut condamné à dix ans de travaux forcés à régime sévère.

La jeune femme, on le comprendra, était très agitée. Il fallait faire quelque chose contre ce verdict, auquel son mari ne survivrait pas. Il fallait unir dans une vive et forte protestation tous ceux qui avaient un nom dans la littérature européenne, et elle me priait de l'aider. Je lui déconseillai aussitôt de recourir à la protestation. Je savais combien toutes ces manifestations avaient perdu de leur efficacité depuis la guerre. Je m'efforçai de lui montrer que l'orgueil national, déjà, défendait qu'un pays laissât corriger de l'extérieur les sentences de sa justice, et que la protestation européenne dans l'affaire Sacco et Vanzetti avait eu en Amérique des effets fâcheux plutôt que favorables. Je la priai instamment de ne rien tenter en ce sens. Elle ne ferait que rendre pire la situation de son mari, car jamais Mussolini ne voudrait, jamais il ne pourrait, même s'il le voulait, ordonner un adoucissement de la peine, si l'on tentait de le lui imposer du dehors. Mais je lui promis, sincèrement ému, de faire de mon mieux. J'ajoutai que je me rendais par hasard la semaine suivante en Italie, où j'avais des amis bien disposés et influents. Peut-être ceux-ci pourraient-ils, en silence, agir pour sa cause.

Je le tentai dès le premier jour. Mais je vis combien la crainte, déjà, avait rongé les âmes. A peine mentionnais-je le nom du médecin que chacun montrait de l'embarras. Non, il n'avait pas d'influence en ce domaine. C'était absolument impossible. C'est ainsi que j'allai de l'un à l'autre. Je revins tout honteux, car la malheureuse pouvait, peut-être, croire que je n'avais pas tout tenté. Et en effet, je n'avais pas tout tenté ! Il restait encore un moyen, le chemin le plus droit, la voie la plus franche : écrire à l'homme qui tenait la décision dans ses mains, à Mussolini lui-même.

Je le fis. Je lui adressai une lettre vraiment sincère. Je ne voulais pas débuter par des flatteries, lui écrivis-je, et je voulais dire tout d'abord que je ne connaissais pas l'homme, ni la gravité de son cas. Mais j'avais vu sa femme, qui était certainement innocente, et sur elle aussi retombait tout le poids de la peine, si son mari passait ces années en prison. Je ne prétendais nullement critiquer le jugement, mais j'avais lieu de penser que ce serait la vie sauve pour cette femme, si son mari, au lieu d'être envoyé en prison, était déporté dans une des îles pénitentiaires où il est permis aux femmes et aux enfants de vivre avec les exilés.

Je pris ma lettre et la jctai, adressée à son Excellence Benito Mussolini, dans la boîte aux lettres ordinaire de Salzbourg. Quatre jours après, l'ambassade d'Italie à Vienne m'écrivait que son Excellence me remerciait et me faisait dire qu'on avait donné suite à mon vœu et prévu également une réduction de peine. En même temps arriva d'Italie un télégramme qui me confirmait le transfert demandé. D'un seul trait de plume, Mussolini avait personnellement exaucé ma prière et, en fait, le condamné obtint bientôt sa grâce pleine et entière. Jamais une lettre dans ma vie ne m'a donné plus de joie et de satisfaction, et s'il est un succès littéraire dont je me souvienne avec une particulière reconnaissance, c'est bien celui-là.

*

Il faisait bon voyager dans ces dernières années d'accalmie. Mais il était agréable aussi de retourner à la maison. Il s'était passé dans le silence quelque chose de remarquable. La petite ville de Salzbourg, avec ses quarante mille habitants, que j'avais choisie justement pour son isolement romantique, s'était transformée d'une manière surprenante : elle était devenue en été la capitale artistique non seulement de l'Europe, mais du monde entier. Au cours des années les plus difficiles de l'après-guerre, Max Reinhardt et Hugo von Hofmannsthal, afin de secourir la détresse des acteurs et des musiciens, qui étaient sans pain durant l'été, avaient organisé quelques représentations sur la place du dôme de Salzbourg, et, tout d'abord, cette célèbre représentation en plein air de *Jedermann* ; ces spectacles commencèrent par attirer des visiteurs venus du voisinage immédiat. Plus tard, on essaya aussi des représentations d'opéras, qui se firent toujours meilleures, toujours plus parfaites. Peu à peu, le monde y prêta attention. Chefs d'orchestre, chanteurs, acteurs affluèrent à Salzbourg, pleins d'ambition et heureux de cette occasion de faire valoir leur art non plus seulement devant le public restreint de leur patrie, mais devant un public international. D'un coup, le festival de Salzbourg devint une attraction mondiale, en quelque sorte de modernes jeux Olympiques de l'art, où toutes les nations rivalisaient pour présenter leurs meilleures productions. Personne ne voulait plus manquer ces extraordinaires représentations. Dans les dernières années, des rois et des princes, des millionnaires américains et des stars de cinéma, les amis de la musique, les artistes, les poètes et les snobs se donnaient rendez-vous à Salzbourg ; jamais en Europe on n'avait réussi une concentration de la perfection dramatique et musicale comme celle qu'offrait cette petite ville de la petite Autriche si longtemps méprisée. Salzbourg florissait. Dans ses rues estivales, on rencontrait tous ceux qui, en Europe et en Amérique, recherchaient en art l'exécution la plus parfaite, tous en tenue traditionnelle de Salzbourg — courte culotte et veste de toile blanche pour les hommes, costume de *Dirndl* aux vives couleurs pour les femmes —, la minuscule Salzbourg régissait tout à coup la mode universelle. Dans les hôtels, on se battait pour obtenir une chambre. Le défilé des automobiles qui se rendaient au palais des festivals était aussi fastueux que celui des anciens bals de la cour. La gare était toujours inondée de visiteurs. D'autres villes cherchèrent à détourner de leur côté ce fleuve chargé d'or, aucune n'y réussit. Salzbourg fut et demeura durant ces dix années le lieu de pèlerinage artistique de l'Europe.

C'est ainsi que, dans ma propre ville, je vivais tout à coup au centre de l'Europe. De nouveau, le destin avait comblé un de mes vœux que j'aurais à peine osé concevoir, et notre maison du Kapuzinerberg devint une maison européenne. Qui n'en a pas été l'hôte ? Notre livre d'or pourrait l'attester mieux que le seul souvenir, mais ce livre aussi, avec la maison et bien d'autres choses, est demeuré la proie des nationaux-socialistes. Avec qui n'avons-nous pas passé là des heures cordiales, contemplant de la terrasse le beau et paisible paysage, sans nous douter que juste en face, sur la montagne de Berchtesgaden, se tenait l'homme qui allait détruire tout cela ? Romain Rolland a demeuré chez nous, et Thomas Mann ; parmi les écrivains, Van Loon, James Joyce, Emil Ludwig, Franz Werfel, Georg Brandes, Paul Valéry, Jane

Adams, Schalom Asch, Arthur Schnitzler ont été nos hôtes, accueillis en toute amitié ; parmi les musiciens, Ravel et Richard Strauss, Alban Berg, Bruno Walter, Bartók — sans parler des peintres, des acteurs, des savants venus de tous les points de la rose des vents. Combien de bonnes et claires heures de conversation nous apportait le souffle de chaque été ! Un jour, Arturo Toscanini gravit les marches raides, et sur l'heure débuta une amitié qui me fit aimer et apprécier la musique davantage et de façon plus éclairée. Je fus ensuite, pendant des années, le plus fidèle auditeur de ses répétitions, revivant sans cesse la lutte passionnée au cours de laquelle il obtient de vive force cette perfection qui, dans les concerts publics, paraît tout à la fois un prodige et une chose toute naturelle (j'ai essayé un jour de décrire dans un article ces répétitions qui constituent pour tous les artistes l'incitation la plus exemplaire à ne pas se relâcher avant que tout soit absolument impeccable). Le mot de Shakespeare disant que « la musique est la nourriture de l'âme * » m'était merveilleusement confirmé, et, considérant cette compétition des arts, je rendais grâces à ma destinée qui m'avait accordé d'y prendre durablement une part active ! Qu'elles étaient riches, qu'elles étaient colorées, ces journées d'été où l'art et le paysage béni intensifiaient réciproquement leurs effets ! Et quand, regardant en arrière, je me souvenais de cette petite ville, déchue, grise, oppressée comme elle l'était immédiatement après la guerre, et de notre propre maison où, en grelottant, nous luttions contre la pluie qui pénétrait par le toit, chaque fois je sentais enfin ce que ces enviables années de paix avaient fait pour ma vie. Il était de nouveau permis de croire au monde, en l'humanité.

---

* Le texte de Shakespeare (dans *La Nuit des Rois*) dit en fait : « la nourriture de l'amour ».

*

Bien des hôtes illustres et bienvenus furent reçus dans notre maison au cours de ces années, mais même dans les heures où j'étais seul se rassemblait autour de moi un cercle magique de figures vénérables, dont j'avais réussi peu à peu à évoquer les ombres et la trace : dans ma collection d'autographes déjà mentionnée s'étaient retrouvés, réunis à travers leurs manuscrits, les plus grands maîtres de tous les temps. Ce que j'avais entrepris en dilettante à quinze ans, et qui n'avait été d'abord qu'une simple juxtaposition, s'était, durant ces années, grâce à beaucoup d'expérience, à des moyens plus abondants et à une passion plutôt encore accrue, transformé en une structure organique et, j'ose le dire, en une véritable œuvre d'art. Dans mes débuts, je n'avais visé, comme tous les débutants, qu'à rassembler des noms, des noms célèbres ; ensuite, par curiosité psychologique, je n'avais plus collectionné que des manuscrits — brouillons ou fragments d'ouvrages — qui m'ouvraient en même temps des vues sur les procédés de travail d'un maître aimé. Des innombrables énigmes insolubles de l'univers, c'est quand même le mystère de la création qui demeure la plus insondable et la plus mystérieuse. Ici, la nature ne se laisse pas épier, personne ne lui arrachera le secret de ce dernier tour d'adresse : comment a été créée la terre et comment naît une petite fleur, un poème, un homme. Ici, elle tire impitoyablement le rideau et ne cède pas. Même le poète, même le musicien ne pourra pas éclairer après coup l'instant de son inspiration. Une fois la création achevée, l'artiste ne sait plus rien de sa genèse, ni de sa croissance et de son devenir. Jamais ou presque jamais il n'est en mesure d'expliquer comment, dans l'exaltation de ses sens, les mots se sont assemblés en une strophe, les sons isolés en mélodies qui, ensuite, retentissent à travers les siècles. La seule chose qui puisse nous donner une légère idée de cet insaisissable processus de création, ce sont les pages manuscrites, et principalement celles qui ne sont pas destinées à l'impression, les esquisses encore incertaines, semées de corrections et à partir desquelles ne se cristallisera que peu à peu la forme définitive et valable. Rassembler de telles pages de tous les grands poètes, philosophes et musiciens, de telles corrections, et par là même des témoignages de la lutte qu'a été leur travail, telle fut la seconde époque, mieux informée, de ma quête des autographes. C'était pour moi une joie que de leur faire la chasse dans les enchères publiques, une peine que je me donnais volontiers de les dénicher dans les endroits les plus cachés, et, en même temps, une sorte de science, car peu à peu, à côté de ma collection d'autographes, s'en était formée une seconde, qui comprenait tous les livres jamais écrits sur les autographes, tous les catalogues imprimés, au nombre de plus de quatre mille — une bibliothèque choisie, sans égale et sans une seule rivale, car même les marchands ne pouvaient pas consacrer autant de temps et d'amour à une spécialité. Je puis bien dire — ce que jamais je n'oserais affirmer au regard de la littérature ou d'un autre domaine de la vie — que durant ces trente ou quarante années de mon existence de collectionneur, j'étais devenu une autorité de premier plan dans le domaine des autographes, et que je savais, de toutes les pages un peu importantes, où elles se trouvaient, à qui elles appartenaient et comment elles étaient tombées entre les mains de leurs propriétaires. J'étais donc un véritable connaisseur, capable, au premier coup d'œil, de juger de l'authenticité, et plus expérimenté dans l'évaluation que la plupart des professionnels.

Mais peu à peu, mon ambition de collectionneur alla plus loin. Il ne me suffit plus de posséder une simple galerie manuscrite de la littérature mondiale et de la musique, un miroir des mille sortes de méthodes créatrices ; la seule extension de ma collection ne me séduisait plus ; ce que je me proposai durant les dernières années de mon activité de collectionneur fut un perpétuel ennoblissement. Si je m'étais contenté d'abord de posséder des pages d'un poète ou d'un musicien qui le montraient dans un moment de sa création, mes efforts tendirent peu à peu à représenter chacun dans son moment créateur le plus heureux, celui de sa plus grande réussite. Je cherchai donc d'un écrivain, non seulement le manuscrit d'un de ses poèmes, mais d'un de ses plus beaux poèmes, et, si possible, d'un de ceux qui, dès la minute où, par l'encre ou le crayon, l'inspiration s'est précipitée pour la première fois en une apparence terrestre, sont destinés à durer toute l'éternité. Des immortels, justement, je voulais posséder — prétention audacieuse —, dans la relique de leur manuscrit, ce qui, pour le monde, les avait rendus immortels.

Ainsi, ma collection se trouvait en fait dans un flux perpétuel ; toute page trop insignifiante pour satisfaire à ma plus haute exigence était éliminée, vendue ou échangée, dès que je parvenais à en trouver une plus essentielle, plus caractéristique et — si je puis dire — plus chargée d'éternité. Ce qui est merveilleux, c'est que je réussis en bien des cas, car en dehors de moi il y avait fort peu de gens qui collectionnaient les pièces essentielles, en vrais connaisseurs, avec une telle opiniâtreté jointe à un tel savoir. Ainsi, pour finir, un portefeuille d'abord, puis tout un coffre qui, par le métal et l'asbeste les protégeait contre la détérioration, réunit les manuscrits originaux d'œuvres ou de fragments d'œuvres qui font partie des témoignages les plus durables de l'humanité créatrice. Forcé que je suis de vivre aujourd'hui en nomade, je n'ai pas ici le catalogue de cette collection depuis longtemps dispersée, et je ne puis énumérer qu'au petit bonheur quelques-unes de ces choses dans lesquelles le génie terrestre s'est incarné en un instant d'éternité.

Il y avait là une page des cahiers de Léonard de Vinci, des remarques, en écriture spéculaire, relatives à des dessins ; de Napoléon, griffonné à la diable sur quatre pages d'une écriture à peine lisible, l'ordre du jour à ses soldats avant Rivoli ; il y avait tout un roman de Balzac en épreuves d'imprimerie, dont chaque page, avec mille ratures, était un champ de bataille et figurait avec une éloquence indescriptible la lutte de titan qu'il menait de correction en correction (une copie photographique en a heureusement été sauvée pour une université américaine).

Il y avait de Nietzsche *La Naissance de la tragédie* dans une première rédaction, inconnue, qu'il avait écrite pour sa bien-aimée, Cosima Wagner, longtemps avant la publication ; il y avait une cantate de Bach, et l'air de l'*Alceste* de Gluck, et un autre de Haendel, dont les manuscrits musicaux sont les plus rares de tous. J'avais toujours cherché, et le plus souvent trouvé, ce qu'il y avait de plus caractéristique : de Brahms les *Airs tsiganes,* de Chopin la *Barcarolle,* de Schubert l'immortel *A la musique,* de Haydn l'impérissable mélodie *Dieu protège* du *Quatuor de l'Empereur.* Dans certains cas, j'avais même réussi à élargir la forme première et unique de l'activité créatrice jusqu'à un tableau complet de la vie d'une individualité créatrice. C'est ainsi que, de Mozart, je n'avais pas seulement une page maladroite de l'enfant de onze ans, mais aussi, en témoignage de son art du *Lied,* l'immortelle *Violette* sur des paroles de Goethe, de sa musique de danse les menuets paraphrasant le « *Non più andrai* » du *Figaro,* et du *Figaro* lui-même l'air de Chérubin, d'autre part, les lettres à la petite cousine si délicieusement libertines et qui n'ont jamais été publiées intégralement, et puis un canon fort scabreux et, pour finir, une page composée immédiatement avant sa mort, un air de *Titus.* De même, j'avais fait le tour de la vie de

Goethe, jetée comme une arche immense : la première page était une traduction du latin faite à neuf ans, la dernière un poème écrit peu avant sa mort, dans sa quatre-vingt-deuxième année ; entre les deux extrêmes se plaçaient une immense page du couronnement de son œuvre — une page *in folio* du *Faust* écrite sur les deux faces —, un manuscrit d'un traité d'histoire naturelle, de nombreux poèmes et, de plus, des dessins des différentes époques de sa vie ; dans ces quinze pages manuscrites, on pouvait prendre une vue d'ensemble sur toute la vie de Goethe. Avec Beethoven, le plus vénéré de tous, je ne pus, il est vrai, constituer un panorama aussi complet. Quand il s'agissait de Goethe, j'avais pour rival et surenchérisseur mon éditeur, le professeur Kippenberg ; pour Beethoven, c'était un des hommes les plus riches de Suisse, qui a collectionné un trésor beethovenien sans pareil. Mais, sans compter le cahier de notes de jeunesse, le *Lied Le Baiser* et des fragments de la musique d'*Egmont*, je réussis à représenter aux yeux un moment au moins de sa vie, le plus tragique, d'une manière si complète qu'aucun musée du monde n'en pourrait offrir de semblable. Par une première chance, je pus acquérir tout ce qui subsiste du mobilier de sa chambre, vendu aux enchères après sa mort et acheté par le conseiller aulique Breuning : avant tout son immense bureau, dans les tiroirs duquel se trouvèrent cachés les deux portraits de ses bien-aimées, celui de la comtesse Giulietta Guicciardi et celui de la comtesse Erdödi, sa cassette, qu'il avait gardée à côté de son lit jusqu'au dernier moment, son petit pupitre, sur lequel il avait encore écrit au lit ses dernières compositions et ses dernières lettres, une boucle de cheveux blancs coupée sur son lit de mort, la lettre de faire-part de ses funérailles, le dernier billet à sa blanchisseuse, écrit d'une main tremblante, le document d'inventaire de la maison, lors des enchères publiques, et la souscription de tous ses amis viennois en faveur de sa cuisinière, Sali, demeurée sans ressources. Et comme le hasard se montre toujours généreux pour le vrai collectionneur, peu de temps après avoir acquis tous ces objets tirés de sa chambre mortuaire, j'eus l'occasion de m'enrichir encore des trois dessins faits de lui sur son lit de mort. Par les récits des contemporains, on savait qu'un jeune peintre, ami de Schubert, Josef Teltscher, avait tenté de dessiner Beethoven, ce 27 novembre, alors qu'il était à l'agonie, mais avait été mis à la porte par le conseiller aulique Breuning, qui jugeait cela impie. Pendant cent ans, ces dessins avaient disparu, mais un jour, dans une petite vente aux enchères, à Brünn, plusieurs douzaines de carnets d'esquisses de ce peintre sans importance furent vendus pour un prix dérisoire, et il se trouva que ces trois dessins étaient parmi elles. Et, comme toujours les hasards s'enchaînent, un jour un marchand me téléphona pour me demander si je m'intéressais à l'original du dessin fait au lit de mort de Beethoven. Je répondis que je le possédais moi-même, mais il s'avéra alors que la page qu'on m'offrait à présent était l'original de la lithographie devenue si célèbre de Danhauser représentant Beethoven sur son lit de mort. Et j'avais ainsi rassemblé tout ce qui s'était conservé, dans une forme parlante pour les yeux, de ces derniers instants mémorables, et dont vraiment le souvenir ne périra jamais.

Il va de soi que je ne me suis jamais considéré comme le propriétaire de ces choses, mais seulement comme leur conservateur dans le temps. Ce n'était pas le sentiment de posséder, de posséder pour moi seul, qui me séduisait, mais l'attrait de réunir, de faire d'une collection une œuvre d'art. J'étais conscient d'avoir créé là quelque chose qui, comme ensemble, était plus digne de me survivre que mes propres ouvrages. Malgré de nombreuses offres qu'on me fit, j'hésitais à en dresser un catalogue, puisque j'étais encore à l'ouvrage et en plein travail de construction, et qu'insatiable comme je l'étais il me manquait encore bien des noms et bien des pièces dans leurs formes les plus accomplies. Mon intention dûment pesée était de léguer après ma mort cette collection unique à l'institut qui s'engagerait à remplir mes conditions particulières, c'est-à-dire à consacrer annuellement une certaine somme à compléter la collection dans le sens que j'entendais. Ainsi, elle ne serait plus demeurée un tout figé mais, organisme vivant, elle se serait complétée et achevée en un ensemble toujours plus beau cinquante et cent ans au-delà de ma propre vie.

Mais il est interdit à notre génération éprouvée de porter ses pensées au-delà d'elle-même. Dès que commença le temps de Hitler et que je quittai ma maison, je perdis toute ma joie à collectionner et même l'assurance de rien conserver durablement. Pendant quelque temps, je laissai encore des parties de ma collection en dépôt dans les coffres en banque et chez des amis, mais ensuite, suivant l'avertissement de Goethe que les musées, les collections et les cabinets d'armes anciennes se pétrifient quand on ne continue pas de les développer, je me résolus à prendre plutôt congé d'une collection à l'organisation de laquelle je ne pouvais plus consacrer mes soins. A mon départ, j'en léguai une partie à la Bibliothèque nationale de Vienne, principalement les pièces que j'avais personnellement reçues en cadeau de mes contemporains et amis, j'en vendis une autre partie, et ce qui est advenu ou advient du reste n'alourdit pas trop mes pensées. Seul mon travail de création a toujours été ma joie, et jamais ce que j'avais créé. Ainsi, je ne déplore pas la perte de ce que j'ai possédé un jour. Car si nous autres, traqués et persécutés, avions encore, en ces temps ennemis de tout art et de toute collection, à apprendre un art nouveau, c'était celui de savoir prendre congé de tout ce qui avait été un jour notre orgueil et notre amour.

*

Ainsi les années se passaient à travailler et à voyager, à apprendre, à lire, à collectionner et à jouir. Un matin de novembre 1931, je me réveillai : j'avais cinquante ans. Cette date fut à l'origine d'une fâcheuse journée pour le brave facteur salzbourgeois à cheveux blancs. Comme régnait en Allemagne l'excellente coutume de célébrer dans les journaux, par des articles circonstanciés, le cinquantième anniversaire d'un auteur, le vieil homme eut à transporter une imposante charge de lettres et de télégrammes jusqu'en haut des marches abruptes. Avant de les ouvrir et de les lire, je réfléchis à ce que ce jour signifiait pour moi. La cinquantième année représente un tournant ; on regarde en arrière avec inquiétude pour mesurer le chemin parcouru, et l'on se demande en secret s'il continuera de monter. Je revis en pensée le temps que j'avais vécu. De même que, de ma maison, j'embrassais du regard la chaîne des Alpes et la vallée qui descendait en pente douce, je contemplai ces cinquante années passées et je dus convenir que je serais impie si je n'étais pas reconnaissant. Après tout, il m'avait été donné plus, infiniment plus que ce que j'avais attendu ou espéré d'atteindre. Le moyen par lequel j'avais choisi de développer mon être et de m'exprimer, la production poétique, littéraire, s'était montré d'une efficacité qui dépassait de beaucoup les plus audacieux de mes rêves d'enfant. Il y avait là, présent de l'*Insel-Verlag* imprimé pour mon cinquantième anniversaire, une bibliographie de mes livres parus dans toutes les langues, et elle constituait déjà un volume en elle-même ; pas une langue n'y manquait, ni le bulgare, ni le finnois, ni le portugais, ni l'arménien, ni le chinois, ni le marathe. En écriture braille, en sténographie, en tous les caractères exotiques et dans tous les idiomes, des paroles et des pensées de moi étaient allées aux hommes, j'avais dilaté mon existence incommensurablement au-delà des limites de mon être. Je m'étais acquis l'amitié de nombre des meilleurs de notre temps, j'avais joui des représentations théâtrales les plus parfaites, il m'avait été donné de voir et de goûter les villes éternelles, les tableaux immortels, les plus beaux paysages. J'étais demeuré libre, indépendant de tout emploi et de toute profession, mon travail était ma joie et plus encore, il avait donné la joie à d'autres ! Que pouvait-il encore m'arriver de funeste ? Il y avait mes livres : quelqu'un pourrait-il les anéantir ? (C'est ainsi que je pensais en cette heure, sans appréhension.) Il y avait ma maison — quelqu'un pourrait-il m'en chasser ? Il y avait mes amis — pourrais-je jamais les perdre ? Je pensais sans crainte à la mort, à la maladie, mais ma pensée ne fut même pas effleurée par la moindre image, fût-ce la plus lointaine, de ce que j'avais encore à éprouver : que je serais sans patrie, que chassé, traqué, banni, j'aurais de nouveau à errer de pays en pays, à traverser des mers et des mers ; que mes livres seraient brûlés, interdits, proscrits ; que mon nom serait mis au pilori en Allemagne comme celui d'un criminel et que ces mêmes amis dont les lettres et les télégrammes étaient devant moi sur ma table pâliraient s'ils me rencontraient par hasard ; que pourrait être effacé sans laisser de traces ce que trente ou quarante années de persévérance avaient produit ; que toute cette vie édifiée, solide et en apparence inébranlable pourrait s'effondrer en elle-même et que, près du sommet, je serais contraint de tout recommencer du début, avec des forces déjà un peu diminuées et l'âme troublée. Réellement, ce n'était pas un jour où imaginer des choses si insensées et si absurdes. Je pouvais être satisfait. J'aimais mon travail et c'est pourquoi j'aimais la vie. J'étais à l'abri du souci ; même si je n'écrivais plus une ligne, mes livres prendraient soin de moi. Tout me semblait atteint, le destin dompté. La sécurité que j'avais connue autrefois dans la maison de mes parents et qui s'était perdue pendant la guerre, je l'avais recouvrée par mes propres forces. Que restait-il à souhaiter ?

Mais, chose étrange, le fait même qu'à cette heure je ne voyais rien à désirer engendrait en moi un mystérieux malaise. Serait-il bon, demandait quelque chose en moi — ce n'était pas moi-même —, que ta vie se poursuive ainsi, si calme, si réglée, si lucrative, si confortable, sans nouvelles tensions et sans nouvelles épreuves ? T'appartient-elle vraiment, appartient-elle au plus essentiel de ton être, cette existence privilégiée, tout assurée en soi ? Pensif, je me promenai dans la maison. Elle était devenue belle, au cours de ces années, et telle exactement que je l'avais voulue. Et pourtant, devais-je toujours vivre ici, toujours m'asseoir devant le même bureau et écrire des livres, un livre et encore un livre, et ensuite toucher mes droits d'auteur, toujours plus de droits d'auteur, devenir peu à peu un monsieur respectable, tenu d'exploiter avec dignité et dans le respect des convenances son nom et son œuvre, préservé déjà de tout accident, de toutes les tensions et de tous les dangers ? Les choses devaient-elles toujours aller ainsi, jusqu'à soixante, jusqu'à soixante-dix ans, sur une voie droite et unie ? Ne serait-il pas mieux pour moi — ainsi se poursuivait mon rêve intérieur — que survînt quelque chose d'autre, quelque chose de nouveau, quelque chose qui me rendît plus inquiet, plus tendu, qui me rajeunît en m'excitant à un nouveau combat peut-être plus dangereux encore ? Car un artiste porte toujours en lui une mystérieuse contradiction. Si la vie le secoue brutalement, il soupire après le repos, mais si le repos lui est donné, il aspire à de nouvelles agitations. C'est ainsi qu'en ce jour de mon cinquantième anniversaire je ne formai au plus profond de moi-même que ce seul vœu téméraire : que quelque chose se produisît qui m'arrachât de nouveau à ces sécurités et à ces commodités, qui m'obligeât non pas à simplement poursuivre, mais à recommencer. Était-ce crainte de l'âge, de la fatigue, de la paresse ? Ou était-ce une mystérieuse prémonition qui me faisait alors désirer une autre vie, plus dure, dans l'intérêt de mon développement intérieur ? Je n'en sais rien.

Je n'en sais rien. Car ce qui en cette heure singulière émergeait de la pénombre de l'inconscient n'avait rien d'un vœu distinctement exprimé, et sûrement n'était en rien rattaché à ma volonté consciente. Ce n'était qu'une pensée fugitive qui venait m'effleurer comme un souffle, peut-être pas du tout ma propre pensée, mais une autre, surgie de profondeurs qui m'étaient inconnues. Cependant, l'obscure puissance qui gouverne ma vie, l'insaisissable puissance qui avait déjà comblé tant de vœux que je n'aurais jamais eu l'audace de former, devait l'avoir perçue. Et déjà elle levait docilement la main pour briser ma vie jusqu'en ses derniers fondements et me forcer d'en reconstruire sur ses ruines une tout autre, plus dure et plus difficile.

« *Incipit Hitler* »

Cela reste une loi inéluctable de l'histoire : elle défend précisément aux contemporains de reconnaître dès leurs premiers commencements les grands mouvements qui déterminent leur époque. C'est ainsi que je ne puis me rappeler quand j'ai entendu pour la première fois le nom d'Adolf Hitler, ce nom que nous nous voyons à présent obligés depuis des années de penser ou de prononcer chaque jour, presque à chaque seconde, à propos de quelque conjoncture, le nom de l'homme qui a apporté plus de calamités dans notre monde qu'aucun autre au cours des âges. Cela doit en tout cas s'être produit assez tôt, car notre Salzbourg, à deux heures et demie de chemin de fer, était en quelque sorte la voisine de Munich, si bien que même les événements d'intérêt purement local de cette ville nous étaient vite connus. Je sais seulement qu'un jour — je ne saurais plus déterminer la date exacte — une de mes connaissances passa la frontière et se plaignit que Munich était de nouveau en proie au désordre. Il y avait là en particulier un furieux agitateur du nom de Hitler, qui organisait des réunions accompagnées de sauvages bagarres et se livrait à une campagne d'excitation des plus vulgaires contre la république et les Juifs.

Ce nom tomba en moi, vide et sans poids. Il ne m'occupa pas plus longtemps. Car combien de noms d'agitateurs et de fauteurs de désordres, aujourd'hui depuis longtemps oubliés, surgissaient alors dans cette

Allemagne délabrée, pour disparaître tout aussitôt ? Celui du capitaine Ehrhardt avec ses troupes baltes, celui du général Kapp, ceux des meurtriers de la Sainte-Vehme, des communistes bavarois, des séparatistes rhénans, des chefs de corps francs. Des centaines de ces petites bulles flottaient confusément dans la fermentation générale, et, à peine éclatées, ne laissaient rien après elles qu'une mauvaise odeur trahissant clairement la purulence cachée dans la plaie encore ouverte de l'Allemagne. Un jour aussi, la petite feuille de ce nouveau mouvement national-socialiste me passa entre les mains, c'était alors le *Miesbacher Anzeiger* (qui devait devenir plus tard le *Völkischer Beobachter*). Mais Miesbach n'était qu'un petit village et le journal vulgairement écrit. Qui s'en souciait ?

Mais ensuite surgirent tout à coup, dans les localités frontalières de Reichenbach et de Berchtesgaden où je me rendais presque chaque semaine, des troupes d'abord réduites, puis de plus en plus nombreuses, de jeunes gens en bottes à revers et chemises brunes, chacun portant sur la manche un brassard à croix gammée de couleur criarde. Ils organisaient des réunions et des défilés, paradaient dans les rues en chantant ou en scandant des chœurs parlés, couvraient les murs de gigantesques placards et les barbouillaient de croix gammées ; pour la première fois je m'aperçus qu'il y avait derrière ces bandes surgies brusquement des puissances financières et d'autres forces influentes. Ce n'était pas le seul Hitler, lequel, à l'époque, ne prononçait encore ses discours que dans les caves des brasseries bavaroises, qui pouvait avoir équipé ces milliers de jeunes gens d'un appareil aussi coûteux. Ce devaient être des mains plus puissantes qui poussaient de l'avant ce nouveau mouvement. Car les uniformes étaient reluisants, les « troupes d'assaut » envoyées de ville en ville disposaient d'un parc surprenant d'automobiles, de motocyclettes, de camions tout neufs et irréprochables, dans un temps de misère générale et alors que les vrais vétérans de l'armée allaient encore en uniformes déchirés. D'autre part, il était manifeste que des chefs militaires entraînaient tactiquement ces jeunes gens — ou, comme on disait alors, les formaient à une discipline « paramilitaire » — et qu'il fallait que ce fût la Reichswehr elle-même, dans les services secrets de laquelle Hitler s'était dès le début engagé comme agent provocateur, qui procédât ici à l'instruction technique régulière d'un matériel humain qui s'était volontairement mis à sa disposition.

J'eus bientôt l'occasion d'assister à une de ces « actions de combat » auxquelles ces gens s'étaient exercés à l'avance. Dans une des localités de la frontière, où une réunion de sociaux-démocrates se tenait justement dans l'atmosphère la plus paisible, quatre camions arrivèrent en coup de vent, chacun d'eux bondé de jeunes nationaux-socialistes qui portaient des matraques en caoutchouc, et, tout comme je l'avais vu naguère à Venise sur la place Saint-Marc, ils surprirent par leur vitesse leurs adversaires qui ne s'attendaient à rien de semblable. C'était la même méthode, empruntée aux fascistes, mais exercée avec une plus grande précision militaire et préparée systématiquement, à la manière allemande, jusque dans les moindres détails. A un coup de sifflet, les SA sautèrent des camions avec la rapidité de l'éclair, frappèrent de leurs matraques tous ceux qui se trouvaient sur leur chemin, et avant que la police pût intervenir ou que les ouvriers pussent se rallier, ils avaient déjà bondi dans leurs véhicules et repartaient comme ils étaient venus. Ce qui me déconcerta, ce fut l'exacte technique selon laquelle ils sautaient de leurs camions et y remontaient, sur un seul coup de sifflet strident du chef de la bande. On voyait que chaque gaillard savait par avance, jusque dans ses muscles et dans ses nerfs, au moyen de quelle prise, à quelle roue du camion, et à quelle place il avait à bondir, pour ne pas gêner son voisin et compromettre la réussite du mouvement d'ensemble. Ce n'était nullement une affaire d'adresse personnelle, mais chacun de ces tours de main devait avoir été répété par avance des dizaines et peut-être des centaines de fois dans les casernes et sur les champs d'exercice. Dès le début — cela se voyait au premier coup d'œil — cette troupe avait été dressée à l'attaque, à la violence et à la terreur.

Bientôt, on entendit raconter davantage de choses sur ces manœuvres clandestines dans la campagne bavaroise. Quand tout dormait, ces jeunes gens se glissaient hors de leurs maisons et se rassemblaient pour des « exercices de nuit sur le terrain » ; des officiers de la Reichswehr, en service ou retraités, payés par l'État ou par les mystérieux bailleurs de fonds du parti, entraînaient ces troupes sans que les autorités accordassent beaucoup d'attention à ces étranges manœuvres nocturnes. Dormaient-elles vraiment, ou ne faisaient-elles que fermer les yeux ? Jugeaient-elles ce mouvement sans conséquence, ou favorisaient-elles en secret son extension ? En tout cas, ceux-là même qui le soutenaient clandestinement furent effrayés de la brutalité et de la promptitude avec lesquelles il sauta tout à coup sur ses jambes. Un beau matin, les autorités se réveillèrent et trouvèrent Munich aux mains de Hitler, tous les bâtiments publics occupés, les journaux forcés sous la menace du revolver d'annoncer triomphalement la révolution accomplie. Comme tombé des nuages, vers lesquels la république sans soupçon se contentait de lever des regards rêveurs, parut le *deus ex machina*, le général Ludendorff, le premier de tous ceux qui crurent qu'ils pourraient jouer Hitler et furent bernés par lui. Dans la matinée commença le fameux putsch censé conquérir l'Allemagne ; à midi (je n'ai pas à faire ici un cours d'histoire universelle), il était, comme on sait, déjà terminé. Hitler s'enfuit et fut bientôt arrêté ; ainsi, le mouvement semblait étouffé. En cette année 1923 disparurent les croix gammées, les troupes d'assaut, et le nom de Hitler retomba presque dans l'oubli. Personne ne pensait plus à lui comme à un candidat possible au pouvoir.

Ce n'est que quelques années plus tard qu'il reparut à la surface, et alors le flot grandissant du mécontentement le porta d'emblée très haut. L'inflation, le chômage, les crises politiques et pour une bonne part la folie des gouvernements étrangers avaient soulevé le peuple allemand ; un gigantesque désir d'ordre se manifestait dans tous les milieux de ce peuple, pour qui l'ordre a toujours eu plus de prix que la liberté et le droit — même Goethe a dit que le désordre lui paraissait plus fâcheux qu'une injustice. Et quiconque promettait l'ordre avait aussitôt des centaines de milliers de gens derrière lui.

Mais nous n'étions toujours pas conscients du danger. Le petit nombre des écrivains qui s'étaient vraiment donné la peine de lire le livre de Hitler, au lieu de s'occuper sérieusement de son programme, raillaient l'enflure de sa méchante prose. Les grands journaux démocratiques, au lieu de mettre en garde leurs lecteurs, les rassuraient quotidiennement : ce mouvement, qui en vérité ne finançait qu'à grand-peine son énorme agitation avec les fonds de l'industrie lourde et en s'enfonçant jusqu'au cou dans les dettes, devait inévitablement s'effondrer de lui-même le lendemain ou le surlendemain. Mais peut-être n'a-t-on jamais bien compris, à l'étranger, la raison pour laquelle l'Allemagne a, à tel point, durant ces années, sous-estimé et minimisé la personne et la puissance croissante de Hitler : l'Allemagne n'a pas seulement toujours été un État formé de classes séparées : avec cet idéal de classes, elle a toujours été affectée d'une surestimation et d'une déification inébranlables de la « culture ». A l'exception de quelques généraux, toutes les hautes charges de l'État demeuraient exclusivement réservées à ceux qui avaient une « culture universitaire » ;

tandis qu'en Angleterre un Lloyd George, en Italie un Garibaldi et un Mussolini, en France un Briand étaient vraiment sortis du peuple pour s'élever aux plus hautes fonctions publiques, en Allemagne on ne pouvait concevoir qu'un homme qui n'avait pas même achevé ses études primaires et qui, à plus forte raison, n'avait pas fréquenté l'université, qui avait couché dans des asiles de nuit et, pendant des années, gagné sa vie par des moyens aujourd'hui encore demeuré obscurs, pût jamais approcher seulement une place qu'avaient occupée un baron vom Stein, un Bismarck, un prince von Bülow. Rien n'a autant aveuglé les intellectuels allemands que l'orgueil de leur culture, en les engageant à ne voir en Hitler que l'agitateur des brasseries qui ne pourrait jamais constituer un danger sérieux, alors que depuis longtemps, grâce à ses invisibles tireurs de ficelles, il s'était déjà fait des complices puissants dans les milieux les plus divers. Et même quand, en ce jour de janvier 1933, il fut devenu chancelier, la grande masse et même ceux qui l'avaient poussé à ce poste le considérèrent comme un simple intérimaire et le gouvernement national-socialiste comme un simple épisode.

C'est alors que se manifesta pour la première fois dans un très grand style la technique géniale et cynique de Hitler. Depuis des années, il avait fait des promesses de tous les côtés et gagné dans tous les partis des répondants influents qui croyaient tous qu'ils pourraient utiliser à leurs fins particulières les forces mystiques du « soldat inconnu ». Mais cette même technique, que Hitler mit plus tard en œuvre dans la grande politique et qui consistait à s'allier par serment et en invoquant la loyauté allemande avec ceux-là justement qu'il avait l'intention d'exterminer et d'anéantir, célébra son premier triomphe. Il savait si bien abuser par des promesses faites à tout le monde, que le jour où il conquit le pouvoir, la jubilation régna dans les camps les plus opposés. Les monarchistes de Doorn voyaient en lui le plus fidèle des serviteurs préparant les voies à l'empereur, mais à Munich, les monarchistes bavarois, partisans des Wittelsbach, ne manifestaient pas moins d'allégresse ; eux aussi le tenaient pour « leur » homme. Les nationaux allemands croyaient qu'il allait fendre pour eux le bois dont ils chaufferaient leurs poêles ; leur chef Hugenberg s'était assuré par convention la place la plus importante dans le cabinet de Hitler et croyait avoir ainsi le pied à l'étrier — naturellement, malgré l'accord juré, on le mit à la porte après les premières semaines. L'industrie lourde se sentait délivrée par Hitler de la crainte des bolchevistes, elle voyait au pouvoir l'homme qu'elle finançait en secret depuis des années ; et en même temps la petite bourgeoisie, à laquelle il avait promis dans cent réunions de « briser l'esclavage des taux d'intérêt », respirait, pleine d'enthousiasme. Les petits commerçants se souvenaient qu'il avait donné sa parole de fermer les grands magasins, leurs plus dangereux concurrents (promesse qui ne fut jamais tenue) ; mais Hitler était surtout bien vu des militaires, parce qu'il pensait en militaire et insultait les pacifistes. Même les sociaux-démocrates ne voyaient pas son ascension d'un si mauvais œil qu'on aurait pu s'y attendre, car ils espéraient qu'il les débarrasserait de leurs ennemis jurés, les communistes, qui se pressaient si importunément derrière eux. Les partis les plus divers et les plus opposés considéraient comme leur ami ce « soldat inconnu », qui avait fait toutes les promesses, tous les serments à chaque classe, à chaque parti, à chaque tendance — même les Juifs allemands n'étaient pas très inquiets. Ils se flattaient qu'un *ministre jacobin* * n'était plus un jacobin, qu'un chancelier de l'Empire allemand renoncerait naturellement aux vulgarités de l'agitateur

---

* En français dans le texte.

antisémite. Et après tout, quelles violences pouvait-il exercer dans un État où le droit était fortement ancré, où la majorité du Parlement était contre lui et où chaque citoyen de l'État croyait sa liberté et l'égalité des droits assurées par la Constitution solennellement jurée ?

Puis vint l'incendie du Reichstag, le Parlement disparut, Goering lâcha ses bandes déchaînées, d'un seul coup, tout droit était supprimé en Allemagne. On apprenait en frissonnant qu'il y avait en pleine paix des camps de concentration et que, dans les casernes, avaient été aménagés des locaux secrets où l'on exécutait des innocents sans jugement et sans formalités. Tout cela ne pouvait être qu'un accès premier de rage insensée, se disait-on. Au XXe siècle, cela ne peut pas durer. Mais cela n'était que le commencement. Le monde tendit l'oreille, se refusa d'abord à croire l'incroyable. Mais en ces jours-là déjà, je vis les premiers fugitifs. Ils avaient franchi de nuit les montagnes de Salzbourg ou traversé à la nage la rivière qui marquait la frontière. Affamés, les vêtements en loques, l'air hagard, ils vous regardaient fixement ; avec eux avait commencé cette fuite panique devant l'inhumanité qui se poursuivit ensuite autour de la terre entière. Mais je ne soupçonnais pas encore, en voyant ces proscrits, que leurs visages blêmes m'annonçaient déjà ma propre destinée et que, tous, nous serions les victimes de la furieuse volonté de puissance de ce seul homme.

*

Il est difficile de se dépouiller en quelques semaines de trente ou quarante ans de foi dans le monde. Ancrés dans nos conceptions du droit, nous croyions en l'existence d'une conscience allemande, européenne, universelle, et nous étions persuadés qu'il y avait un certain degré d'inhumanité qui s'éliminait de lui-même et une fois pour toutes devant l'humanité. Comme je m'efforce ici de demeurer aussi sincère que possible, je dois avouer que nous tous, en Allemagne et en Autriche, n'avons jamais jugé possible, en 1933, et encore en 1934, un centième, un millième de ce qui devait cependant éclater quelques semaines plus tard. Assurément, il était clair d'emblée que nous autres, écrivains libres et indépendants, avions à nous attendre à quelques difficultés, à quelques désagréments, à quelques inimitiés. Dès après l'incendie du Reichstag, je dis à mon éditeur que c'en serait bientôt fait de mes livres en Allemagne. Je n'oublierai jamais son ébahissement. « Qui pourrait bien interdire vos livres ? » me dit-il alors, en 1933, encore tout étonné. « Vous n'avez jamais écrit un mot contre l'Allemagne et ne vous êtes jamais mêlé de politique. » On le voit : toutes les monstruosités telles que les bûchers de livres ou les fêtes du pilori, qui devaient déjà être des réalités quelques mois plus tard, étaient encore tout à fait au-delà du concevable, même pour des gens prévoyants, un mois après la prise du pouvoir par Hitler.

Car le national-socialisme, avec sa technique de l'imposture dénuée de scrupule, se gardait bien de montrer tout le caractère radical de ses visées, avant qu'on eût endurci le monde. Ils appliquaient leurs méthodes avec prudence : on procédait par doses successives, et on ménageait une petite pause après chaque dose. On n'administrait jamais qu'une pilule à la fois, puis on attendait un moment pour voir si elle n'avait pas été trop forte, si la conscience universelle supportait encore cette dose. Et comme la conscience européenne, pour le malheur et la honte de notre civilisation, soulignait en toute hâte que cela ne la concernait en rien, puisque aussi bien ces actes de violence se passaient « de l'autre côté de la frontière », les doses se firent de plus en plus fortes, jusqu'à ce qu'à la fin toute l'Europe en pérît. Hitler n'a rien inventé de plus génial que cette tactique consistant à sonder lentement l'opinion mondiale et à aggraver sans cesse et progressivement ses mesures contre une Europe de plus en plus faible — moralement et bientôt aussi militairement. Et c'est aussi en application de cette méthode du tâtonnement que fut exécutée l'action visant à étouffer en Allemagne toute parole libre et à faire disparaître tout ouvrage indépendant, qu'il avait décidée depuis longtemps dans son for intérieur. Par exemple, on n'édicta pas d'emblée une loi interdisant radicalement tous nos livres — elle ne vint que deux ans plus tard : on n'organisa d'abord qu'une petite expérience probatoire pour voir jusqu'où on pouvait aller, en confiant la première attaque contre nos livres à un groupe sans responsabilités officielles, celui des étudiants nationaux-socialistes. Selon le même système qui avait servi à mettre en scène « la colère du peuple » afin de faire passer le boycott des Juifs décidé depuis longtemps, on donna secrètement aux étudiants le mot d'ordre de manifester hautement leur « indignation » contre nos livres. Et les étudiants allemands, heureux de toute occasion qui s'offrait de témoigner de leurs opinions réactionnaires, se rassemblèrent docilement en bandes dans chaque univer-sité, allèrent chercher dans les librairies des exemplaires de nos livres et, chargés de ce butin, marchèrent, bannières déployées, jusqu'à une place publique. Là, ces livres, ou bien furent cloués au pilori selon le vieil usage allemand — le Moyen Age était subitement fort à la mode — (et j'ai moi-même possédé un exemplaire d'un de mes ouvrages percé d'un clou qu'un étudiant de mes amis avait sauvé et dont il m'avait fait cadeau), ou bien, comme il était malheureusement interdit de brûler les gens, furent réduits en cendres sur de grands bûchers tandis qu'on récitait des maximes patriotiques. Après bien des hésitations, le ministre de la Propagande, Goebbels, s'était, il est vrai, résolu à accorder sa bénédiction à cette incinération des livres, mais celle-ci n'en demeurait pas moins une mesure semi-officielle, et rien ne montre plus clairement que l'Allemagne ne s'identifiait pas encore avec de tels actes que le fait que le public ne tirait pas encore les moindres conséquences de ces bûchers allumés par les étudiants et de ces mises au ban de la société. Bien qu'on avertît les libraires de ne plus exposer en devanture aucun de nos ouvrages et qu'aucun journal n'en fît plus mention, le véritable public ne se laissait pas influencer le moins du monde. Tant qu'on n'eut pas encore à risquer les travaux forcés ou le camp de concentration si l'on voulait les lire, mes livres, en 1933 et en 1934, se vendirent en presque aussi grand nombre qu'auparavant, malgré toutes les difficultés et les chicanes. Il fallut qu'acquît force de loi cette grandiose ordonnance « pour la protection du peuple allemand », qui déclarait crime contre la sûreté de l'État l'impression, la vente et la diffusion de nos livres, pour nous aliéner violemment des centaines de milliers et des millions d'Allemands qui, d'ailleurs, encore aujourd'hui, aiment mieux nous lire que tous les poètes du sang et du terroir * qui ont soudain gonflé leurs plumes, et voulaient nous accompagner fidèlement dans le cours de notre activité.

J'ai éprouvé comme un honneur plutôt que comme une infamie d'être admis à partager le destin de contemporains aussi éminents que Thomas Mann, Heinrich Mann, Werfel, Freud, Einstein et bien d'autres, dont l'existence littéraire était totalement anéantie en Allemagne et dont l'œuvre m'apparaît incomparablement plus importante que la mienne — et toute attitude de martyr me répugne au point que je ne mentionne qu'à mon corps défendant cette participation au sort commun. Mais, par extraordinaire, c'est à moi, justement, qu'il

---

* De la tendance dite en allemand « *Blut und Boden* ».

devait échoir de mettre dans une situation particulièrement pénible les nationaux-socialistes et même Adolf
Hitler en personne. Car c'est sans doute ma personnalité
littéraire, entre celles de tous les proscrits, qui, précisément, a provoqué la plus vive excitation et a fait l'objet de
débats sans fin dans les cercles les plus élevés et dans les
sommets de la villa de Berchtesgaden, si bien qu'aux
circonstances réjouissantes de ma vie je puis ajouter la
modeste satisfaction d'avoir causé de la contrariété à
l'homme provisoirement le plus puissant des temps
modernes, Adolf Hitler.

Dans les premiers jours du nouveau régime, déjà,
j'avais provoqué en toute innocence une espèce de
sédition. En effet, on projetait alors dans toute l'Allemagne un film réalisé d'après ma nouvelle *Brûlant secret*
et qui portait le même titre. Personne n'y trouvait le
moins du monde à redire. Mais le lendemain de l'incendie
du Reichstag, dont les nationaux-socialistes essayaient
vainement de se décharger sur le dos des communistes, il
se trouva que les gens s'attroupèrent devant les lettres
lumineuses des cinémas et devant les affiches qui annonçaient *Brûlant secret,* et se mirent à se pousser du coude
en clignant de l'œil et en riant. Bientôt, les agents de la
Gestapo comprirent pourquoi ce titre faisait rire. Et le
soir même, des policiers sillonnaient les rues sur leurs
motocyclettes, les représentations étaient interdites, et
dès le lendemain le titre de ma nouvelle *Brûlant secret*
avait disparu sans laisser de trace de toutes les annonces
des journaux et de toutes les colonnes d'affichage. Mais
s'il avait été quand même assez simple pour les nationaux-socialistes d'interdire un mot isolé qui les gênait et
même de brûler et de détruire tous nos livres, dans un cas
particulier, en revanche, ils ne pouvaient m'atteindre sans
nuire du même coup à l'homme dont ils avaient justement le plus besoin en ce moment critique pour maintenir leur prestige devant le monde : le plus grand, le plus

célèbre des musiciens vivants de la nation allemande, Richard Strauss, avec qui je venais justement de terminer un opéra. C'était la première fois que je collaborais avec Richard Strauss. Jusque-là, depuis *Electra* et *le Chevalier à la rose*, c'était toujours Hugo von Hofmannsthal qui avait rédigé ses livrets, et je n'avais jamais rencontré personnellement Richard Strauss. Après la mort de Hofmannsthal, il m'avait fait dire par son éditeur qu'il souhaitait se mettre à un nouvel ouvrage et me demandait si j'étais disposé à lui écrire un livret d'opéra. Je fus très sensible à l'honneur qu'il me faisait. Depuis que Max Reger avait mis en musique mes premières poésies, j'avais toujours vécu dans la musique et avec des musiciens. J'étais lié d'une étroite amitié avec Busoni, Toscanini, Bruno Walter, Alban Berg. Mais je ne connaissais pas de compositeur vivant que j'eusse été plus disposé à servir que Richard Strauss, dernier descendant de cette grande famille de vrais musiciens de race qu'a produits l'Allemagne et qui, de Bach et de Haendel en passant par Beethoven et Brahms, se perpétue jusqu'à nos jours. Je me déclarai aussitôt prêt à collaborer et proposai à Strauss dès notre première rencontre de prendre pour sujet de son opéra le thème de *The Silent Woman* de Ben Jonson, et ce fut pour moi une agréable surprise de constater avec quelle promptitude, avec quelle clarté de vues Strauss se rallia à toutes mes propositions. Jamais je n'aurais soupçonné chez lui une aussi rapide compréhension des choses, une aussi étonnante connaissance de l'art dramatique. Alors même qu'on était encore en train de lui exposer un sujet, il l'arrangeait déjà en drame et — ce qui était plus étonnant encore — il l'adaptait aux limites de ses propres moyens, qu'il jugeait avec une clarté presque inquiétante. J'ai rencontré dans ma vie beaucoup de grands artistes, mais jamais un seul qui sût conserver son objectivité vis-à-vis de lui-même d'une manière si détachée et infaillible. C'est ainsi que Strauss m'avoua franchement dès la première heure qu'il savait bien qu'à soixante-dix ans un compositeur ne possédait plus la force primitive et jaillissante de l'inspiration musicale. Il ne serait plus guère en mesure de réussir des œuvres symphoniques telles que *Till Eulenspiegel* ou *Mort et transfiguration,* disait-il, car c'était justement la musique pure qui réclamait le maximum de fraîcheur créatrice. Mais la parole l'inspirait toujours. Il avait encore le pouvoir d'illustrer dramatiquement un donné, une substance déjà formée, parce que des thèmes musicaux se développaient spontanément en lui à partir de la situation et des paroles, et c'est pourquoi, dans ses dernières années, il s'était consacré exclusivement à l'opéra. Il savait bien, d'ailleurs, que l'opéra avait en réalité fait son temps comme forme d'art. Wagner était un sommet si prodigieux que personne ne pouvait le surpasser. « Mais, ajoutait-il avec un grand rire de Bavarois, je me suis tiré d'affaire en l'évitant par un détour. »

Quand nous nous fûmes entendus sur les lignes maîtresses, il me donna encore quelques petites instructions. Il me laissait toute liberté, car ce n'était jamais un texte d'opéra tout découpé d'avance à la manière de Verdi qui l'inspirait, mais toujours, exclusivement, une création poétique. Cependant, il lui serait agréable que je puisse y insérer quelques formes compliquées, qui fournissent à son art de coloriste des occasions particulières de développement. « Je n'ai pas, comme Mozart, le don des longues mélodies. Je ne réussis jamais à inventer que des thèmes courts. Mais ce à quoi je m'entends bien, c'est à transformer un de ces thèmes, à le paraphraser, à en tirer tout ce qu'il contient, et je crois qu'en cela personne aujourd'hui ne me vaut. » De nouveau je fus ébahi de cette franchise, car il est vrai que chez Strauss on ne trouve guère de mélodie qui excède l'étendue de quelques mesures ; mais comme ces quelques mesures — par exemple celles de la valse du *Chevalier à la rose* — sont ensuite amplifiées et fuguées jusqu'à atteindre à une parfaite plénitude !

Tout autant qu'au cours de cette première rencontre, je fus frappé d'admiration, à chacune de celles qui suivirent, en voyant avec quelle sûreté et quelle objectivité ce vieux maître se jugeait lui-même dans son œuvre. Un jour, j'étais seul avec lui à une répétition de son *Hélène d'Égypte* au Théâtre des Festivals de Salzbourg. Il n'y avait personne avec nous dans la salle, tout était sombre autour de nous. Il écoutait. Tout à coup je l'entendis tambouriner de ses doigts légers et impatients sur le dossier du siège. Puis il me murmura : « Mauvais ! Tout à fait mauvais ! Là, je n'ai vraiment pas eu la moindre idée ! » Et quelques minutes après, il reprit : « Si seulement je pouvais biffer ça ! Oh ! Mon Dieu, mon Dieu, c'est tout à fait creux, et trop long, beaucoup trop long ! » Et au bout de quelques minutes encore : « Vous voyez, ça, c'est bien ! » Il jugeait sa musique aussi objectivement et impartialement que s'il l'entendait pour la première fois et qu'elle eût été écrite par un parfait étranger, et ce sentiment étonnant de sa propre mesure ne le quittait jamais. Il savait toujours exactement ce qu'il était et ce qu'il pouvait. Ce que valaient les autres en comparaison de lui ne l'intéressait guère, et tout aussi peu ce qu'il représentait pour autrui. Ce qui le réjouissait, c'était le travail en lui-même.

Ce « travail » était chez Strauss un processus tout à fait remarquable, sans rien de démoniaque, sans rien du « rapt » de l'artiste, sans rien de ces dépressions et de ces désespoirs que l'on connaît par les biographies de Beethoven, de Wagner. Strauss travaille la tête froide et l'esprit clair, il compose — comme Jean-Sébastien Bach, comme tous les sublimes artisans de leur art — tranquillement et régulièrement. A neuf heures du matin, il se met à sa table et reprend son travail exactement à l'endroit où il l'a laissé la veille, écrivant régulièrement au crayon la première esquisse, à l'encre la partie de piano, et ainsi sans s'interrompre jusqu'à midi ou une heure. L'après-midi, il joue au skate, transcrit deux ou trois pages en partition d'orchestre, et le soir seulement, à l'occasion, il dirige au théâtre. Toute espèce de nervosité lui est étrangère, de jour comme de nuit, son intelligence artistique est toujours également claire et lucide. Quand son serviteur frappe à la porte pour lui apporter son frac de chef d'orchestre, il se lève de son travail, se fait conduire au théâtre et dirige avec la même sûreté et le même calme qu'il met l'après-midi à jouer au skate, et son inspiration repart le lendemain à l'endroit même où il s'est interrompu. Car Strauss « commande », selon le mot de Goethe, à ses inspirations ; l'art est pour lui synonyme de savoir et même de savoir universel, ainsi que l'atteste sa boutade : « Pour être un vrai musicien, il faut aussi savoir composer un menu. » Les difficultés ne l'effraient pas, elles ne sont au contraire qu'un jeu pour sa maîtrise. Je me rappelle avec amusement comme ses petits yeux bleus brillaient un jour qu'il me dit triomphalement en me désignant un passage : « Là, j'ai donné à la cantatrice un joli problème à résoudre. Elle n'a pas fini de se tracasser avant d'en venir à bout ! » Dans ces rares instants où son œil brille, on sent qu'il y a, profondément caché, quelque chose de démoniaque dans cet homme extraordinaire, qui, d'abord, rend un peu méfiant par le caractère sage et rangé, ponctuel, méthodique, artisanal, apparemment dépourvu de toute nervosité de sa manière de travailler, comme d'ailleurs son visage laisse d'abord une impression de banalité avec ses grosses joues d'enfant, la rondeur un peu ordinaire de ses traits et la voussure un peu hésitante de son front. Mais qu'on jette un regard dans ses yeux, ces yeux clairs, bleus, d'un rayonnement intense, et tout de suite on sent je ne sais quelle force magique particulière derrière ce masque bourgeois. Ce sont peut-être les yeux les plus éveillés que j'aie jamais vus chez un musicien, non pas démoniaques, mais en quelque sorte des yeux de voyant, les yeux d'un homme qui a reconnu la nature de sa tâche jusqu'au tréfonds.

Étant revenu à Salzbourg après une rencontre aussi vivifiante, je me mis aussitôt au travail. Deux semaines après, curieux moi-même de savoir si mes premiers vers lui agréeraient, je lui envoyai déjà mon premier acte. Aussitôt, il m'écrivit une carte avec une citation des *Maîtres chanteurs* : « Le premier chant est réussi. » Après le second acte il m'envoya en guise de salutation plus cordiale encore les premières mesures de son *Lied* : « T'avoir trouvé, mon cher enfant ! » Et la joie, l'enthousiasme, même, qu'il exprimait ainsi firent de la suite de mon travail un plaisir. Richard Strauss n'a pas changé une ligne à tout mon livret, et m'a seulement prié une fois d'intercaler trois ou quatre lignes supplémentaires pour lui permettre d'introduire une seconde voix. C'est ainsi que nos relations se détendirent pour devenir les plus cordiales du monde ; il vint chez nous et j'allai chez lui à Garmisch, où, de ses longs doigts minces, il me joua peu à peu au piano tout l'opéra d'après l'esquisse qu'il en avait faite. Et sans aucun contrat, sans aucune obligation de ma part, ce fut entre nous une affaire entendue comme allant de soi qu'après que ce premier opéra serait terminé je devais immédiatement tracer le plan d'un second, dont il avait déjà approuvé le dessein, d'avance et sans réserve.

En janvier 1933, quand Adolf Hitler prit le pouvoir, notre opéra, *La Femme silencieuse,* était terminé dans sa partition de piano, et à peu près tout le premier acte orchestré. Quelques semaines après, il fut strictement interdit aux scènes allemandes de représenter des œuvres d'auteurs non aryens, ou même auxquelles un Juif aurait simplement collaboré sous une forme ou sous une autre ; la grande proscription s'étendit jusqu'aux morts et, au grand chagrin de tous les amis de la musique du monde entier, on enleva la statue en pied de Mendelssohn de devant le Gewandhaus de Leipzig. Pour moi, ce décret me parut régler le sort de notre opéra. J'admis comme tout naturel que Richard Strauss allait interrompre son travail et en recommencer un autre avec un autre collaborateur. Au lieu de cela, il m'écrivit lettre sur lettre, me demandant quelle mouche me piquait ; au contraire, comme il en était déjà à l'orchestration de cet opéra, je devais préparer le livret du suivant. Il ne songeait pas un instant à laisser quiconque lui interdire cette collaboration avec moi ; et je dois déclarer publiquement qu'au cours de toute cette affaire il m'a conservé sa fidélité en toute camaraderie, tant que cela fut possible. Il est vrai qu'il prit dans le même temps certaines dispositions qui m'étaient moins sympathiques — il se rapprocha des hommes au pouvoir, rencontra souvent Hitler, Goering et Goebbels, et en un temps où même Furtwängler se rebellait encore ouvertement, il se laissa porter à la présidence de la Chambre de musique du Reich nazie.

Cette adhésion déclarée était à ce moment d'une extrême importance pour les nationaux-socialistes. Car, de façon très fâcheuse pour eux, non seulement les meilleurs écrivains, mais aussi les musiciens les plus considérables leur avaient ostensiblement tourné le dos, et le petit nombre de ceux qui étaient pour eux ou passèrent de leur côté étaient inconnus du grand public. En un moment aussi délicat, recevoir l'adhésion déclarée du plus célèbre musicien d'Allemagne représentait pour Goebbels et Hitler, d'un point de vue purement décoratif, un gain inestimable. Hitler qui, ainsi que me le raconta Strauss, avait déjà, durant les années où il vivait en vagabond à Vienne, fait le voyage de Graz avec un argent qu'il s'était péniblement procuré d'une manière ou d'une autre afin d'assister à la première de *Salomé*, l'honorait de façon démonstrative ; tous les soirs de festivités, à Berchtesgaden, on ne donnait guère, en dehors de Wagner, que des *Lieder* de Strauss. Chez Strauss, au contraire, l'adhésion au régime était beaucoup plus calculée. Avec son égoïsme d'artiste, qu'il avouait en tout temps ouvertement et froidement, toute espèce de régime lui était au fond indifférent. Il avait servi l'empereur d'Allemagne comme chef de la musique et orchestré pour lui des marches militaires, puis il s'était mis au service de l'empereur d'Autriche comme chef de la musique de la cour, enfin il avait également été *persona gratissima* dans les Républiques autrichienne et allemande. Il était de plus d'un intérêt vital pour lui de se rendre particulièrement agréable aux nationaux-socialistes, car il avait contracté à leur égard une dette formidable : son fils avait épousé une Juive et il pouvait craindre que ses petits-enfants, qu'il aimait par-dessus tout, fussent exclus des écoles comme un vil rebut ; son nouvel opéra était chargé d'opprobre par moi, les précédents par Hugo von Hofmannsthal, qui n'était pas un « pur aryen » ; son éditeur était un Juif. Il lui paraissait d'autant plus urgent de s'assurer un appui et il le fit avec une opiniâtreté extraordinaire. Il dirigeait partout où les nouveaux maîtres le lui demandaient, il mettait un hymne en musique pour les jeux Olympiques et en même temps, dans les lettres d'une remarquable franchise qu'il m'écrivait, il manifestait le peu d'enthousiasme que lui inspirait cette commande. En réalité, dans son *sacro egoismo* d'artiste, une seule chose le préoccupait : conserver à son œuvre une influence vivante et, avant tout, voir représenté son nouvel opéra, qui lui tenait particulièrement à cœur.

De telles concessions au national-socialisme devaient naturellement m'être pénibles au plus haut point. Combien facilement, en effet, l'impression pouvait naître que l'on faisait pour ma personne une exception unique à un si honteux boycott, comme si je collaborais secrètement avec le régime ou même simplement l'approuvais. De tous côtés, mes amis me pressèrent de protester publiquement contre une représentation en Allemagne national-socialiste. Mais tout d'abord j'ai par principe en horreur tout geste public et pathétique, d'autre part il me répugnait de créer des difficultés à un génie du rang de Richard Strauss. Après tout, Strauss était le plus grand des musiciens vivants et il avait soixante-dix ans, il avait consacré trois ans à cette œuvre, et pendant tout ce temps il avait témoigné à mon égard de dispositions amicales, de correction et même de courage. C'est pourquoi je jugeai que le meilleur parti était d'attendre en silence et de laisser les choses suivre leur cours. Je savais en outre que je ne pouvais causer plus de difficultés aux nouveaux gardiens de la culture allemande que par mon absolue passivité. Car la Chambre de la littérature du Reich national-socialiste et le ministère de la Propagande ne cherchaient qu'un prétexte bienvenu qui leur permît de fonder d'une manière plus solide une interdiction frappant leur plus grand musicien. C'est ainsi, par exemple, que tous les services et toutes les personnalités imaginables demandèrent à examiner mon livret dans le secret espoir de trouver un prétexte. Combien cela aurait été facile, si *La Femme silencieuse* avait offert une situation comme celle du *Chevalier à la rose*, par exemple, où un jeune homme sort de la chambre à coucher d'une femme mariée ! Alors on aurait pu alléguer qu'il fallait protéger la morale allemande. Mais à leur grande déception, mon livret ne contenait rien d'immoral. Alors on fouilla dans tous les fichiers de la Gestapo, on éplucha mes précédents ouvrages. Mais là non plus on ne put rien découvrir qui attestât que j'eusse jamais écrit un mot méprisant pour l'Allemagne (pas plus, d'ailleurs, que pour aucune autre nation de la terre) ou exercé une activité politique. Quoi qu'ils fissent ou tentassent, la décision retombait invariablement sur eux, qu'ils refusassent, à la vue du monde entier, au vieux maître auquel ils avaient eux-mêmes remis la bannière de la musique national-socialiste, le droit de faire représenter son opéra, ou que — journée de honte pour la nation — le nom de Stefan Zweig, que Richard Strauss exigeait expressément de voir figurer comme auteur du texte, souillât une fois encore les affiches des théâtres allemands, comme il l'avait fait si souvent. Que je jouissais en secret de leur immense embarras et du douloureux casse-tête que je leur offrais ! Je soupçonnais que même si je ne faisais rien, ou plutôt, justement, parce que je ne faisais rien ni pour ni contre, ma comédie musicale aboutirait fatalement à un charivari dans la politique du parti.

Le parti esquiva la décision tant que cela lui fut possible d'une manière ou d'une autre. Mais au début de 1934, il dut enfin se résoudre à se prononcer ou contre sa propre loi on contre le plus grand musicien de l'époque. Le terme échu ne souffrait plus de délai. La partition, les extraits pour piano, les livrets étaient imprimés depuis longtemps, le *Hoftheater* de Dresde avait commandé les costumes, les rôles étaient distribués et même déjà étudiés, que les diverses instances, Goering et Goebbels, la Chambre de la littérature du Reich et le Conseil de la culture, le ministère de l'Instruction publique et la garde de Streicher n'avaient toujours pas réussi à s'entendre. Bien que cela puisse paraître le rêve d'un fou, le problème de *La Femme silencieuse* tourna finalement à une brûlante affaire d'État. Aucune de toutes ces instances ne voulait assumer l'entière responsabilité de l' « accordé » libérateur ou de l' « interdit » ; il ne resta pas d'autre solution que de s'en remettre à la décision personnelle du maître de l'Allemagne et maître du parti, Adolf Hitler. Mes livres avaient déjà eu l'honneur d'être beaucoup lus par les nationaux-socialistes ; c'était surtout mon *Fouché* qu'ils ne cessaient d'étudier et de discuter comme un modèle d'absence de scrupules politiques. Mais qu'après

Goebbels et Goering Adolf Hitler en personne devrait un jour se donner la peine d'étudier *ex officio* les trois actes de mon livret, cela, je ne m'y attendais vraiment pas. Il ne lui fut pas facile de prendre une décision. Il y eut encore, comme je l'appris par la suite par toutes sortes de voies détournées, une interminable série de conférences. Finalement, Richard Strauss fut cité devant le tout-puissant, et Hitler lui communiqua en personne que bien que cette représentation fût contraire à toutes les lois du nouveau Reich allemand, il l'autorisait à titre exceptionnel — décision qui fut vraisemblablement prise avec autant de mauvaise volonté et d'insincérité que celle de signer le pacte avec Staline et Molotov. Ainsi se leva pour le national-socialisme cette sombre journée où fut une fois encore représenté un opéra où le nom proscrit de Stefan Zweig paradait sur toutes les affiches. Bien entendu, je n'assistai pas à la représentation, car je savais que la salle de spectacle serait pleine à craquer d'uniformes bruns et que Hitler lui-même était attendu à une des représentations. L'opéra obtint un très grand succès, et je dois observer à la louange des critiques musicaux que les neuf dixièmes d'entre eux profitèrent avec enthousiasme de cette bonne occasion pour manifester encore une fois, une dernière fois, leur résistance intime au point de vue raciste en s'exprimant en termes on ne peut plus aimables sur mon livret. Tous les théâtres d'Allemagne, ceux de Berlin, de Hambourg, de Francfort, de Munich, annoncèrent aussitôt la représentation de l'opéra pour la saison suivante.

Soudain, après la seconde représentation, un éclair tomba du haut des cieux. Tout fut annulé, l'opéra interdit du jour au lendemain, à Dresde et dans toute l'Allemagne. Bien plus : on lut avec stupéfaction que Richard Strauss avait présenté sa démission de président de la Chambre de musique du Reich. Chacun sut qu'il devait s'être passé quelque chose de particulier. Mais il s'écoula quelque temps avant que j'apprisse toute la vérité. Strauss m'avait écrit une nouvelle lettre par laquelle il me pressait de me mettre au livret d'un nouvel opéra et dans laquelle il s'expliquait avec trop de franchise sur sa position personnelle. Cette lettre était tombée entre les mains de la Gestapo. On la mit sous les yeux de Strauss, qui dut immédiatement donner sa démission, et l'opéra fut interdit. Il n'a paru sur la scène en langue allemande que dans la libre Suisse et à Prague, plus tard en italien à la Scala de Milan, avec l'autorisation spéciale de Mussolini, qui ne s'était pas encore soumis à la politique raciste. Mais quant au peuple allemand, il ne lui a plus été permis d'entendre une note de cet opéra qui a des parties exquises, œuvre de la vieillesse de son plus grand musicien vivant.

*

Pendant que ces événements se déroulaient et faisaient passablement de bruit, je vivais à l'étranger, car je sentais que l'agitation qui régnait en Autriche me rendait impossible un travail paisible. Ma maison de Salzbourg était si près de la frontière que je pouvais voir à l'œil nu la montagne de Berchtesgaden, où se trouvait la maison d'Adolf Hitler, voisinage peu réjouissant et très inquiétant. Toutefois, cette proximité de la frontière allemande me donnait aussi l'occasion de juger, mieux que mes amis de Vienne, de la situation menacée de l'Autriche. Là-bas, les habitués des cafés et même les gens des ministères considéraient le national-socialisme comme une affaire qui se passait « de l'autre côté » et ne pouvait en rien toucher l'Autriche. N'y avait-il pas le parti social-démocrate avec sa rigide organisation, et près de la moitié de la population serrée derrière lui ? Le parti clérical n'était-il pas, lui aussi, uni aux sociaux-démocrates dans une résistance passionnée depuis que les « Chrétiens allemands » de Hitler persécutaient ouvertement le christianisme et proclamaient littéralement et publiquement que leur *Führer* était « plus grand que le Christ » ? La France, l'Angleterre, la Société des Nations n'étaient-elles pas les protectrices de l'Autriche ? Mussolini n'avait-il pas assumé expressément le protectorat et même la garantie de l'indépendance de l'Autriche ? Même les Juifs ne se donnaient pas de tracas et se comportaient comme si l'éviction de leurs droits des médecins, des avocats, des savants, des acteurs se passait en Chine et non à trois heures de chemin de fer, juste de l'autre côté de la frontière, dans le même domaine linguistique. Ils étaient tranquillement installés dans leurs maisons et roulaient en automobile. De plus, chacun avait cette petite sentence consolante toute prête : « Cela ne peut pas durer longtemps. » Mais moi, je me souvenais d'une conversation que j'avais eue au cours de mon bref voyage en Russie avec mon ancien éditeur de Leningrad. Il m'avait raconté quel homme riche il avait été, quels beaux tableaux il avait possédés, et je lui avais demandé pourquoi il n'était pas parti comme tant d'autres dès le début de la révolution. « Hélas ! m'avait-il répondu, qui aurait pu croire alors qu'une chose telle qu'une république des Conseils et des soldats pourrait durer plus de quinze jours ? » C'était la même illusion, procédant de la même volonté de s'illusionner soi-même.

A Salzbourg, il est vrai, tout près de la frontière, on voyait plus clairement les choses. Il se fit un perpétuel va-et-vient à travers le petit cours d'eau qui marquait la frontière : les jeunes gens se glissaient de nuit de l'autre côté, où ils recevaient une préparation militaire ; les agitateurs franchissaient la frontière en simples « touristes » dans des autos ou avec leurs alpenstocks et organisaient dans tous les milieux leurs « cellules ». Ils se mettaient à recruter des adhérents en même temps qu'à menacer ceux qui ne se rallieraient pas à temps et qui, disaient-ils, auraient à le payer plus tard. Cela intimidait les policiers, les fonctionnaires de l'État. De plus en plus, je sentais à une certaine absence de sûreté dans leur conduite que les gens commençaient à hésiter.

Or, dans la vie, ce sont toujours les petites expériences personnelles qui sont les plus convaincantes. J'avais à Salzbourg un ami de jeunesse, un écrivain assez connu, avec lequel j'avais entretenu pendant trente ans les relations les plus intimes, les plus cordiales. Nous nous tutoyions, nous nous étions dédicacé des livres, nous nous rencontrions chaque semaine. Et voici qu'un jour, croisant ce vieil ami dans la rue en compagnie d'un inconnu, je remarquai qu'il s'arrêtait aussitôt devant un étalage qui lui était parfaitement indifférent et, me tournant le dos, montrait quelque chose à ce monsieur en paraissant prodigieusement intéressé. Singulier, me dis-je ; il doit cependant m'avoir vu. Mais ce pouvait être un hasard. Le lendemain, il me téléphona, me demandant à l'improviste s'il pouvait venir bavarder chez moi l'après-midi. J'acquiesçai, un peu surpris, car d'ordinaire nous nous rencontrions toujours au café. Il se trouva qu'il n'avait rien de particulier à me dire malgré sa hâte à me voir. Et il m'apparut tout de suite clairement que, d'une part, il voulait conserver mon amitié, et que, d'autre part, afin de ne pas se rendre suspect en tant qu'ami de jeunesse, il ne voulait plus se montrer trop intime avec moi dans cette petite ville. Cela me rendit attentif. Et je remarquai que toute une série de connaissances qui venaient d'habitude assez souvent chez moi ne s'étaient plus montrées. On était dans une place menacée.

Je ne songeais pas encore à quitter définitivement Salzbourg, mais je me résolus plus volontiers que d'ordinaire à passer l'hiver à l'étranger, afin d'échapper à toutes ces petites frictions. Cependant, je ne soupçonnais pas que c'était déjà une sorte de prise de congé, quand, en octobre 1933, je quittai ma belle maison.

*

Mon intention avait été de passer les mois de janvier et de février en France, à travailler. J'aimais comme une seconde patrie ce beau pays où souffle l'esprit, et je ne m'y sentais pas un étranger. Valéry, Romain Rolland, Jules Romains, André Gide, Roger Martin du Gard, Duhamel, Vildrac, Jean-Richard Bloch, à la tête de la littérature, étaient de vieux amis. Mes livres y avaient presque autant de lecteurs qu'en Allemagne, personne ne me prenait pour un étranger. J'aimais le peuple, j'aimais le pays, j'aimais la ville de Paris et je m'y sentais tellement chez moi que, chaque fois que le train arrivait gare du Nord, j'avais l'impression de « rentrer à la maison ». Mais cette fois, par suite de circonstances particulières, j'avais entrepris mon voyage plus tôt que de coutume, et je ne voulais être à Paris qu'après Noël. Où aller dans l'intervalle ? Je me souvins alors que depuis un quart de siècle, depuis l'époque où j'étais étudiant, je n'étais en somme jamais retourné en Angleterre. Pourquoi toujours et seulement Paris ? me dis-je. Pourquoi pas une fois aussi dix ou quinze jours à Londres, afin de revoir d'un regard neuf, après des années et des années, les musées, le pays et la ville ? Ainsi, au lieu de prendre l'express de Paris, je pris celui de Calais et, dans le brouillard réglementaire d'un jour de novembre, je descendis de nouveau du train, après trente ans, à la gare de Victoria, et je m'étonnai seulement à mon arrivée de ne pas rouler en cab jusqu'à mon hôtel, comme autrefois, mais en auto. Le brouillard, gris, tendre et frais, était semblable à celui de jadis. Je n'avais pas encore jeté un coup d'œil sur la rue, mais mon odorat avait déjà reconnu, après trente ans, cet air singulièrement âpre, dense, humide et qui vous enveloppe de près.

Le bagage que j'avais apporté était mince, et pareillement mes espérances. Je n'avais pour ainsi dire pas de relations d'amitié à Londres ; du point de vue littéraire également, il existait peu de contacts entre nous autres continentaux et les écrivains anglais. Ils avaient une vie à eux, strictement limitée, et leur influence s'exerçait dans le cercle de leur tradition propre, qui ne nous est pas tout à fait accessible. Je ne puis me souvenir, parmi les innombrables livres qui parvenaient dans ma maison, sur ma table, de toutes les parties du monde, d'en avoir jamais trouvé un qui fût un don confraternel d'un auteur anglais. J'avais rencontré une fois Shaw à Hellerau, Wells était une fois venu en visite dans ma maison de Salzbourg, mes livres à moi étaient à la vérité tous traduits mais peu connus. L'Angleterre avait toujours été le pays où ils avaient exercé le moins d'influence. Enfin, tandis que j'étais lié d'amitié avec mes éditeurs français, américains, italiens et russes, je n'avais jamais rencontré un seul responsable de la maison qui publiait mes livres en Angleterre. J'étais donc préparé à m'y sentir aussi étranger que trente ans auparavant.

Mais il en fut autrement. Après quelques jours, je me trouvai indescriptiblement bien à Londres. Non pas que Londres se fût profondément transformé. Mais moi-même j'avais changé. J'étais de trente ans plus âgé et après les années de guerre et d'après-guerre, après tant de tensions et de surtensions, j'aspirais, plein de nostalgie, à vivre une nouvelle fois tout à fait tranquille et sans entendre parler de politique. Bien entendu, il y avait aussi des partis en Angleterre, les *whigs* et les *tories,* un parti conservateur, un parti libéral et un *labour party,* mais leurs discussions ne me regardaient pas. Il y avait sans doute en littérature aussi des tendances et des courants, des querelles et des rivalités cachées, mais j'étais ici complètement en dehors de tout. Le véritable bienfait pour moi, cependant, c'est que je sentis enfin de nouveau autour de moi une atmosphère civile, polie, sans excitation, sans haine. Rien ne m'avait autant empoisonné la vie, au cours des dernières années, que de sentir toujours autour de moi, dans le pays, dans la ville, la haine et la tension, d'avoir toujours à me défendre pour n'être pas entraîné dans ces discussions. Ici, la population n'était pas à ce point agitée, le respect de la légalité et des convenances régnait dans la vie publique à un plus haut degré que dans nos pays devenus eux-mêmes immoraux par la grande fraude de l'inflation. Les gens vivaient plus tranquilles, plus contents, et s'occupaient davantage de leurs jardins et de leurs petites amourettes que des affaires de leurs voisins. Ici, on pouvait respirer, penser et réfléchir. Mais la véritable raison qui me retint fut un nouveau travail.

Voici comment les choses se passèrent. Mon *Marie-Antoinette* venait de paraître et je relisais les épreuves de mon livre sur Érasme, dans lequel j'essayais de faire un portrait intellectuel de l'humaniste qui, par une fatalité tragique, bien qu'il comprît plus clairement que les réformateurs professionnels l'absurdité de son temps, ne fut pas capable de lui barrer la route avec toute sa raison. Mon intention était, après avoir terminé cette espèce de confession voilée, d'écrire un roman que j'avais en projet depuis longtemps. J'en avais assez des biographies. Mais il m'arriva dès le troisième jour qu'au British Museum, attiré par ma vieille passion des autographes, j'examinai les pièces exposées dans la salle ouverte au public. Parmi elles se trouvait la relation manuscrite de l'exécution de Marie Stuart. Je me demandai involontairement : qu'en était-il réellement de Marie Stuart ? Était-elle vraiment impliquée dans le meurtre de son second mari, ne l'était-elle pas ? Comme, le soir, je n'avais rien à lire, j'achetai un livre sur elle. C'était un hymne qui la défendait comme une sainte, un livre plat et sot. Dans mon incurable curiosité, je m'en procurai le lendemain un autre, qui soutenait exactement le contraire. Le cas commença à m'intéresser. Je me mis en quête d'un ouvrage auquel on pût vraiment se fier. Personne ne put m'en indiquer un, et c'est ainsi que, cherchant et prenant des informations, j'en vins tout naturellement à établir des comparaisons : sans bien m'en rendre compte, j'avais commencé un livre sur Marie Stuart qui me retint pendant des semaines dans les bibliothèques. Quand, au début de 1934, je rentrai en Autriche, j'étais bien résolu à retourner à Londres, qui m'était devenu cher, afin d'y terminer ce livre dans le calme.

*

Il ne me fallut pas plus de deux ou trois jours en Autriche pour percevoir à quel point la situation avait empiré au cours de ces quelques mois. Passer de l'atmosphère tranquille et sûre de Londres à celle de l'Autriche agitée par les fièvres et les combats, c'était comme sortir d'une pièce rafraîchie, *air conditioned,* pour se retrouver soudain dans la rue brûlante par une torride journée de juillet à New York. La pression des nationaux-socialistes commençait peu à peu à délabrer les nerfs des milieux cléricaux et bourgeois ; ils sentaient de plus en plus l'insistance subversive de l'impatiente Allemagne, qui leur serrait aussi la vis dans le domaine de l'économie. Le gouvernement Dollfuss, qui voulait conserver une Autriche indépendante et la préserver de Hitler, cherchait de plus en plus désespérément un dernier appui. La France et l'Angleterre étaient trop éloignées et au fond trop indifférentes, la Tchécoslovaquie était encore pleine de sa vieille rancune et de sa rivalité à l'égard de Vienne, si bien qu'il ne restait que l'Italie, qui s'efforçait alors d'étendre sur l'Autriche son protectorat économique et politique, afin de s'assurer les passages des Alpes et Trieste. Pour cette protection, Mussolini réclamait toutefois un très haut prix. L'Autriche devait s'adapter aux tendances fascistes, le Parlement, et par là même la démocratie devaient être liquidés. Cela n'était possible que si l'on écartait ou privait de ses droits le parti social-démocrate, le plus fort et le mieux organisé d'Autriche. Pour le briser, il n'y avait point d'autre moyen que la force brutale.

En vue de cette action terroriste, le prédécesseur de Dollfuss, Ignaz Seipel, avait déjà créé une organisation, la *Heimwehr* *. Vue du dehors, elle offrait à peu près la plus pitoyable des apparences, elle était formée de petits avocats de province, d'officiers licenciés, d'ingénieurs sans travail, de toutes les médiocrités déçues, qui se haïssaient furieusement entre elles. Finalement, on lui trouva une espèce de chef en la personne du jeune prince Starhemberg, qui s'était naguère traîné aux pieds de Hitler et avait tonné contre la république et la démocratie, et qui maintenant, avec ses soldats de louage, se présentait partout comme l'antagoniste de Hitler et promettait de « faire rouler les têtes ». Ce que ces gens de la *Heimwehr* voulaient positivement était tout à fait obscur. En réalité, la *Heimwehr* n'avait point d'autre but que de s'installer à la mangeoire d'une manière ou d'une autre, et toute sa force était le poing de Mussolini, qui la poussait en avant. Ces soi-disant Autrichiens patriotes ne se rendaient pas compte qu'ils sciaient la branche sur

---

* Ou, au pluriel, *Heimwehren*, « gardes locales ». Milice nationale constituée après 1918 par les chrétiens-sociaux pour la défense de l'ordre social établi et, dans les régions contestées, pour la lutte contre les Slaves.

laquelle ils étaient assis avec les baïonnettes que leur livrait l'Italie.

Le parti social-démocrate comprenait mieux où se trouvait le véritable danger. En lui-même, il n'avait pas à craindre la lutte ouverte. Il avait ses armes, et par la grève générale il pouvait paralyser tous les chemins de fer, tous les services de distribution des eaux, toutes les usines électriques. Mais il savait aussi que Hitler n'attendait qu'une telle « révolution rouge » pour avoir un prétexte à entrer en Autriche en « sauveur ». Il jugea donc préférable de sacrifier une bonne partie de ses droits et même le Parlement pour arriver à un compromis supportable. Tous les gens raisonnables approuvèrent un tel arrangement en considération de l'état de contrainte où se trouvait l'Autriche dans l'ombre menaçante de l'hitlérisme. Dollfuss lui-même, souple, ambitieux, mais foncièrement réaliste, semblait incliner à cette mesure de conciliation. Mais le jeune Starhemberg et son compère le major Fey, qui par la suite joua un rôle assez singulier dans l'assassinat de Dollfuss, demandèrent que le *Schutzbund* * livrât ses armes et que toute trace de liberté démocratique et civile fût anéantie. Les sociaux-démocrates se défendirent contre cette exigence, les deux camps échangèrent des menaces. Une décision, on le sentait, était à présent dans l'air et, dans le sentiment de la tension générale, je songeais, plein d'appréhension, aux paroles de Shakespeare : « *So foul a sky clears not without a storm* **. »

*

* Le *republikanischer Schutzbund,* « ligue de défense républicaine », regroupement des milices ouvrières animé par le parti social-démocrate.
** « Un ciel aussi sombre ne s'éclaircit pas sans une tempête. »

Je n'étais resté que quelques jours à Salzbourg et j'avais bientôt continué mon voyage jusqu'à Vienne. Et c'est justement en ces premiers jours de février que l'orage éclata. A Linz, la *Heimwehr* avait assailli la Maison des Travailleurs, afin de s'emparer des dépôts d'armes qu'elle soupçonnait s'y trouver. Les ouvriers avaient répondu par la grève générale, et Dollfuss, à son tour, en donnant l'ordre d'abattre par les armes cette « révolution » provoquée artificiellement. Les troupes régulières de la *Wehrmacht* attaquèrent donc à la mitrailleuse et au canon les quartiers ouvriers de Vienne. Pendant trois jours, des combats acharnés se livrèrent de maison en maison : ce fut la dernière fois avant la guerre d'Espagne qu'en Europe la démocratie se défendit contre le fascisme. Les ouvriers tinrent pendant trois jours avant de succomber finalement à la supériorité technique.

J'étais à Vienne pendant ces trois jours, et j'ai ainsi été témoin de ce combat décisif, du suicide de l'indépendance autrichienne. Mais comme je veux être un témoin sincère, je dois tout d'abord avouer ce fait en apparence paradoxal que je n'ai moi-même absolument rien vu de cette révolution. Quiconque s'est proposé de donner de son temps une image aussi honnête et claire que possible doit avoir également le courage de décevoir les conceptions romantiques. Et rien ne me paraît plus caractéristique de la technique et de la singularité des révolutions modernes que le fait qu'elles ne se déroulent en réalité qu'en très peu d'endroits dans l'espace immense d'une grande ville et demeurent, en conséquence, parfaitement invisibles pour la plupart des habitants. Si étrange que cela puisse paraître, j'étais à Vienne durant ces journées historiques de février 1934 et je n'ai rien vu de ces événements décisifs qui s'y jouaient, et je n'en ai rien su, absolument rien, dans le temps qu'ils se passaient. On tirait au canon, on occupait des maisons, on emportait des centaines de cadavres — je n'en ai pas vu un seul. Tout lecteur des journaux de New York, de Londres, de Paris avait une connaissance plus exacte de ce qui se passait réellement que nous, qui pourtant en étions apparemment les témoins. Et par la suite, j'ai toujours trouvé confirmé ce phénomène étonnant qu'à notre époque on en sait moins sur les événements décisifs à dix rues de distance qu'à des milliers de kilomètres. Quand quelques mois après Dollfuss fut assassiné à Vienne à midi, je vis les affiches dans les rues de Londres à cinq heures et demie. J'essayai immédiatement de téléphoner à Vienne ; à mon grand étonnement, j'obtins tout de suite la communication et j'appris avec un étonnement plus grand encore qu'à Vienne, à cinq rues du ministère des Affaires étrangères, on en savait beaucoup moins qu'à Londres à chaque coin de rue. Mon expérience de la révolution viennoise me permet donc seulement de montrer de façon exemplaire, par la négative, combien peu un contemporain voit des événements qui changent la face du monde et le cours de sa propre vie, s'il ne se trouve pas par hasard à l'endroit décisif.

Tout ce que j'ai vécu, le voici : j'avais le soir rendez-vous avec la régisseuse des ballets de l'Opéra, Marguerite Wallmann, dans un café du Ring. J'allais donc à pied jusqu'au Ring, et je m'apprêtais à traverser la rue sans songer à rien lorsque quelques hommes en vieux uniformes ramassés à la hâte et portant des fusils s'approchèrent soudain de moi et me demandèrent où j'allais. Quand je leur déclarai que je me rendais au café J…, ils me laissèrent tranquillement passer. Je ne savais ni pourquoi de tels gardes se trouvaient à l'improviste dans la rue, ni à quoi exactement tendait leur présence. En réalité, on tirait et on combattait avec acharnement depuis plusieurs heures déjà dans les faubourgs, mais dans le centre, personne ne soupçonnait rien. Ce n'est que le soir, quand je rentrai à mon hôtel et que je m'apprêtai à payer ma note, car j'avais l'intention de repartir le lendemain pour Salzbourg, que le portier me dit qu'il craignait que cela ne fût pas possible, que les trains ne circulaient pas. Il y avait une grève des cheminots, et de plus il se passait quelque chose dans les faubourgs.

Le lendemain, les journaux apportèrent des nouvelles assez confuses sur un soulèvement des sociaux-démocrates, mais qui avait été déjà plus ou moins étouffé. En réalité, c'est seulement ce jour-là que la lutte avait atteint à son paroxysme, et le gouvernement se résolut à employer non plus seulement les mitrailleuses, mais aussi les canons contre les ouvriers. Cependant, je n'entendis pas davantage ces canons. Si l'Autriche tout entière avait alors été occupée, soit par les socialistes, soit par les nationaux-socialistes, soit par les communistes, je l'aurais su tout aussi peu que naguère les Munichois qui se réveillaient le matin et n'apprenaient que par les *Münchner Neueste Nachrichten* que leur ville était entre les mains de Hitler. Dans les arrondissements du centre, la vie se poursuivait, aussi tranquille et régulière qu'à l'ordinaire, tandis que dans les faubourgs les combats faisaient rage, et nous croyions sottement les communiqués officiels annonçant que tout était déjà réglé et terminé. A la Bibliothèque nationale, où j'avais quelque chose à vérifier, les étudiants lisaient et étudiaient comme toujours ; tous les magasins étaient ouverts, les gens pas du tout agités. Ce n'est que le troisième jour, quand tout fut fini, qu'on apprit la vérité par bribes. A peine les trains se remirent-ils à circuler, le quatrième jour, que je retournai le matin à Salzbourg, où deux ou trois connaissances que je rencontrai dans la rue m'assaillirent aussitôt de questions : que s'était-il réellement passé à Vienne ? Et moi, qui avais pourtant été un « témoin oculaire » de la révolution, je fus obligé de leur dire sincèrement : « Je n'en sais rien. Le mieux serait que vous achetiez un journal étranger. »

Par extraordinaire, le lendemain se produisit dans ma propre vie un événement décisif en relation avec ces événements. J'étais arrivé l'après-midi de Vienne dans ma maison de Salzbourg, j'y avais trouvé des montagnes de lettres et d'épreuves, et j'avais travaillé jusqu'à une heure avancée de la nuit pour ne rien laisser en souffrance. Le lendemain matin, j'étais encore au lit quand on frappa à la porte ; notre brave vieux serviteur, qui d'ordinaire ne me réveillait jamais quand je n'avais pas expressément fixé une heure, entra d'un air consterné. Il me pria de descendre, il y avait là des messieurs de la police qui désiraient me parler. Un peu étonné, j'enfilai ma robe de chambre et descendis au rez-de-chaussée. Quatre policiers en civil s'y tenaient, qui me déclarèrent qu'ils avaient ordre de fouiller la maison ; je devais leur livrer immédiatement toutes les armes qui étaient cachées là.

Je dois avouer qu'au premier instant je fus si ahuri que je ne trouvai rien à répondre. Des armes du *Schutzbund* dans ma maison ? Cette histoire était par trop absurde. Je n'avais jamais appartenu à aucun parti, je ne m'étais jamais soucié de politique. J'étais resté absent de Salzbourg depuis quatre mois, et indépendamment de tout cela, ç'aurait été la chose la plus risible du monde que d'aménager un dépôt d'armes dans cette maison située sur une montagne en dehors de la ville, si bien qu'on aurait pu remarquer en route quiconque aurait porté un fusil ou une arme. Je me bornai donc à répondre froidement : « Je vous en prie, voyez vous-mêmes. » Les quatre policiers parcoururent la maison, ouvrirent quelques coffres, tapotèrent à quelques parois, mais je n'aperçus immédiatement, à la façon nonchalante dont ils procédaient, que cette inspection n'était que pour la forme et qu'aucun d'entre eux ne croyait sérieusement à un dépôt d'armes dans cette maison. Au bout d'une demi-heure, ils déclarèrent la perquisition terminée et disparurent.

Il me faut, pour expliquer pourquoi cette farce m'aigrit alors si terriblement, introduire ici une petite note historique. Car au cours des dernières décennies l'Europe et le monde ont déjà presque oublié quelles choses sacrées étaient auparavant les droits de la personne et la liberté politique. Depuis 1933, les perquisitions, les arrestations arbitraires, les confiscations des biens, les bannissements, les déportations et toutes les autres formes imaginables d'humiliation sont presque devenues des choses qui vont de soi ; je ne connais guère un de mes amis européens qui n'ait fait de telles expériences. Mais alors, au début de 1934, une visite domiciliaire était encore en Autriche un affront inouï. Pour qu'un homme comme moi, qui s'était complètement tenu à l'écart de toute politique, qui, depuis des années, n'avait même jamais exercé son droit de vote, fût l'objet d'une perquisition, il devait y avoir une raison particulière, et en effet, c'était là un fait typiquement autrichien : le chef de la police de Salzbourg avait été forcé de prendre des mesures sévères contre les nationaux-socialistes qui, chaque nuit, troublaient la population en faisant sauter des bombes et des explosifs, et cette surveillance était un dangereux acte de courage, car à l'époque, le parti mettait déjà en œuvre sa technique de la terreur. Tous les jours, les postes de police recevaient des lettres de menaces : s'ils continuaient à « persécuter » les nationaux-socia-listes, ils auraient à le payer cher, et de fait — quand il s'agissait de vengeance, les nationaux-socialistes ont toujours tenu parole à cent pour cent — les plus fidèles agents de la police autrichienne ont été traînés dans les camps de concentration dès le lendemain de l'entrée de Hitler. Ainsi, on pouvait être tenté de manifester ostensi-blement, en perquisitionnant chez moi, qu'on ne reculait devant personne dès lors qu'il s'agissait de prendre de telles mesures de sécurité. Quant à moi, cet épisode en lui-même insignifiant me fit concevoir combien la situation en Autriche était devenue sérieuse, combien la pression de l'Allemagne était puissante. Depuis cette visite des policiers, ma maison ne me plaisait plus, et un sentiment qui ne me trompait pas me disait que de tels épisodes n'étaient que le timide prélude à des mesures de bien plus grande envergure. Le soir même, je me mis à emballer mes papiers les plus importants, décidé à vivre désormais constamment à l'étranger, et partir ne signifiait pas seulement se séparer de ma maison et du pays, car ma famille était attachée à cette maison comme à sa patrie, elle aimait ce pays. Mais quant à moi, la liberté personnelle m'était le bien le plus précieux au monde. Sans informer quiconque de mon intention parmi mes amis et mes connaissances, je repartis deux jours après pour Londres ; mon premier soin après mon arrivée fut d'aviser les autorités de Salzbourg que j'avais définitivement quitté mon domicile. C'était le premier pas qui me détachait de ma patrie. Mais je savais depuis ces journées de Vienne que l'Autriche était perdue — il est vrai que je ne soupçonnais pas encore tout ce que je perdais par là.

L'agonie de la paix

The sun of Rome is set. Our day is gone.
Clouds, dews and dangers come; our deeds
are done.

Shakespeare, *Julius Caesar* *.

Pas plus qu'en son temps Sorrente pour Gorki, l'Angleterre ne signifia pour moi un exil durant les premières années. L'Autriche continuait à exister, même après cette « révolution » et l'essai que firent peu après les nationaux-socialistes de tirer à eux le pays par un coup de main et l'assassinat de Dollfuss. L'agonie de ma patrie devait encore durer quatre ans. Je pouvais à toute heure rentrer chez moi, je n'étais pas banni, je n'étais pas proscrit. Mes livres étaient encore intacts dans ma maison de Salzbourg, j'avais encore mon passeport autrichien, la patrie était encore ma patrie, j'y étais encore citoyen — citoyen en possession de tous mes droits. Cette affreuse condition d'apatride, qu'on ne saurait expliquer à qui ne l'a pas vécue, n'était pas encore la mienne — ce sentiment, qui broie les nerfs, de tituber dans le vide les yeux ouverts et de savoir que partout où on a pris pied, on peut être à chaque instant refoulé. Mais je n'en étais

---

* « Le soleil de Rome est couché. Notre jour est passé. Nuages, brumes et dangers, venez ; notre œuvre est terminée. » Shakespeare, *Jules César*.

477

encore qu'au tout premier commencement. Ce fut quand même une autre arrivée quand, à la fin de février 1934, je débarquai à Victoria ; on voit avec d'autres yeux une ville où l'on est résolu à rester que celles où l'on n'aborde qu'en hôte de passage. Je ne savais pas pour combien de temps j'habiterais Londres. Une seule chose m'importait : me remettre à mon propre travail, défendre ma liberté intérieure, ma liberté extérieure. Je n'achetai pas de maison parce que toute propriété implique de nouveau une attache, mais je louai un petit *flat*, tout juste assez grand pour serrer dans deux bibliothèques le peu de livres dont je n'étais pas disposé à me passer et pour y installer un bureau. Je possédais ainsi, en fait, tout ce dont un travailleur de l'esprit a besoin autour de lui. Il est vrai qu'il n'y avait pas de place pour la vie de société. Mais je préférais habiter dans le cadre le plus étroit, afin de pouvoir à l'occasion voyager librement : déjà, à mon insu, ma vie s'organisait en vue du provisoire et non plus du permanent.

Le premier soir — la nuit tombait déjà et les contours des cloisons s'estompaient dans le crépuscule — j'entrai dans le petit appartement, enfin prêt, et je tressaillis. Car il me sembla en cette seconde pénétrer dans cet autre petit appartement que je m'étais aménagé à Vienne environ trente ans auparavant ; les pièces étaient également petites et seuls me souhaitaient la bienvenue ces livres au mur et les yeux hallucinés du *King John*, de Blake, qui m'accompagnait partout. J'eus vraiment besoin d'un moment de recueillement, car pendant des années et des années je ne m'étais plus souvenu de cette première demeure. Était-ce un symbole du fait que ma vie, qui s'était si longtemps dilatée dans l'étendue, allait maintenant se replier sur le passé et que je n'y serais plus que l'ombre de moi-même ? Quand, trente ans auparavant, j'avais choisi cette chambre à Vienne, ç'avait été un début. Je n'avais encore rien créé, ou du moins rien d'essentiel ; mes livres, mon nom ne vivaient pas encore dans mon pays. Maintenant — en une étrange similitude — mes livres avaient de nouveau disparu de leur langue, ce que j'écrivais demeurait désormais inconnu de l'Allemagne. Mes amis étaient loin, le vieux cercle de mes relations était rompu, j'avais perdu ma maison avec ses collections, ses tableaux et ses livres ; tout comme alors, j'étais de nouveau entouré d'étrangers. Tout ce que j'avais tenté, accompli, appris, goûté dans l'intervalle paraissait emporté par le vent, je me trouvais à plus de cinquante ans à un nouveau début, j'étais de nouveau l'étudiant qui s'asseyait à son bureau et, le matin, trottait jusqu'à la bibliothèque — mais je n'étais plus aussi confiant et enthousiaste, j'avais un reflet gris sur mes cheveux, et une légère pénombre de découragement s'étendait sur mon âme fatiguée.

*

J'hésite à relater en détail ces années 1934 à 1940 en Angleterre, car je me rapproche déjà de notre temps, et nous les avons tous vécues à peu près de la même façon, avec la même inquiétude exaspérée par la radio et le journal, avec les mêmes espérances et les mêmes soucis. Aujourd'hui, nous pensons tous avec fort peu d'orgueil à l'aveuglement politique de ces années-là, et reconnaissons avec horreur où il nous a menés ; qui voudrait expliquer devrait accuser, et qui d'entre nous en aurait le droit ? Et de plus, ma vie en Angleterre ne fut qu'une longue réserve. Bien que j'eusse conscience de ma sottise de ne pouvoir dompter une gêne aussi superflue, je vécus, durant toutes ces années de demi-exil et d'exil véritable, privé de toute franche sociabilité par la folle pensée qu'il ne m'était pas permis de me mêler à la conversation, en pays étranger, quand on discutait de notre époque. Je n'avais rien pu faire en Autriche contre l'ineptie des milieux dirigeants, comment aurais-je pu l'essayer ici, où je me sentais l'hôte de cette bonne île et savais fort bien que si — avec notre connaissance claire et mieux informée — je faisais allusion au danger dont Hitler menaçait le monde, on croirait cette opinion dictée par l'intérêt personnel ? Certes, il était dur parfois de serrer les lèvres en présence de fautes manifestes. Il était douloureux de voir que la vertu maîtresse des Anglais, leur loyauté, leur volonté sincère d'accorder d'abord leur confiance à chacun sans exiger de preuves de sa bonne foi, était justement exploitée à des fins détestables par une propagande qui était un chef-d'œuvre de mise en scène. Sans trêve on vous leurrait de promesses, on assurait que de toute évidence Hitler songeait seulement à tirer à lui les Allemands des territoires voisins, qu'il serait dès lors satisfait, et qu'en témoignage de reconnaissance il extirperait le bolchevisme ; cet appât produisait admirablement son effet. Hitler n'avait qu'à prononcer le mot de « paix » dans un de ses discours pour que les journaux applaudissent avec chaleur, oubliant tout le passé, sans se demander pourquoi l'Allemagne armait si furieusement. Des touristes qui revenaient de Berlin, où l'on avait pris la précaution de les guider et de les envelopper de flatteries, vantaient l'ordre et son nouveau maître ; peu à peu on se mettait tout doucement, en Angleterre, à approuver comme justifiées ses « prétentions » à une grande Allemagne — personne ne comprenait que l'Autriche était la clé de voûte de l'édifice, et que si on la faisait sauter l'Europe s'écroulerait nécessairement. Quant à moi, je considérais la naïveté, la généreuse confiance avec laquelle les Anglais et leurs chefs se laissaient abuser, avec les yeux brûlants de celui qui, dans son pays, avait vu de près les visages des troupes d'assaut, qui les avait entendues chanter : « Aujourd'hui l'Allemagne nous appartient ; demain ce sera le monde entier. » Plus la tension politique s'accentuait, plus j'évitais toutes les conversations et, de façon générale, toute action publique. L'Angleterre est le seul pays de l'Ancien Monde où je n'aie jamais publié dans aucun journal un article lié à l'actualité, où je n'aie jamais parlé à la radio, où je n'aie jamais pris part à une discussion publique ; j'y ai vécu plus anonyme dans mon petit appartement que, trente ans auparavant, l'étudiant que j'étais dans le sien à Vienne. Je n'ai donc nul droit de décrire l'Angleterre en témoin irrécusable, d'autant moins que j'ai dû m'avouer ensuite qu'avant la guerre je n'avais jamais vraiment reconnu la force la plus profonde de l'Angleterre, cette force qui se contient toute en elle-même et ne se dévoile qu'à l'heure du plus grand danger.

Je ne voyais aussi que peu d'écrivains. La mort enleva prématurément les deux seuls avec lesquels j'avais commencé plus tard à nouer des relations, John Drinkwater et Hugh Walpole ; je ne rencontrais pas souvent les plus jeunes, parce que, avec le malheureux sentiment d'insécurité du *foreigner* qui m'accablait, j'évitais les clubs, les dîners et les manifestations publiques. J'eus quand même le plaisir singulier et vraiment inoubliable de voir un jour les deux esprits les plus aigus, Bernard Shaw et H. G. Wells, engagés dans une discussion secrètement chargée d'électricité, mais extérieurement chevaleresque et brillante. C'était chez B. Shaw, à un lunch qui réunissait un cercle des plus étroits, et je me trouvais dans la situation, pour une part attrayante, pour une autre assez pénible, de celui qui ne savait pas d'avance ce qui produisait en réalité cette tension souterraine qu'on sentait entre les deux patriarches, déjà à leur manière de se saluer avec une familiarité légèrement teintée d'ironie — il devait avoir existé entre eux une divergence de principe qui avait été réglée peu auparavant ou était censée l'être par ce lunch. Ces deux grandes figures, gloires de l'Angleterre, avaient, un demi-siècle auparavant, combattu côte à côte, dans le cercle des « Fabiens », pour le socialisme qui était alors jeune comme eux. Depuis, conformément à leurs personnalités très accusées, ils s'étaient développés dans des voies de plus en plus divergentes, Wells, opiniâtre dans son idéalisme actif, travaillant infatigablement à sa vision de l'avenir de l'humanité, Shaw, au contraire, considérant de plus en plus le futur comme le présent avec son scepticisme ironique, pour y éprouver le jeu de sa pensée à la fois détachée et amusée. Même dans leur apparence physique, ils avaient au cours des années accentué leur contraste, Shaw, l'octogénaire d'une fraîcheur invraisemblable, grand, maigre, constamment tendu, qui aux repas ne grignotait que des fruits et des noix, toujours avec un rire caustique sur ses lèvres facilement bavardes, et plus épris que jamais du feu d'artifice de ses paradoxes ; Wells, le septuagénaire heureux de vivre, plus jouisseur, plus confortable que jamais, petit, les joues rouges, et d'un sérieux inexorable sous ses accès de gaieté occasionnelle. Shaw, éblouissant dans l'agressivité, variant avec agilité et promptitude ses axes d'attaque ; l'autre se tenant sur ses fortes positions de défense tactique, inébranlable comme l'est toujours le croyant, le convaincu. J'eus d'emblée l'impression que Wells n'était pas venu seulement pour échanger des propos amicaux à déjeuner, mais pour une sorte de discussion de principe. Et justement parce que je n'étais pas au courant des dessous de ce conflit de pensées, je n'en étais que plus sensible à l'atmosphère qu'il créait. On percevait dans chaque geste, dans chaque regard, dans chaque parole de l'un comme de l'autre une humeur batailleuse, souvent turbulente et pourtant au fond assez sérieuse. On aurait dit deux escrimeurs qui, avant d'engager la passe d'armes pour de bon, éprouvent leur propre souplesse par de petites bottes d'essai. C'est Shaw qui avait l'esprit le plus rapide. Derrière ses cils broussailleux, chaque fois qu'il faisait une réponse ou parait un coup, son œil étincelait ; son goût du trait d'esprit, du jeu de mots où, par soixante ans d'exercice, il avait acquis une virtuosité sans égale, s'exaltait jusqu'à une sorte de fougue. Sa barbe blanche et broussailleuse tremblait parfois d'un rire silencieux et rageur et, inclinant légèrement la tête sur le côté, il semblait toujours suivre des yeux sa flèche, pour voir si elle avait porté. Wells, avec ses petites joues rouges et ses yeux paisibles et voilés, avait plus de mordant et portait des coups plus directs ; son intelligence travaillait, elle aussi, avec une extraordinaire rapidité, mais il s'abstenait de telles brillantes estocades de volte, il préférait porter des coups droits, sans tension, comme si tout ce qu'il disait allait de soi. Les répliques s'échangeaient avec une rapidité si étincelante, parade sur coup, coup sur parade, toujours en apparence sur le ton de la plaisanterie, que le simple spectateur ne pouvait se lasser d'admirer cet échange au fleuret, ce jeu d'étincelles, ces bottes si bien portées, si habilement esquivées de part et d'autre. Mais sous ce dialogue rapide et toujours de la plus haute tenue, on sentait une sorte de courroux intellectuel qui, à la manière anglaise, se disciplinait noblement dans les formes d'un dialogue de la plus exquise urbanité. Il y avait — et c'est ce qui rendait la discussion si captivante — du sérieux dans le jeu et du jeu dans le sérieux, une opposition tranchée entre deux caractères aux antipodes l'un de l'autre, opposition qui ne s'enflammait qu'en apparence à la matière du débat mais, en réalité, était inébranlablement fixée dans des fonds et des arrière-fonds qui m'étaient inconnus. En tout cas j'avais vu les deux meilleurs esprits d'Angleterre dans un de leurs meilleurs moments, et la suite de cette polémique, qui parut imprimée dans *The Nation* au cours des semaines suivantes, ne me donna pas le centième du plaisir que je pris à ce dialogue plein de vivacité, parce que l'homme vivant, la véritable réalité concrète n'étaient plus aussi visibles derrière les arguments devenus abstraits. Mais rarement j'ai autant joui de la phosphorescence produite par le frottement de deux esprits, jamais dans aucune comédie au théâtre — ni précédemment, ni depuis — je n'ai vu l'art du dialogue exercé avec autant de virtuosité qu'à cette occasion-là, où il trouvait son accomplissement sans intention, sans rien de théâtral, et dans les formes les plus nobles.

*

Mais ce n'est qu'avec mon corps, et non avec toute mon âme, que je vivais en Angleterre, ces années-là. Et c'est justement le souci que me donnait l'Europe, ce souci qui pesait si douloureusement sur nos nerfs, qui me fit beaucoup voyager, et même traverser deux fois l'Océan, durant ces années qui s'étendent entre la prise du pouvoir par Hitler et le début de la Seconde Guerre mondiale. J'étais peut-être poussé par le pressentiment qu'il fallait faire provision d'impressions et d'expériences, autant que le cœur en pouvait contenir, tant que le monde restait ouvert et qu'il était encore permis aux bateaux de tracer tranquillement leur sillage à travers les mers, peut-être même par le soupçon encore tout à fait vague que notre avenir, et le mien en particulier, était au-delà des limites de l'Europe. Une tournée de conférences à travers les États-Unis m'offrit l'occasion désirée de voir de l'Est à l'Ouest, du Nord au Sud, ce grand pays dans toute sa diversité jointe cependant à une profonde unité. Mais peut-être plus forte encore fut l'impression que me fit l'Amérique du Sud, où j'acceptai volontiers de me rendre à un congrès auquel m'invitait le PEN-Club international ; jamais il ne m'avait paru plus important qu'à ce moment de fortifier le sentiment de la solidarité spirituelle par-delà les frontières des pays et des langues.

Les dernières heures que je passai en Europe avant ce voyage me donnèrent encore pour viatique d'inquiétants avertissements. Au cours de cet été 1936 avait éclaté en Espagne une guerre civile qui, considérée superficiellement, n'était qu'une dissension intérieure à ce beau et tragique pays, mais qui, en réalité, constituait déjà les grandes manœuvres par lesquelles les deux puissants groupes idéologiques préparaient leur futur affrontement. Je m'étais embarqué à Southampton sur un vaisseau anglais, et je pensais qu'afin d'éviter la zone de guerre le vapeur brûlerait sa première escale habituelle, Vigo. A ma grande surprise, nous entrâmes pourtant dans le port, et il fut même permis aux passagers de débarquer pour quelques heures. Vigo se trouvait alors aux mains des gens de Franco et était bien éloigné du véritable théâtre des opérations. Durant ces quelques heures, il me fut pourtant donné de voir certaines choses qui pouvaient à juste titre faire naître des pensées accablantes : devant l'hôtel de ville, sur lequel flottait le drapeau de Franco, se tenaient alignés, la plupart d'entre eux conduits par des prêtres, des jeunes gens dans leurs vêtements de paysans, qu'on était manifestement allé chercher dans les villages des environs. Au premier moment, je ne compris pas ce qu'on voulait faire d'eux. Étaient-ce des ouvriers qu'on réquisitionnait pour quelque service urgent ? Étaient-ce des chômeurs auxquels on allait donner à manger ? Mais au bout d'un quart d'heure je vis ressortir de l'hôtel de ville ces mêmes jeunes gens tout transformés. Ils portaient des uniformes neufs reluisants, des fusils et des baïonnettes ; sous la surveillance d'officiers, ils étaient chargés sur des camions tout aussi neufs et reluisants, qui s'élançaient par les rues et sortaient de la ville. Je tressaillis. Où avais-je déjà vu cela ? En Italie d'abord, puis en Allemagne ! Dans ces deux pays, les uniformes neufs et irréprochables, les automobiles et les mitrailleuses neuves avaient soudain fait leur apparition. Et de nouveau je me demandai : qui livre, qui paie ces uniformes neufs, qui organise ces jeunes miséreux, qui les pousse contre le pouvoir existant, contre le Parlement élu, contre leurs propres représentants légaux ? Le trésor de l'État se trouvait, je le savais, entre les mains du gouvernement légitime, de même que les dépôts d'armes. Ces automobiles, ces armes devaient donc avoir été livrées par l'étranger, et elles avaient indubitablement transité par le Portugal, dont la frontière était toute proche. Mais qui les avait livrées, qui les avait payées ? C'était une puissance nouvelle qui voulait accéder au pouvoir, cette même puissance qui aimait la violence, qui avait besoin de la violence, et qui considérait comme des faiblesses surannées toutes les idées auxquelles nous tenions et pour lesquelles nous vivions, la paix, l'humanité, l'esprit de conciliation. C'étaient des groupes mystérieux qui se tenaient cachés dans leurs bureaux et leurs sociétés anonymes et mettaient cyniquement le naïf idéalisme de la jeunesse au service de leur volonté de pouvoir et de leurs affaires. C'était la volonté de violence qui, au moyen d'une technique nouvelle, plus subtile, voulait ramener sur notre malheureuse Europe la vieille barbarie de la guerre. Une seule vision, une seule impression sensible a toujours plus de pouvoir sur l'âme que mille articles de journaux ou mille brochures. Et jamais plus fortement qu'en cette heure où je vis ces jeunes gens innocents munis d'armes par de mystérieux tireurs de ficelles qui se tenaient à l'arrière-plan, armes qu'ils devaient tourner contre d'autres jeunes gens de leur propre patrie tout aussi innocents, je ne fus assailli du pressentiment de ce qui nous menaçait, de ce qui menaçait l'Europe. Quand le bateau leva l'ancre après quelques heures d'escale, je descendis rapidement dans ma cabine. Il m'était trop douloureux de jeter encore un regard sur ce beau pays destiné à subir d'horribles dévastations par la faute de l'étranger ; l'Europe me semblait vouée à la mort par sa propre folie, l'Europe, notre sainte patrie, le berceau et le Parthénon de notre civilisation occidentale.

D'autant plus consolant fut alors le regard que je jetai sur la République argentine. C'était encore l'Espagne, sa vieille culture gardée et protégée dans une terre nouvelle, et plus vaste, qui ne s'était pas encore engraissée de sang, qui n'avait pas encore été empoisonnée par la haine. Là, il y avait abondance de nourriture, la richesse et le superflu ; là, il y avait des espaces infinis, et par conséquent de la nourriture pour l'avenir. J'en éprouvai un bonheur immense et une sorte de confiance nouvelle. La culture n'avait-elle pas depuis des milliers d'années émigré d'un pays dans l'autre, et même quand l'arbre était tombé sous la hache, les graines n'avaient-elles pas toujours été sauvées, et par elles de nouvelles fleurs, de nouveaux fruits ? Ce que des générations avaient créé avant nous et autour de nous ne se perdait jamais tout entier. Il fallait seulement apprendre à penser en fonction de dimensions plus vastes, à compter avec des durées plus longues. Il fallait commencer, me disais-je, à ne plus penser seulement en Européen, mais au-delà de l'Europe, ne pas s'ensevelir dans un passé qui se meurt, mais prendre part à sa renaissance. Car à la cordialité avec laquelle toute la population de cette nouvelle métropole prit part à notre congrès, je reconnus que nous n'étions pas ici des étrangers et qu'ici la foi en l'unité spirituelle à laquelle nous avions voué le meilleur de notre existence vivait encore, avait gardé sa valeur et continuait à exercer ses effets, que dans notre temps caractérisé par une nouvelle vitesse l'Océan même ne nous séparait plus. Une tâche nouvelle remplaçait l'ancienne : construire à une échelle plus vaste et avec des conceptions plus audacieuses la communauté que nous rêvions. Si, depuis ces derniers regards sur la guerre imminente, j'avais tenu l'Europe pour perdue, là-bas, sous la Croix du Sud, je me remis à espérer et à croire.

Le Brésil ne me fit pas une impression moins forte, ne me fut pas une promesse moindre, ce pays auquel la nature a prodigué ses dons, où l'on trouve la plus belle ville du monde, ce pays dont ni les chemins de fer, ni les routes, ni même l'avion ne parviennent à parcourir tout à fait les immenses étendues. Ici, on conservait le passé plus soigneusement qu'en Europe même ; ici, la brutalité que la Première Guerre mondiale avait amenée avec elle n'avait pas encore pénétré dans les mœurs, dans l'esprit des nations. Les habitants vivaient plus paisiblement entre eux que chez nous, plus poliment ; les rapports entre les races même les plus diverses n'étaient pas aussi hostiles. Ici, l'homme n'était pas séparé de l'homme par les absurdes théories du sang, de la souche, de l'origine. Ici, on en avait le merveilleux pressentiment, on pouvait encore vivre en paix ; ici, l'espace, pour la moindre parcelle duquel en Europe les États se battaient et les politiciens se lamentaient, était disponible pour l'avenir en quantité incommensurable. Ici, la terre attendait encore les hommes qui l'exploiteraient et la rempliraient de leur présence. Ici, la civilisation créée par l'Europe pouvait se perpétuer et se développer en formes nouvelles et différentes. Les yeux comblés de bonheur par les mille beautés de cette nouvelle nature, j'avais jeté un regard dans l'avenir.

*

Mais voyager, et même voyager loin, jusque sous d'autres constellations et dans d'autres mondes, n'était pas échapper à l'Europe et aux soucis que l'on se faisait pour l'Europe. On croirait presque que la nature se venge méchamment de l'homme quand on constate que toutes les conquêtes de la technique, grâce auxquelles il lui est possible de se rendre maître des puissances les plus mystérieuses de l'univers, corrompent en même temps son âme. La technique n'a pas appelé sur nous de pire malédiction qu'en nous empêchant, fût-ce pour une seconde, d'échapper au présent. En temps de catastrophes, les générations antérieures pouvaient se réfugier dans la solitude et la retraite ; il nous était réservé, à nous, de savoir et d'éprouver à l'heure, à la seconde même, tout ce qui se passe de pire à la surface de notre planète. J'avais beau m'éloigner de l'Europe, son destin m'accompagnait. Débarquant de nuit à Pernambouc, la Croix du Sud au-dessus de ma tête, des hommes à la peau sombre autour de moi, je trouvai affichée la nouvelle que Barcelone avait été bombardée, et qu'un ami espagnol, avec lequel j'avais passé de bonnes heures quelques mois auparavant, avait été fusillé. Au Texas, roulant en pullman entre Houston et une autre ville pétrolière, j'entendis soudain quelqu'un hurler et vociférer en allemand : un voyageur sans malice avait réglé la radio du train sur les ondes de l'Allemagne et ainsi, roulant en chemin de fer à travers la plaine du Texas, je dus écouter un discours incendiaire de Hitler. Il n'y avait pas moyen d'y échapper, ni de jour ni de nuit : toujours il me fallait penser à l'Europe avec une inquiétude torturante et, au sein de l'Europe, à l'Autriche.

Peut-être trouvera-t-on que c'était un patriotisme mesquin qui, dans cette somme immense de dangers s'étendant de la Chine jusqu'à l'Èbre et au Manzanares, me faisait m'occuper tout particulièrement de l'Autriche. Mais je savais que le sort de toute l'Europe était lié à ce petit pays — qui par hasard était ma patrie. Si, portant un regard en arrière, on essaie de mettre en évidence les fautes commises après la Première Guerre mondiale, on reconnaîtra que la plus grave a été que les hommes politiques, les Européens aussi bien que les Américains, n'ont pas exécuté le plan simple et clair de Wilson, mais l'ont mutilé. Son idée était de donner la liberté et l'indépendance aux petites nations, mais il avait justement reconnu que cette liberté et cette indépendance ne pouvaient être sauvegardées que par un lien qui rassemblerait tous les États, petits et grands, dans une unité supérieure. En ne réalisant pas cette organisation supérieure — la véritable, l'entière Société des Nations — et en s'en tenant à l'autre partie du programme, la liberté et l'indépendance, on créa au lieu de l'apaisement une perpétuelle inquiétude. Car rien n'est plus dangereux que la mégalomanie des petits, et le premier soin des petits États, à peine eurent-ils été créés, fut d'intriguer les uns contre les autres et de se quereller pour d'infimes parcelles de territoire : les Polonais contre les Tchèques, les Hongrois contre les Roumains, les Bulgares contre les Serbes et, la plus faible de tous au milieu de ces rivalités, la petite Autriche, se retrouva face à la trop puissante Allemagne. Ce pays mis en pièces, mutilé, dont le souverain avait autrefois été l'arbitre de l'Europe, était, il me faut le répéter sans cesse, la pierre angulaire. Je savais, ce que ces millions de Londoniens autour de moi ne pouvaient pas percevoir, que la chute de l'Autriche s'accompagnerait nécessairement de celle de la Tchécoslovaquie et qu'ainsi les Balkans seraient offerts en proie à Hitler, que le national-socialisme, en se rendant maître de Vienne, grâce à cette constellation particulière, disposerait du levier qui permettrait à sa main brutale de disloquer toute l'Europe et de l'arracher de ses gonds. Nous autres, Autrichiens, étions les seuls à savoir avec quelle avidité aiguillonnée par le ressentiment Hitler convoitait Vienne, cette ville qui l'avait vu dans la pire misère et où il voulait entrer en triomphateur.

C'est pourquoi lorsque, revenu en Autriche pour une très courte visite, je repassais la frontière en m'en retournant, je respirais : « Ce n'était pas encore pour cette fois », et je tournais mes regards en arrière comme si ç'eût été la dernière. Je voyais venir la catastrophe inévitable ; des centaines de fois, le matin, durant toutes ces années, alors que les autres saisissaient leur journal sans appréhension, j'ai craint en moi-même d'y lire le titre fatal : *Finis Austriae*. Ah ! que je m'étais abusé, quand je me flattais d'être depuis longtemps détaché de son sort ! De loin, je souffrais tous les jours de la lente et fiévreuse agonie de l'Autriche — infiniment plus que mes amis restés au pays, qui se trompaient eux-mêmes par des démonstrations patriotiques et se répétaient tous les jours cette assurance : « La France et l'Angleterre ne peuvent pas nous laisser tomber. Et avant tout, Mussolini ne le permettra pas. » Ils croyaient à la Société des Nations, aux traités de paix, comme les malades croient aux médecines munies de belles étiquettes. Ils vivaient heureux et insouciants, tandis que moi, qui voyais les choses plus clairement, je me déchirais le cœur de soucis.

Mon dernier voyage en Autriche ne fut motivé par rien d'autre que par un tel accès spontané d'angoisse intime devant la catastrophe qui se rapprochait sans cesse. J'avais séjourné à Vienne en automne 1937 pour rendre visite à ma vieille mère, et je n'avais plus rien à y faire pour assez longtemps ; rien d'urgent ne m'y appelait. Un jour, vers midi, peu de semaines après — ce devait être vers la fin de novembre —, comme je rentrais chez moi en passant par Regent Street, je m'achetai en passant l'*Evening Standard*. C'était le jour où Lord Halifax se rendait en avion à Berlin afin de tenter pour la première fois de négocier personnellement avec Hitler. Dans cette édition de l'*Evening Standard* étaient énumérés en première page — je les vois encore distinctement devant moi, le texte était imprimé en caractères gras sur la colonne de droite — les divers points sur lesquels Halifax prétendait aboutir à une entente avec Hitler. Parmi eux se trouvait aussi le paragraphe relatif à l'Autriche. Et entre les lignes je lus ou crus lire le sacrifice de l'Autriche, car enfin que pouvait signifier d'autre une explication avec Hitler ? Nous autres Autrichiens savions bien que, sur ce point, Hitler ne céderait jamais. Chose assez extraordinaire, cette énumération des thèmes figurant au programme des discussions ne se trouva que dans cette édition de midi de l'*Evening Standard* : elle avait déjà disparu dans toutes les éditions de la fin de l'après-midi. (Selon des bruits qui coururent plus tard, cette information aurait été glissée au journal par l'ambassade italienne, car en 1937 l'Italie ne craignait rien tant qu'une entente de l'Allemagne et de l'Angleterre conclue derrière son dos.) Je ne saurais juger de ce qu'il pouvait y avoir d'exact et d'inexact dans cette note parue dans une seule des éditions de l'*Evening Standard* et qui, sans doute, passa inaperçue de la grande masse. Je sais seulement à quel point je m'effrayai à la pensée que Hitler et l'Angleterre étaient en train de discuter de l'Autriche ; je n'ai pas honte d'avouer que la feuille tremblait dans mes mains. Vraie ou fausse, la nouvelle m'excitait comme nulle autre ne l'avait fait depuis des années, car je savais que, même si elle ne se confirmait qu'en partie, c'était le commencement de la fin, que la pierre angulaire se détachait de la muraille et que la muraille tomberait avec elle. Je revins aussitôt sur mes pas, sautai dans le premier autobus où je lus « Victoria Station » et me rendis aux Imperial Airways pour demander s'il y avait encore une place disponible dans l'avion du lendemain matin. Je voulais revoir encore une fois ma vieille mère, ma famille, ma patrie. Par un heureux hasard, j'obtins mon billet, jetai à la hâte quelques objets dans ma valise et volai vers Vienne.

Mes amis s'étonnèrent de me voir revenir si tôt et si

subitement. Mais comme ils se moquèrent de moi quand je leur dis mon inquiétude ! J'étais toujours le vieux *Jérémie*, me disaient-ils en plaisantant. Ne savais-je donc pas que maintenant cent pour cent de la population autrichienne se tenaient derrière Schuschnigg ? Ils me vantèrent avec force détails les grandioses manifestations du « Front patriotique », tandis qu'à Salzbourg, déjà, j'avais remarqué que la plupart de ces manifestants ne portaient que pour la façade l'insigne réglementaire de leur unité, fixé au col de leur veste, afin de ne pas compromettre leur situation, alors que, par prudence, ils étaient déjà inscrits depuis longtemps à Munich parmi les nationaux-socialistes — j'avais lu et écrit trop d'ouvrages historiques pour ne pas savoir que la grande masse roule toujours immédiatement du côté où se trouve le centre de gravité de la puissance du moment. Je savais que ces voix qui criaient aujourd'hui « *Heil Schuschnigg !* » hurleraient demain « *Heil Hitler !* ». Mais tous ceux avec qui je parlai à Vienne montraient une sincère insouciance. Ils s'invitaient mutuellement en smoking et en frac à des soirées sans se douter qu'ils porteraient bientôt la tenue des détenus des camps de concentration, ils prenaient d'assaut les magasins pour les achats de Noël destinés à leurs belles maisons sans se douter que peu de mois après on les leur prendrait et les pillerait. Et cette éternelle insouciance de la vieille Vienne, que j'avais tant aimée jusque-là et dont je traîne à vrai dire la nostalgie à travers toute mon existence — cette insouciance que le poète national des Viennois a un jour ramassée en un axiome concis : « Il ne peut rien t'arriver * » —, pour la première fois, me faisait mal. Mais peut-être après tout étaient-ils plus sages que moi, tous mes amis de Vienne, car ils ne souffrirent tous les maux que quand ils fondirent réelle-

---

* En dialecte viennois : « *Es kann dir nix g'schehn.* »

ment sur eux, tandis que moi, j'ai souffert par avance de mon malheur en imagination, puis une seconde fois en réalité. Toujours est-il que je ne les comprenais plus et ne pouvais me faire comprendre d'eux. Après le deuxième jour, je n'avertis plus personne. Pourquoi troubler des gens qui ne veulent pas se laisser inquiéter ?

Qu'on ne prenne cependant pas ceci pour un embellissement surajouté, mais pour la plus pure expression de la vérité : durant les deux dernières journées que j'ai passées à Vienne, c'est avec un « jamais plus » désespéré et muet que j'ai considéré chacune des rues qui m'étaient si familières, chaque église, chaque jardin, chacun des vieux quartiers de ma ville natale. J'ai embrassé ma mère avec cette secrète pensée : « C'est la dernière fois. » Tout, dans cette ville, dans ce pays, je l'ai éprouvé avec ce sentiment de « jamais plus », avec la conscience que c'était un adieu, un éternel adieu. A Salzbourg, la ville où se trouvait la maison dans laquelle j'avais travaillé vingt ans, je passai sans même descendre du train à la gare. De la fenêtre du wagon, il est vrai, j'aurais pu voir ma maison sur la colline, avec tous les souvenirs des défuntes années. Mais je n'y jetai pas un coup d'œil. A quoi bon, puisque je ne l'habiterais plus jamais ? Et à l'instant où le train passait la frontière, je savais comme Loth, le patriarche de la Bible, que derrière moi tout était cendre et poussière, un passé pétrifié en sel amer.

*

Je croyais avoir éprouvé par avance tout ce qui pourrait arriver d'épouvantable si Hitler réalisait son rêve de haine et occupait en triomphateur la ville de Vienne, qui l'avait repoussé jeune homme pauvre et sans succès. Mais comme mon imagination, comme toute imagination humaine se révéla hésitante, étroite, pitoyable au regard de l'inhumanité qui se déchaîna ce 13 mars 1938, jour où l'Autriche, et avec elle toute l'Europe, fut livrée en proie à la violence nue ! Maintenant, le masque tombait. Les autres États ayant ouvertement montré leur crainte, la brutalité n'avait plus à s'imposer aucune retenue morale, elle n'usait plus — que comptaient l'Angleterre, la France, que comptait le monde ? — du prétexte des « marxistes » qu'il fallait éliminer politiquement. Maintenant, on ne se bornait pas à voler et à piller, mais on laissait libre cours à tous les désirs de vengeance privée. Des professeurs d'université étaient forcés de frotter de leurs mains nues le pavé des rues, de pieux vieillards juifs étaient traînés au temple et contraints par de jeunes braillards à faire des génuflexions et à crier en chœur « Heil Hitler ! ». Dans les rues on attrapait comme des lièvres quantité d'innocents, qu'on menait curer les lieux d'aisances dans les casernes des SA. Tout ce qu'une imagination d'une saleté morbide avait inventé au cours de nombreuses nuits dans une orgie de haine se déchaînait au grand jour. Qu'ils fissent irruption dans les appartements et arrachassent leurs boucles d'oreilles à des femmes tremblantes — de tels excès avaient pu se produire il y a des siècles dans les guerres du Moyen Age, à l'occasion des pillages des villes ; ce qui était nouveau, c'était le plaisir éhonté de tourmenter en public, de martyriser les âmes, d'infliger des humiliations raffinées. Tout cela a été attesté non pas par un témoin isolé, mais par des milliers de personnes qui ont subi ces traitements, et une époque plus tranquille, qui ne sera pas, comme la nôtre, accablée de lassitude morale, lira avec un frisson d'horreur les crimes perpétrés au XXe siècle, dans cette ville de culture, par un seul homme enragé de haine. Car c'est là le triomphe le plus diabolique de Hitler au milieu de ses victoires militaires et politiques : cet homme à lui seul a réussi, par une constante surenchère, à émousser toute notion du droit. *Avant* cet « ordre nouveau », le meurtre d'un seul homme, sans la sentence d'un tribunal et sans raison apparente, bouleversait le monde, la torture était jugée inconcevable au XXe siècle, on appelait encore clairement les expropriations vol et rapine. Mais *maintenant*, après toutes les nuits de la Saint-Barthélemy qui se suivent sans interruption, après les tortures à mort infligées journellement dans les cellules des SA et derrière les fils de fer barbelés, que comptent encore une injustice isolée et la souffrance terrestre ? En 1938, après les événements d'Autriche, notre monde s'était déjà accoutumé à l'inhumanité, à l'injustice et à la brutalité comme jamais il ne l'avait fait auparavant pendant des centaines d'années. Tandis qu'autrefois ce qui s'est produit dans cette malheureuse ville de Vienne aurait suffi à faire mettre les criminels au ban de l'humanité, la conscience universelle se tut, en cette année 1938, ou se borna à murmurer un peu, avant d'oublier et de pardonner.

*

Ces jours où à chaque heure retentissaient dans ma patrie les appels à l'aide, où l'on savait que des amis intimes étaient emmenés, torturés et humiliés, et où, dans l'impuissance, on tremblait pour chacun de ceux que l'on aimait, comptent pour moi parmi les plus épouvantables de ma vie. Et je ne rougis pas de dire — tant notre temps a perverti notre cœur — que je ne tressaillis pas, que je ne pleurai pas quand me parvint la nouvelle de la mort de ma mère, que nous avions laissée à Vienne, mais que j'en éprouvai au contraire une sorte de soulagement, la sachant désormais à l'abri de toutes les souffrances et de tous les dangers. Agée de quatre-vingt-quatre ans, presque totalement sourde, elle jouissait d'un appartement dans notre maison de famille, et ainsi, même selon les nouvelles « lois des Aryens », elle ne pouvait pas être délogée pour le moment, et nous avions espéré que nous pourrions quand même, au bout de quelque temps, la faire passer à l'étranger par un moyen ou par un autre. Une des premières mesures prises à Vienne lui avait porté un coup très sensible : avec ses quatre-vingt-quatre ans, elle avait déjà les jambes faibles, et quand elle faisait sa petite promenade quotidienne, elle avait coutume, après cinq ou dix minutes de marche pénible, de se reposer sur un banc du Ring ou du parc. Hitler n'était pas depuis huit jours maître de la ville qu'on prit un arrêté bestial interdisant aux Juifs de s'asseoir sur un banc — une de ces mesures qui visiblement n'avaient été inventées que dans le dessein sadique de tourmenter perfidement. Car le fait de dépouiller les Juifs avait encore une certaine logique et un sens intelligible : avec le produit du pillage des fabriques, des aménagements intérieurs des maisons, des villas, avec les places devenues libres, on pouvait nourrir ses propres gens et récompenser ses vieux satellites ; après tout, la collection de tableaux de Goering doit principalement sa splendeur à cette pratique exercée sur une grande échelle. Mais refuser à une vieille femme ou à un vieillard épuisé le droit de reprendre haleine quelques minutes sur un banc, cela était réservé au XXe siècle et à l'homme que des millions de gens adorent comme le plus grand de ce temps.

Heureusement, il fut épargné à ma mère de supporter longtemps de telles brutalités et de telles humiliations. Elle mourut peu de mois après l'occupation de Vienne, et je ne puis m'empêcher de rapporter ici un épisode lié à sa mort ; il me paraît justement important que de telles particularités soient consignées pour un temps à venir, qui tiendra nécessairement ce genre de chose pour impossible. Un matin, cette femme de quatre-vingt-quatre ans avait subitement perdu connaissance. Le médecin appelé à son chevet déclara aussitôt que très probablement elle ne passerait pas la nuit et fit venir une garde-malade, une femme qui pouvait avoir quarante ans. Or ni mon frère ni moi, ses seuls enfants, n'étions là, et nous ne pouvions naturellement pas y aller car un retour, fût-ce auprès du lit de mort d'une mère, aurait passé pour un crime aux yeux des représentants de la culture allemande. Un de nos cousins prit donc sur lui de passer la soirée dans la maison, afin qu'au moins un membre de la famille assistât à la mort de la vieille dame. Ce cousin était alors sexagénaire, lui-même n'était plus en bonne santé et, de fait, il mourut un an après. Comme il prenait des dispositions pour faire dresser un lit dans la pièce voisine, la garde-malade parut — assez honteuse, il faut le dire à son honneur — et déclara que selon les nouvelles lois national-socialistes il ne lui était malheureusement pas possible de passer la nuit auprès de la mourante. Mon cousin était juif, et comme elle était une femme de moins de cinquante ans, elle ne pouvait passer la nuit sous le même toit que lui, fût-ce au chevet d'une mourante — selon la mentalité de Streicher, la première pensée d'un Juif devant être naturellement de déshonorer la race en sa personne. Bien entendu, disait-elle, cette prescription lui était très pénible, mais elle était forcée de se soumettre aux lois. Mon cousin sexagénaire fut donc obligé, afin que la garde-malade pût rester auprès de ma mère, de quitter la maison vers le soir ; peut-être comprendra-t-on maintenant que je l'estimai heureuse de n'avoir pas à vivre plus longtemps parmi de telles gens.

*

La chute de l'Autriche produisit dans ma vie privée un changement que je crus d'abord tout à fait sans conséquence et que je considérai comme purement formel : je perdis par là mon passeport autrichien et je dus solliciter du gouvernement anglais, pour le remplacer, une feuille de papier blanc — un passeport d'apatride. Souvent, dans mes rêves de cosmopolite, je m'étais secrètement représenté combien il devait être délicieux et, à vrai dire, conforme à mes sentiments les plus intimes d'être sans nationalité, de n'avoir d'obligations envers aucun pays et, de ce fait, d'appartenir indistinctement à tous. Mais une fois de plus je dus reconnaître combien notre imagination humaine est insuffisante et que l'on ne comprend vraiment les sentiments les plus importants, justement, que quand on les a éprouvés en soi-même. Dix ans auparavant, quand j'avais rencontré Dimitri Merejkowski à Paris et qu'il s'était plaint à moi que ses livres fussent interdits en Russie, j'avais encore essayé, dans mon inexpérience, de le consoler assez étourdiment en disant que cela ne signifiait pas grand-chose au regard d'une diffusion mondiale. Mais quand mes propres livres furent supprimés de la langue allemande, comme je compris clairement qu'il se plaignît de ne pouvoir délivrer sa parole au public que par des traductions, dans une transposition affaiblie et altérée ! De même, c'est seulement à la minute où, après une assez longue attente dans l'antichambre, sur le banc des solliciteurs, je fus introduit dans le bureau de l'administration anglaise, que je compris ce que signifiait cet échange de mon passeport contre des papiers d'étranger. Car j'avais eu droit à ce passeport autrichien, tout employé d'un consulat autrichien ou tout officier de police avait été tenu de me le délivrer immédiatement en ma qualité de citoyen jouissant de tous ses droits. En revanche, je dus solliciter ce papier d'étranger que j'obtins des autorités anglaises. C'était une faveur sollicitée, et en outre une faveur qui pouvait m'être retirée à chaque instant. Du jour au lendemain, j'étais descendu d'un nouveau degré. Hier encore hôte étranger et en quelque sorte *gentleman* qui dépensait ses revenus internationaux et payait ses impôts ici, j'étais devenu un émigrant, un *refugee*. J'étais tombé dans une catégorie inférieure, même si elle n'était pas déshonorante. De plus, je devais désormais solliciter spécialement chaque visa étranger à apposer sur cette feuille blanche, car dans tous les pays on se montrait méfiant à l'égard de cette « sorte » de gens à laquelle soudain j'appartenais, de ces gens sans droits, sans patrie, qu'on ne pouvait pas, au besoin, éloigner et renvoyer chez eux comme les autres, s'ils devenaient importuns et restaient trop longtemps. Et j'étais forcé de me souvenir sans cesse de ce que m'avait dit des années plus tôt un exilé russe : « Autrefois, l'homme n'avait qu'un corps et une âme. Aujourd'hui, il lui faut en plus un passeport, sinon il n'est pas traité comme un homme. »

Et de fait, rien peut-être ne rend plus sensible le formidable recul qu'a subi le monde depuis la Première Guerre mondiale que les restrictions apportées à la liberté de mouvement des hommes et, de façon générale, à leurs droits. Avant 1914, la terre avait appartenu à tous les hommes. Chacun allait où il voulait et y demeurait aussi longtemps qu'il lui plaisait. Il n'y avait point de permissions, point d'autorisations, et je m'amuse toujours de l'étonnement des jeunes, quand je leur raconte qu'avant 1914 je voyageais en Inde et en Amérique sans posséder de passeport, sans même en avoir jamais vu un. On montait dans le train, on en descendait sans rien demander, sans qu'on vous demandât rien, on n'avait pas à remplir une seule de ces mille formules et déclarations qui sont aujourd'hui exigées. Il n'y avait pas de permis, pas de visas, pas de mesures tracassières ; ces mêmes frontières qui, avec leurs douaniers, leur police, leurs postes de gendarmerie, sont transformées en un système d'obstacles ne représentaient rien que des lignes symboliques qu'on traversait avec autant d'insouciance que le méridien de Greenwich. C'est seulement après la guerre que le national-socialisme se mit à bouleverser le monde, et le premier phénomène visible par lequel se manifesta cette épidémie morale de notre siècle fut la xénophobie : la haine ou, tout au moins, la crainte de l'autre. Partout on se défendait contre l'étranger, partout on l'écartait. Toutes les humiliations qu'autrefois on n'avait inventées que pour les criminels on les infligeait maintenant à tous les voyageurs, avant et pendant leur voyage. Il fallait se faire photographier de droite et de gauche, de profil et de face, les cheveux coupés assez court pour qu'on pût voir l'oreille, il fallait donner ses empreintes digitales, d'abord celle du pouce seulement, plus tard celles des dix doigts, il fallait en outre présenter des certificats, des certificats de santé, des certificats de vaccination, des certificats de bonnes vie et mœurs, des recommandations, il fallait pouvoir présenter des invitations et les adresses de parents, offrir des garanties morales et financières, remplir des formulaires et les signer en trois ou quatre exemplaires, et s'il manquait une seule pièce de ce tas de paperasses, on était perdu.

Tout cela paraît de petites choses sans importance. Et à première vue il peut sembler mesquin de ma part de les mentionner. Mais avec toutes ces absurdes « petites choses sans importance », notre génération a perdu absurdement et sans retour un temps précieux : quand je fais le compte de tous les formulaires que j'ai remplis ces dernières années, des déclarations à l'occasion de chaque voyage, déclarations d'impôts, de devises, passages de frontières, permis de séjour, autorisation de quitter le pays, annonces d'arrivée et de départ, puis des heures que j'ai passées dans les salles d'attente des consulats et des administrations, des fonctionnaires que j'ai eus en face de moi, aimables ou désagréables, ennuyés ou surmenés, des fouilles et des interrogations qu'on m'a fait subir aux frontières, quand je fais le compte de tout cela, je mesure tout ce qui s'est perdu de dignité humaine dans ce siècle que, dans les rêves de notre jeunesse pleine de foi, nous voyions comme celui de la liberté, comme l'ère prochaine du cosmopolitisme. Quelle part de notre production, de notre travail, de notre pensée nous ont volée ces tracasseries improductives en même temps qu'humiliantes pour l'âme ! Car chacun d'entre nous, au cours de ces années, a étudié plus d'ordonnances administratives que d'ouvrages de l'esprit ; les premiers pas que nous faisions dans une ville étrangère, dans un pays étranger, ne nous menaient plus, comme autrefois, aux musées, aux paysages, mais à un consulat, à un bureau de police, afin de nous procurer un « permis de séjour ». Quand nous nous trouvions réunis, nous qui commentions naguère les poèmes de Baudelaire ou discutions des problèmes d'un esprit passionné, nous nous surprenions à parler d'autorisations et d'affidavits, et nous nous demandions s'il fallait solliciter un visa permanent ou un visa touristique ; durant ces dix dernières années, connaître une petite employée d'un consulat, qui abrégeait l'attente, était plus important que l'amitié d'un Toscanini ou d'un Rolland. Constamment, nous étions censés éprouver, de notre âme d'êtres nés libres, que nous étions des objets, non des sujets, que rien ne nous était acquis de droit, mais que tout dépendait de la bonne grâce des autorités. Constamment, nous étions interrogés, enregistrés, numérotés, examinés, estampillés, et pour moi, incorrigible survivant d'une époque plus libre et citoyen d'une république mondiale rêvée, chacun de ces timbres imprimés sur mon passeport reste aujourd'hui encore comme une flétrissure, chacune de ces questions et de ces fouilles comme une humiliation. Ce sont de petites choses, je le sais, de petites choses à une époque où la valeur de la vie humaine s'avilit encore plus rapidement que celle de toute monnaie. Mais c'est seulement si l'on fixe ces petits symptômes qu'une époque à venir pourra déterminer avec exactitude l'état clinique des conditions et des perturbations qu'a imposées à l'esprit notre monde d'entre les deux guerres.

Peut-être avais-je été trop gâté auparavant. Peut-être aussi les trop brusques changements de ces dernières années ont-ils peu à peu surexcité ma sensibilité. Toute forme d'émigration produit déjà par elle-même, inévitablement, une sorte de déséquilibre. Quand on n'a pas sa propre terre sous ses pieds — cela aussi, il faut l'avoir éprouvé pour le comprendre — on perd quelque chose de sa verticalité, on perd de sa sûreté, on devient plus méfiant à l'égard de soi-même. Et je n'hésite pas à avouer que depuis le jour où j'ai dû vivre avec des papiers ou des passeports véritablement étrangers, il m'a toujours semblé que je ne m'appartenais plus tout à fait. Quelque chose de l'identité naturelle entre ce que j'étais et mon moi primitif et essentiel demeura à jamais détruit. Je suis devenu plus réservé que ma nature ne l'eût comporté, et moi, le cosmopolite de naguère, j'ai sans cesse le sentiment aujourd'hui que je devrais témoigner une reconnaissance particulière pour chaque bouffée d'air qu'en respirant je soustrais à un peuple étranger. Avec ma pensée lucide, je vois naturellement toute l'absurdité de ces lubies, mais notre raison a-t-elle jamais quelque pouvoir contre notre sentiment propre ? Il ne m'a servi à rien d'avoir exercé près d'un demi-siècle mon cœur à battre comme celui d'un « *citoyen du monde* * ». Non, le jour où mon passeport m'a été retiré, j'ai découvert, à cinquante-huit ans, qu'en perdant sa patrie on perd plus qu'un coin de terre délimité par des frontières.

*

_____
* En français dans le texte.

Mais je n'étais pas le seul en proie à ce sentiment d'insécurité. Peu à peu l'inquiétude commençait à se répandre sur toute l'Europe. L'horizon politique demeurait assombri depuis le jour où Hitler avait attaqué l'Autriche, et les mêmes qui, en Angleterre, lui avaient secrètement frayé la voie dans l'espoir d'assurer la paix à leur propre pays, commençaient à se poser des questions. A partir de 1938, à Londres, à Paris, à Rome, à Bruxelles, dans toutes les villes et tous les villages, il n'y eut plus de conversation, si éloigné qu'en pût d'abord être l'objet, qui n'aboutît finalement à la même question inévitable : la guerre pouvait-elle encore être évitée, ou tout au moins différée, et comment ? Si je ramène mes regards à tous ces mois de constante et croissante peur de la guerre en Europe, je ne me souviens en tout que de deux ou trois jours de véritable confiance, de deux ou trois jours où l'on eut encore une fois, et pour la dernière fois, le sentiment que le nuage passerait, qu'on pourrait de nouveau respirer tranquillement et librement, comme autrefois. Par une perverse ironie du sort, il se trouva que ces deux ou trois jours furent justement ceux que l'on considère aujourd'hui comme les plus funestes de l'histoire contemporaine : les jours de la rencontre de Chamberlain et de Hitler à Munich.

Je sais bien qu'aujourd'hui on n'aime pas se voir rappeler ces journées où Chamberlain et Daladier, impuissants, le dos au mur, capitulèrent devant Hitler et Mussolini. Mais comme je veux dans ces pages servir la vérité documentaire, je dois reconnaître que tous ceux qui ont vécu ces trois journées en Angleterre les ont éprouvées comme merveilleuses. En ces derniers jours de septembre 1938, la situation était désespérée. Chamberlain revenait justement du deuxième voyage en avion qu'il avait entrepris afin de rencontrer Hitler, et quelques jours après, on savait ce qui s'était passé. Chamberlain s'était rendu à Godesberg pour accorder sans réserve à Hitler tout ce que celui-ci avait exigé de lui à Berchtesgaden. Mais ce que Hitler avait trouvé suffisant quelques semaines auparavant ne contentait plus son hystérique volonté de puissance. La politique de l'*apeasement* et du *try and try again* * avait lamentablement échoué, l'époque de la confiance avait pris fin du jour au lendemain en Angleterre. La France, l'Angleterre, la Tchécoslovaquie, l'Europe n'avaient plus d'autre choix que de s'humilier devant la péremptoire volonté de puissance de Hitler ou de se mettre en travers de son chemin les armes à la main. L'Angleterre semblait résolue à toute extrémité. On ne taisait plus les préparatifs militaires, on les montrait au contraire ostensiblement. Soudain parurent des ouvriers qui aménagèrent des abris au milieu des jardins de Londres, à Hyde Park, à Regent's Park et principalement en face de l'ambassade allemande, en vue de bombardements imminents. La flotte fut mobilisée, les officiers du grand état-major faisaient d'incessants aller-retour en avion entre Paris et Londres afin d'arrêter en commun les dernières dispositions, les bateaux à destination de l'Amérique étaient pris d'assaut par les étrangers, qui voulaient se mettre assez tôt en lieu sûr ; depuis 1914, jamais l'Angleterre n'avait connu semblable réveil. Les gens marchaient plus sérieux et plus pensifs. On regardait les maisons et les rues encombrées avec cette secrète pensée : les bombes ne vont-elles pas s'abattre ici dès demain ? Et à l'heure des nouvelles, les gens, derrière les portes, se rassemblaient autour de la radio. Une tension formidable, invisible et pourtant sensible en chaque homme, à chaque seconde, pesait sur tout le pays.

Puis vint cette séance historique du Parlement où

---

* Essayer, essayer encore.

Chamberlain rapporta qu'il avait encore tenté d'aboutir à une entente avec Hitler, qu'il lui avait encore, pour la troisième fois, fait la proposition de le rencontrer n'importe où en Allemagne pour sauver la paix gravement menacée. La réponse à cette proposition ne lui était pas encore parvenue. Puis arriva au milieu de la séance — qui prenait vraiment un tour par trop dramatique — la dépêche annonçant que Hitler et Mussolini donnaient leur consentement à une conférence à Munich, et à cette seconde — fait à peu près unique dans l'histoire d'Angleterre — le Parlement anglais perdit la maîtrise de ses nerfs. Les députés bondirent de leurs sièges, crièrent et applaudirent, les galeries retentirent de jubilation. Il y avait des années et des années que cette maison vénérable n'avait pas tremblé sous une telle explosion de joie. Humainement, c'était un merveilleux spectacle que de voir le sincère enthousiasme provoqué par la nouvelle que la paix pouvait encore être sauvée surmonter la tenue et la retenue que les Anglais observent d'ordinaire avec tant de virtuosité. Mais politiquement, cette explosion constituait une faute énorme, car par cet immense cri de joie, le Parlement, le pays tout entier avaient trahi toute leur horreur de la guerre, leur volonté de tout sacrifier, même leurs intérêts, même leur prestige, pour l'amour de la paix. D'emblée, Chamberlain apparaissait comme un homme qui se rendait à Munich non pas pour imposer la paix, mais pour la quémander. Personne, pourtant, ne soupçonnait alors quelle capitulation s'annonçait. Tout le monde pensait — et moi aussi, je ne le nie pas — que Chamberlain allait à Munich pour discuter et non pas pour capituler. Suivirent encore deux, trois jours de brûlante attente, trois jours durant lesquels le monde entier retint en quelque sorte son souffle. Dans les parcs, on creusait ; dans les usines de guerre, on travaillait, on mettait en position des canons antiaériens, on distribuait des masques à gaz, on prévoyait l'évacuation des enfants de Londres et l'on faisait des préparatifs mystérieux que les particuliers ne comprenaient pas, mais dont chacun, pourtant, savait à quoi ils visaient. De nouveau le matin, le milieu du jour, le soir, la nuit se passèrent à attendre le journal, à écouter la radio. De nouveau se retrouvèrent ces moments de juillet 1914 avec la terrible, l'épuisante attente du oui ou du non.

Et puis, soudain, comme par un formidable coup de vent, les lourds nuages se dissipèrent, les cœurs se déchargèrent de leur fardeau, les âmes furent délivrées. La nouvelle était arrivée que Hitler et Chamberlain, Daladier et Mussolini avaient abouti à un complet accord — et, plus encore, que Chamberlain avait réussi à conclure avec l'Allemagne une convention qui garantissait à l'avenir le règlement pacifique de tous les conflits possibles entre ces pays. Cela paraissait une victoire décisive de la tenace volonté de paix d'un homme d'État en soi assez sec et insignifiant, et tous les cœurs furent pleins de reconnaissance pour lui en cette première heure. On apprit d'abord par la radio la nouvelle de cette « *peace for our time* * » qui annonçait à notre génération éprouvée qu'il lui serait permis encore une fois de vivre en paix, encore une fois d'être sans soucis, encore une fois de travailler à l'édification d'un monde nouveau et meilleur, et tous ceux-là mentent, qui essaient après coup de nier à quel point nous étions enivrés par ce mot magique. Car qui pouvait croire que celui qui s'apprêtait à se faire porter en triomphe revenait en vaincu ? Si la grande masse des Londoniens avait connu l'heure de son arrivée, le matin où Chamberlain rentra de Munich, des centaines de milliers de personnes auraient afflué au terrain d'aviation de Croydon pour saluer et accueillir par des cris de joie l'homme dont nous croyions tous, à

---

* Paix pour notre temps.

cette heure, qu'il avait sauvé la paix de l'Europe et l'honneur de l'Angleterre. A cela s'ajoutèrent les journaux. Une photographie y montrait Chamberlain, dont le visage dur offrait d'ordinaire une fatale ressemblance avec une tête d'oiseau irrité, en train d'agiter fièrement et tout souriant, à la portière de l'avion, ce document historique qui annonçait *peace for our time* et qu'il rapportait à son peuple comme le don le plus précieux. Le soir, on voyait déjà la scène à l'écran ; les spectateurs bondissaient de leurs sièges, criaient et applaudissaient — pour un peu, ils se seraient embrassés dans le sentiment de la nouvelle fraternité qui était maintenant censée commencer pour le monde. Pour tous ceux qui étaient alors à Londres, en Angleterre, ce fut là une journée incomparable, qui allégea toutes les âmes.

J'aime à me promener dans les rues durant de telles journées historiques afin de me pénétrer plus fortement et plus sensuellement de l'atmosphère, de respirer au sens le plus exact du terme l'air du temps. Dans les jardins, les ouvriers avaient interrompu le creusement des abris, les badauds les entouraient, riant et bavardant, car enfin cette *peace for our time* avait rendu inutiles ces abris antiaériens ; j'entendis deux jeunes gens plaisanter dans leur meilleur cockney : ils espéraient qu'on allait faire de ces abris des toilettes souterraines, il n'y en avait pas assez à Londres. Tout le monde riait de bon cœur, tous semblaient rafraîchis, vivifiés, comme les plantes après un orage. Ils marchaient plus droits que la veille et les épaules plus légères, et dans leurs yeux anglais d'ordinaire si froids brillait un éclair de gaieté. Les maisons semblaient plus lumineuses depuis qu'on savait qu'elles n'étaient plus menacées par les bombes, les autobus plus coquets, le soleil plus clair, la vie de milliers et de milliers de personnes exaltée et fortifiée par cette parole enivrante. Et je sentais qu'elle me donnait des ailes à moi aussi. Je marchais infatigablement d'un pas de plus en plus rapide et léger, et le flot de la nouvelle confiance m'emportait, moi aussi, plus puissamment et plus joyeusement. A l'angle de Piccadilly, quelqu'un, soudain, vint précipitamment à moi. C'était un fonctionnaire du gouvernement anglais, que je connaissais peu, un homme qui n'était nullement expansif, mais au contraire plein de retenue. En temps ordinaire, nous nous serions bornés à nous saluer poliment, et jamais il ne lui serait venu à l'esprit de m'adresser la parole. Mais ce jour-là, il s'approcha de moi les yeux luisants : « Que pensez-vous de Chamberlain ? me dit-il, rayonnant de joie. Personne ne le croyait, et pourtant il a fait ce qu'il fallait. Il n'a pas cédé, et ainsi il a sauvé la paix. »

Tous partageaient ce sentiment, et moi aussi ce jour-là. Et le lendemain fut encore un jour de bonheur. Les journaux étaient unanimes à se féliciter de l'événement ; à la Bourse, les cours bondirent brusquement ; d'Allemagne nous arrivaient de nouveau des voix aimables, pour la première fois depuis des années ; en France, on proposait d'élever un monument à Chamberlain. Mais, hélas ! ce n'était là que le dernier éclat que jetait la flamme avant de s'éteindre définitivement. Dès les jours suivants commencèrent à suinter les détails fâcheux : on apprit combien la capitulation avait été sans réserves, de quelle honteuse manière on avait sacrifié la Tchécoslovaquie, à laquelle on avait promis solennellement aide et protection, et dès la semaine suivante il était manifeste que même cette capitulation n'avait pas suffi à Hitler, qu'avant même que sa signature fût sèche sur le traité il en avait déjà violé toutes les dispositions particulières. Sans se gêner, Goebbels criait à présent sur tous les toits qu'à Munich on avait mis l'Angleterre le dos au mur. Une grande lumière d'espérance était éteinte. Mais elle a lui un jour ou deux et nous a réchauffé le cœur. Je ne puis ni ne veux oublier ces journées.

*

Depuis le moment où nous reconnûmes ce qui s'était réellement passé à Munich, je ne vis plus, paradoxalement, que peu d'Anglais en Angleterre. C'était ma faute, car je les évitais ou plutôt j'évitais d'entrer en conversation avec eux, bien que je fusse forcé de les admirer plus que jamais. Ils se montraient généreux envers les fugitifs qui affluaient maintenant en foule, ils leur témoignaient la plus noble commisération et une sympathie secourable. Mais entre eux et nous se dressa une sorte de mur : d'un côté nous, à qui cela était déjà arrivé, de l'autre eux, à qui cela n'était pas encore arrivé. Nous comprenions ce qui s'était passé et ce qui allait se passer ; eux, en revanche — et pour une part contre leur plus intime conviction —, se refusaient à le comprendre. Ils s'efforçaient, malgré tout, de persévérer dans l'illusion qu'une parole donnée était une parole donnée, qu'un accord était un accord, et qu'on pouvait négocier avec Hitler, pour peu qu'on voulût parler raisonnablement, parler humainement avec lui. Dévoués au droit depuis des siècles en vertu de leurs traditions démocratiques, les cercles dirigeants d'Angleterre ne pouvaient ou ne voulaient pas admettre qu'à côté d'eux s'élaborait une technique nouvelle de l'amoralité cynique et concertée, et que la nouvelle Allemagne renversait, dès qu'elles lui paraissaient gênantes, toutes les règles du jeu qui avaient toujours été admises dans les relations internationales et dans le cadre du droit. Il semblait invraisemblable aux Anglais à l'esprit clair et large, qui, depuis longtemps, avaient renoncé à toutes les aventures, que cet homme qui avait tant obtenu, et si rapidement, si facilement, pût se risquer aux résolutions extrêmes ; ils croyaient et espéraient toujours qu'il se tournerait d'abord contre d'autres — de préférence contre la Russie ! — et que dans l'intervalle on pourrait aboutir à quelque entente avec lui. Nous, au contraire, savions qu'il fallait s'attendre au pire comme allant de soi. Chacun de nous avait derrière la pupille l'image d'un ami assassiné, d'un camarade torturé, et c'est pourquoi notre regard était plus dur, plus perçant, plus inexorable. Nous qui avions été proscrits, traqués, privés de nos droits, nous savions qu'aucun prétexte n'était trop absurde, trop mensonger, quand il s'agissait de rapine et de puissance. Nous, les émigrants, qui avions été éprouvés, et eux, les Anglais, encore épargnés, nous parlions donc des langages différents ; je ne crois pas exagérer en disant qu'à part un nombre infime d'Anglais nous étions alors les seuls en Angleterre à ne pas nous faire d'illusions sur toute la gravité du danger. Comme naguère en Autriche, j'étais destiné, en Angleterre également, à prévoir plus distinctement l'inévitable, avec un cœur douloureux et une torturante clairvoyance, à ceci près qu'en ma qualité d'étranger, d'hôte toléré, il ne m'était pas permis de lancer mon avertissement.

Ainsi nous, que le destin avait déjà marqués de flétrissure, nous en étions réduits à nous-mêmes, quand l'amer avant-goût de ce qui allait venir nous brûlait les lèvres, et comme nous nous sommes tourmenté l'âme de soucis pour le pays qui nous avait fraternellement accueillis ! Mais que, dans les temps les plus sombres, la conversation d'un homme de grande intelligence et de très haute moralité peut être d'une consolation et d'un réconfort immenses, c'est ce que m'ont prouvé de façon inoubliable les heures amicales qu'il m'a été donné de passer avec Sigmund Freud, dans les derniers mois qui ont précédé la catastrophe. Pendant des mois, la pensée que le vieil homme malade, âgé de quatre-vingt-trois ans, était resté dans la Vienne de Hitler avait pesé sur moi, quand enfin la merveilleuse princesse Marie Bonaparte, sa plus fidèle élève, réussit à sauver en l'amenant à

Londres cet homme si considérable, qui vivait dans Vienne asservie. Ce fut un grand jour de bonheur pour moi, quand je lus dans le journal qu'il avait débarqué dans l'Ile et que je vis revenir de l'Hadès le plus vénéré de mes amis, que je croyais déjà perdu.

*

C'est à Vienne, à l'époque où il était encore qualifié de penseur capricieux, obstiné et difficile, et détesté comme tel, que j'avais connu Sigmund Freud, ce grand et sévère esprit, qui plus qu'aucun autre en ce temps a approfondi et élargi la connaissance de l'âme humaine. Fanatique de la vérité, mais en même temps parfaitement conscient des limites de toute vérité — il m'avait dit un jour : « Il n'y a pas plus de vérité à cent pour cent que d'alcool à cent degrés » —, il était devenu étranger à l'université et à ses prudences académiques par l'inébranlable obstination avec laquelle il s'était aventuré dans ces zones, inexplorées et craintivement évitées, du monde trop terrestre et souterrain des pulsions, donc justement dans cette sphère que ce temps-là avait solennellement déclarée « taboue ». Sans en avoir conscience, ce monde optimiste et libéral sentait que cet esprit qui se refusait à tout compromis sapait inexorablement, avec sa psychologie des profondeurs, leur thèse de la lente répression des instincts par la « raison » et le « progrès », que par son impitoyable technique du dévoilement, il était un danger pour leur méthode consistant à ignorer tout ce qui était désagréable. Mais ce n'était pas seulement l'université, ce n'était pas seulement la caste des neurologues démodés qui s'unissaient contre ce « franc-tireur » incommode —, c'était le monde entier, le vieux monde tout entier, la vieille manière de penser, la « convention » morale, c'était toute l'époque qui redoutait en lui le dévoileur. Lentement se forma contre lui un boycott médical, il perdit sa clientèle, et comme scientifiquement ses thèses et, même dans ses aspects les plus audacieux, sa façon de poser les problèmes étaient irréfutables, on chercha à se débarrasser de sa théorie des rêves à la manière viennoise, c'est-à-dire en la traitant par l'ironie ou en la banalisant jusqu'à en faire un amusant jeu de société. Seul un petit cercle de fidèles se rassembla autour du solitaire, pour des soirées de discussions hebdomadaires, au cours desquelles la science nouvelle de la psychanalyse prit forme pour la première fois. Longtemps déjà avant que je fusse moi-même conscient de toute l'extension que prendrait cette révolution philosophique qui s'élaborait lentement à partir des premiers travaux fondamentaux de Freud, l'attitude forte, moralement inébranlable de cet homme extraordinaire m'avait déjà gagné à lui. Je voyais enfin en lui un homme de science tel qu'un jeune être aurait pu se le donner en exemple dans ses rêves, prudent dans toutes ses affirmations tant qu'il n'avait pas la preuve ultime et une certitude absolue, mais inébranlable face à la résistance du monde entier dès qu'une hypothèse s'était transformée pour lui en évidence valable, un homme modeste comme aucun autre quant à sa personne, mais résolu à combattre pour chacun des articles de sa doctrine et fidèle jusqu'à la mort à la vérité immanente qu'il défendait dans ce qu'il avait découvert. On ne pouvait pas imaginer un être plus intrépide d'esprit. Freud osait à chaque instant exprimer ce qu'il pensait, même quand il savait qu'il inquiétait et troublait par ses déclarations claires et inexorables ; jamais il ne cherchait à rendre sa position moins difficile par la moindre concession, même de pure forme. Je suis persuadé que Freud aurait pu exposer, sans rencontrer de résistance du côté de l'université, les quatre cinquièmes de ses théories, s'il avait été prêt à les draper prudemment, à dire « érotique » au lieu de « sexualité », « Eros » au lieu de « libido », et à ne pas toujours établir inexorablement les dernières conséquences, au lieu de se borner à les suggérer. Mais dès qu'il s'agissait de son enseignement et de la vérité, il restait intransigeant ; plus ferme était la résistance, plus il s'affermissait dans sa résolution. Quand je cherche un symbole du courage moral — le seul héroïsme au monde qui ne réclame pas de victimes —, je vois toujours devant moi le beau visage de Freud, à la clarté virile, avec ses yeux sombres au regard droit et tranquille.

L'homme qui, fuyant sa patrie dont il avait rehaussé la gloire sur la terre entière et pour tous les temps, s'était réfugié à Londres, était, à ne considérer que son âge, depuis longtemps un vieillard, en outre gravement malade. Mais il n'était nullement fatigué ni accablé. Secrètement, je craignais un peu de le retrouver aigri ou troublé après toutes les heures torturantes qu'il avait dû connaître à Vienne et je le vis plus libre et même plus heureux que jamais. Il me mena dans le jardin de sa maison des faubourgs : « Ai-je jamais été mieux logé ? » demanda-t-il avec un gai sourire de ses lèvres autrefois si sévères. Il me montra ses chères statuettes égyptiennes, que Marie Bonaparte avait sauvées pour lui. « Ne suis-je pas de nouveau à la maison ? » Sur son bureau s'étalaient les grandes pages in-folio de son manuscrit et il écrivait quotidiennement, à quatre-vingt-trois ans, de sa même écriture nette et arrondie, aussi clair d'esprit que dans ses meilleurs jours et aussi infatigable ; sa forte volonté avait tout surmonté, la maladie, l'âge, l'exil, et pour la première fois, la bonté de son être, refoulée durant les longues années de lutte, émanait librement de lui. L'âge ne l'avait rendu que plus indulgent, l'épreuve subie que plus tolérant. A présent, il trouvait parfois des gestes de tendresse, que je n'avais jamais observés auparavant chez cet homme si réservé, il passait son bras autour de vos épaules, et derrière les verres brillants de ses lunettes, ses yeux vous regardaient avec plus de chaleur. Au cours des ans, une conversation avec Freud m'avait toujours procuré la plus haute jouissance intellectuelle. On s'instruisait et on admirait en même temps, on se sentait compris dans chaque mot par cet homme prodigieusement libre de préjugés, qu'aucune confession n'effrayait, qu'aucune affirmation n'irritait, et pour qui la volonté d'éduquer autrui à la clarté de la pensée et des sentiments était devenue depuis longtemps une volonté instinctive guidant son existence. Mais jamais je n'ai éprouvé avec plus de reconnaissance ce que ces longues conversations avaient d'irremplaçable que dans cette sombre année, la dernière de sa vie. Dès l'instant où l'on pénétrait dans sa chambre, la folie du monde extérieur était comme abolie. Les choses les plus cruelles devenaient abstraites, les plus embrouillées se faisaient limpides, les plus liées à l'actualité s'ordonnaient humblement dans les grandes phases cycliques. Pour la première fois je découvrais un vrai sage, qui s'est élevé au-dessus de sa situation propre, par qui même la souffrance et la mort ne sont plus perçues comme une expérience personnelle, mais comme des objets de considération dépassant sa personne ; sa mort ne fut pas moins que sa vie un exploit moral. Freud était déjà gravement atteint par le mal qui devait bientôt l'emporter. Avec son palais artificiel, il avait visiblement de la peine à parler, et l'on était en fait honteux de chaque mot qu'il vous accordait, en raison des efforts que l'articulation demandait de lui. Mais il ne lâchait pas ses interlocuteurs, son âme d'acier mettait une ambition particulière à prouver à ses amis que sa volonté était demeurée plus forte que les tourments mesquins que lui infligeait son corps. La bouche crispée de douleur, il écrivit à sa table de travail jusqu'à ses derniers jours, et même quand, la nuit, la souffrance martyrisait son sommeil — son sommeil merveilleusement profond et sain, qui était la source de sa force, à quatre-vingts ans —, il refusait de prendre des somnifères et toute injection de stupéfiants. Il ne consentait pas à laisser étourdir par de tels calmants, fût-ce pour une seule heure, la lucidité de son esprit ; plutôt souffrir et demeurer éveillé, plutôt penser dans les tourments que ne pas penser, en héros de l'esprit jusqu'au dernier, jusqu'au tout dernier instant. C'était un terrible combat, et toujours plus sublime à mesure qu'il durait. Chaque fois que je le revoyais, la mort avait plus distinctement jeté son ombre sur son visage. Elle lui creusait les joues, elle lui ciselait les tempes, elle lui tordait la bouche, elle empêchait ses lèvres d'articuler ; contre ses yeux seuls, cet imprenable beffroi d'où son esprit héroïque contemplait le monde, le sombre bourreau ne pouvait rien ; l'œil et l'esprit restèrent clairs jusqu'au dernier instant. Un jour, lors d'une de mes dernières visites, j'amenai avec moi Salvador Dali, selon moi le peintre le plus doué de la jeune génération, qui vouait à Freud une vénération extraordinaire, et pendant que je parlais avec Freud il fit une esquisse. Je n'ai jamais eu le courage de la montrer à Freud, car Dali, avec sa clairvoyance, avait déjà figuré la mort à l'œuvre.

Cette lutte que menait contre la destruction la plus forte volonté, l'esprit le plus pénétrant de notre époque, devint de plus en plus cruelle. Quand il reconnut lui-même clairement, lui pour qui la clarté avait toujours été la plus haute vertu de la pensée, qu'il ne pourrait continuer à écrire et à agir, il donna au médecin l'autorisation de mettre fin à ses souffrances comme un héros romain. Ce fut la sublime conclusion d'une vie sublime, une mort mémorable au milieu de l'hécatombe de cette époque meurtrière. Et quand nous, ses amis, fîmes descendre son cercueil, nous savions que nous abandonnions à la terre anglaise ce que notre patrie avait de meilleur.

*

Au cours de ces heures passées en sa société, j'avais souvent parlé avec Freud de l'horreur du monde hitlérien et de la guerre. En homme vraiment humain, il était profondément bouleversé, mais le penseur ne s'étonnait nullement de cette effrayante éruption de la bestialité. On l'avait toujours traité de pessimiste, disait-il, parce qu'il avait nié le pouvoir de la culture sur les instincts ; maintenant — il n'en était, certes, pas plus fier — on voyait confirmée de la façon la plus terrible son opinion que la barbarie, l'instinct élémentaire de destruction ne pouvaient pas être extirpés de l'âme humaine. Peut-être, dans les siècles à venir, trouverait-on un moyen de réprimer ces instincts au moins dans la vie en communauté des nations ; dans la vie de tous les jours, en revanche, et dans la nature la plus intime, ils subsistaient comme des forces indéracinables, et peut-être nécessaires pour maintenir une certaine tension. Plus encore le préoccupaient dans ses derniers jours le problème du judaïsme et sa tragédie actuelle ; en cette matière, l'homme de science qui était en lui ne trouvait pas de formule, ni son esprit lucide de réponse. Il avait publié peu auparavant son étude sur Moïse, dans laquelle il présentait Moïse comme un non-Juif, comme un Égyptien, et par cette indication, qui ne peut guère être fondée scientifiquement, il avait blessé les Juifs pieux tout autant que ceux qui partagent un sentiment national juif. Il regrettait maintenant d'avoir publié ce livre justement aux heures les plus affreuses pour les Juifs : « Maintenant qu'on leur prend tout, je leur prends encore le meilleur de leurs hommes. » Je dus lui accorder que chaque Juif était maintenant devenu sept fois plus susceptible, car même au milieu de cette tragédie mondiale ils étaient les véritables victimes, les victimes partout, parce qu'ils étaient déjà troublés avant le coup qu'on leur portait, sachant partout que tous les malheurs les frappaient les premiers et par sept fois, et que l'homme le plus enragé de haine de tous les temps voulait justement les abaisser, eux, et les chasser jusqu'aux extrémités de la terre, et jusque sous la terre. Semaine après semaine, mois après mois, les réfugiés affluaient en plus grand nombre, et toujours plus pauvres et plus effarés que ceux qui les avaient précédés. Les premiers qui avaient quitté l'Allemagne et l'Autriche avaient encore pu sauver leurs vêtements, leurs malles, leurs meubles et beaucoup, même, un peu d'argent. Mais plus un homme avait tardé à se méfier de l'Allemagne, plus il avait eu de peine à s'arracher à sa chère patrie, plus durement il avait été châtié. Tout d'abord, on avait privé les Juifs de leur profession, puis on leur avait interdit l'accès des théâtres, des cinémas, des musées, et aux chercheurs l'usage des bibliothèques ; ils étaient restés, par fidélité ou par paresse, par lâcheté ou par fierté. Ils préféraient être abaissés dans leur patrie plutôt que de s'abaisser au rang de mendiants à l'étranger. Puis on leur avait enlevé leurs domestiques, les radios et les téléphones de leurs appartements, puis les appartements eux-mêmes, puis on les avait forcés de coudre sur leurs vêtements l'étoile de David. Chacun devait les reconnaître dans la rue, les éviter et les bafouer comme des réprouvés, des proscrits, pareils aux lépreux de jadis. Tout droit leur était retiré, toutes les violences morales et physiques s'exerçaient contre eux par manière de jeu, et pour tout Juif le vieux proverbe du peuple russe était soudain devenu la cruelle vérité : « Personne n'est sûr d'éviter la besace du mendiant et la prison. » Quiconque ne partait pas, on le jetait dans un camp de concentration, où la discipline allemande matait même le plus fier, puis on le chassait du pays, dépouillé de tout, avec un seul costume et dix marks en poche, sans lui demander où il irait. Et alors ils

étaient aux frontières, alors ils se présentaient en qué-
mandeurs dans les consulats, et presque toujours en vain,
car quel pays voulait de ces gens dépouillés de tout, de
ces mendiants ? Je n'oublierai jamais la vision qui s'offrit
à moi un jour que j'entrai à Londres dans une agence de
voyages ; elle était bondée de réfugiés, presque tous juifs,
et tous voulaient aller quelque part. Peu importait dans
quel pays, fût-ce dans les glaces du pôle Nord ou dans la
brûlante cuvette de sable du Sahara ; partir seulement,
aller plus loin, car le permis de séjour était périmé, il
fallait partir plus loin, partir avec femme et enfants, sous
des constellations inconnues, dans un monde dont on
ignorait la langue, parmi des gens dont on ne savait rien
et qui ne voulaient pas de vous. Je rencontrai là un
industriel de Vienne qui avait été très riche et en même
temps un de nos plus intelligents collectionneurs d'œuvres d'art ; d'abord, je ne le reconnus pas tant il était gris
et vieux et fatigué. Faible comme il était, il se crampon-
nait des deux mains à la table. Je lui demandai où il
comptait aller. « Je n'en sais rien, dit-il. Qui s'informe
aujourd'hui de notre désir ? Nous allons où l'on nous
accepte encore. Quelqu'un m'a dit qu'on pourrait peut-
être obtenir ici un visa pour Haïti ou Saint-Domingue. »
Mon cœur cessa de battre : un vieillard épuisé, avec des
enfants et des petits-enfants, qui tremble de l'espoir de
pouvoir se rendre dans un pays qu'il n'a jamais bien
observé sur la carte, afin de pouvoir continuer à y
mendier, étranger et inutile ! A côté de lui, un autre
demandait avec une avidité désespérée comment on
pouvait parvenir à Shanghai, il avait entendu dire qu'on
était encore accueilli chez les Chinois. Et ainsi ils se
pressaient l'un à côté de l'autre, anciens professeurs
d'université, directeurs de banque, commerçants, propriétaires fonciers, musiciens, chacun d'entre eux prêt à
traîner n'importe où, par-dessus les terres et les mers, les
ruines lamentables de son existence, à tout faire, à tout

souffrir, pourvu qu'il quittât l'Europe. Partir, partir !
C'était une troupe de spectres. Mais le plus bouleversant
pour moi, c'était la pensée que ces cinquante êtres
tourmentés ne représentaient pourtant qu'une minuscule
avant-garde isolée de l'immense armée des cinq, des huit,
peut-être des dix millions de Juifs qui étaient déjà sur le
départ et se pressaient derrière eux, de tous ces millions
d'hommes dépouillés, puis broyés par la guerre, qui
attendaient les envois des institutions de bienfaisance, les
permissions des autorités et le viatique — masse gigantesque, mortellement terrorisée et fuyant en panique devant
l'incendie de forêt allumé par Hitler, masse qui assiégeait
les gares à toutes les frontières d'Europe et remplissait les
prisons, tout un peuple expulsé, auquel on refusait le
droit d'être un peuple, et pourtant un peuple qui depuis
deux mille ans n'aspirait à rien tant qu'au bonheur de
n'avoir plus à errer et de sentir sous ses pieds enfin au
repos la terre, la bonne terre pacifique.

Mais le plus tragique dans cette tragédie juive du
XXᵉ siècle, c'est que ceux qui l'enduraient n'en pouvaient
plus découvrir le sens, ni aucune faute de leur part. Tous
les proscrits du Moyen Age, leurs ancêtres, savaient du
moins pourquoi ils souffraient : pour leur foi, pour leur
loi. Ils possédaient encore comme talisman de l'âme ce
que ceux d'aujourd'hui avaient perdu depuis longtemps,
l'inébranlable foi en leur Dieu ; ils vivaient et souffraient
dans la généreuse folie d'avoir un destin et une mission
particulière en tant que peuple élu du créateur du monde
et des hommes, et la promesse de la Bible leur était un
commandement et une loi. Quand on les jetait sur le
bûcher, ils pressaient les Saintes Écritures sur leur
poitrine et cette chaleur intérieure leur rendait moins
ardentes les flammes meurtrières. Quand on les chassait
de pays en pays, il leur restait encore une dernière patrie,
leur patrie en Dieu, d'où ne pouvait les bannir aucune
puissance terrestre, aucun empereur, aucun roi, aucune

Inquisition. Tant que la religion les unissait, ils étaient encore une communauté, et par là même une force; quand on les bannissait, quand on les chassait, ils expiaient la faute de s'être volontairement et par eux-mêmes séparés des autres peuples de la terre par leur religion, par leurs usages. Mais il y avait longtemps que les Juifs du XXe siècle ne constituaient plus une communauté. Ils n'avaient pas de foi commune. Ils éprouvaient leur qualité de Juifs plutôt comme un fardeau que comme un honneur, et ils n'avaient conscience d'aucune mission à remplir. Ils vivaient à l'écart des commandements de leurs livres saints, ou qui l'avaient été, et ils ne voulaient plus de leur vieille langue commune. Leur aspiration de plus en plus impatiente était de s'adapter, de s'incorporer aux peuples qui les entouraient, de se dissoudre dans l'ensemble, afin d'avoir simplement la paix et d'échapper à toutes les persécutions, de connaître le repos dans leur fuite éternelle. Ainsi, ils ne se comprenaient plus les uns les autres, fondus comme ils l'étaient dans les autres peuples, depuis longtemps Français, Allemands, Anglais, Russes bien plus que Juifs. C'est seulement maintenant qu'on les jetait tous ensemble et qu'on les balayait en un tas comme la poussière des rues, les directeurs de banque tirés de leurs palais berlinois et les domestiques de synagogues des communautés orthodoxes, les professeurs de philosophie parisiens et les cochers de fiacre roumains, les chanteuses de concert et les pleureuses des enterrements, les écrivains et les distillateurs, les laveurs de cadavres et les prix Nobel, les possédants et les miséreux, les grands et les petits, les pieux et les libres penseurs, les usuriers et les sages, les sionistes et les assimilés, les ashkénazes et les séfarades, les justes et les injustes et, derrière eux encore, la foule désorientée de ceux qui croyaient avoir échappé depuis longtemps à la malédiction, les baptisés et ceux d'origines mêlées — c'est seulement maintenant que, pour la première fois depuis des siècles, on imposait de nouveau par la force aux Juifs une communauté dont ils avaient perdu la conscience depuis des siècles, celle qui depuis l'Égypte revenait sans cesse, la communauté de l'expulsion. Mais pourquoi ce sort les poursuivait-il toujours, et toujours eux seuls ? Quel était le motif, quel était le sens, quelle était la finalité de cette absurde persécution ? On les chassait de tous les pays et on ne leur donnait point de pays. On leur disait : « N'habitez plus avec nous », mais on ne leur disait pas où ils devaient habiter. On leur imputait la faute et on leur refusait tout moyen de l'expier. Et dans leur fuite, ils se dévisageaient donc avec des yeux brûlants : Pourquoi moi ? Pourquoi toi ? Pourquoi moi avec toi, que je ne connais pas, dont je ne comprends pas la langue, dont je ne saisis pas la manière de penser, à qui rien ne me rattache ? Pourquoi nous tous ? Et aucun ne trouvait de réponse. Même Freud, l'intelligence la plus claire de ce temps, avec lequel je parlais souvent ces jours-là, ne trouvait pas d'explication, ne trouvait pas de sens à ce non-sens. Mais peut-être est-ce justement le sens ultime du judaïsme, que de répéter sans cesse, par son existence énigmatiquement perpétuée, l'éternelle question de Job à Dieu, afin qu'elle ne soit pas complètement oubliée sur la terre.

*

Rien ne donne une impression plus spectrale que de voir soudain revenir vers soi, dans sa même forme et sa même apparence, ce qu'on croyait depuis longtemps mort et enterré. Nous étions en été 1939. Munich était depuis longtemps passé, avec son délire au souffle court de *peace for our time* ; déjà Hitler, au mépris de tout serment, de toute promesse, avait attaqué la Tchécoslovaquie mutilée et l'avait annexée, déjà Memel était occupé, déjà une presse allemande poussée artificiellement à la frénésie exigeait Dantzig ainsi que le corridor polonais. Un réveil amer avait succédé en Angleterre à la loyale confiance. Même les gens simples, qui n'avaient pas étudié, qui seulement détestaient la guerre d'instinct, se mirent à manifester très vivement leur mauvaise humeur. Chacun de ces Anglais ordinairement si réservés nous adressait la parole, le portier qui gardait notre vaste *flathouse*, le liftier dans l'ascenseur, la femme de chambre en faisant l'appartement. Aucun d'entre eux ne comprenait très bien ce qui se passait, mais chacun se souvenait de ceci, qui était indéniablement vrai : Chamberlain avait volé trois fois vers l'Allemagne, afin de sauver la paix, et les plus cordiales prévenances n'avaient pu satisfaire Hitler. Au Parlement anglais, on entendait soudain des voix dures : « *Stop agression !* », partout on sentait les préparatifs en vue de la guerre qui venait (ou plutôt en vue de l'éviter). De nouveau les ballons clairs de la défense antiaérienne se mirent à flotter au-dessus de Londres — ils avaient encore des airs innocents d'éléphants de baudruche gris, jouets pour les enfants —, de nouveau on aménageait des abris souterrains, et l'on vérifiait soigneusement les masques à gaz qui avaient été distribués. La situation était exactement aussi tendue qu'une année auparavant, et peut-être davantage encore, parce que cette fois ce n'était pas une population naïve et sans méfiance, mais un peuple déjà résolu et exaspéré qui se tenait derrière le gouvernement.

Au cours de ces mois, j'avais quitté Londres et m'étais retiré à la campagne à Bath. Jamais dans ma vie je n'avais éprouvé plus cruellement l'impuissance de l'homme face aux événements mondiaux. On était là, être lucide, pensant, éloigné de toute activité politique, dévoué à son travail, et l'on mettait son effort opiniâtre à transformer, dans le silence, ses années en œuvres. Et il y avait quelque part, dans l'invisible, une douzaine d'autres hommes qu'on ne connaissait pas, qu'on n'avait jamais vus, quelques personnalités de la Wilhelmstrasse à Berlin, du Quai d'Orsay à Paris, du Palazzo Venezia à Rome et de Downing Street à Londres, et ces dix ou vingt personnes, dont bien peu avaient jusqu'alors attesté une sagesse ou une habileté particulières, parlaient et écrivaient et téléphonaient et pactisaient sur des choses qu'on ne connaissait pas. Ces gens-là prenaient des résolutions auxquelles on n'avait point de part et dont on n'apprenait pas le détail et décidaient ainsi sans appel de ma propre vie et de celle de tous les autres en Europe. C'était maintenant entre leurs mains et non dans les miennes que reposait mon sort. Ils nous anéantissaient ou nous épargnaient, nous, impuissants, ils nous laissaient notre liberté ou nous réduisaient en esclavage, ils décidaient de la paix ou de la guerre pour des millions d'hommes. Et j'étais là, comme tous les autres, assis dans ma chambre, sans plus de défense qu'une mouche, sans plus de pouvoir qu'un escargot, tandis qu'il y allait de la vie et de la mort, de mon moi le plus intime et de mon avenir, des pensées qui naissaient dans mon cerveau, des projets déjà nés ou non, de ma veille et de mon sommeil, de ma volonté, de mon avoir, de tout mon être. On était assis là à attendre et à regarder dans le vide comme un condamné dans sa cellule, emmuré, enchaîné dans cette attente absurde et sans force, et les compagnons de captivité, à droite et à gauche, posaient des questions, donnaient des conseils et bavardaient, comme si quelqu'un d'entre nous savait ou pouvait savoir de quelle manière on disposerait de nous. Le téléphone sonnait, et un ami me demandait ce que je pensais. Il y avait le journal, et il nous embrouillait encore davantage. La radio, et chaque langue contredisait l'autre. Puis on sortait dans la rue, et le premier passant que je rencontrais me demandait, à moi qui n'en savais pas plus long que lui, mon opinion, si nous aurions la guerre ou non. Et dans son agitation, on questionnait à son tour, et on parlait et bavardait et discutait, tout en sachant parfaitement bien que toutes les connaissances, toute l'expérience, toute la prévoyance qu'on avait accumulées et qu'on s'était inculquées au cours des années étaient sans valeur en regard de la décision de cette douzaine d'inconnus, que, pour la seconde fois en vingt-cinq ans, on se retrouvait sans force et sans volonté devant le destin, et que des pensées sans signification battaient dans les tempes douloureuses. A la fin, je ne supportai plus la grande ville parce qu'à chaque coin de rue les « *posters* », les affiches vous assaillaient avec leurs mots imprimés en couleurs criardes comme des chiens hargneux, parce que je ne pouvais me défendre de vouloir lire sur le front de chacun, dans le flot des milliers de passants, ce qu'il pensait. Et pourtant nous pensions tous la même chose, nous pensions uniquement au oui ou au non, au rouge et au noir dans ce jeu décisif et dans lequel mon existence, parmi tant d'autres, servait de mise, mon existence tout entière, mes dernières années réservées, les livres que je n'avais pas écrits, tout ce qui avait été jusqu'alors ma tâche et avait donné un sens à ma vie.

Mais la boule irrésolue roulait avec une énervante lenteur, deçà, delà, sur la table de la roulette diplomatique. Deçà, delà, rouge et noir, noir et rouge, espoir et déception, bonnes nouvelles, mauvaises nouvelles et jamais la décisive, la dernière. Oublie, me disais-je. Sauve-toi, réfugie-toi dans ton fourré le plus intime, dans ton travail, là où tu n'es plus que ton propre moi respirant, non pas un citoyen de l'État, non pas l'objet de ce jeu infernal, là où ton peu de bon sens peut encore agir raisonnablement dans un monde devenu fou.

Je ne manquais pas d'une tâche à accomplir. Depuis des années, j'avais accumulé sans trêve les travaux préliminaires en vue d'une grande étude en deux volumes sur Balzac et son œuvre, mais je n'avais jamais eu le courage de me mettre à un ouvrage de si longue haleine. Mon découragement même m'en donna alors le courage. Je me retirai à Bath, à Bath précisément, parce que cette ville, où avaient écrit plusieurs des meilleurs représentants de la glorieuse littérature anglaise, Fielding avant tout, présente aux regards apaisés un reflet plus fidèle et plus éloquent d'un autre siècle, plus pacifique, le XVIIIe, qu'aucune autre ville d'Angleterre. Mais comme le contraste était douloureux entre ce paysage amène, doué d'une suave beauté, et l'agitation croissante qui régnait dans le monde et dans mes pensées ! Ce mois d'août en Angleterre était d'une magnificence aussi provocante qu'en 1914 le plus beau des juillets que je puisse me rappeler avoir vus en Autriche. De nouveau ce ciel tendu de molle soie bleue, comme une tente de paix dressée par Dieu, de nouveau cette douce lumière du soleil sur les prairies et les forêts, et puis l'indescriptible splendeur des fleurs — la même grande paix sur la terre, tandis que les hommes s'armaient pour la guerre. La folie semblait tout aussi invraisemblable qu'autrefois devant ces paisibles, durables et abondantes floraisons, ce repos qui respirait en jouissant de lui-même dans les vallées de Bath, qui, par leur douceur, me faisaient souvenir en secret du paysage de Bade en 1914.

Et cette fois encore je ne voulais pas le croire. De nouveau je faisais mes préparatifs en vue d'un voyage estival. Le congrès du PEN-Club devait avoir lieu à Stockholm dans la première semaine de septembre 1939, et les camarades suédois m'avaient invité en qualité de convive honoraire puisque, être amphibie, je ne pouvais plus représenter aucune nation ; pour midi, pour le soir, toutes mes heures de ces semaines à venir étaient déjà réglées d'avance par mes aimables hôtes. Depuis longtemps j'avais commandé ma place sur le bateau quand les nouvelles alarmantes d'une mobilisation prochaine se mirent à se bousculer avec une affolante rapidité. Selon toutes les lois de la raison, j'aurais dû maintenant me hâter d'emballer mes livres, mes manuscrits et de quitter l'Angleterre comme un pays belligérant possible, car j'étais étranger en Angleterre, et en cas de guerre je serais considéré aussitôt comme un ressortissant d'un pays ennemi, et menacé de voir toutes mes libertés restreintes. Mais quelque chose d'inexplicable en moi m'empêchait de chercher le salut dans la fuite. Pour une part, c'était une sorte d'entêtement à ne point vouloir fuir sans cesse puisque aussi bien le mauvais sort me poursuivait partout, et pour une autre, aussi, c'était déjà de la lassitude. « Faisons face au temps comme il vient et change », me disais-je avec Shakespeare. S'il veut s'emparer de toi, ne te défends pas plus longtemps contre lui, à près de soixante ans. Le meilleur de tes biens, la vie que tu as vécue, il n'est plus en mesure d'y porter la main. Je restai donc. Je voulais quand même essayer de mettre d'abord en ordre autant qu'il se pouvait mon existence bourgeoise tout extérieure, et comme j'avais l'intention de contracter un second mariage, ne pas perdre un instant, afin de ne pas être séparé pour longtemps de la future compagne de ma vie par un internement ou d'autres mesures imprévisibles. Je me rendis donc un matin — c'était le premier septembre, un vendredi — à l'état civil de Bath pour annoncer mon mariage. L'employé prit nos papiers, se montra extrêmement aimable et plein de zèle. Il comprit, comme n'importe qui dans ce temps-là, notre vœu de voir les choses aller très vite. La célébration du mariage devait être fixée au lendemain ; il prit sa plume et se mit à écrire nos noms dans son livre en belles lettres rondes.

A cet instant — il devait être onze heures environ — la porte de la pièce voisine s'ouvrit brusquement. Un jeune employé se précipita à l'intérieur, endossant son habit tout en marchant. « Les Allemands ont envahi la Pologne, s'écria-t-il dans la pièce silencieuse. C'est la guerre ! » Le mot tomba comme un coup de marteau sur mon cœur. Mais le cœur de notre génération est déjà habitué à toutes sortes de coups violents. « Ce n'est pas encore nécessairement la guerre », dis-je avec une sincère conviction. Mais l'employé était exaspéré. « Non, criat-il avec violence, nous en avons assez ! On ne peut pas laisser cela recommencer tous les six mois ! A présent, il faut qu'on en finisse ! »

Cependant l'autre employé, qui avait commencé à rédiger notre acte de mariage, avait posé sa plume d'un air pensif. Il réfléchit qu'après tout nous étions étrangers et qu'en cas de guerre nous deviendrions automatiquement des étrangers ennemis. Il ne savait pas si la conclusion d'un mariage pouvait encore être autorisée en pareil cas. Il regrettait, mais il voulait en tout cas demander des instructions à Londres. Suivirent encore deux jours d'attente, d'espoir, de crainte, deux jours de la plus affreuse tension. Le dimanche matin, la radio annonçait la nouvelle que l'Angleterre avait déclaré la guerre à l'Allemagne.

*

C'était une singulière matinée. On s'écartait, muet, de la radio qui avait jeté dans la chambre un message qui devait survivre aux siècles, un message destiné à transformer complètement le monde et la vie de chacun de nous. Un message qui portait en lui la mort de milliers d'entre ceux qui l'avaient écouté en silence, le deuil et le malheur, le désespoir et les alarmes pour nous tous, et peut-être, après de longues années seulement, un sens créateur. C'était de nouveau la guerre, une guerre plus terrible et plus étendue que jamais guerre ne l'avait été sur la terre. Une fois encore, une ère était révolue, une fois encore commençait une ère nouvelle. Debout dans la chambre devenue tout à coup extraordinairement silencieuse, nous nous taisions et nous évitions de nous regarder. De l'extérieur nous parvenait le gazouillis insouciant des oiseaux qui, dans leurs libres jeux amoureux, se laissaient porter par le vent tiède, et les arbres se balançaient dans la lumière dorée comme si leurs feuilles aspiraient à se toucher tendrement, telles des lèvres. Une fois encore, elle ne savait rien, la vieille mère nature, des soucis de ses créatures.

Je passai dans ma chambre et serrai mes effets dans une petite malle. Si les prédictions d'un de mes amis, qui occupait une situation élevée, se confirmaient, les Autrichiens en Angleterre seraient assimilés aux Allemands et devaient s'attendre aux mêmes restrictions de leur liberté ; peut-être ne me serait-il plus permis de dormir dans mon lit ce soir-là. De nouveau, j'avais chu d'un degré, depuis une heure je n'étais plus seulement un étranger dans ce pays, mais un *ennemy alien,* un étranger ennemi ; brutalement banni et rejeté vers un lieu pour lequel ne battait pas mon cœur palpitant. Pouvait-on imaginer en effet situation plus absurde ? Un homme repoussé depuis longtemps d'une Allemagne qui l'avait stigmatisé comme anti-allemand en raison de sa race et de sa manière de penser était forcé d'adhérer, dans un autre pays, en vertu d'un décret de bureaucrates, à une communauté à laquelle, en sa qualité d'Autrichien, il n'avait jamais appartenu. D'un trait de plume on avait transformé le sens de toute une vie en un non-sens ; j'écrivais, je pensais toujours en langue allemande, mais chaque pensée, chaque vœu que je formais appartenaient aux pays qui étaient sous les armes pour la liberté du monde. Tout autre lien, tout ce qui avait été, tout ce qui avait existé, était déchiré et brisé, et je savais que tout, après cette guerre, serait nécessairement, une fois encore, un recommencement. Car ma tâche la plus intime, à laquelle j'avais consacré pendant quarante ans toute la force de ma conviction, la fédération pacifique de l'Europe, était anéantie. Ce que j'avais craint plus que ma propre mort, la guerre de tous contre tous, se déchaînait à présent pour la seconde fois. Et en cette heure qui réclamait plus qu'aucune autre une inviolable solidarité, celui qui avait travaillé passionnément toute une vie à l'union des hommes et des esprits se sentait plus inutile et seul que jamais du fait de ce soudain ostracisme dont on le frappait.

Une fois encore, afin de jeter un dernier regard à la paix, je descendis en ville. Elle reposait tranquillement dans la lumière de midi et ne me sembla pas différente de ce qu'elle avait toujours été. Les gens allaient leur chemin ordinaire de leur pas ordinaire. Ils ne se pressaient pas, ils ne s'assemblaient pas pour bavarder. Leur tenue était dominicale, calme et paisible, et un instant je me demandai : « Est-ce qu'après tout ils ne le savent pas encore ? » Mais c'étaient des Anglais, exercés à dompter leurs émotions. Ils n'avaient pas besoin de drapeaux et de trompettes, de bruit et de musique pour s'affermir dans leur résolution opiniâtre et exempte de pathétique. Comme tout avait été différent lors de ces journées de juillet en Autriche, mais comme j'étais moi-même différent du jeune homme inexpérimenté d'alors, comme j'étais chargé de souvenirs ! Je savais ce qu'était la guerre, et en considérant les magasins rutilants et remplis de marchandises je revis, je revoyais en une vision brutale ceux de 1918, vides et déserts, qui vous fixaient comme avec des yeux grands ouverts. Je revis comme en un rêve éveillé les longues files de femmes au visage tiré devant les magasins d'alimentation, les mères en deuil, les blessés, les estropiés ; toute cette puissante horreur d'autrefois reparaissait comme un spectre dans la radieuse lumière de midi. Je me souvenais de nos vieux soldats harassés et en haillons, tels qu'ils étaient revenus du front ; mon cœur palpitant sentait toute la guerre passée dans celle qui commençait ce jour-là et qui dérobait encore aux regards ce qu'elle avait d'épouvantable. Et je savais que de nouveau tout le passé était bien passé, que tout ce qui avait été fait était réduit à néant — l'Europe, notre patrie, pour laquelle nous avions vécu, était détruite pour un temps qui s'étendrait bien au-delà de notre vie.

Le soleil brillait, vif et plein. Comme je m'en retournais, je remarquai soudain mon ombre devant moi, comme j'avais vu l'ombre de l'autre guerre derrière la guerre actuelle. Elle ne m'a plus quitté depuis lors, cette ombre de la guerre, elle a voilé de deuil chacune de mes pensées, de jour et de nuit ; peut-être sa sombre silhouette apparaît-elle aussi dans bien des pages de ce livre. Mais toute ombre, en dernier lieu, est pourtant aussi fille de la lumière et seul celui qui a connu la clarté et les ténèbres, la guerre et la paix, la grandeur et la décadence a vraiment vécu.

TABLE

Cet ouvrage a été imprimé en France par

BUSSIÈRE

à Saint-Amand-Montrond (Cher)
en octobre 2010

N° d'édition : 2959/23 – N° d'impression : 103092/1
Dépôt légal : janvier 1993
Suite du 1er tirage